Von Ken Follett sind bei Bastei Lübbe Taschenbücher erschienen:

Über den Autor:

Ken Follett, geboren 1949, war siebenundzwanzig, als er den Thriller *Die Nadel* schrieb. Seitdem hat er zahlreiche weitere Bestseller geschrieben. *Die Säulen der Erde* wurde in einer Umfrage des ZDF nach *Der Herr der Ringe* und der Bibel zu einem der beliebtesten Bücher der Deutschen gewählt. Für *Die Leopardin* wurde er mit dem Leserpreis »Corine« ausgezeichnet. Ken Follett lebt wahlweise in Chelsea, London, und in Stevenage, Hertfortshire, dem Wahlkreis seiner Frau Barbara, die als Labour-Abgeordnete dem britischen Unterhaus angehört.

Ken Follett

Eisfieber

Roman

Ins Deutsche übertragen von
Till R. Lohmeyer und Christel Rost

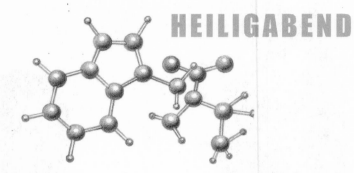

HEILIGABEND

Zwei müde Männer sahen Antonia Gallo mit feindseligen, ja hasserfüllten Blicken an. Sie wollten nach Hause, aber das ließ Antonia nicht zu. Beiden war klar, dass sie Recht hatte – und das machte die ganze Sache noch schlimmer.

Alle drei befanden sich im Personalbüro der Pharmafirma Oxenford Medical, eines kleinen, aber feinen Unternehmens, das im Börsenjargon »Boutique Company« genannt wurde. Antonia – Rufname Toni – war Abteilungsleiterin und Sicherheitsbeauftragte. Bei Oxenford Medical wurden Viren erforscht, die unter Umständen tödlich sein konnten. Sicherheit war daher eine todernste Angelegenheit.

Bei einer unangemeldeten Bestandskontrolle hatte Toni festgestellt, dass zwei Proben aus einer Experimentierreihe fehlten – und das war eine schlimme Sache: Die Substanz, ein Reagens mit antiviraler Wirkung, unterlag größter Geheimhaltung, und die dazugehörige Formel war unbezahlbar. Gut möglich, dass die Proben mit der Absicht gestohlen worden waren, sie an eine Konkurrenzfirma zu verkaufen. Die dunklen Ringe um Tonis grüne Augen und der Ausdruck finsterer Betroffenheit in ihrem sommersprossigen Gesicht hatten jedoch eine andere Ursache. Es gab nämlich noch eine weitere Möglichkeit, und die war ungleich prekärer: Womöglich hatte der Dieb die Proben gestohlen, weil er sie für sich selber brauchte. Dafür aber gab es nur einen einzigen plausiblen Grund: Irgendjemand hatte sich mit tödlichen Viren infiziert, mit denen in den Labors von Oxenford Medical gearbeitet wurde.

Die Labors befanden sich in einem riesigen Gebäude aus dem

neunzehnten Jahrhundert, das einst als schottisches Ferienhaus für einen viktorianischen Millionär errichtet worden war. Weil es sich hinter zwei Zaunreihen aus NATO-Draht verbarg, die Eingänge von uniformierten Wachposten kontrolliert wurden und auch die elektronischen Sicherheitsvorkehrungen stets dem neuesten Stand entsprachen, hieß es im Volksmund »der Kreml«. Dabei sah es mit seinen Spitzbögen, den Türmchen und den zahlreichen Wasserspeiern, die das Dach säumten, eigentlich eher wie eine Kirche aus.

Das Personalbüro war in einem Raum untergebracht, der einst als Schlafgemach gedient hatte. Die Fenster mit den Spitzbögen und die Faltwerk-Paneele stammten noch aus den Zeiten der ehemaligen Besitzer, doch deren Kleiderschränke waren inzwischen durch Aktenschränke ersetzt worden, und dort, wo sich einst Kristallfläschchen und Haarbürsten mit Silbergriffen gegenseitig den Platz auf der Frisierkommode streitig gemacht hatten, standen nun Computer und Telefone auf Büroschreibtischen.

Toni und die beiden Männer waren damit beschäftigt, alle Mitarbeiter anzurufen, die zum Betreten der Hochsicherheitslabors berechtigt waren. Es gab vier Sicherheitsstufen, so genannte *Bio Safety Levels*. In der höchsten, BSL-4, arbeiteten die Wissenschaftler mit Viren, gegen die es keinen Impfschutz und keinerlei Gegenmittel gab, und mussten daher Schutzkleidung tragen, die an die Raumanzüge von Astronauten erinnerte. BSL-4 war naturgemäß die am besten gesicherte Abteilung im Hause, daher waren die verschwundenen Proben auch dort gelagert gewesen.

Nur ein kleiner Kreis von Mitarbeitern hatte zum BSL-4-Labor Zugang. Selbst für die Wartungscrew der Luftfilter und Autoklaven war ein spezielles Sicherheitstraining für biologische Störfälle unbedingte Voraussetzung. Auch Toni hatte sich dieser Ausbildung unterzogen, damit sie jederzeit die Sicherheitsvorkehrungen innerhalb des Labors überprüfen konnte.

Insgesamt waren nur siebenundzwanzig der achtzig Firmenangehörigen berechtigt, das Hochsicherheitslabor zu betreten, doch viele von ihnen hatten sich schon für die Weihnachtsfeiertage verabschiedet, und der Montag war bereits zum Dienstag geworden, als die drei für die Klärung des Falles Verantwortlichen endlich auch den Letzten von ihnen aufspürten.

Toni fragte sich bis in ein Feriencamp namens Le Club Beach auf Barbados durch, erwischte dort den Assistenten der Geschäftsleitung und überredete ihn mit Engelszungen, eine junge chemisch-technische Laborantin namens Jenny Crawford ausfindig zu machen und ans Telefon zu holen.

Während sie wartete, betrachtete Toni ihr Spiegelbild im Fenster. Dafür, dass es schon so spät war, hielt sie sich ganz gut. Ihr schokoladenbrauner Anzug mit Kreidestreifen wirkte immer noch geschäftsmäßig, ihr volles Haar nach wie vor gepflegt, und auch ihrem Gesicht war die Müdigkeit kaum anzusehen. Ihr Vater war Spanier gewesen, doch sie hatte die blasse Haut und das rotblonde Haar ihrer Mutter geerbt. Sie war groß gewachsen und sportlich fit. Nicht schlecht für eine Achtunddreißigjährige, dachte sie.

Endlich meldete sich Jenny Crawfords Stimme am Telefon. »Das muss doch mitten in der Nacht sein bei euch!«, sagte sie.

»Wir haben einen Fehlbestand im BSL-4«, erklärte Toni.

Jenny war ein wenig beschwipst. »Das kommt doch immer wieder mal vor«, sagte sie ohne erkennbare Beunruhigung. »Und bisher hat noch nie jemand ein großes Drama gemacht.«

»Ja, weil es bisher nicht *mein* Job war«, erwiderte Toni gereizt. »Wann waren Sie das letzte Mal im BSL-4?«

»Am Dienstag, glaub ich. Aber das muss Ihnen doch eigentlich der Computer sagen, oder?«

Doch, dachte Toni, aber ich möchte wissen, ob Jennys Aussage mit den Computerdaten übereinstimmt ... »Und wann waren Sie zum letzten Mal am Tresor?« Der so genannte Tresor war ein verschlossener Kühlschrank innerhalb des Labors.

Jennys Tonfall verriet, dass ihr die Befragung allmählich auf die Nerven ging. »Das weiß ich nicht mehr genau, aber das wird doch alles aufgezeichnet.« Das Touchpad-Kombinationsschloss des Tresors aktivierte eine Videokamera, die so lange lief, wie die Tür geöffnet war.

»Erinnern Sie sich daran, wann Sie das letzte Mal mit *Madoba-2* zu tun hatten?« *Madoba-2* war das Virus, mit dem die Wissenschaftler gegenwärtig arbeiteten.

Jenny erschrak. »Au, verdammt – gehört die fehlende Probe etwa dazu?«

»Nein. Trotzdem …«

»Ich hab, glaube ich, niemals konkret mit einem echten Virus zu tun gehabt. Meistens arbeite ich im Labor für Gewebekulturen.«

Das stimmte mit den Informationen überein, die Toni vorliegen hatte. »Ist Ihnen vielleicht aufgefallen, dass sich ein Kollege oder eine Kollegin in den letzten Wochen ungewöhnlich benommen oder dass sich sein oder ihr Verhalten plötzlich geändert hat?«

»Das klingt ja wie ein Verhör«, protestierte Jenny.

»Mag sein. Trotzdem …«

»Nein, mir ist nichts dergleichen aufgefallen.«

»Eine Frage noch: Haben Sie Fieber oder erhöhte Temperatur?«

»Verdammt noch mal, soll das etwa heißen, ich könnte *Madoba-2* haben?«

»Sind Sie erkältet?«

»Nein!«

»Dann ist alles in Ordnung. Sie haben das Land vor elf Tagen verlassen – wenn irgendwas nicht stimmen würde, hätten Sie inzwischen grippeartige Symptome. Ich danke Ihnen, Jenny. Vermutlich handelt es sich bloß um einen Irrtum im Protokollbuch. Trotzdem müssen wir der Sache nachgehen.«

»Mir haben Sie jedenfalls die Nacht gründlich verdorben«, erwiderte Jenny und beendete das Gespräch.

»Pech für dich«, sagte Toni in die tote Leitung, legte den Hörer auf und fügte hinzu: »Jenny Crawford scheidet aus. Dumme Kuh, aber ehrlich.«

Howard McAlpine war der Leiter des Labors. Sein buschiger grauer Bart zog sich über die Wangenknochen hinauf, sodass die Haut um seine Augen herum wie eine rosa Maske wirkte. McAlpine war ein sorgfältiger Mann, aber kein Pedant. Toni arbeitete normalerweise recht gern mit ihm zusammen, doch diesmal war er alles andere als gut gelaunt. Er lehnte sich in seinem Sessel zurück und verschränkte die

Hände hinter dem Kopf. »Sie können doch mit an Sicherheit grenzender Wahrscheinlichkeit davon ausgehen, dass das Material, für das Ihnen der Nachweis fehlt, von einer dazu berechtigten Person benutzt wurde, die lediglich vergessen hat, die Entnahme ins Protokollbuch einzutragen.« Seine Stimme klang gereizt, denn er hatte dieses Argument bereits zwei Mal vorgebracht.

»Ich hoffe, Sie haben Recht«, erwiderte Toni unverbindlich, erhob sich und trat ans Fenster. Vom Personalbüro aus konnte man den Anbau sehen, in dem das BSL-4-Labor untergebracht war. Mit seinen verschnörkelten Schornsteinen und einem Uhrturm fügte er sich nahtlos ins Gesamtbild des Kremls ein, sodass es einem Fremden aus der Entfernung sicher nicht leicht gefallen wäre zu sagen, wo genau in dem ganzen Komplex sich das Hochsicherheitslabor befand. Aber die Fenster mit den hohen Bögen waren mit Milchglas versehen, die Eichentüren mit ihrem Schnitzwerk ließen sich nicht öffnen, und aus den monströsen Köpfen der Wasserspeier spähten einäugig Videokameras herab. Der Anbau war ein einstöckiger Betonkasten in viktorianischer Verkleidung. Die Labors nahmen das gesamte Erdgeschoss ein. Außer den Arbeitsplätzen für die Forscher und den Vorratsräumen gab es eine intensivmedizinische Quarantänestation für Personen, die sich mit einem gefährlichen Virus infiziert hatten. Bisher war sie allerdings noch nie in Anspruch genommen worden. Im ersten Stock waren die Luftfilteranlagen untergebracht, und im Keller eine komplizierte Anlage für die Sterilisierung aller Abfallstoffe, die in den Labors anfielen. Außer den Menschen blieb dort unten nichts am Leben.

»Wir haben eine ganze Menge aus dieser Geschichte gelernt«, sagte Toni in einem um Versöhnung bemühten Tonfall. Ihr war bewusst geworden, dass sie sich in einer nicht unkritischen Lage befand, denn die beiden Herren in den Fünfzigern bekleideten von Rang und Alter her höhere Positionen als sie. Obwohl Toni nicht berechtigt war, ihnen Anweisungen zu erteilen, hatte sie darauf bestanden, dass das Verschwinden der Proben als Krisenfall eingestuft wurde. Zwar mochten die beiden sie durchaus, doch mit ihrem Verhalten strapazierte sie deren guten Willen bis zur Belastungsgrenze. Dennoch hatte sie das Gefühl, dass ihre Vorgehensweise notwendig war und sie gar nicht anders handeln konnte: Die öffentliche Sicherheit, das Ansehen der Firma und ihre eigene Karriere standen auf dem Spiel.

»Künftig muss jeder, der Zugang zum BSL-4 hat, rund um die Uhr telefonisch erreichbar sein, wo immer er sich aufhält«, forderte sie. »Das kann, wenn Gefahr im Verzug ist, entscheidend sein. Außerdem müssen wir die Protokollbücher öfter als einmal im Jahr kontrollieren.«

McAlpine räusperte sich. Die Bestandsverzeichnisse fielen in seine Zuständigkeit als Labordirektor, und der wahre Grund für seine schlechte Laune lag darin, dass Toni und nicht er selbst den Fehlbestand entdeckt hatte. Ihre Sorgfalt warf ein schlechtes Licht auf ihn.

Sie wandte sich an den anderen Mann, James Elliot. Er war der Personalchef. »Sind wir mit der Liste durch, James?«, fragte sie ihn.

Elliot sah von seinem Computermonitor auf. Er war gekleidet wie ein Börsenmakler, in Nadelstreifen und gepunkteter Krawatte, als lege er Wert darauf, sich deutlich von den Wissenschaftlern abzuheben, die lieber in Tweedanzügen herumliefen. Die Sicherheitsvorschriften schien er für lästige bürokratische Kleinkrämerei zu halten, was daran liegen mochte, dass er selber niemals direkt mit Viren zu tun gehabt hatte. Toni hielt ihn für eingebildet und dumm.

»Wir haben mit sechsundzwanzig von siebenundzwanzig Mitarbeitern gesprochen, die zum BSL-4 Zugang haben«, sagte er mit übertriebener Deutlichkeit und klang dabei wie ein müder Lehrer, der dem dümmsten Schüler der Klasse etwas erklären will. »Alle sechsundzwanzig haben wahrheitsgemäß geantwortet, als wir sie fragten, wann sie zum letzten Mal im Labor waren und den Tresor geöffnet haben. Keinem von ihnen ist aufgefallen, dass sich ein Kollege oder eine Kollegin merkwürdig verhielt. Und Fieber hat auch keiner.«

»Wer ist der Siebenundzwanzigste?«

»Michael Ross, ein Laborant.«

»Ich kenne ihn«, sagte Toni. Er war ungefähr zehn Jahre jünger als sie, ein schüchterner, intelligenter Mann. »Ich war sogar schon einmal bei ihm. Er hat ein Haus im Grünen, etwa fünfundzwanzig Kilometer von hier.«

»Er arbeitet seit acht Jahren für uns und ist noch niemals negativ aufgefallen.« McAlpine fuhr mit dem Finger über einen Computerausdruck und ergänzte: »Sonntag vor drei Wochen war er zum letzten Mal im Labor. Es ging um eine Routineüberprüfung der Versuchstiere.«

»Und was hat er seitdem getan?«

»Er hatte Urlaub.«

»Wie lange? Drei Wochen?«

»Er hätte heute zurückkommen müssen«, meinte Elliot und warf einen Blick auf seine Armbanduhr. »Oder nein, gestern. Am Montagmorgen. Aber er ist nicht aufgetaucht.«

»Hat er sich krank gemeldet?«

»Nein.«

Toni zog die Brauen hoch. »Und er ist nicht erreichbar?«

»Bisher nicht. Er meldet sich weder unter seiner Privat- noch unter seiner Handynummer.«

»Kommt Ihnen das nicht seltsam vor?«

»Dass ein unverheirateter junger Mann seinen Urlaub eigenmächtig verlängert, ohne sich beim Arbeitgeber abzumelden? Das ist allenfalls so seltsam wie ein Regenschauer im schottischen Hochland.«

Toni wandte sich wieder an McAlpine. »Aber Sie sagten doch, dass er als zuverlässig gilt.«

Der Direktor machte aus seiner Betroffenheit keinen Hehl. »Er ist sehr gewissenhaft. Unentschuldigtes Fehlen würde mich bei ihm sehr wundern.«

»Welcher Kollege ist das letzte Mal bei ihm gewesen?«, fragte Toni. Dass Michael nicht allein im Labor gewesen sein konnte, lag an der »Zwei-Personen-Regel«: Wegen des hohen Risikos war es niemandem gestattet, allein im BSL-4 zu arbeiten.

McAlpine überprüfte die Liste. »Dr. Ansari.«

»Den kenne ich nicht, glaube ich.«

»Die. Es ist eine Frau. Dr. Monica Ansari, eine Biochemikerin.«

Toni griff zum Telefon. »Nummer?«

Monica Ansari sprach schottischen, genauer gesagt Edinburgher Dialekt und klang, als habe man sie aus dem Tiefschlaf geweckt. »Howard McAlpine hat mich vorhin schon angerufen«, sagte sie.

»Tut mir Leid, dass ich Sie noch einmal behelligen muss.«

»Ist was passiert?«

»Es geht um Michael Ross. Wir können ihn nicht erreichen und wissen nicht, wo er steckt. Wenn ich richtig informiert bin, waren Sie am Sonntag vor drei Wochen mit ihm im BSL-4.«

»Ja, das stimmt ... Augenblick, ich muss erst mal Licht machen ...« Nach kurzer Pause fuhr sie fort: »Drei Wochen ist das schon her?«

»Michael ist am nächsten Tag in Urlaub gefahren«, fügte Toni in drängendem Ton hinzu.

»Er wollte zu seiner Mutter in Devon. Hat er mir jedenfalls erzählt.«

Plötzlich fiel es ihr ein: Toni erinnerte sich, warum sie Michael damals in seinem Haus besucht hatte. Vor etwa einem halben Jahr hatten sie sich in der Kantine unterhalten, und Toni hatte dabei zufällig erwähnt, wie sehr ihr Rembrandts Bildnisse von alten Frauen gefielen, all die mit großer Liebe und Sorgfalt gemalten Runzeln und Falten. »Daran lässt sich ersehen, wie sehr Rembrandt seine Mutter geliebt haben muss«, hatte sie damals gesagt – und bei Michael offene Türen eingerannt. Er habe eine ganze Sammlung von Rembrandt-Radierungen daheim, hatte er gesagt, ausgeschnitten aus Kunstzeitschriften und Auktionskatalogen. Sie waren dann nach der Arbeit zu ihm gefahren und hatten sich die Bilder angesehen – lauter Porträts von alten Frauen in geschmackvollen Rahmen, die eine ganze Wand in Michaels kleinem Wohnzimmer bedeckten. Hoffentlich bittet er mich nicht, mit ihm auszugehen, hatte Toni damals gedacht – sie mochte ihn ja, aber eben nicht *so*. Zu ihrer großen Erleichterung war ihr eine entsprechende Frage erspart geblieben. Michael hatte offenbar wirklich nichts anderes im Sinn, als ihr voller Stolz seine Sammlung zu präsentieren. Ein Mamakind, hatte sie damals gedacht.

»Das ist ein guter Tipp«, sagte sie jetzt zu Monica. »Bleiben Sie dran, ja?« Toni wandte sich an James Elliot. »Haben wir die Anschrift und die Telefonnummer seiner Mutter gespeichert?«

Elliot bewegte seine Maus und klickte etwas an. »Ja, sie ist als nächste Verwandte registriert.« Er nahm den Telefonhörer ab.

Toni wandte sich wieder an Monica. »Hat Michael an jenem Nachmittag normal gewirkt?«

»Vollkommen.«

»Haben Sie das BSL-4 gemeinsam betreten?«

»Ja. Aber dann haben wir uns natürlich in getrennten Umkleidekabinen umgezogen.«

»Als Sie dann ins eigentliche Labor kamen – war er da schon dort?«

»Ich glaube, ja. Ja, er hatte sich schneller umgezogen als ich.«

»Haben Sie Seite an Seite gearbeitet?«

»Nein. Ich war in einem Nebenraum und habe mich mit Gewebekulturen beschäftigt. Michael hat sich um die Versuchstiere gekümmert.«

»Haben Sie das Labor gleichzeitig mit ihm verlassen?«

»Er ging ein paar Minuten vor mir raus.«

»So, wie es klingt, hätte er leicht an den Tresor gehen können, ohne dass Sie etwas davon bemerkt hätten.«

»Ohne weiteres, ja.«

»Was haben Sie für einen Eindruck von Michael?«

»Der ist in Ordnung ... harmlos, würde ich sagen.«

»Ja, das beschreibt ihn ganz gut. Wissen Sie, ob er eine Freundin hat?«

»Soviel ich weiß, nein.«

»Finden Sie ihn attraktiv?«

»Hübscher Kerl, aber nicht sexy.«

Toni lächelte. »Genau! Gibt es sonst irgendwelche Merkwürdigkeiten oder Besonderheiten, die Ihnen an ihm aufgefallen wären?«

»Nein.«

Toni glaubte ein gewisses Zögern in Monicas Stimme zu hören und sagte nichts, um ihrer Gesprächspartnerin Zeit zum Nachdenken zu geben. Neben ihr telefonierte Elliot mit irgendjemandem und bat darum, mit Michael Ross oder seiner Mutter sprechen zu können.

Monica meldete sich wieder zu Wort. »Also, ich meine, bloß deshalb, weil jemand allein lebt, ist er ja noch nicht verrückt, oder?«

Neben Toni sagte Elliot: »Sehr seltsam, ja. Bitte entschuldigen Sie, dass ich Sie so spät in der Nacht noch belästigt habe.«

Die Gesprächsfetzen, die sie von nebenan mitbekam, erregten

Tonis Neugier. Sie sagte: »Nochmals vielen Dank, Monica. Ich hoffe, Sie können wieder einschlafen.«

»Mein Mann ist Arzt«, erwiderte Monica. »Wir sind daran gewöhnt, mitten in der Nacht angerufen zu werden.«

Toni legte auf. »Michael Ross hatte genug Zeit, den Tresor zu öffnen«, sagte sie. »Außerdem lebt er allein.« Sie sah Elliot an. »Haben Sie seine Mutter erreicht?«

»Es war ein Altenheim«, sagte Elliot, und man sah ihm an, dass ihm der Schreck noch in den Knochen steckte. »Mrs. Ross ist im vergangenen Winter gestorben.«

»Au, verflucht«, sagte Toni.

Die Türme und Giebel des Kremls waren taghell erleuchtet. Aus Sicherheitsgründen wurde der gesamte Komplex nachts von starken Scheinwerfern angestrahlt. Die Außentemperatur betrug minus 5 Grad Celsius, doch der Himmel war klar und es lag kein Schnee. Dem Gebäudekomplex gegenüber breitete sich ein viktorianischer Garten mit alten Bäumen und Sträuchern aus. Ein drei viertel voller Mond warf graues Licht auf nackte Nymphen, die sich, von steinernen Drachen bewacht, in wasserlosen Brunnen tummelten.

Plötzlich erschütterte Motorengedröhn die nächtliche Stille. Zwei Lieferwagen, die mit vier durchbrochenen schwarzen Kreisen auf leuchtend gelbem Grund, dem internationalen Symbol für Biogefährdungen, gekennzeichnet waren, verließen die Garage. Die Torwache hatte die Schranke an der Einfahrt bereits geöffnet. Mit halsbrecherischer Geschwindigkeit rollten die beiden Fahrzeuge auf die Straße hinaus und fuhren in südlicher Richtung davon.

Den ersten Wagen steuerte Toni Gallo, und sie fuhr ihn wie ihren Porsche. Sie beanspruchte die gesamte Breite der Fahrbahn für sich, jagte den Motor auf Hochtouren und nahm die Kurven mit atemberaubender Geschwindigkeit, denn sie fürchtete, zu spät zu kommen. Bei ihr im Wagen saßen drei erfahrene Dekontaminations-Experten. Das zweite Fahrzeug war eine mobile Quarantänestation mit einem Sanitäter am Steuer und Dr. Ruth Solomons, einer Ärztin, auf dem Beifahrersitz.

Toni hatte Angst, sie könne mit ihrem Verdacht Unrecht haben. Doch die Vorstellung, sie könne Recht behalten, erweckte reinstes Entsetzen in ihr.

Auf einen bloßen Verdacht hin hatte sie Alarmstufe »Rot« ausgelöst. Dabei war es durchaus möglich, dass Howard McAlpines Vermutung stimmte: Irgendein Forscher hatte die Probe völlig legal benutzt und nur den entsprechenden Entnahmevermerk im Protokollbuch vergessen. Genauso gut war es möglich, dass Michael Ross seinen Urlaub eigenmächtig um ein paar Tage verlängert hatte und dass es sich bei der Geschichte mit seiner Mutter um ein Missverständnis handelte. In all diesen Fällen wäre Tonis Vorgehen eine maßlose Überreaktion – typisch weibliche Hysterie eben, wie James Elliot süffisant bemerken würde. Kann schon sein, dass Michael Ross friedlich schlummernd in seinem Bett liegt und sein Telefon abgestellt hat, dachte Toni und zuckte bei dem Gedanken, wie sie das am kommenden Vormittag ihrem Chef Stanley Oxenford erklären sollte, unwillkürlich zusammen.

Andererseits: Sollte sie mit ihren Befürchtungen am Ende doch Recht behalten, so wäre alles noch viel, viel schlimmer.

Ein Angestellter blieb unentschuldigt dem Arbeitsplatz fern. Er hatte falsche Angaben über sein Reiseziel gemacht, und zwei Proben des neuen Medikaments waren unauffindbar. Hatte Michael Ross etwas getan, wodurch er sich dem Risiko einer tödlichen Infektion aussetzte? Das Medikament befand sich noch in der Erprobungsphase und wirkte keineswegs gegen alle Viren – aber vielleicht dachte Michael, es sei allemal besser als gar nichts. Was immer er im Schilde führte – auf jeden Fall hatte er großen Wert darauf gelegt, dass ihn ein paar Wochen lang niemand in seinem Hause störte, und deshalb vorgegeben, er wolle nach Devon fahren, um dort eine Mutter zu besuchen, die schon lange tot war.

»Bloß deshalb, weil jemand allein lebt, ist er ja noch nicht verrückt, oder?«, hatte Monica Ansari gesagt. Das war eine jener Bemerkungen, mit denen eigentlich das genaue Gegenteil des Gesagten ausgedrückt wurde. Die Biochemikerin hatte gespürt, dass mit Michael etwas nicht stimmte, auch wenn sie als rational denkende Wissenschaftlerin zögerte, sich auf intuitive Eingebungen dieser Art zu verlassen.

Toni war dagegen überzeugt, dass Intuitionen niemals ignoriert werden sollten.

Welche Folgen es haben würde, wenn das *Madoba-2*-Virus tatsächlich auf irgendeine Weise freigesetzt worden wäre, daran wagte Toni Gallo kaum zu denken. Es war hochansteckend und verbreitete sich rasch durch Tröpfcheninfektion, also vor allem durch Husten und Niesen. Und es war absolut tödlich. Sie schauderte bei dem Gedanken daran und trat unwillkürlich das Gaspedal durch bis zum Anschlag.

Da die Straße völlig frei war, dauerte es nur zwanzig Minuten, bis sie das einsam gelegene Haus von Michael Ross erreichte. Die Zufahrt war nicht leicht zu erkennen, doch Toni konnte sich noch gut daran erinnern. Der schmale Weg führte zu einem niedrigen Steinhaus hinter einer Gartenmauer. Nirgendwo brannte ein Licht. Toni hielt neben einem VW Golf, von dem sie annahm, dass er Michael gehörte. Dann drückte sie auf die Hupe. Lang und laut schallte es durch die Nacht.

Nichts geschah. Weder gingen irgendwelche Lichter an, noch öffnete sich ein Fenster oder eine Tür. Toni stellte den Motor ab.

Stille.

Wenn Michael nicht hier war – warum stand sein Wagen dann vor der Tür?

»Volle Montur, bitte, meine Herren«, sagte Toni.

Alle Beteiligten stiegen in ihre orangefarbenen Schutzanzüge, auch die Insassen des zweiten Lieferwagens. Das war gar nicht so einfach: Die Schutzkleidung bestand aus schwerem Kunststoff, der sich nur mühsam biegen oder falten ließ und mit einem luftdichten Reißverschluss zugezogen wurde. Man half sich gegenseitig, die Handschuhe mit Isolierband um die Handgelenke zu binden. Zum Schluss wurden die Plastikfüße in große Gummistiefel gezwängt.

Die Schutzanzüge waren absolut dicht. Die Träger atmeten durch so genannte HEPA-Filter, hochwirksame Luftpartikelfilter mit einem elektrischen Ventilator, der seinen Strom aus mehreren am Gürtel befestigten Batterien bezog. Der Filter hielt sämtliche lungengängige Teilchen fern, die mit Bazillen oder Viren verseucht sein und über die Atemluft aufgenommen werden konnten. Auch die stärksten Gerüche wurden weitgehend ausgefiltert. Das ständige Surren des Ventilators empfanden manche allerdings als nervtötend. Über einen in den Helm eingebauten Kopfhörer und ein Mikrofon konnte man sich auf einer verschlüsselten Frequenz sowohl untereinander als auch mit der Vermittlung im Kreml verständigen.

Als alle ordnungsgemäß ihre Schutzanzüge angelegt hatten, konzentrierte sich Toni wieder auf das Haus. Wer jetzt dort aus dem Fenster schaute, hätte die sieben Personen wahrscheinlich für Aliens aus einem UFO gehalten.

Nur – sofern sich überhaupt jemand in dem Haus aufhielt, so schaute er jedenfalls nicht aus dem Fenster.

»Ich gehe voran«, sagte Toni.

Mit steifen Schritten stakste sie in der unförmigen Plastikverkleidung zur Eingangstür, klingelte und ließ den Türklopfer scheppern.

Als sich nichts rührte, ging sie um das Gebäude herum. Hinter dem Haus lag ein gepflegter Garten mit einem Gartenhäuschen. Toni stellte fest, dass die Hintertür nicht verschlossen war, und betrat das Haus. Es war die Küche; sie erinnerte sich, wie Michael damals bei ihrem Besuch hier Tee gekocht hatte. Rasch durchquerte sie das Haus und schaltete die Lichter ein. Die Rembrandts hingen nach wie vor an der Wand im Wohnzimmer. Das Haus war sauber, ordentlich aufgeräumt – und menschenleer.

»Niemand zu Hause«, ließ sie die anderen über Kopfhörer wissen und merkte selbst, wie bedrückt ihre Stimme klang.

Warum hat er das Haus verlassen, ohne die Türen abzuschließen, fragte sie sich. Vielleicht will er gar nicht mehr zurückkommen …

Die Erkenntnis traf sie wie ein Schlag. Wenn sie Michael angetroffen hätten, so wäre das Rätsel vermutlich schnell gelöst worden. Nun aber mussten sie ihn erst suchen. Er konnte praktisch überall sein, und kein Mensch konnte voraussagen, wann man ihn fand. Die nervtötende, angstvolle Warterei konnte Tage, wenn nicht sogar Wochen dauern – die reinste Horrorvorstellung!

Toni ging wieder hinaus in den Garten. Um nichts unversucht zu lassen, probierte sie die Türklinke am Holzschuppen. Er war ebenfalls unverschlossen, und als Toni die Tür öffnete, nahm sie einen ganz schwachen, unangenehmen, aber doch irgendwie vertrauten Geruch wahr. Er muss verdammt stark sein, dass ich ihn durch den Filter hindurch riechen kann, dachte sie, und im selben Moment erkannte sie ihn: Blut. In dem Gartenhäuschen roch es wie in einem Schlachthaus. »O Gott!«, murmelte sie.

Ruth Solomons, die Ärztin, hörte sie und fragte: »Was ist los?«

»Augenblick!« In der Gartenhütte war es stockdunkel; Fenster gab es keine. Toni tastete nach dem Schalter, fand ihn, knipste das Licht an – und stieß einen Schrei des Entsetzens aus.

Die anderen sprachen alle gleichzeitig und wollten wissen, was passiert war.

»Alles hierher, schnell!«, sagte Toni. »Ins Gartenhäuschen. Ruth zuerst.«

Michael Ross lag mit dem Gesicht nach oben auf dem Boden. Er blutete aus allen Körperöffnungen: aus Augen, Nase, Mund und Ohren. Das Blut bildete kleine Lachen auf den Holzdielen. Toni benötigte keine Ärztin, um zu erkennen, dass Michael an einer massiven multiplen Blutung litt, einem klassischen Symptom von *Madoba-2* und ähnlichen Infektionen. Er war höchstgradig ansteckend, sein Körper eine Zeitbombe voller tödlicher Viren. Aber er lebte. Sein Brustkorb hob und senkte sich, und aus seinem Mund drang ein blubberndes Geräusch. In einer klebrigen Pfütze aus frischem Blut kniend, beugte sich Toni über ihn. »Michael!«, schrie sie, damit er sie durch ihren Plastikhelm hindurch verstehen konnte. »Ich bin's, Toni Gallo aus dem Labor.«

In Michaels blutunterlaufenen Augen blitzte es auf; er hatte sie offenbar erkannt. Er öffnete den Mund und stammelte irgendetwas.

»Was?«, wollte Toni wissen und beugte sich noch näher zu ihm hin.

»Unheilbar«, sagte Michael, bevor er sich übergab. Aus seinem Mund spritzte eine schwarze Flüssigkeit und klatschte gegen Tonis Visier. Sie zuckte zurück und stieß einen Schrei aus, obwohl sie wusste, dass ihr Anzug sie schützte.

Dann wurde sie beiseite geschoben, und Dr. Ruth Solomons beugte sich über den Kranken.

»Der Puls ist sehr schwach«, sagte die Ärztin über den Sprechfunk. Sie öffnete Michaels Mund und fischte mit dem behandschuhten Finger Blut und Erbrochenes aus seinem Hals. »Ich brauche ein Laryngoskop!«, rief sie. »Schnell!« Sekunden später stürzte ein Sanitäter herbei und brachte ihr das gewünschte Instrument. Ruth intubierte Michael und räumte seinen Rachen aus, sodass er wieder besser atmen konnte. »Holt jetzt so schnell wie möglich die Tragbahre aus der Quarantäne-Station!« Sie öffnete ihren Arztkoffer, entnahm ihm eine Spritze, die, wie Toni vermutete, bereits mit Morphium und einem Blutgerinnungsmittel gefüllt war, stach die Injektionsnadel in Michaels Hals und drückte den Kolben herunter. Als sie die Nadel wieder herauszog, blutete die winzige Wunde stark.

Eine Welle des Mitleids und der Trauer überkam Toni. Sie sah Michael in ihrer Erinnerung wieder durch den Kreml schlendern, sah ihn in seinem Haus beim Teetrinken, hörte wieder, wie er voller Begeisterung über die Radierungen sprach. Der Anblick seines so grauenvoll mitgenommenen Körpers machte alles noch tragischer, noch schmerzhafter.

»Okay«, sagte Ruth. »Bringen wir ihn hier raus.«

Zwei Sanitäter hoben Michael auf und schleppten ihn zu einer Bahre, über die sich ein durchsichtiges Plastikzelt wölbte. Sie ließen den Patienten durch eine Schleuse ins Innere des Zelts gleiten und verschlossen die Öffnung sorgfältig. Dann rollten sie die Bahre durch Michaels Garten zurück. Bevor sie jedoch den Krankenwagen betreten durften, mussten sie sich und die Bahre dekontaminieren. Ein Mann aus Tonis Team hatte bereits eine flache Plastikwanne geholt, die aussah wie ein Kinderplanschbecken. Dr. Solomons und die Sanitäter stellten sich der Reihe nach hinein und ließen sich mit einem Desinfektionsmittel absprühen, dass alle Viren zerstörte, indem es ihr Eiweiß oxidierte.

Obwohl sie wusste, dass Michaels Überlebenschancen mit jeder Sekunde Verzögerung geringer wurden, sah Toni der Prozedur wortlos zu. Ihr war nur allzu klar, dass die Dekontaminierungsvorschriften peinlich genau beachtet werden mussten, um weitere Todesfälle zu verhindern. Es traf sie bis ins Mark, dass ein tödliches Virus aus ihrem Labor entwichen war; so etwas war in der Geschichte der Firma Oxenford Medical noch nie geschehen. Und dass sie recht daran getan hatte, um die fehlenden Proben einen solchen Wirbel zu machen, während die Kollegen die Angelegenheit nach Kräften heruntergespielt hatten, war auch nur ein schwacher Trost. Ihre Aufgabe bestand darin, zu verhindern, dass es zu solchen Pannen kam – also hatte sie versagt. Musste deshalb jetzt der arme Michael sterben? Und andere vielleicht auch noch?

Die Sanitäter verfrachteten die Bahre in den Krankenwagen. Dr. Solomons schwang sich hinten in den Kasten, um bei ihrem Patienten zu bleiben. Die Türen wurden zugeworfen, und schon fuhr der Wagen an und verschwand mit aufheulendem Motor in der Nacht.

»Halt mich auf dem Laufenden, Ruth«, sagte Toni. »Du kannst mich über den Helmfunk erreichen.«

Ruths Stimme klang wegen der wachsenden Entfernung schon viel schwächer. »Er ist ins Koma gefallen«, sagte sie und fügte noch etwas hinzu, das Toni kaum mehr verstand. Die Stimme der Ärztin wurde rasch leiser, und kurz darauf war sie überhaupt nicht mehr zu hören.

Toni schüttelte sich, um sich aus ihrer düsteren Erstarrung zu lösen. Es gab genug zu tun. »An die Arbeit«, sagte sie. »Machen wir sauber!«

Einer ihrer Mitarbeiter entrollte ein gelbes Band mit der Aufschrift »Biologischer Unfall – Betreten verboten!« und begann das gesamte Grundstück damit abzusperren – das Haus, den Garten mitsamt der Hütte sowie Michaels Wagen. Glücklicherweise waren keine anderen Häuser betroffen. Hätte Michael in einem Mehrfamilienhaus mit gemeinsamen Lüftungsschächten gelebt, wäre eine Dekontamination schon zu spät gekommen.

Andere Mitarbeiter holten Rollen mit Müllsäcken, Gartensprinkleranlagen, die mit Desinfektionsmitteln gefüllt waren, Kartons voller Reinigungstücher und große, weiße Plastiktonnen herbei. Sämtliche Oberflächen mussten besprüht und abgewischt werden. Lose Gegenstände und Wertsachen wie Schmuck mussten in versiegelten Behältern in den Kreml gebracht und dort in einem Dampfdruck-Autoklaven sterilisiert werden. Alles andere verschwand in doppelten Müllsäcken, um später in der Verbrennungsanlage für medizinische Abfälle unterhalb des BSL-4-Labors entsorgt zu werden.

Toni bat einen der Männer, die schwarze Substanz, die Michael erbrochen hatte, von ihrem Schutzanzug zu wischen und sie abzusprühen. Es kostete sie Überwindung, sich den besudelten Anzug nicht einfach vom Leib zu reißen.

Während die Männer mit den Reinigungsarbeiten beschäftigt waren, sah Toni sich um und versuchte Hinweise auf die Hintergründe des Geschehens zu finden. Wie von ihr befürchtet, hatte Michael die Probe gestohlen, weil er wusste – oder zumindest vermutete –, dass er mit dem *Madoba-2*-Virus infiziert war. Aber wie war es zu dieser Infektion gekommen?

In der Gartenhütte befand sich ein Glasbehälter mit einer Wasserstrahlpumpe zur Erzeugung eines Vakuums wie in einem improvisierten Sicherheitslabor. Während sie sich um Michael kümmerte, hatte sie dieser Einrichtung kaum Beachtung geschenkt, doch jetzt entdeckte sie, dass in dem Behälter ein totes Kaninchen lag. Es sah aus, als sei es an der gleichen Krankheit verendet, mit der Michael sich infiziert hatte. Ob das Tier aus dem Labor stammte?

Neben dem Kadaver stand ein Trinknapf mit der Aufschrift »Joe«. Das war ein wichtiger Hinweis. Wer im Labor arbeitete, gab den Versuchstieren nur selten Namen. Man verhielt sich den künftigen Opfern der Experimente gegenüber freundlich, achtete aber darauf, dass sich keine persönliche Zuneigung zu den Todgeweihten entwickelte. Michael hatte seinem Kaninchen dagegen eine Identität gegeben, es wie ein Haustier behandelt. Hatte er seines Berufs wegen etwa ein schlechtes Gewissen?

Toni verließ die Hütte. Neben der mobilen Quarantänestation hielt gerade ein Streifenwagen der Polizei. Toni hatte damit gerechnet. In Übereinstimmung mit dem von ihr selbst entwickelten Krisenplan hatte der Werkschutz im Kreml nach dem Alarm automatisch die zuständige Polizeiwache in Inverburn informiert, und diese hatte einen Streifenwagen geschickt, um vor Ort zu überprüfen, wie ernst die Lage war.

Bis vor zwei Jahren war Toni selber bei der Polizei gewesen. Es war ihr Beruf, und lange Zeit galt sie sogar als Vorzeigefrau, die rasch Karriere machte und den Medien als Prototyp der modernen, bürgernahen Polizistin präsentiert wurde. Viele sahen in ihr schon die künftige erste Polizeipräsidentin Schottlands. Doch dann hatte sie sich mit ihrem Chef überworfen. Es ging um ein brisantes Thema: Rassismus in der Truppe. Der Chef meinte, es handele sich um bedauerliche Einzelfälle, nicht um ein allgemeines Problem. Toni hielt dagegen, dass Polizisten rassistische Übergriffe routinemäßig vertuschten – und damit sei das »Problem« die Regel und nicht die Ausnahme. Die Presse hatte von der Auseinandersetzung Wind bekommen und darüber berichtet. Toni weigerte sich, ihre Vorwürfe, von deren Berechtigung sie fest überzeugt war, zu dementieren, und wurde daraufhin zur Kündigung ihres Dienstverhältnisses genötigt.

Sie war nicht verheiratet, lebte damals aber schon seit acht Jahren mit Frank Hackett zusammen, auch er ein Polizist. Als Toni in Ungnade fiel, trennte er sich von ihr. Es tat noch immer weh.

Zwei junge Polizisten verließen den Streifenwagen, ein Mann und eine Frau. Toni kannte hier in der Gegend die meisten Beamten ihrer Generation, und einige der Älteren konnten sich sogar noch an Tonis verstorbenen Vater erinnern, Sergeant Antonio Gallo – den alle natürlich den »Spanier-Tony« nannten. Die beiden, die jetzt vor Michaels Haus aufkreuzten, waren ihr allerdings unbekannt. Über den Sprechfunk sagte sie: »Jonathan, die Polizei ist jetzt da. Bitte, dekontaminieren Sie, und kümmern Sie sich um die beiden. Sagen Sie ihnen, wir haben festgestellt, dass ein Virus aus dem Labor entkommen ist. Sie werden dann Jim Kincaid anrufen. Wenn er hier ist, informiere ich ihn.«

Superintendent James Kincaid war zuständig für »CBRN«, das heißt für chemische, biologische, radiologische und nukleare Unfälle. Er hatte Toni bei der Ausarbeitung ihres Notfallplans geholfen. Mit ihm wollte sie das weitere Vorgehen besprechen; es kam jetzt darauf an, mit aller gebotenen Sorgfalt, aber ohne Panikmache zu handeln.

Wenn Kincaid eintraf, wollte sie ihm gleich ein paar Informationen über Michael Ross geben. Sie ging ins Haus. Michael hatte das zweite Schlafzimmer zu einem Büro umfunktioniert. Auf einem kleinen Tisch standen drei gerahmte Fotos seiner Mutter: als schlanker Teenager in einem engen Pullover, als glückliche Mutter mit einem Baby im Arm, das wie Michael aussah, und als Frau in den Sechzigern mit einer dicken schwarzweißen Katze auf dem Schoß.

Toni setzte sich an den Schreibtisch, fuhr den Computer hoch und las Michaels E-Mails. Mit den unförmigen Gummihandschuhen die

Tastatur zu bedienen war gar nicht so leicht. Er hatte bei Amazon ein Buch mit dem Titel *Animal Ethics* bestellt und sich über Studienangebote in Moralphilosophie informiert. Der Internet-Browser verriet ihr zudem, dass er in jüngster Zeit wiederholt die Homepages von Tierschutzverbänden angeklickt hatte. Es lag auf der Hand, dass ihm Zweifel an der moralischen Rechtfertigung seiner Tätigkeit gekommen waren. Bei Oxenford Medical war allerdings niemandem aufgefallen, dass er sich in einem seelischen Dilemma befand.

Toni konnte ihn gut verstehen. Es gab ihr jedes Mal einen Stich ins Herz, wenn sie in einem Käfig einen Beagle oder einen Hamster sah, den Wissenschaftler bewusst mit einer Krankheit infiziert hatten. Doch dann musste sie immer wieder an den Tod ihres Vaters denken: Der Mittfünfziger war an einem Gehirntumor erkrankt und am Ende geistig verwirrt, würdelos und unter großen Schmerzen gestorben. Eines Tages könnten solche Leiden vielleicht geheilt werden – dank der Versuche, die an Affenhirnen durchgeführt wurden.

In einem Pappkarton bewahrte Michael, sorgfältig beschriftet, seine wichtigsten Papiere auf: Rechnungen, Garantien, Kontoauszüge, Gebrauchsanweisungen. Unter »Mitgliedschaften« fand Toni eine Karte, die ihn als eingetragenes Mitglied einer Organisation namens *Animals Are Free* auswies: »Tiere sind frei.« Allmählich schälte sich ein klares Bild heraus.

Die Arbeit beruhigte Toni ein wenig. Kriminalistische Arbeit war immer eine ihrer Stärken gewesen, und dass man sie dazu gezwungen hatte, den Polizeidienst zu quittieren, empfand sie nach wie vor als schweren Schlag. Aus der Tatsache, dass sie ihre alten Talente und Fähigkeiten noch nicht verlernt hatte, schöpfte sie allerdings eine gewisse Befriedigung.

In einer Schublade fand sie Michaels Adressbuch und seinen Terminkalender. Der Letztere wies für die vergangenen beiden Wochen keinerlei Einträge auf. Während Toni das Adressbuch aufschlug, blitzte es draußen vor dem Fenster blau auf. Sie sah hinaus und erblickte einen grauen Volvo mit rotierendem Blaulicht auf dem Dach. Das musste Jim Kincaid sein.

Sie verließ das Haus und ließ sich von einem ihrer Mitarbeiter dekontaminieren. Dann nahm sie ihren Helm ab, um den Superintendenten zu begrüßen. Doch der Mann im Volvo war nicht Jim. Im Mondlicht erkannte sie Superintendent Frank Hackett, ihren Ex-Freund.

Schlagartig war es um ihre gute Stimmung geschehen. Obwohl die Trennung von ihm ausgegangen war, tat er stets, als wäre er derjenige gewesen, der am meisten darunter zu leiden gehabt hatte.

Toni beschloss, ihm gegenüber ruhig, freundlich und professionell aufzutreten.

Er stieg aus dem Wagen und kam auf sie zu. »Bitte beachte die Absperrung!«, rief sie ihm zu. »Ich komme gleich!« Im selben Augenblick wurde ihr klar, dass sie mit dieser Aufforderung gegen die Hackordnung verstoßen hatte: Er war der Polizist, sie die Zivilperson. Seinem Verständnis zufolge hatte er ihr Befehle zu geben, nicht sie ihm. Sein Stirnrunzeln verriet, dass er die Kränkung durchaus als solche empfand. Toni bemühte sich um mehr Verbindlichkeit. »Wie geht's dir, Frank?«

»Was geht hier vor?«

»Ein Laborangestellter ist offenbar von einem Virus befallen worden. Wir haben ihn gerade in einem Quarantänefahrzeug abtransportieren lassen und sind jetzt dabei, das Haus zu dekontaminieren. Wo ist Jim Kincaid?«

»Im Urlaub.«

»Wo?« Toni hoffte, Jim erreichen und ihn wegen des Notfalls zurückholen zu können.

»In Portugal. Er und seine Frau haben zufällig gerade mal gemeinsam frei.«

Schade, dachte Toni. Kincaid versteht was von Biogefährdungen, Frank hat keine Ahnung.

Er schien ihre Gedanken zu lesen. »Keine Angst«, sagte er und verwies auf ein mindestens zwei Zentimeter dickes fotokopiertes Dokument, das er in der Hand hielt. »Ich habe das Protokoll hier.« Es handelte sich um den Notfallplan, den Toni mit Kincaid ausgearbeitet hatte. Frank hatte offenbar während der Fahrt darin gelesen. »Zunächst einmal muss ich den Unglücksort sichern«, sagte er und blickte in die Runde.

Toni hatte den Ort des Geschehens längst sichern lassen, verzichtete aber auf einen Kommentar. Frank brauchte etwas zur Selbstbestätigung.

»He, Sie da!«, rief er den beiden uniformierten Beamten im Streifenwagen zu. »Parken Sie den Wagen vor der Einfahrt, und lassen Sie niemanden ohne Rücksprache mit mir rein!«

»Gute Idee«, sagte Toni, obwohl diese Maßnahme in Wirklichkeit völlig unnötig war.

»Als Nächstes müssen wir dafür Sorge tragen, dass niemand das Gelände verlässt.« Frank bezog sich wieder auf den Notfallplan.

Toni nickte. »Außer meinem Team ist niemand hier – und meine Leute tragen alle Schutzanzüge.«

»Mir gefällt das Protokoll nicht. Hier werden Zivilpersonen mit der Verantwortung für einen Verbrechensschauplatz betraut.«

»Wie kommst du darauf, dass es sich um den Schauplatz eines Verbrechens handelt?«

»Es wurden Proben eines Medikaments gestohlen.«

»Nicht von hier.«

Frank ließ ihr die Spitze durchgehen. »Wie hat euer Mann dieses Virus denn aufgeschnappt? Ich dachte, ihr tragt im Labor immer eure Schutzanzüge.«

»Das muss die Gesundheitsbehörde rausfinden«, erwiderte Toni, um eine Ausrede bemüht. »Es hat keinen Sinn, jetzt darüber zu spekulieren.«

»Habt ihr hier irgendwelche Tiere vorgefunden?«

Toni zögerte.

Frank genügte das. Er war ein guter Kriminalbeamter, weil ihm nur selten etwas entging. »Dann ist also so ein Versuchstier ausgekommen und hat den Angestellten infiziert, der gerade keinen Schutzanzug trug?«

»Ich weiß nicht genau, wie es passiert ist – und ich möchte nicht, dass irgendwelche unausgegorenen Theorien in Umlauf kommen. Könnten wir uns vorerst einmal auf die Belange der öffentlichen Sicherheit konzentrieren?«

»Okay. Aber die öffentliche Sicherheit ist nicht das Einzige, was dich umtreibt. Du willst auch deine Firma schützen – und deinen hochverehrten Herrn Professor Oxenford.«

›Hochverehrter Herr Professor‹ – was soll denn das schon wieder, dachte Toni, doch bevor sie reagieren konnte, hörte sie ein Klingeln aus ihrem Helm. »Ein Anruf für mich«, sagte sie zu Frank, nahm den Kopfhörer aus dem Helm und setzte ihn auf. Wieder klingelte es, dann rauschte es, bis die Verbindung stand. Schließlich meldete sich die Stimme eines Wachmanns in der Telefonzentrale des Kreml. »Ich habe hier Frau Dr. Solomons für Ms. Gallo.«

»Hallo?«, sagte Toni.

Jetzt war die Ärztin am Apparat. »Michael ist tot, Toni.«

Toni schloss die Augen. »O Gott, Ruth, das tut mir so Leid.«

»Er wäre auch gestorben, wenn wir ihn vierundzwanzig Stunden früher gefunden hätten. Ich bin mir fast sicher, dass er *Madoba-2* hatte.«

»Wir haben getan, was wir konnten«, erwiderte Toni mit tränenerstickter Stimme.

»Haben Sie eine Ahnung, wie das geschehen konnte?«

Toni wollte in Gegenwart von Frank nicht zu viel sagen. »Michael empörte sich über die grausame Behandlung von Tieren. Außerdem hat ihn der Tod seiner Mutter vor ungefähr einem Jahr möglicherweise sehr belastet und ein bisschen aus dem Gleichgewicht gebracht.«

»Armer Kerl.«

»Ruth, die Polizei ist gerade bei mir. Ich rufe Sie später zurück.«

»Okay.« Die Leitung wurde unterbrochen. Toni nahm den Kopfhörer ab.

»Dann ist er also tot«, sagte Frank.

»Der Mann hieß Michael Ross. Er hat sich anscheinend mit einem Virus angesteckt, der die Bezeichnung *Madoba-2* trägt.«

»Und was war das für ein Tier?«

Aus einer Eingebung heraus beschloss Toni, Frank eine kleine Falle zu stellen. »Ein Hamster namens Fluffy«, sagte sie.

»Ist es möglich, dass sich auch andere Personen infiziert haben?«

»Das ist jetzt die Frage Nummer eins. Michael lebte hier allein; er hatte keine Familie und nur wenige Freunde. Wer ihn vor Ausbruch der Krankheit besucht hat, dürfte ungefährdet sein, es sei denn, die beiden wären einander sehr nahe gekommen, indem sie zum Beispiel ein und dieselbe Injektionsnadel benutzt hätten. Wer ihn dagegen aufgesucht hat, als sich bereits die Symptome zeigten, hätte sicher sofort einen Arzt gerufen. Es besteht also durchaus die Chance, dass Michael das Virus gar nicht weitergegeben hat.« Toni spielte die Sache herunter. Kincaid gegenüber wäre sie aufrichtiger gewesen, weil sie sich bei ihm darauf hätte verlassen können, dass er alles tat, um den Ausbruch einer Panik zu vermeiden. Bei Frank lagen die Dinge anders. »Aber wie dem auch sei«, fuhr sie fort, »wir müssen jetzt so schnell wie möglich alle Personen aufspüren, die mit Michael in den vergangenen sechzehn Tagen Kontakt hatten.«

Frank versuchte es auf einem anderen Weg. »Wie ich hörte, war der Mann ein großer Tierfreund. Gehörte er einer entsprechenden Organisation an?«

»Ja – *Animals Are Free!*«

»Woher weißt du das?«

»Ich habe seine persönlichen Unterlagen überprüft.«

»Das ist Aufgabe der Polizei.«

»Richtig. Aber ihr dürft nicht ins Haus.«

»Ich kann doch auch so einen Schutzanzug anziehen.«

»Mit dem Anzug allein ist es nicht getan. Ehe man so ein Ding überhaupt anziehen darf, muss man eine entsprechende Ausbildung nachweisen.«

Frank begann sich wieder aufzuregen. »Dann bringt mir halt das Zeug hierher«, sagte er.

»Ich kann dir von einem Mitarbeiter alle Papiere zufaxen lassen, was hältst du davon? Außerdem können wir dir den gesamten Inhalt seiner Festplatte kopieren.«

»Ich will keine Kopien, sondern die Originale. Was verbirgst du in dem Haus?«

»Nichts, Ehrenwort. Aber das Haus und alles, was sich im Haus befindet, muss dekontaminiert werden, entweder mit einem Desinfektionsmittel oder einem Hochdruckreiniger. Bei beiden Vorgängen wird Papier zerstört, und natürlich können auch Computer beschädigt werden.«

»Ich werde dafür sorgen, dass dieser Notfallplan geändert wird. Ich frage mich wirklich, ob der Polizeipräsident überhaupt weiß, was Kincaid euch alles durchgehen lässt.«

Toni war müde. Es ist mitten in der Nacht, und ich muss eine hochbrisante Krise in Griff kriegen, dachte sie – und da kommt auch noch diese beleidigte Leberwurst von Ex-Lover daher und erwartet, dass man auf seine Empfindlichkeiten Rücksicht nimmt… »Herrgott, Frank, kann ja sein, dass du Recht hast, aber so ist die Lage nun mal. Können wir die Vergangenheit nicht endlich ruhen lassen und vernünftig zusammenarbeiten?«

»Deine Vorstellung von Zusammenarbeit besteht darin, dass alles nach deiner Pfeife tanzt.«

Toni lachte. »Du hast's erfasst! Also, was sollen wir deiner Meinung nach als Nächstes tun?«

»Ich werde das Gesundheitsamt informieren. Laut Plan liegt die Federführung in solchen Fällen dort. Sobald das Amt seinen Experten für BADunfälle aufgetrieben hat, wird er einen Krisenstab einberufen, voraussichtlich gleich heute Morgen. Bis es so weit ist, sollten wir schon damit anfangen, die möglichen Kontaktpersonen von Michael Ross ausfindig zu machen. Ich werde ein paar Kollegen ans Telefon setzen und sämtliche Nummern in seinem Adressbuch anrufen lassen. Du solltest unterdessen alle Angestellten eurer Firma befragen. Es wäre sehr hilfreich, wenn wir das alles schon erledigt hätten, bevor der Krisenstab zusammentritt.«

»Einverstanden…« Toni zögerte. Sie musste Frank noch um etwas bitten. Sein bester Freund war Carl Osborne, ein Reporter beim Lokalfernsehen, der mehr von Sensationen hielt als von seriöser Berichterstattung. Wenn Carl von der Geschichte Wind bekam, würde er für einen Aufstand sorgen.

Toni wusste, wie man bei Frank etwas erreichen konnte: Man musste ihm klipp und klar sagen, was man wollte. Wer allzu selbstbewusst Forderungen stellte oder gar an sein Mitleid appellierte, hatte schlechte Karten bei ihm. »Es gibt da im Protokoll noch einen Punkt, auf den ich dich aufmerksam machen wollte«, begann sie. »Dort heißt es, dass gegenüber der Presse keine Stellungnahmen abgegeben werden sollen, ohne dass die beteiligten Organisationen, darunter die Polizei, das Gesundheitsamt und die Firma, sich zuvor darüber abgestimmt haben.«

»Kein Problem.«

»Ich erwähne das, weil wir die Öffentlichkeit nicht über Gebühr verunsichern sollten. Die Chancen stehen nicht schlecht, dass niemand mehr in Gefahr gerät.«

»Gut.«

»Wir wollen nichts verheimlichen, aber die offiziellen Statements sollten ruhig und gemäßigt sein. Es besteht keinerlei Anlass zu Panik.«

Frank grinste. »Ich weiß schon, du hast Angst, die Revolverblätter könnten Storys über Killerhamster bringen, die durchs schottische Hochland streifen.«

»Du bist mir noch was schuldig, Frank. Ich hoffe, du hast das nicht vergessen.«

Seine Miene verdüsterte sich. »Was schuldig? *Ich dir?*«

Obwohl niemand in der Nähe war, senkte Toni die Stimme: »Du erinnerst dich doch an Farmer Johnny Kirk…« Kirk war ein dicker Fisch im Kokainschmuggel gewesen. Eine Farm hatte der im rauen Milieu der Glasgower Garscube Road aufgewachsene Mann nie gesehen, doch weil er wegen seiner Hühneraugen immer übergroße grüne Gummistiefel trug, hatte man ihm den Spitznamen »Farmer« verpasst. Frank hatte gegen Farmer Johnny ermittelt. Während des Prozesses war Toni zufällig auf Beweismaterial gestoßen, das der Verteidigung gerade recht gekommen wäre. Sie informierte Frank darüber – doch der unterließ es, dem Gericht darüber Mitteilung zu machen. Johnny hatte ohne jeden Zweifel genug Dreck am Stecken, und Franks Meinung dazu war klar – nur: Sollte jemals die Wahrheit herauskommen, war es um seine Karriere bei der Polizei geschehen.

»Willst du mir etwa drohen für den Fall, dass ich nicht tue, was du sagst?«

»Nein. Ich will dich bloß daran erinnern, dass es mal eine Zeit gab, in der du auf mein Schweigen angewiesen warst. Und da hab ich geschwiegen.«

Wieder änderte sich Franks Verhalten. Einen Augenblick lang war ihm mulmig geworden, doch schon kehrte er zur gewohnten Arroganz zurück. »Jeder von uns verstößt mal gegen die eine oder andere Regel. So ist das Leben.«

»Ja. Und deshalb bitte ich dich jetzt, weder deinem Freund Carl Osborne noch irgendwelchen anderen Medienvertretern etwas von diesem Fall zu erzählen.«

Frank grinste. »Aber Toni!«, sagte er in gespielter Empörung. »Du weißt doch, dass ich so etwas nie tun würde.«

Kit Oxenford erwachte früh am Morgen. Eine gespannte Erwartung beherrschte ihn, aber er hatte auch Angst. Ein seltsames Gefühl war es allemal.

Heute war der Tag, an dem er Oxenford Medical bestehlen würde.

Allein der Gedanke daran erregte ihn. Es versprach ein Geniestreich zu werden, wie es ihn noch nie gegeben hatte, Thema für Bücher mit Titeln wie *Das perfekte Verbrechen* und dergleichen, vor allem aber: Er nähme Rache an seinem Vater. Die Firma würde diesen Schlag nicht überleben, und Stanley Oxenford wäre finanziell ruiniert. Und dass der alte Herr nie erfahren würde, wer ihm das angetan hatte, setzte dem Ganzen noch die Krone auf. Kit versprach sich davon eine klammheimliche Befriedigung, von der er sein Leben lang würde zehren können.

Aber es mischte sich auch Sorge in seine Euphorie, und das war eigentlich eher ungewöhnlich für ihn. Er war von Natur aus nie ein großer Bedenkenträger gewesen. Geriet er in Schwierigkeiten, so redete er sich im Allgemeinen schon irgendwie heraus. Es kam nur selten vor, dass er etwas plante.

Das, was heute geschehen sollte, hatte er allerdings geplant – und vielleicht lag sein Problem gerade darin.

Er lag mit geschlossenen Augen im Bett und dachte darüber nach, welche Stolpersteine es noch zu überwinden galt.

Da waren zunächst einmal die physikalischen Sicherheitsvorkehrungen im Kreml: der doppelte Zaun mit messerscharfem NATO-Draht, die Scheinwerfer, die Alarmanlage, der kein Eindringling entging. Die Anlagen waren geschützt durch Kontaktschalter, Bewegungsmelder und Abschlusswiderstände mit Programmroutinen, denen auch ein Kurzschluss nicht entging. Darüber hinaus war die Alarmanlage über eine Telefonleitung, die vom System kontinuierlich auf ihre Funktionsfähigkeit überprüft wurde, direkt mit der regionalen Polizeidirektion in Inverburn verbunden.

Doch das alles waren keine Hindernisse für Kit und seine Komplizen.

Dann gab es natürlich noch den Werkschutz, der neuralgische Punkte über eine interne Videoanlage im Auge behielt und stündlich das Gelände patrouillierte. Die Monitore der Videoüberwachung waren mit Sabotagekontakten versehen, die auch einen möglichen Geräteaustausch bemerken würden – zum Beispiel wenn jemand auf die Idee käme, das Kamerabild durch die Aufnahmen eines Videorecorders zu ersetzen.

Auch für dieses Problem hatte sich Kit eine Lösung ausgedacht.

Darüber hinaus wurde der Zutritt zum Gebäude und zu den sicherheitsrelevanten Bereichen durch eine ausgeklügelte Personenkontrolle geregelt: Alle Mitarbeiter hatten Plastikausweise im Kreditkartenformat, die nicht nur mit einem Foto des Benutzers, sondern auch mit den gespeicherten Daten seines Fingerabdrucks versehen waren.

Dieses System auszutricksen war außerordentlich schwierig – aber Kit wusste, wie es ging.

Er war studierter Informatiker und hatte die Abschlussprüfungen als Jahrgangsbester bestanden. Viel wichtiger jedoch und vorteilhafter war ein anderer Umstand: Die Software für die Sicherheitsvorkehrungen im Kreml hatte er selbst geschrieben; sie war gewissermaßen sein eigenes Geisteskind. Damit hatte er seinem undankbaren Vater ein fantastisches Sicherheitssystem eingerichtet, das für Außenstehende praktisch unüberwindbar war. Nur er, Kit, kannte die Geheimnisse des Systems.

Heute Nacht, ungefähr zur Geisterstunde, würde er mit seinem Kunden, einem in seiner stillen Art etwas bedrohlich wirkenden Londoner namens Nigel Buchanan, und zwei Komplizen ins Allerheiligste vordringen – ins BSL-4-Labor, das der vermutlich am besten bewachte Raum in ganz Schottland war. Dort würde er mit einem einfachen vierstelligen Code den Kühlschrank öffnen, und Nigel würde Proben des wertvollen neuen Anti-Viren-Medikaments von Stanley Oxenford entwenden.

Lange würden sie die Proben nicht behalten. Nigel hatte rigorose Zeitvorgaben: Bis zehn Uhr vormittags am ersten Weihnachtsfeiertag musste er die Proben abliefern. Die Gründe für dieses strenge Terminkorsett kannte Kit nicht. Er wusste auch nicht, wer der Endabnehmer der Proben war, obgleich er es sich denken konnte, denn im Grunde kam nur ein internationaler Pharmakonzern in Frage, dem eine Analyse der Probe jahrelange Forschungsarbeit ersparen würde. Der Konkurrent wäre dann imstande, binnen kürzester Zeit eine eigene Version des Medikaments zu entwickeln, und Oxenford Medical würden Lizenzgebühren in Millionenhöhe entgehen.

Dergleichen war natürlich unredlich und illegal, doch je höher der Einsatz, desto erfinderischer werden die Leute mit ihren Ausreden. Kit konnte sich durchaus einen Konzernchef vorstellen, würdevoll mit Silberhaar und Nadelstreifenanzug, wie er heuchlerisch fragt: »Können Sie mir hundertprozentig zusichern, dass von keinem Mitarbeiter unserer Firma bei der Beschaffung dieser Probe gegen ein Gesetz verstoßen wurde?«

Am besten gefiel Kit an seinem Plan, dass der Einbruch erst bemerkt würde, wenn er und Nigel längst über alle Berge waren. Heute, Dienstag, war Heiligabend. Die beiden folgenden Tage waren arbeitsfreie Feiertage. Es würde also frühestens am Freitag Alarm geschlagen, wenn der eine oder andere arbeitswütige Forscher ins Labor käme. Ob der aber den Diebstahl überhaupt bemerken würde, stand auf einem ganz anderen Blatt. Gut möglich, dass Kit und seinen Komplizen noch bis Montag in einer Woche Zeit blieb, ihre Spuren zu verwischen. Das war mehr als genug.

Woher also die Angst? Vor Kits geistigem Auge tauchte plötzlich das Gesicht von Toni Gallo auf, der Sicherheitsbeauftragten seines Vaters. Er fand die sommersprossige Rothaarige in ihrer robusten Art sehr attraktiv, doch war ihre Persönlichkeit zu dominant, jedenfalls für seinen Geschmack. War sie der Grund für seine Befürchtungen? Er hatte sie schon einmal unterschätzt – mit katastrophalen Folgen.

Aber diesmal war sein Plan schlichtweg brillant. »Brillant«, sagte er laut, wie um sich selbst davon zu überzeugen.

»Was 'n los?«, murmelte eine weibliche Stimme neben ihm.

Kit räusperte sich überrascht. Er hatte ganz vergessen, dass er nicht allein war, und öffnete rasch die Augen. Es war stockfinster im Schlafzimmer.

»Was is' ›brillant‹?«, wollte die Stimme wissen.

»Na … wie du tanzt, meine ich«, improvisierte Kit. Er hatte sie am vergangenen Abend in einem Nachtklub aufgegabelt.

»Du tanzt auch nicht schlecht«, sagte sie mit starkem Glasgower Akzent. »Gute Beinarbeit …«

Wie hieß sie doch bloß? Endlich fiel es ihm ein. »Maureen«, sagte er und dachte: Sie muss Katholikin sein, bei dem Namen. Er drehte sich zu ihr und nahm sie in den Arm, während er sich vergeblich zu erinnern versuchte, wie sie aussah. Sie hatte angenehm rundliche Formen, das gefiel ihm. Zu dünne Mädchen mochte er nicht. Maureen kuschelte sich an ihn. Ist sie blond oder brünett, fragte er sich und fand es irgendwie pervers, mit einer Frau zu schlafen, von der er nicht einmal wusste, wie sie aussah. Er fingerte nach ihren Brüsten, als ihm wieder einfiel, was er heute noch alles vorhatte, und schon war es um seine amourösen Absichten geschehen.

»Wie spät ist es?«, fragte er sie.

»Zeit für eine kleine wilde Nummer«, erwiderte Maureen erwartungsvoll.

Kit wandte sich von ihr ab. Die Digitaluhr an seinem Stereogerät zeigte 07:10 Uhr. »Ich muss aufstehn«, sagte er. »Hab viel zu tun heute.« Er wollte rechtzeitig zum Mittagessen bei seinem Vater sein – offiziell zu einem Weihnachtsbesuch, in Wirklichkeit aber, um etwas zu stehlen, das er für den Einbruch am Abend dringend benötigte.

»Wie kann man an Weihnachten so viel arbeiten?«

»Vielleicht bin ich der Weihnachtsmann.« Kit setzte sich auf die Bettkante und knipste das Licht an.

Maureen war enttäuscht. »Meinetwegen«, erwiderte sie beleidigt, »dann wird der kleine Kobold hier eben ausschlafen, wenn's dem Herrn Weihnachtsmann recht ist.«

Er sah sie an, doch Maureen hatte sich die Bettdecke über den Kopf gezogen. Noch immer wusste er nicht, wie sie aussah.

Nackt schlurfte er in die Küche und setzte Kaffee auf.

Sein Apartment bestand aus zwei großen Räumen. Der eine war ein Wohnzimmer mit einer offenen Küche, der andere das daran anschließende Schlafzimmer. Das Wohnzimmer war voll gestopft mit elektronischen Geräten: einem großen Flachbildschirm, einer Stereoanlage mit allem Drum und Dran sowie mehreren Computern samt Zubehör, die durch einen wahren Dschungel an Kabeln und Drähten miteinander verbunden waren. Es hatte Kit schon immer großen Spaß gemacht, die Sicherheitssysteme anderer Computerbesitzer zu knacken. Wer Experte für Software-Sicherheit werden wollte, musste zuvor Hacker gewesen sein, so viel stand fest.

Einen seiner besten Coups hatte er abgezogen, als er für seinen Vater das Sicherheitssystem für das BSL-4-Labor entwickelte und installierte. Mithilfe von Ronnie Sutherland, dem damaligen Sicherheitsbeauftragten von Oxenford Medical, hatte er eine Methode ausgetüftelt, mit der sich unbemerkt die Firmenkonten anzapfen ließen. Er hatte die Buchhaltungssoftware so manipuliert, dass der Computer beim Zusammenzählen von Lieferantenrechnungen immer ein Prozent der Gesamtsumme aufschlug und dieses Prozent automatisch auf Ronnies Konto überwies, ohne dass diese Transaktion in irgendeinem Bericht auftauchte. Der Betrug konnte nur funktionieren, solange niemand auf den Gedanken kam, die Rechenkünste des Computers zu überprüfen – und das war auch nie passiert, bis Toni Gallo eines Tages Ronnies Frau dabei beobachtet hatte, wie sie vor *Marks & Spencer* in Inverburn aus einem brandneuen Mercedes-Coupé stieg.

Die verbissene Hartnäckigkeit, mit der Toni in diesem Fall ermittelte, hatte Kit an den Rand der Verzweiflung getrieben. Toni hatte eine Unstimmigkeit entdeckt, und dafür musste sie unbedingt eine Erklärung finden. Sie ließ einfach nicht locker, ja schlimmer noch: Als sie Kit schließlich auf die Schliche gekommen war, ließ sie sich durch nichts und niemanden davon abbringen, seinen Vater von den Vorgängen in Kenntnis zu setzen. Kit hatte sie beschworen, einem alten Mann solchen Kummer zu ersparen. Er hatte sogar versucht, ihr weiszumachen, Stanley Oxenford würde in seinem Zorn eher *sie* feuern als seinen eigenen Sohn. Am Ende hatte er ihr sachte eine Hand auf die Hüfte gelegt, ihr mit seinem besten Böse-Buben-Lächeln tief in die Augen geschaut und in verführerischem Ton gesagt: »Wir beide sollten eigentlich keine Feinde sein, sondern Freunde.«

Nichts davon hatte geholfen.

Stanley Oxenford hatte seinen Sohn sofort entlassen, und seitdem hatte Kit keine neue Anstellung mehr gefunden. Seiner Spielleidenschaft hatte das jedoch leider keinen Abbruch getan. Ronnie führte ihn bei einem illegalen Casino ein, wo man ihm großzügig Kredit einräumte – nur deshalb vermutlich, weil bekannt war, dass sein Vater ein berühmter, schwerreicher Wissenschaftler war. Kit versuchte, die Höhe der Schulden, die inzwischen aufgelaufen waren, zu verdrängen; die Zahl machte ihn geradezu krank vor Angst und Selbstverachtung. Schon beim bloßen Gedanken daran hätte er sich am liebsten von der Brücke über den Forth gestürzt. Doch der Lohn für die Tat, die er heute Abend begehen wollte, würde nicht nur seine Schulden decken, sondern auch noch für einen neuen Start reichen.

Er nahm seinen Kaffee mit ins Badezimmer und sah in den Spiegel. Vor Jahren, als er noch zum britischen Team für die olympischen Winterspiele gehörte, hatte er jedes Wochenende beim Skifahren oder beim Training verbracht. Schlank und fit wie ein Windhund war er damals gewesen. Jetzt fiel ihm auf, dass seine Konturen weicher geworden waren. »Du hast zugenommen«, sagte er zu seinem Spiegelbild. Sein Haar war allerdings nach wie vor schwarz und voll und fiel ihm keck in die Stirn. Seinem Gesicht war die Anspannung anzumerken. Er probierte die Hugh-Grant-Pose: den Kopf verschämt gesenkt, die blauen Augen schräg nach oben blickend, dazu ein gewinnendes Lächeln … Doch, es klappte noch. Mochte Toni Gallo auch dagegen immun sein – Maureen war erst gestern Abend noch darauf geflogen.

Er drehte das Fernsehgerät im Badezimmer an und begann sich zu rasieren. Der britische Premierminister war in seinem schottischen Wahlkreis eingetroffen, um dort die Weihnachtsfeiertage zu verbringen. Die Glasgow Rangers hatten neun Millionen Pfund für einen Mittelstürmer namens Giovanni Santangelo bezahlt. »Guter, alter schottischer Name«, murmelte Kit vor sich hin. Das Wetter sollte so bleiben, wie es war: kalt, aber klar. Ein heftiger Schneesturm über der Nordsee wanderte von Norwegen aus Richtung Süden, sollte aber westlich an Schottland vorbeiziehen.

Es folgten die Lokalnachrichten – und mit ihnen ein Bericht, der Kit das Blut in den Adern gefrieren ließ.

Er hörte die vertraute Stimme von Carl Osborne, einem Starreporter, der für seine Neigung zu blutrünstigen Storys berühmt und berüchtigt war. Auf dem Bildschirm erschien das Gebäude, in dem Kit am Abend einbrechen wollte: Osborne stand vor den Toren von Oxenford Medical. Es war zwar noch dunkel, doch tauchten Sicherheitsscheinwerfer die verschnörkelte viktorianische Architektur in gleißendes Licht. »Was ist denn da los?«, fragte Kit besorgt.

»Hier bei uns in Schottland – genauer gesagt: in dem Gebäude hinter mir, das von Ortsansässigen als ›Frankensteins Schloss‹ bezeichnet wird – experimentieren Wissenschaftler mit einem der gefährlichsten Krankheitserreger, den die Menschheit kennt«, sagte Osborne.

Kit hatte noch nie jemanden von »Frankensteins Schloss« reden hören. Osborne musste sich das aus den Fingern gesogen haben. Der Spitzname des Gebäudekomplexes war »der Kreml«.

»Aber die Natur rächt sich offenbar für die unerbetene Einmischung: Heute Nacht starb ein junger Laborangestellter, der sich mit einem dieser Viren angesteckt hatte.«

Kit legte seinen Rasierapparat beiseite. Der Fall würde dem Ansehen von Oxenford Medical in der Öffentlichkeit nachhaltig schaden, das stand fest. An jedem anderen Tag hätte er sich über den Ärger, der sich über seinem Vater und der Firma zusammenbraute, diebisch gefreut – nur heute nicht. Es war gut möglich, dass die negative Publicity seine eigenen Pläne durchkreuzte.

»Der einunddreißigjährige Michael Ross starb an einem Virus namens Ebola. Der Name ist von dem kleinen afrikanischen Dorf abgeleitet, in dem die Krankheit erstmals auftrat. Die grauenhafte Seuche verursacht schmerzhafte, eiternde Geschwüre, die den gesamten Körper des Opfers befallen ...«

Kit war sich ziemlich sicher, das Osbornes Bericht mit den konkreten Fakten nicht viel zu tun hatte, doch die Fernsehzuschauer konnten das nicht wissen. Die Sendung war Sensationshascherei auf niedrigstem Niveau. Die Frage war nur, ob der Tod dieses Michael Ross den geplanten Diebstahl gefährdete.

»Oxenford Medical hat immer wieder verlauten lassen, seine Forschungen stellten absolut kein Sicherheitsrisiko für die Bevölkerung und die Umwelt dar. Die Berechtigung dieser Behauptung muss nach dem Tod von Michael Ross ernsthaft angezweifelt werden.«

Osborne trug einen unförmigen Anorak und eine Wollmütze. Er erweckte den Eindruck, als habe er in der vergangenen Nacht nicht viel geschlafen. Irgendjemand hat ihn mitten in der Nacht angerufen und ihm einen Tipp gegeben, dachte Kit.

»Ross wurde möglicherweise von einem Versuchstier gebissen, das er aus einem Labor hier gestohlen und mit nach Hause genommen hatte«, fuhr Osborne fort.

»Das darf doch nicht wahr sein!«, entfuhr es Kit. Die Sache wird ja immer schlimmer, dachte er. Hoffentlich wird dadurch nicht mein genialer Plan torpediert... Das würde ich nicht ertragen.

»Handelte Michael Ross auf eigene Faust – oder ist er Teil einer größeren Organisation, die es darauf anlegt, noch mehr Versuchstiere aus den geheimen Labors von Oxenford Medical zu befreien? Müssen wir damit rechnen, dass in absehbarer Zeit zahlreiche harmlos aussehende Hunde und Kaninchen durch unsere schöne schottische Landschaft streunen, die überall, wo sie hinkommen, dieses tödliche Virus verbreiten? Niemand hier ist bereit, diese Frage zu beantworten.«

Wie immer die offiziellen Äußerungen von Oxenford Medical ausfallen sollten, eines war Kit klar: Die Firma würde nun sofort sämtliche Sicherheitsmaßnahmen verschärfen. Man würde sowohl die Alarmanlagen als auch die Video-Überwachung gründlich überprüfen und den Werkschutz über die aktuelle Gefährdungslage informieren. Eine schlimmere Nachricht hätte es für Kit an diesem Morgen gar nicht geben können. Wut stieg in ihm auf. »Warum muss ausgerechnet ich so ein Pech haben?«, fragte er sich laut.

»Wie dem auch sei«, fuhr Carl Osborne fort, »Michael Ross starb offenbar aus Liebe zu einem Hamster namens Fluffy.« Seine Stimme klang so traurig, dass Kit schon glaubte, der Reporter würde sich gleich verstohlen eine Träne aus dem Augenwinkel wischen. Aber so weit ging Osborne dann doch nicht.

Die Moderatorin im Studio, eine attraktive Blondine mit einem wie aus Marmor gehauenen Kurzhaarschnitt, fragte: »Sagen Sie, Carl, hat Oxenford Medical zu diesem außergewöhnlichen Vorfall bereits Stellung genommen?«

»Ja«, antwortete Osborne und warf einen Blick in sein Notizbuch. »Die Firmenleitung teilte mit, dass sie über den Tod von Michael Ross sehr betroffen und traurig sei. So, wie es aussehe, sei aber niemand sonst mit dem Virus infiziert. Dennoch möchte man mit allen Personen sprechen, die in den vergangenen sechzehn Tagen zu Ross Kontakt hatten.«

»Es ist also nicht von der Hand zu weisen, dass Leute, die mit ihm Kontakt hatten, das Virus aufgeschnappt haben?«

»Richtig. Und möglicherweise haben sie bereits wieder andere Personen angesteckt. Für mich klingt die Stellungnahme der Firma wie frommes Wunschdenken und nicht nach einer wissenschaftlich qualifizierten Aussage.«

»Eine sehr beunruhigende Geschichte«, sagte die Moderatorin. »So weit der Bericht von Carl Osborne. Und nun zum Fußball.«

Wütend hackte Kit auf der Fernbedienung herum; er wollte den Apparat abstellen, erwischte in seiner Erregung aber lauter falsche Tasten. Schließlich riss er das Kabel aus der Steckdose. Am liebsten hätte er die Flimmerkiste aus dem Fenster geworfen. Die Katastrophe war perfekt!

Osbornes apokalyptische Vorhersage mochte falsch sein, vielleicht war die Gefahr eines Killervirus auf Abwegen gar nicht so groß. Eines war jedoch gewiss: Die Sicherheitsvorkehrungen im Kreml waren von nun an absolut und garantiert wasserdicht. Der heutige Abend war also der denkbar ungeeignetste Termin für den geplanten Diebstahl. Die ganze Aktion musste abgeblasen werden. Kit war ein Spieler, und mit einem guten Blatt auf der Hand riskierte er auch höchste Einsätze. Hatte man die Karten jedoch gegen sich, so hielt man sich besser zurück.

Zumindest bleibt mir ein Weihnachtsfest mit meinem Vater erspart, dachte er zynisch. Vielleicht können wir den Job ja erledigen, wenn sich die allgemeine Aufregung etwas gelegt hat und die Sicherheitsvorkehrungen wieder auf normales Niveau heruntergefahren worden sind. Vielleicht lässt sich der Kunde ja von der Notwendigkeit einer Terminverschiebung überzeugen… Kit schauderte unwillkürlich, weil er an seine gewaltigen Schulden denken musste, auf denen er nun bis auf weiteres sitzen bleiben würde. Aber es war sinnlos, an einem Plan festzuhalten, dessen Misserfolg vorhersehbar war.

Er ging wieder ins Schlafzimmer. Die Uhr zeigte 07:28. Es war eigentlich noch zu früh, um zu telefonieren, doch die Sache war eilig. Kit nahm das schnurlose Gerät zur Hand und wählte.

Die Antwort kam sofort. »Ja?«, sagte eine Männerstimme.

»Hier ist Kit. Ist er da?«

»Was willst du?«

»Ich muss ihn sofort sprechen. Es ist wichtig.«

»Er schläft noch.«

»Mist.« Kit wollte keine Nachricht hinterlassen – und bei genauerer Betrachtung wollte er auch nicht, dass Maureen etwas hörte, das sie nichts anging. »Sag ihm, dass ich vorbeikomme«, sagte er und legte auf, ehe der Mann am anderen Ende der Leitung antworten konnte.

Toni Gallo rechnete damit, bis zur Mittagspause bereits entlassen zu sein.

Sie sah sich in ihrem Büro um. Lange arbeitete sie hier noch nicht, weshalb der Raum erst allmählich so etwas wie eine persönliche Note gewann. Auf dem Schreibtisch stand ein Foto, das sie selbst mit ihrer Mutter und ihrer Schwester Bella zeigte. Es war vor ein paar Jahren entstanden, zu einer Zeit, als Mutter noch kerngesund war. Neben dem Foto lag ihr arg ramponiertes Wörterbuch – Toni litt an einer Rechtschreibschwäche. Und erst in der vergangenen Woche hatte sie ein Bild, das sie in ihrer Polizistinnenuniform zeigte, an die Wand gehängt. Die Aufnahme war inzwischen siebzehn Jahre alt, und die Frau darauf wirkte sehr jung und ehrgeizig.

Sie konnte kaum glauben, dass sie diesen Job schon wieder verloren haben sollte.

Mittlerweile war ihr klar, was Michael Ross getan hatte. Mit Geschick und Raffinesse war es ihm gelungen, alle ihre Sicherheitsvorkehrungen zu umgehen. Er hatte deren Schwächen erkannt und ausgenutzt. Die Schuld lag eindeutig bei ihr selbst.

Vor zwei Stunden, als sie Stanley Oxenford, den Vorstandsvorsitzenden und Mehrheitsaktionär von Oxenford Medical, angerufen hatte, war sie noch nicht so klug gewesen.

Sie hatte das Gespräch gefürchtet, denn sie hatte ihm etwas mitzuteilen, was kaum schlimmer hätte sein können, und trug selbst die Hauptverantwortung für das, was geschehen war. Sie war auf alles gefasst – Enttäuschung, Empörung, ja vielleicht sogar Wut.

»Wie geht es Ihnen?«, hatte er gefragt.

Toni wäre fast in Tränen ausgebrochen. Dass seine erste Frage ihrem Wohlbefinden galt, hätte sie sich nicht träumen lassen. So viel Anteilnahme verdiente sie nicht. »Danke, gut«, hatte sie erwidert. »Wir hatten alle Schutzanzüge an, als wir das Grundstück betraten.«

»Aber Sie müssen doch total erschöpft sein.«

»Ich hab gegen fünf ein Stündchen geschlafen.«

»Gut so«, sagte Stanley und kam dann sofort zur Sache. »Michael Ross ist mir bekannt. Ein ruhiger Bursche, ungefähr dreißig. Schon seit ein paar Jahren bei uns. Erfahrener Laborant. Sagen Sie, wie konnte das passieren?«

»Ich hab in seiner Gartenhütte ein totes Kaninchen gefunden. Ich vermute, er hat ein Versuchstier aus dem Labor mit nach Hause genommen und wurde von ihm gebissen.«

»Bezweifle ich«, erwiderte Stanley trocken. »Ich halte es eher für wahrscheinlich, dass er sich mit einem kontaminierten Messer geschnitten hat. Selbst erfahrene Leute passen manchmal nicht auf. Das Kaninchen ist vermutlich ein ganz normales Haustier, das nach Michaels Erkrankung verhungert ist.«

Ich würde ja gerne so tun, als nähme ich ihm das ab, dachte Toni, brachte es aber nicht über sich. Ihr Chef musste die harten Fakten kennen. »Das Kaninchen befand sich in einem improvisierten Isolator«, antwortete sie.

»Ich hab immer noch meine Zweifel. Michael kann doch nicht ganz allein im BSL-4 gearbeitet haben. Und selbst wenn sein Kollege ihm nicht ständig auf die Finger geschaut hat – sämtliche Räume dort sind videoüberwacht. Man kann da nicht einfach ein Kaninchen klauen, das würde doch alles aufgezeichnet. Und auf dem Weg hinaus kommt er an mehreren Sicherheitskontrollen vorbei. Jedem Werkschutzmitarbeiter wäre es aufgefallen, wenn er mit einem Kaninchen auf dem Arm vorbeigekommen wäre. Außerdem hätten die Mitarbeiter, die am nächsten Morgen ins Labor kamen, sofort gemerkt, dass eines ihrer Versuchstiere fehlt. Vielleicht können sie nicht jedes Kaninchen individuell erkennen – aber sie wissen doch mit Sicherheit, wie viele Kaninchen an ihren Experimenten beteiligt sind.«

Sein Hirn arbeitet sofort wie ein Zwölfzylindermotor, obwohl es noch so früh am Morgen ist, dachte Toni. Das Problem war nur, dass der Boss sich irrte. »Ich habe all diese Sicherheitskontrollen selber installiert«, konterte sie, »und ich muss Ihnen sagen, dass kein System perfekt ist.«

»Da haben Sie natürlich Recht.« Wenn man Oxenford mit plausiblen Argumenten kam, gab er oft erschreckend schnell nach. »Ich darf davon ausgehen, dass Michaels letzter Aufenthalt im BSL-4 auf Video aufgezeichnet wurde?«

»Das steht als nächster Punkt auf meiner Liste«, sagte Toni.

»Ich bin gegen acht im Büro. Ich darf Sie bitten, mir dann ein paar Fragen zu beantworten.«

»Noch etwas, Sir. Sobald heute Morgen die ersten Kollegen eintreffen, werden Gerüchte die Runde machen. Darf ich den Leuten sagen, dass Sie dazu eine Stellungnahme abgeben werden?«

»Gut, dass Sie das ansprechen. Ja, ich werde mich zu dem Fall äußern – sagen wir um halb zehn, in der Großen Halle. Alle Mitarbeiter sind dazu eingeladen.« Die Eingangshalle des alten Hauses war der größte Raum auf dem Firmengelände. Alle Betriebsversammlungen wurden dort abgehalten.

Toni hatte als Nächstes Susan Mackintosh rufen lassen, die zum Sicherheitspersonal gehörte, ein hübsches Mädchen in den Zwanzigern mit einer jungenhaften Frisur und einer gepiercten Augenbraue.

Susan fiel sofort das Foto an der Wand auf. »Sie sehen gut aus in Uniform«, sagte sie.

»Danke. Ich weiß, dass Ihre Schicht bald um ist, aber ich habe da einen Job, für den ich eine Frau brauche.«

»Das Gefühl kenne ich«, sagte Susan und zog kokett die Braue hoch.

Toni erinnerte sich an die Weihnachtsfeier am vergangenen Freitag. Susan war gekleidet gewesen wie John Travolta in dem Film *Grease*, mit gegeltem Haar, Röhrenjeans und Kreppsohlenschuhen, die man in Glasgow »Puffschlappen« nannte, und hatte Toni zum Tanz aufgefordert. Toni hatte sie freundlich angelächelt und erwidert: »Nein, lieber nicht.« Eine Weile – und ein paar Drinks – später hatte Susan sie gefragt, ob sie mit Männern schlafe, und darauf hatte Toni gesagt: »Leider nicht so oft, wie ich es gerne täte.«

Irgendwie schmeichelte es ihr, dass sich eine so junge und hübsche Frau von ihr angezogen fühlte. Doch sie ließ es sich nicht anmerken. »Ich brauche jemanden, der alle Mitarbeiter beim Betreten des Gebäudes abfängt. Lassen Sie einen Schreibtisch in der Großen Halle aufstellen, an dem alle vorbeimüssen. Und dann darf niemand in sein Labor oder Büro, bevor er mit Ihnen geredet hat.«

»Und was soll ich den Leuten sagen?«

»Dass es eine Sicherheitspanne im Virusbereich gegeben hat und dass Professor Oxenford die Mitarbeiter noch heute Vormittag persönlich über den Stand der Dinge informieren wird. Bleiben Sie ganz ruhig und zuversichtlich, aber gehen Sie nicht ins Detail. Die Einzelheiten sollten Sie Stanley überlassen.«

»Okay.«

»Und dann fragen Sie jeden Einzelnen, wann er oder sie Michael Ross zum letzten Mal gesehen hat. Wer Zutritt zum BSL-4 hat, wurde in der Nacht bereits telefonisch danach gefragt – aber doppelt genäht hält besser. Wenn jemand ihn nach Antritt seines Urlaubs vor zwei Wochen noch gesehen hat, sagen Sie mir bitte sofort Bescheid.«

»Okay.«

Toni zögerte einen Moment lang, weil die nächste Frage, die sie Susan stellen musste, ein bisschen heikel war, kam dann aber gleich zur Sache. »Halten Sie es für möglich, dass Michael schwul war?«

»Nicht aktiv.«

»Was macht Sie so sicher?«

»Inverburn ist eine Kleinstadt. Hier gibt's zwei Schwulenkneipen, einen Schwulenklub, zwei Restaurants, eine Kirche … Ich kenne die alle, und dort habe ich Michael niemals gesehen.«

»Okay. Ich hoffe, Sie nehmen es mir nicht übel, dass ich Ihnen diese Frage gestellt habe, nur weil Sie …«

»Keine Sorge!« Susan lächelte und sah Toni offen an. »Wenn Sie mich kränken wollten, müssten Sie sich schon ein bisschen mehr Mühe geben …«

»Ich danke Ihnen.«

Dieses Gespräch lag jetzt zwei Stunden zurück. Toni hatte die Zeit weitgehend damit verbracht, sich die Videoaufzeichnungen anzusehen, die bei Michaels letztem Besuch im BSL-4 entstanden waren, und kannte nun die Antworten auf Stanley Oxenfords Fragen. Sie war fest entschlossen, reinen Tisch zu machen und ihm klipp und klar zu sagen, was vorgefallen war – und hielt es für sehr wahrscheinlich, dass er sie daraufhin ersuchen würde, ihren Posten zur Verfügung zu stellen.

Toni konnte sich noch gut an ihre erste Begegnung mit Stanley Oxenford erinnern. Damals war sie am tiefsten Punkt ihres gesamten bisherigen Lebens angelangt und gab sich als freie Sicherheitsberaterin aus, obwohl sie keinen einzigen Kunden hatte. Frank, seit acht Jahren ihr Lebensgefährte, hatte sie sitzen lassen, und ihre Mutter wurde allmählich senil. Toni kam sich vor wie Hiob, nachdem Gott ihn verlassen hatte.

Stanley hatte sie in sein Büro bestellt und ihr einen kurzfristigen Vertrag angeboten. Er hatte ein Medikament entwickelt, von dem er fürchtete, es könne das Interesse von Industriespionen erregen. Sie, Toni, solle sich um diese Angelegenheit kümmern. Dass es ihr allererster Auftrag war, hatte sie ihm verschwiegen.

Nachdem sie zunächst das Firmengebäude nach Abhöranlagen durchkämmt hatte, begann sie sich dafür zu interessieren, ob von den wichtigsten Mitarbeitern jemand über seine Verhältnisse lebte. Einem Spion kam sie dabei nicht auf die Spur – aber einem Dieb. Sie war entsetzt, als sie entdeckte, dass ausgerechnet Stanleys Sohn Kit die Firma systematisch bestahl.

Was für ein Schock! Sie hatte Kit für einen charmanten Filou gehalten, hätte ihm aber niemals zugetraut, dass er seinen eigenen Vater hinterging. »Der Alte kann sich das leisten, er hat ja genug«, hatte Kit gleichgültig gesagt. Aus ihren Jahren bei der Polizei wusste Toni, dass Bosheit keinen Tiefgang hatte – Kriminelle waren ganz einfach oberflächliche, geldgierige Menschen mit fadenscheinigen Ausreden.

Kit hatte versucht, sie davon zu überzeugen, dass es das Beste wäre, die ganze Affäre auf sich beruhen zu lassen. Es würde nie wieder vorkommen, versprach er, wenn Toni nur diesmal den Mund hielte. Sie hatte ernsthaft darüber nachgedacht. Es war schließlich kein Vergnügen, einem erst kürzlich verwitweten Mann mitteilen zu müssen, dass sein Sohn nichts taugte. Andererseits wäre es unehrenhaft gewesen, ihm die Wahrheit vorzuenthalten.

Daher war sie nach längerem Zögern doch zu Stanley gegangen und hatte ihm voller Bangen alles erzählt.

Seine Miene würde sie nie vergessen. Er war leichenblass geworden, hatte das Gesicht verzogen und dabei gestöhnt, als hätte ihn plötzlich ein innerer Schmerz überfallen. In diesem Augenblick, da Stanley Oxenford sich alle Mühe gab zu verbergen, wie tief ihn die Nachricht getroffen hatte, war Toni bewusst geworden, dass seine innere Kraft ebenso groß war wie seine Empfindsamkeit.

Die Entscheidung, ihm die Wahrheit zu sagen, war richtig gewesen, und ihre Aufrichtigkeit war belohnt worden. Stanley hatte Kit entlassen und Toni eine feste Anstellung gegeben. Für sie war daher klar, dass sie ihm immer während Loyalität schuldete, komme, was da wolle. Sie war fest entschlossen, das Vertrauen, das er in sie setzte, voll und ganz zu rechtfertigen.

Ihre Lebensumstände verbesserten sich. Stanley Oxenford beförderte sie schon bald von der Sicherheitsbeauftragten zur Abteilungsleiterin und erhöhte ihre Bezüge. Toni kaufte sich einen roten Porsche.

Als sie eines Tages erwähnte, dass sie im Squashteam des britischen Polizeisportverbands gespielt hatte, forderte Stanley sie zu einem Spiel in der firmeneigenen Sporthalle auf. Toni gewann – aber nur knapp. Von nun an spielten sie regelmäßig jede Woche. Stanley Oxenford war durchtrainiert und hatte eine größere Reichweite – doch Toni war zwanzig Jahre jünger und reaktionsschneller. Wenn ihre Konzentration nachließ, konnte es schon mal passieren, dass er ihr einen Satz abnahm, aber normalerweise gewann sie das Spiel am Ende dann doch.

Und sie lernte ihn besser kennen. Er spielte sehr raffiniert und ging nicht selten Risiken ein, die sich am Ende auszahlten; war durchaus ehrgeizig, konnte aber auch verlieren, ohne aus der Rolle zu fallen. Dank ihrer raschen Auffassungsgabe war Toni ihm auch intellektuell gewachsen, und ihre Wortgefechte machten ihr großen Spaß. Je besser sie Stanley Oxenford kennen lernte, desto besser gefiel er ihr. Bis ihr eines Tages klar wurde, dass sie ihn nicht einfach nur mochte. Es war mehr als das.

Jetzt hatte sie das Gefühl, das Schlimmste, was ihr beim Verlust ihres Arbeitsplatzes drohte, sei der Umstand, dass sie ihn dann nicht mehr sehen würde.

Sie war gerade im Begriff, in die Große Halle zu gehen und sich auf dem Weg dorthin noch mit Stanley zu treffen, als ihr Telefon klingelte.

Eine Frauenstimme mit südenglischem Akzent sagte: »Hallo, hier ist Odette.«

»Hallo!« Toni freute sich über den Anruf. Odette Cressy war Kommissarin bei der Londoner Polizei. Sie hatten sich vor fünf Jahren bei einer Fortbildungsveranstaltung in Hendon kennen gelernt und auf Anhieb gut verstanden. Sie waren nahezu gleichaltrig. Odette war Single, und so hatte Toni nach der Trennung von Frank schon zwei Mal mit ihr gemeinsam Urlaub gemacht. Nur die weite Entfernung zwischen ihren Wohnorten verhinderte, dass sie die besten Freundinnen waren. Sie behalfen sich damit, dass sie alle vierzehn Tage miteinander telefonierten.

»Es geht um euer Virusopfer«, sagte Odette.

»Wieso interessiert *euch* das?« Odette arbeitete in der Antiterrorismus-Abteilung. »Aber so wie ich euch kenne, darf ich diese Frage gar nicht stellen.«

»Stimmt. Ich kann dir nur sagen, dass der Begriff *Madoba-2* hier die Alarmglocken hat klingeln lassen. Den Rest musst du dir selber zusammenreimen.«

Toni runzelte die Stirn. Als ehemalige Polizistin konnte sie sich gut vorstellen, was da im Gange war: Odette verfügte über Geheimdienstinformationen, die besagten, dass sich irgendeine Gruppe für *Madoba-2* interessierte. Dabei konnte es sich um die Aussage eines Verdächtigen handeln, der beim Verhör geplaudert hatte, oder um Mitschnitte eines abgehörten Telefongesprächs. Vielleicht hatte auch jemand, dessen Telefonleitung überwacht wurde, den Begriff in eine Internet-Suchmaschine eingegeben. Auf jeden Fall würde die Antiterrorismus-Abteilung von nun an jedes Mal, wenn Viren dieses Typs nicht auffindbar waren, argwöhnen, sie seien von Fanatikern gestohlen worden.

»Ich glaube nicht, das Michael Ross ein Terrorist war«, sagte Toni. »So, wie es aussieht, hat er lediglich eines der Labortiere lieb gewonnen.«

»Und was ist mit seinen Freunden?«

»Ich habe sein Adressbuch gefunden. Die Polizei in Inverburn überprüft gerade die Namen.«

»Hast du dir eine Kopie gemacht?«

Sie lag auf Tonis Schreibtisch. »Ja, ich kann sie dir gleich zufaxen.«

»Danke, das spart mir Zeit.« Odette nannte eine Nummer, und Toni notierte sie. »Wie geht's dir mit deinem gut aussehenden Chef?«

Toni hatte niemandem gegenüber jemals erwähnt, was sie für Stanley empfand, doch Odette schien ihre Gedanken lesen zu können. »Von Sex am Arbeitsplatz halte ich, ehrlich gesagt, nicht viel, das weißt du ja. Außerdem ist seine Frau gerade erst gestorben ...«

»Vor achtzehn Monaten, wenn ich mich richtig erinnere.«

»Nach fast vierzig Ehejahren ist das noch keine lange Zeit. Abgesehen davon ist er ein hingebungsvoller Vater und Großvater. Seine Kinder und Enkel würden wahrscheinlich jede Frau hassen, die es sich in den Kopf setzt, an die Stelle seiner verstorbenen Gattin zu treten.«

»Weißt du, was das Gute ist an Sex mit einem älteren Mann? Weil er genau weiß, dass er nicht mehr der Jüngste und Kräftigste ist, gibt er sich doppelt Mühe, dich zufrieden zu stellen.«

»Ich nehme an, du sprichst aus eigener Erfahrung.«

»Da war doch noch was, das für ihn sprach? Ach ja, beinahe hätt ich 's vergessen, ha, ha! Der Mann ist reich. Eins kann ich dir sagen: Wenn du ihn nicht willst, dann überlass ihn mir, ich nehm ihn sofort. Aber bis dahin – sag mir Bescheid, wenn du was Neues über Michael Ross rausfindest.«

»Ja, natürlich.« Toni legte auf und sah zum Fenster hinaus. Stanley Oxenfords dunkelblauer Ferrari F50 bog gerade auf den für den Chef reservierten Parkplatz ein. Toni nahm die Kopie von Michaels Adressbuch zur Hand, legte sie aufs Faxgerät und wählte Odettes Nummer.

Dann stand sie auf und ging ihrem Vorgesetzten entgegen. Sie kam sich vor wie ein Verbrecher auf dem Weg zur Urteilsverkündung.

Die Große Halle erinnerte an ein Kirchenschiff. Das Licht fiel in Streifen durch hohe Bogenfenster und bildete Muster auf den Steinfliesen. Überspannt war die Halle vom mächtigen Gebälk einer offenen Sparrenkonstruktion. In der Mitte dieser gediegenen Umgebung stand, irgendwie deplatziert, ein moderner ovaler Empfangstisch mit hohem Tresen. Im Innern des Ovals saß ein uniformierter Wachmann auf einem Stuhl.

Stanley Oxenford betrat die Große Halle durch den Haupteingang. Er war ein hoch gewachsener Sechziger mit vollem grauem Haar und blauen Augen. Dem Klischeebild des Wissenschaftlers – hohe Stirn, Brille, gebeugte Haltung – entsprach er ganz und gar nicht. Toni kam er eher vor wie ein Schauspieler, der in einem Film über den Zweiten Weltkrieg die Rolle des Generals übernommen hat. Er war stets gut gekleidet, ohne bieder zu wirken. Heute trug er einen grauen Tweedanzug mit Weste, dazu ein hellblaues Hemd und – vielleicht aus Respekt für den Toten – eine schwarze Strickkrawatte.

Susan Mackintosh hatte neben dem Eingang einen Tapeziertisch auf Böcke stellen lassen. Als Stanley hereinkam, wechselte sie ein paar Worte mit ihm. Dann wandte er sich an Toni. »Gute Idee, sich die Leute einzeln vorzuknöpfen und sie zu fragen, wann sie Michael das letzte Mal gesehen haben«, sagte er.

»Danke«, sagte Toni und dachte: Wenigstens in einem Punkt habe ich das Richtige getan.

»Was ist mit den Mitarbeitern, die gerade im Urlaub sind?«, fuhr Stanley fort.

»Sie werden alle noch im Laufe des Vormittags angerufen.«

»Gut. Wissen Sie inzwischen, was geschehen ist?«

»Ja. Ich hatte Recht, und Sie lagen mit Ihrer Vermutung falsch. Es war das Kaninchen.«

Trotz der tragischen Umstände lächelte Stanley. Er ließ sich gerne herausfordern, vor allem von attraktiven Frauen. »Woher wissen Sie das?«

»Ich habe mir die Videoaufzeichnungen angesehen. Wollen Sie sie auch sehen?«

»Ja.«

Sie gingen durch einen langen Flur mit Faltwerk-Vertäfelung aus Eichenholz und erreichten dann durch einen Seitengang die zentrale Überwachungsstation, die allgemein nur »der Kontrollraum« genannt wurde. Die Fenster des ehemaligen Billardzimmers waren aus Sicherheitsgründen zugemauert worden. Die Decke hatte man abgesenkt, um einen Schlupfwinkel für ein Schlangennest voller Kabel zu schaffen. Eine Wand war mit einer Reihe von Fernsehmonitoren zugestellt, auf denen alle sicherheitsrelevanten Bereiche des Geländes, darunter jeder einzelne Raum des BSL-4-Labors, zu sehen waren. Auf einem langen Arbeitstisch befanden sich Touchscreens, über die die Alarmanlagen kontrolliert wurden. Tausende von elektronischen Kontrollen überwachten die Temperatur, die Luftfeuchtigkeit und die Belüftungssysteme in sämtlichen Laboratorien – wenn irgendwo eine Tür zu lange offen stand, schrillte eine Alarmglocke. Ein Werkschutzmitarbeiter in blitzsauberer Uniform saß vor dem Monitor, über den man Zugang zum zentralen Sicherheitscomputer bekam.

»Hier ist ja mächtig aufgeräumt worden seit meinem letzten Besuch«, sagte Stanley überrascht.

Bei Tonis Dienstantritt hatte ein arges Chaos im Kontrollraum geherrscht: Überall standen und lagen schmutzige Kaffeetassen, alte Zeitungen, defekte Kugelschreiber und Tupperware-Dosen mit Essensresten herum. Inzwischen war alles sauber und ordentlich aufgeräumt. Auf dem Schreibtisch lagen nur noch die Unterlagen, die der Dienst habende Wachmann gerade brauchte. Toni freute sich, dass Stanley die Veränderung aufgefallen war.

Er warf einen Blick in die ehemalige Waffenkammer, den angrenzenden Raum, der taghell erleuchtet war und randvoll mit elektronischem Gerät, darunter dem Rechner, der die Telefonanlage steuerte. Damit im Fall eines technischen Versagens die Ausfallzeit so kurz wie möglich gehalten werden konnte, war jedes einzelne der an die tausend Kabel mit deutlich beschrifteten, fest montierten Schildchen versehen. Stanley nickte zufrieden.

Das alles kann ich auf der Habenseite verbuchen, dachte Toni, doch dass ich eine gute Organisatorin bin, weiß Stanley ja längst... Meine Hauptaufgabe besteht darin, zu verhindern, dass aus dem BSL-4-Labor gefährliche Substanzen verschwinden – und genau darin habe ich versagt.

In Augenblicken wie diesen konnte sie beim besten Willen nicht sagen, was in Stanley Oxenfords Kopf vorging. Trauert er um Michael Ross, fragte sich Toni. Macht er sich Sorgen um die Zukunft der Firma? Oder ärgert er sich über die schwere Sicherheitspanne? Gegen wen wird sich sein Zorn richten? Gegen mich, den toten Michael oder gegen Howard McAlpine? Und wenn ich ihm jetzt zeige, was Michael getan hat – wird er mich loben, weil ich es so schnell herausgefunden habe, oder schmeißt er mich raus, weil ich es nicht verhindern konnte?

Sie saßen nebeneinander vor einem Monitor, und Toni gab die Befehle ein, mit denen sie die Bilder aufrief, die sie ihm zeigen wollte. Das gewaltige Gedächtnis des Rechners speicherte die Aufnahmen der Überwachungskameras achtundzwanzig Tage lang, ehe er sie löschte. Toni kannte das Programm in- und auswendig und fand sich problemlos darin zurecht.

Neben Stanley zu sitzen erinnerte sie absurderweise an eine Szene aus ihrer Jugend: Sie war vierzehn, saß mit einem Freund im Kino und wehrte sich nicht, als er seine Hand unter ihren Pullover schob. Die Erinnerung war ihr peinlich, und sie spürte, wie ihr das Blut zu Kopf stieg. Hoffentlich fällt das Stanley nicht auf, dachte sie.

Auf dem Monitor war zu sehen, wie Michael vor dem Haupteingang eintraf und seinen Ausweis präsentierte. »Datum und Zeit sind unten angezeigt«, erklärte Toni. »Es war am 8. Dezember um 14.27

Uhr.« Sie gab einen Befehl ein, und auf dem Bildschirm erschien ein grüner VW Golf, der gerade in eine Parkbucht einbog. Ein schmaler Mann stieg aus und holte eine Art Matschsack von der Ladefläche. »Achten Sie auf den Sack«, sagte Toni.

»Warum?«

»Da ist ein Kaninchen drin.«

»Wie hat er das gemacht?«

»Ich denke, das Tier ist betäubt und wahrscheinlich fest eingewickelt. Sie dürfen nicht vergessen, dass Michael jahrelang mit Labortieren gearbeitet hat. Er weiß, wie man sie ruhig stellt.«

Die nächste Bildsequenz zeigte, wie Michael erneut seinen Ausweis präsentierte, diesmal an der Rezeption. Eine hübsche, ungefähr vierzigjährige Pakistanerin betrat die Große Halle. »Das ist ja Monica Ansari«, sagte Stanley.

»Sie war mit ihm im Labor. Sie musste sich um ihre Gewebekulturen kümmern, während er routinemäßig einmal am Wochenende vorbeikam, um zu sehen, ob mit den Versuchstieren alles in Ordnung war.«

Die beiden schritten den gleichen Flur hinunter wie vorhin Stanley und Toni, bogen aber nicht zum Kontrollraum ab, sondern gingen weiter bis zu einer Tür am Ende des Korridors. Mit den vier Paneelen und dem Messingkopf sah sie auf den ersten Blick aus wie alle anderen Türen im Gebäude, bestand aber anders als jene aus Stahl. An der Wand neben der Tür prangte das gelbschwarze internationale Warnschild für Biogefährdung

Dr. Ansari wedelte einmal mit ihrer Chipkarte vor einem automatischen Lesegerät und drückte dann den Zeigefinger der linken Hand auf einen kleinen Bildschirm. Es dauerte einen Augenblick, bis der Computer überprüft hatte, dass ihr Fingerabdruck mit der Information auf der Chipkarte übereinstimmte. Auf diese Weise wurde einem Missbrauch verlorener oder gestohlener Karten durch Unbefugte vorgebeugt. Dr. Ansari nutzte die Pause zu einem Blick hinauf zur Videokamera und grüßte mit einem ironischen Salut, doch da ging auch schon die Tür auf, und die Wissenschaftlerin trat über die Schwelle. Michael Ross folgte ihr.

Die nächste Kamera zeigte die beiden in einem kleinen Vorraum. Eine Reihe von Skalen an der Wand gehörte zu den Geräten, die den Luftdruck im Labor überwachten. Je tiefer man in das BSL-4 vordrang, desto geringer wurde er. Der kontrollierte Druckabfall garantierte, dass im Falle eines Lecks die Luft immer nach innen gesaugt anstatt nach außen geblasen wurde. Hier trennten sich nun die Wege von Dr. Ansari und Michael Ross. Die beiden verschwanden in den Umkleideräumen für Männer beziehungsweise Frauen. »Dort hat er das Kaninchen aus dem Sack genommen«, erklärte Toni. »Hätte er an diesem Tag einen männlichen Kollegen gehabt, wäre aus seinem Plan nichts geworden. Aber er war zusammen mit Monica eingeteilt, und in den Umkleideräumen sind natürlich keine Videokameras installiert.«

»Verdammt, man kann doch Umkleideräume nicht überwachen lassen«, sagte Stanley. »Da würde doch kein Mensch hier arbeiten.«

»Richtig«, sagte Toni. »Wir müssen uns dafür eine andere Lösung einfallen lassen. Sehen Sie mal hier!«

Die nächsten Aufnahmen stammten von einer Kamera innerhalb des Labors. Sie zeigten herkömmliche Kaninchenställe, die mit einer durchsichtigen Plastikabdeckung isoliert waren. Toni hielt das Bild an und fragte: »Können Sie mir sagen, was genau unsere Forscher in diesem Labor treiben?«

»Selbstverständlich. Unser neues Medikament wirkt gegen eine ganze Reihe von Viren, aber eben nicht gegen alle. Bei diesem Experiment wird es auf seine Wirksamkeit gegen *Madoba-2* getestet, eine Mutation des Ebola-Virus, das bei Kaninchen und Menschen ein tödliches hämorrhagisches Fieber hervorruft. Zwei verschiedene Kaninchengruppen wurden mit diesem Virus herausgefordert ...«

»Herausgefordert?«

»Tut mir Leid, aber das ist das Wort, das wir benützen. Im Klartext heißt es: Sie wurden infiziert. Einer Gruppe wurde dann das Gegenmittel gespritzt, der anderen nicht.«

»Und was kam dabei heraus?«

»Bei Kaninchen wirkt unser Mittel leider nicht gegen *Madoba-2*. Wir sind schon ein bisschen enttäuscht, denn damit steht nahezu hundertprozentig fest, dass es auch beim Menschen nichts ausrichtet.«

»Aber vor sechzehn Tagen wussten Sie das noch nicht?«

»Nein, da haben Sie Recht.«

»Wenn das so ist, dann weiß ich jetzt, glaube ich, was Michael vorhatte.« Sie gab einen Befehl ein, der den Film weiterlaufen ließ. Eine Gestalt in einem Schutzanzug aus hellblauem Plastik und mit einem hellen Helm auf dem Kopf trat ins Blickfeld. Vor der Tür blieb sie stehen und schob ihre Füße in große Gummistiefel, dann angelte sie sich einen gelben Luftschlauch, der in Ringeln von der Decke hing, und schloss ihn an ein Ventil an ihrem Gürtel an. Der Anzug wurde aufgeblasen, und am Ende sah sein Träger aus wie das Michelin-Männchen.

»Das ist Michael«, sagte Toni. »Er hat sich schneller umgezogen als Monica und befindet sich daher in diesem Augenblick allein im Raum.«

»Sollte nicht vorkommen, kommt aber vor«, sagte Stanley. »Die Zwei-Personen-Regel wird generell eingehalten, aber es gibt minutenlange Lücken. *Merda*!« Stanley fluchte ziemlich oft auf Italienisch. Das reichhaltige diesbezügliche Vokabular hatte er von seiner Frau gelernt. Da Toni Spanisch konnte, verstand sie meistens alles.

Auf dem Bildschirm war nun zu sehen, wie Michael sich in seinem unförmigen Anzug bewusst langsam auf die Kaninchenställe zubewegte. Dann blieb er mit dem Rücken zur Kamera stehen, und für ein paar Augenblicke verdeckte der aufgeblähte Anzug, was Michael tat. Schließlich wandte er sich wieder ab und ließ einen Gegenstand auf eine Arbeitsfläche aus rostfreiem Stahl fallen.

»Ist Ihnen etwas aufgefallen?«, fragte Toni.

»Nein«, erwiderte Stanley.

»Genauso wenig wie unseren Werkschutzleuten an den Monitoren.« Toni verteidigte ihre Mitarbeiter: Wenn Stanley selber nichts bemerkte, konnte er dem Personal kaum einen Vorwurf machen. »Aber sehen Sie noch einmal genau hin.« Sie ließ den Film zurücklaufen und hielt ihn an der Stelle an, wo Michael ins Blickfeld trat. »Im Käfig oben rechts befindet sich ein Kaninchen, ein einziges.«

»Ja, das sehe ich.«

»Und jetzt sehen Sie sich Michael genau an. Er trägt was unter dem Arm.«

»Ja – eingewickelt in blaues Plastik, das gleiche Zeug, aus dem die Schutzanzüge sind.«

Toni ließ den Film vorlaufen und hielt ihn wieder an, als Michael sich von den Ställen fortbewegte. »Wie viele Kaninchen befinden sich jetzt in dem Käfig oben rechts?«

»Zwei, verflucht noch mal!« Stanley konnte seine Verblüffung nicht verbergen. »Ich dachte, Sie meinten, er habe ein Kaninchen aus dem Labor mitgehen lassen! Dabei haben Sie mir gerade gezeigt, wie er eines hineinschmuggelt!«

»Ja, einen Ersatz. Den Forschern wäre ja sonst sofort aufgefallen, dass ein Tier fehlt.«

»Und was soll das? Was sind seine Motive? Um ein Kaninchen zu retten, verurteilt er ein anderes zum Tode.«

»Ja, was das betrifft, handelt er völlig irrational. Ich kann mir nur vorstellen, dass das gerettete Kaninchen für ihn eine persönliche, besondere Bedeutung hatte.«

»Herrgott noch mal! Ein Kaninchen ist doch wie das andere!«

»Nicht für Michael, nehme ich an.«

Stanley nickte. »Sie haben Recht. Wer kann schon sagen, was zu diesem Zeitpunkt in seinem Hirn vorging?«

Toni spulte den Film vor. »Ansonsten hat er nur seine üblichen Aufgaben erledigt. Er hat nachgesehen, ob noch alle Tiere am Leben waren, hat ihnen Futter und Wasser gegeben und jeden Arbeitsschritt auf einer Liste abgehakt. Monica ist sofort, nachdem sie aus dem Umkleideraum kam, in einem Nebenraum verschwunden, wo sie an ihren Gewebekulturen arbeitete; sie konnte ihn also nicht sehen. Michael hat sich in dem größeren Labor nebenan um die Makaken gekümmert. Die nächste Szene zeigt, wie er daraus zurückkommt, schauen Sie!«

Michael Ross zog den Luftschlauch aus dem Ventil am Gürtel. Das war die gängige Praxis, wenn man innerhalb des Laboratoriums den Raum wechselte. Der Schutzanzug enthielt Frischluft für drei oder vier Minuten. Wenn sie zur Neige ging, beschlug die Gesichtsmaske und warnte somit den Träger. Michael betrat die Kammer, in der der Tresor untergebracht war, ein abgeschlossener Kühlschrank, in dem sich die Proben mit den lebenden Viren befanden. Hier, am bestbewachten Ort im gesamten Haus, lagerten auch sämtliche Vorräte des unbezahlbaren Antivirenmittels. Michael tippte eine Zahlenkombination ein. Die Überwachungskamera innerhalb des Kühlschranks zeigte, wie er zwei Einwegspritzen mit einer jeweils bereits abgemessenen Dosis des Medikaments an sich nahm.

»Die kleinere Dosis ist für das Kaninchen gedacht, die größere vermutlich für ihn selbst, nehme ich an«, sagte Toni. »Wie Sie ist Michael davon ausgegangen, dass das Mittel gegen *Madoba-2* wirksam ist. Er wollte das Kaninchen heilen und sich selbst immunisieren.«

»Die Videoüberwacher hätten doch sehen müssen, wie er das Mittel aus dem Kühlschrank nimmt.«

»Das haben sie sicher auch – aber sie fanden es nicht verdächtig. Michael war zum Umgang mit diesen Substanzen berechtigt.«

»Aber es hätte ihnen doch auffallen müssen, dass er nichts ins Protokollbuch eingetragen hat.«

»Hätte, ja. Aber vergessen Sie nicht, dass ein Mann siebenunddreißig Monitore überwachen muss – und außerdem mit den Arbeitsabläufen im Labor nicht vertraut ist.«

Stanley gab ein zustimmendes Knurren von sich.

»Michael dürfte davon ausgegangen sein, dass der Fehlbestand erst bei der Jahresinventur auffallen würde, und da hätte er sich immer auf ein Versehen herausreden können. Er wusste nicht, dass ich eine außerplanmäßige Inspektion vorhatte.«

Auf dem Monitor war jetzt zu sehen, wie Michael den Tresor verriegelte, in das Labor mit den Kaninchen zurückkehrte und seinen Luftschlauch wieder anschloss. »Er ist mit seiner Arbeit fertig«, erklärte Toni. »Trotzdem geht er noch einmal zu den Kaninchenställen.« Erneut war nicht zu erkennen, was er dort tat, weil er der Kamera den Rücken zukehrte. »Das ist der Moment, wo er sein Lieblingskaninchen aus dem Stall holt und es, wie ich glaube, in einen eigenen Mini-Schutzanzug steckt, den er wahrscheinlich aus Teilen eines alten, ausgemusterten Anzugs hergestellt hat.«

Man konnte nun Michaels linke Seite sehen. Als er zum Ausgang ging, schien er unter dem rechten Arm etwas zu tragen, aber es ließ sich nicht erkennen, was.

Wer das BSL-4-Labor verließ, musste zunächst durch eine chemische Dusche, die den Schutzanzug dekontaminierte. Bevor man wieder in seine Alltagskleidung schlüpfte, war noch eine normale Dusche vorgeschrieben. »In der chemischen Dusche war das Tier durch den Kaninchenschutzanzug geschützt«, fuhr Toni fort. »Danach hat Michael ihn vermutlich in die Verbrennungsanlage geworfen. Die Wasserdusche machte dem Tier nichts aus, und im Umkleideraum hat Michael es dann in den Matchsack gesteckt. Als er das Gebäude verließ, haben die Wachposten gesehen, dass er den gleichen Matchsack bei sich hatte wie bei seiner Ankunft, und sich nichts dabei gedacht.«

Stanley lehnte sich in seinem Stuhl zurück. »Also, ich bin erschüttert«, sagte er. »Ich hätte jeden Eid geschworen, dass so etwas nicht möglich wäre.«

»Michael hat das Kaninchen mit nach Hause genommen. Wahrscheinlich hat es ihn gebissen, als er ihm das Gegenmittel gespritzt hat. Er hat sich dann das Mittel selbst injiziert und glaubte damit gegen eine Ansteckung immun zu sein – nur lag er damit leider falsch.«

Stanley wirkte auf einmal traurig. »Der arme Junge. Dieser arme, dumme Junge!«

»Jetzt wissen Sie alles, was ich weiß«, sagte Toni und wartete auf das Urteil. War wieder einmal eine Lebensphase zu Ende? Musste sie sich nach Weihnachten einen neuen Job suchen?

Er sah sie unverwandt an. »Es gibt eine naheliegende Sicherheitsvorkehrung, die diese Panne verhindert hätte«, sagte er.

»Ich weiß«, erwiderte Toni. »Wir hätten bei jedem, der das BSL-4-Labor betritt oder verlässt, die Taschen durchsuchen müssen.«

»Genau.«

»Heute Morgen habe ich eine entsprechende Anordnung erlassen.«

»Und damit die Stalltür geschlossen, nachdem das Pferd ausgebüchst ist.«

»Es tut mir Leid«, sagte sie und war sich sicher, dass er von ihr nun eine freiwillige Kündigung erwartete. »Sie bezahlen mich dafür, dass es nicht zu solchen Vorfällen kommt. Ich habe diesen Vorfall nicht verhindert und daher versagt. Ich denke, Sie erwarten von mir jetzt, dass ich den Dienst quittiere.«

Er wirkte verärgert. »Wenn ich Sie rauswerfen will, erfahren Sie das früh genug.«

Sie starrte ihn an. War das ein Strafaufschub?

Stanleys Gesicht wirkte jetzt weniger streng. »Okay, Sie sind ein gewissenhafter Mensch und fühlen sich schuldig, obwohl weder Sie noch sonst irgendjemand einen solchen Fall voraussehen konnte.«

»Ich hätte die Durchsuchung der Taschen früher einführen können.«

»Wogegen ich wahrscheinlich mein Veto eingelegt hätte, um die Belegschaft nicht zu verärgern.«

»Ach ja?«

»Lassen Sie sich Folgendes gesagt sein: Seit Ihrem Dienstantritt sind unsere Sicherheitsvorkehrungen so scharf wie nie zuvor. Sie sind verdammt gut in Ihrem Job, und ich möchte Sie behalten. Also Schluss mit dem Selbstmitleid, ja?«

Toni war so erleichtert, dass ihr ganz schwach wurde. »Ich danke Ihnen«, sagte sie.

»So, heute gibt es viel zu tun – am besten fangen wir gleich damit an.« Stanley Oxenford stand auf und verließ den Raum.

Toni schloss die Augen. Er hatte ihr vergeben. Danke, dachte sie, vielen Dank.

Miranda Oxenford bestellte einen *Cappucino Viennoise*, einen Ein-
spänner mit einer Schlagsahnepyramide obendrauf, und in letzter
Sekunde auch noch ein Stück Karottenkuchen. Sie steckte das Wechselgeld in ihre Rocktasche und trug das Tablett mit ihrem Frühstück
zu dem Tischchen, an dem ihre dünne Schwester Olga, in der Hand
eine Zigarette und vor sich einen doppelten Espresso, bereits auf sie
wartete. Das Café war mit Papiergirlanden geschmückt, und über dem
Panini-Toaster funkelte ein Weihnachtsbaum, doch mit einem feinen
Sinn für Ironie hatte irgendjemand dafür gesorgt, dass die Musikanlage
mit den Beach Boys gefüttert worden war; sie sangen gerade »Surfin'
USA«.

Miranda und Olga liefen sich morgens ziemlich oft in diesem Café
in der Sauchiehall Street im Herzen Glasgows über den Weg. Miranda
war Geschäftsführerin einer hier ansässigen Jobagentur für IT-Fach-
kräfte, und Olga arbeitete ganz in der Nähe als Anwältin. Beide setzten
sich gerne am Morgen vor Dienstbeginn noch einmal fünf Minuten
ins Café, um ihre Gedanken zu sammeln.

Kein Mensch käme auf die Idee, uns für Schwestern zu halten,
dachte Miranda, als ihr ein Spiegel kurz ihr Ebenbild zeigte. Sie war
klein, hatte gelocktes blondes Haar und eine – nun ja – eher etwas
mollige Figur. Olga dagegen war so groß wie Daddy und hatte die
gleichen schwarzen Augenbrauen wie ihre verstorbene Mutter, eine
gebürtige Italienerin, die nur »Mamma Marta« genannt worden war.
Olga trug ihre Arbeitskleidung, einen dunkelgrauen Anzug und sehr
spitze Schuhe. Sie hätte ohne weiteres die Rolle der Cruella De Vil aus

101 Dalmatiner spielen können. Wahrscheinlich hatten Schöffen und Geschworene einen Heidenrespekt vor ihr.

Miranda legte Mantel und Schal ab. Sie trug einen Faltenrock und einen mit Blümchen bestickten Pullover. Sie wollte mit ihrer Kleidung Sympathie gewinnen und niemanden einschüchtern. Als sie sich setzte, fragte Olga: »Du arbeitest heute, an Heiligabend?«

»Nur ein Stündchen«, erwiderte Miranda. »Ich will nicht, dass über die Feiertage irgendwas Unerledigtes liegen bleibt.«

»Genauso geht's mir.«

»Hast du schon die Nachrichten gehört? Ein Laborangestellter im Kreml ist an einem Virus gestorben.«

»O Gott, das wird uns bestimmt die Weihnachtsstimmung vermiesen.«

Manchmal klingt Olga richtig herzlos, dachte Miranda. Dabei ist sie das überhaupt nicht. »Ich hab's im Radio gehört. Mit Daddy hab ich noch nicht gesprochen, aber anscheinend hat der arme Kerl einen Versuchshamster aus dem Labor lieb gewonnen und mit nach Hause genommen.«

»Was hat er denn mit dem gemacht? Mit ihm gepennt?«

»Vermutlich hat das Tier ihn gebissen. Der Mann war alleinstehend, weshalb niemand Hilfe geholt hat. Immerhin spricht einiges dafür, dass er keine weiteren Personen infiziert hat. Aber wie dem auch sei, für Daddy ist das ziemlich schlimm. Bestimmt fühlt er sich verantwortlich, auch wenn er es sich nicht anmerken lassen wird.«

»Er hätte sich lieber in einer weniger gefährlichen Branche engagieren sollen, in der Atomwaffenforschung zum Beispiel.«

Miranda lächelte. Sie freute sich, dass sie Olga gerade heute getroffen hatte, denn das gab ihr die erhoffte Chance auf ein paar Worte unter vier Augen. Am Nachmittag versammelte sich die ganze Familie für die Feiertage in Steepfall, dem väterlichen Anwesen. Miranda wollte ihren Bräutigam, Ned Hanley, mitbringen und legte großen Wert darauf, dass Olga nett zu ihm war. Allerdings sprach sie das Thema nicht direkt an. »Hoffentlich verdirbt uns diese Geschichte nicht das Fest, ich hab mich schon so sehr darauf gefreut. Weißt du, dass sogar Kit kommt?«

»Ich bin mir zutiefst der hohen Ehre bewusst, die unser kleiner Bruder uns zuteil werden lässt.«

»Erst wollte er nicht kommen, aber dann habe ich ihn dazu überredet.«

»Daddy wird entzückt sein.« Der Sarkasmus in Olgas Stimme war nicht zu überhören.

»Jawohl, er wird sich freuen«, gab Miranda nicht ohne Vorwurf zurück. »Es hat ihm schier das Herz gebrochen, als er Kit rausschmeißen musste, das weißt du ganz genau.«

»Ich habe ihn noch nie so wütend gesehen. Damals dachte ich, er wäre sogar imstande, jemanden umzubringen.«

»Aber dann hat er geweint.«

»Das hab ich nicht mitgekriegt.«

»Ich auch nicht. Lori hat es mir erzählt.« Lori war Stanleys Haushälterin. »Inzwischen möchte er aber alles vergeben und vergessen.«

Olga drückte ihre Zigarette aus. »Ich weiß, ich weiß. Daddys Großmut kennt keine Grenzen. Hat Kit endlich einen neuen Job?«

»Nein.«

»Kannst du nicht was für ihn finden? Das ist doch dein Gebiet, und er ist wirklich gut.«

»Der Arbeitsmarkt ist ziemlich mau zurzeit. Außerdem ist bekannt, dass sein Vater ihn rausgeworfen hat.«

»Hat er denn mit der Spielerei aufgehört?«

»Muss er wohl. Erstens hat er es Daddy versprochen, und zweitens hat er kein Geld.«

»Daddy hat seine Schulden beglichen, stimmt's?«

»Ich glaube, das sollten wir eigentlich nicht wissen.«

»Komm, Mandy, raus mit der Sprache!« Mandy war Mirandas Kosename aus ihrer Kinderzeit. »Wie viel?«

»Frag das lieber Daddy – oder Kit.«

»Zehntausend Pfund?«

Miranda wandte den Blick ab.

»Mehr als das? Zwanzigtausend?«

»Fünfzigtausend«, flüsterte Miranda.

»Herr im Himmel! Der kleine Schweinehund hat fünfzigtausend

Pfund aus unserem Erbe verjubelt! Na warte, Brüderchen, komm du mir nur unter die Augen!«

»Genug jetzt von Kit. Was ich sagen wollte: Du wirst am Fest auch Ned besser kennen lernen. Es wäre mir sehr lieb, wenn du ihn quasi als Familienmitglied behandeln könntest.«

»Ned sollte längst ein Mitglied der Familie sein! Wann heiratet ihr denn endlich? Für eine lange Verlobungszeit bist du zu alt. Außerdem warst du schon mal verheiratet, genauso wie er – und es ist ja nicht so, dass ihr noch für die Aussteuer sparen müsst.«

Das war nicht die Antwort, die Miranda sich erhofft hatte. Sie wollte, das Olga Ned sympathisch fand und es ihm auch zeigte. »Ach, du kennst doch Ned«, sagte sie wie zur Entschuldigung. »Er lebt in seiner eigenen Welt.« Ned Hanley war Redakteur bei der *Glasgow Review of Books*, einer angesehenen kulturpolitischen Zeitschrift, aber alles andere als ein praktischer Mensch.

»Ich weiß nicht, wie du das aushältst. Mir würde dieses unentschlossene Herumgeeiere fürchterlich auf den Geist gehen.«

Das Gespräch entwickelte sich ganz anders, als Miranda es sich vorgestellt hatte. »Eins kannst du mir glauben«, sagte sie. »Nach Jasper ist er ein wahrer Segen.« Mirandas erster Mann war ein brutaler Haustyrann gewesen. Ned war das genaue Gegenteil – und das war einer der Gründe dafür, dass sie ihn liebte. »Ned wird es schon rein organisatorisch nie auf die Reihe kriegen, mich herumzukommandieren – meistens weiß er nicht mal, welchen Wochentag wir haben.«

»Trotzdem – du bist fünf Jahre lang auch ohne Mann hervorragend zurechtgekommen.«

»Stimmt, und darauf bin ich auch stolz. Vor allem, als sich die wirtschaftliche Lage verschlechterte und ich nicht mehr diese dicken Vermittlungsprämien bekam.«

»Warum also willst du überhaupt einen anderen Mann?«

»Na ja, also weißt du …«

»Sex? Ich bitte dich! Hast du noch nie was von Vibratoren gehört?«

Miranda kicherte. »Das ist aber nicht das Gleiche.«

»Da muss ich dir Recht geben! Ein Vibrator ist größer, härter und zuverlässiger – und wenn du ihn satt hast, kannst du ihn ins Nachtkäst-chen legen und vergessen.«

Miranda fühlte sich allmählich persönlich angegriffen, was ziem-lich oft geschah, wenn sie sich mit ihrer Schwester unterhielt. »Ned versteht sich sehr gut mit Tom«, sagte sie. Der elfjährige Tom war ihr Sohn. »Jasper hat mit ihm praktisch nie geredet, es sei denn, er konnte ihm einen Befehl erteilen. Aber Ned interessiert sich für ihn, stellt ihm Fragen und hört zu, wenn der Junge antwortet.«

»Apropos Stiefkinder... Wie kommt Tom denn mit Sophie zu-recht?« Neds Tochter aus erster Ehe war vierzehn.

»Sie kommt auch mit nach Steepfall – ich hole sie heute am spä-ten Vormittag ab. Tom sieht in Sophie so was Ähnliches wie die alten Griechen in ihren Göttern – ein übernatürliches Wesen, das gefähr-lich werden kann, wenn man es nicht mit ständigen Opfern bei Laune hält. Am liebsten würde er ihr ständig Süßigkeiten zustecken, während Sophie lieber eine Zigarette hätte. Sie ist spindeldürr und auf Teufel komm raus entschlossen, es auch zu bleiben.« Miranda warf einen be-zeichnenden Blick auf Olgas Packung *Marlboro Light*.

»Wir haben alle unsere Schwächen«, sagte Olga. »Hol dir doch noch ein Stückchen Karottenkuchen.«

Miranda legte ihre Gabel nieder und trank einen Schluck Kaffee. »Sophie ist manchmal ganz schön schwierig, aber das ist nicht ihre Schuld. Ihre Mutter hasst mich, und das Kind ahmt sie einfach nach.«

»Ich gehe jede Wette ein, dass Ned dich mit diesem Problem alleine fertig werden lässt.«

»Das macht mir nichts aus.«

»Sag mal – er wohnt doch jetzt bei dir. Zahlt er dir wenigstens Miete?«

»Das kann er sich nicht leisten. Diese Zeitschrift zahlt ihm nur einen Hungerlohn, und außerdem muss er noch die Hypothek für das Haus abzahlen, in dem seine Ex wohnt. Die finanzielle Abhängigkeit ist ihm alles andere als angenehm, das kannst du mir glauben.«

»Aber was sollte ihn daran stören? Er hat was zum Vögeln, wenn ihm gerade danach ist, seine schwierige Tochter kann er dir überlassen, und mietfrei lebt er obendrein.«

Miranda fühlte sich gekränkt. »Du urteilst ziemlich hart.«

»Du hättest ihn nicht bei dir einziehen lassen sollen, ohne zuvor einen verbindlichen Termin für die Hochzeit festzulegen.«

Dieser Gedanke war Miranda selbst schon gekommen, doch das wollte sie nicht zugeben. »Er meint, wir brauchen alle noch ein bisschen Zeit, um uns mit dem Gedanken an eine zweite Ehe vertraut zu machen.«

»Wen meint er denn mit ›alle‹, hm?«

»Nun ja, Sophie zum Beispiel.«

»Und die kopiert die Einstellung ihrer Mutter, wie du vorhin gesagt hast! Letztendlich heißt das doch nichts anderes, als dass Ned dich erst heiraten wird, wenn ihm seine Exfrau die Erlaubnis dazu gibt.«

»Olga, ich bitte dich! Nimm die Anwaltsperücke ab, wenn du mit mir sprichst.«

»Irgendwer muss dir schließlich mal reinen Wein einschenken.«

»Du vereinfachst das alles ganz furchtbar. Ich weiß, das gehört zu deinem Beruf, aber ich bin deine Schwester und keine Zeugin der Gegenpartei.«

»Tut mir Leid. Ich hätte lieber meine Klappe halten sollen.«

»Schon gut. Es ist mir sogar ganz recht, dass du kein Blatt vor den Mund genommen hast. Ich wollte nämlich unter allen Umständen vermeiden, dass du mit Ned so sprichst. Er ist der Mann, den ich liebe und den ich heiraten möchte. Und deshalb bitte ich dich, ihn zu Weihnachten nett zu behandeln.«

»Ich werd mir Mühe geben«, sagte Olga leichthin.

Doch Miranda lag daran, ihrer Schwester klar zu machen, wie wichtig ihr die Sache war. »Ich muss ihm das Gefühl geben, dass wir beide gemeinsam eine neue Familie aufbauen können, für uns selbst und für die beiden Kinder. Bitte hilf mir, ihn davon zu überzeugen.«

»Okay, mach ich.«

»Wenn wir die Feiertage gut über die Bühne bringen, lässt er sich wahrscheinlich auf einen Termin für die Hochzeit ein.«

Olga berührte Mirandas Hand. »Ich hab's begriffen. Ich weiß, wie sehr dir diese Sache am Herzen liegt. Ich werde ganz brav sein.«

Miranda hatte es geschafft. Sie war zufrieden und kam wieder auf einen anderen Konfliktherd zu sprechen. »Ich hoffe nur, dass Daddy und Kit sich wieder vertragen.«

»Das hoffe ich auch, aber da haben wir beide kaum Einfluss drauf.«

»Kit hat mich vor ein paar Tagen angerufen. Aus irgendeinem Grund legt er großen Wert darauf, im Gästehaus zu schlafen, wenn er nach Steepfall kommt.«

Olga brauste auf. »Warum sollte er das Gästehaus ganz für sich allein haben? Das heißt doch nichts anderes, als dass wir – du und Ned und Hugo und ich – uns mit zwei popeligen kleinen Schlafzimmern im alten Haus zufrieden geben müssen!«

Miranda hatte mit Olgas Widerspruch gerechnet. »Ich weiß, dass es eigentlich Blödsinn ist, aber ich hab ihm gesagt, meinetwegen. Es war schwierig genug, ihn überhaupt zum Kommen zu überreden, da wollte ich nicht noch zusätzliche Hürden aufbauen.«

»Dieser egozentrische kleine Mistkerl. Wie hat er seine Sonderwünsche denn begründet?«

»Ich hab ihn nicht danach gefragt.«

»Dann werde ich es tun.« Olga kramte ihr Handy aus ihrer Aktentasche und gab eine Nummer ein.

»Deswegen brauchst du doch nicht so einen Aufstand zu machen«, bat Miranda.

»Ich will ihn nur fragen, was das soll.« Kit hatte sich offenbar gleich gemeldet. »He, Kit«, fuhr Olga fort, »ich höre, dass du im Gästehaus schlafen willst. Meinst du nicht, das ist ein bisschen …« Sie hielt inne. »Ach so. Und warum nicht? Ja, ich verstehe schon, aber warum willst du nicht …« Sie brach mitten im Satz ab. Anscheinend hatte Kit das Gespräch einfach beendet.

»Was ist los?«, fragte Miranda, obwohl sie bereits zu wissen glaubte, was Kit gesagt hatte. Es machte sie traurig.

Olga verstaute das Handy wieder in ihrer Tasche. »Wir brauchen uns nicht mehr über das Gästehaus zu zanken. Kit hat seine Meinung geändert. Er kommt nun doch nicht nach Steepfall.«

Oxenford Medical stand unter Belagerung. Ein Massenaufgebot an Reportern, Fotografen und Fernsehteams bedrängte vor den Eingangstoren die Angestellten, die zu ihren Arbeitsplätzen wollten. Sie umringten Fahrräder und Privatfahrzeuge, hielten den Firmenangehörigen Kameras und Mikrofone vor die Nasen und schrien ihnen Fragen zu. Die Werkschutzleute gaben sich alle Mühe, die Medienmeute vom normalen Berufsverkehr zu trennen, konnten dabei aber auf keinerlei Kooperation seitens der Journalisten zählen. Schlimmer noch: Eine Gruppe von Protestierern für die Rechte der Tiere nutzte die Gelegenheit, auf sich aufmerksam zu machen, und demonstrierte vor den Kremltoren mit Spruchbändern und Protestsongs. Und da es sonst nicht viel zu filmen gab, konzentrierten sich die Kameraleute auf die Tierschützer. Toni Gallo beobachtete die Szene mit einer Mischung aus Wut und Hilflosigkeit.

Sie befand sich in Stanley Oxenfords Büro, einem großen Eckzimmer, das einst dem Hausherrn als Schlafzimmer gedient hatte. Stanley arbeitete in einer Umgebung, die Altes und Neues miteinander verband: Sein Computerterminal war auf einem zerkratzten Holztisch installiert, der schon seit dreißig Jahren in seinem Arbeitszimmer stand, und auf einem Seitentisch stand ein Mikroskop aus den Sechzigerjahren, das er immer wieder gern benutzte. Zurzeit war das Mikroskop von Weihnachtskarten eingerahmt, darunter auch eine von Toni. An der Wand hing ein viktorianischer Stich mit dem Periodensystem der Elemente neben dem Foto eines bildhübschen schwarzhaarigen Mädchens im Hochzeitskleid – Stanleys verstorbener Frau Marta.

Stanley erwähnte seine Frau oft. »Kalt wie eine Kirche, wie Marta immer zu sagen pflegte ... – Als Marta noch lebte, sind wir jedes Jahr nach Italien gereist ... – Marta liebte Schwertlilien ...« Aber von seinen Gefühlen für seine Frau hatte er bisher nur ein einziges Mal gesprochen, damals, als Reaktion auf Tonis Bemerkung, wie schön Marta auf dem Foto aussehe. »Der Schmerz lässt nach, aber er vergeht nicht«, hatte er gesagt. »Ich glaube, ich werde bis an mein Lebensende jeden Tag um sie trauern.« Toni hatte sich daraufhin gefragt, ob jemals ein Mensch sie so lieben werde, wie Stanley seine Marta geliebt hatte.

Jetzt stand er neben Toni am Fenster, und ihre Schultern berührten einander fast. Mit Entsetzen sahen sie, wie immer mehr Volvos und Subarus auf dem mit Gras bewachsenen Randstreifen vor den Toren hielten und wie die Menge immer lauter und aggressiver wurde.

»Es tut mir wirklich furchtbar Leid«, sagte sie unglücklich.

»Ist ja nicht Ihre Schuld.«

»Ich weiß, kein Selbstmitleid mehr, haben Sie gesagt ... Aber erst lasse ich zu, dass ein Versuchskaninchen durch meine Sicherheitskontrollen geschmuggelt wird, und dann ist es ausgerechnet mein verdammter Ex-Partner, der diesen Carl Osborne vom Fernsehen informiert.«

»Sie haben offenbar Probleme mit ihrem Ex.«

Toni hatte mit Stanley niemals offen über Frank gesprochen. Doch nun, da Frank sich in ihr Berufsleben eingemischt hatte, war sie im Grunde sogar froh über die Gelegenheit, das Thema anschneiden zu können. »Ehrlich gesagt, ich habe keine Ahnung, warum Frank mich so hasst«, sagte sie. »Die Trennung ging nicht von mir aus, im Gegenteil: *Er* hat *mich* verlassen – und das zu einem Zeitpunkt, als ich seine Hilfe und seine moralische Unterstützung dringend gebraucht hätte. Man sollte eigentlich meinen, er hätte mich längst genug gestraft für alles, was ich in seinen Augen jemals falsch gemacht habe. Aber jetzt fällt er mir schon wieder in den Rücken!«

»Das ist doch verständlich. Sie sind für ihn ein ständiger, unausgesprochener Vorwurf. Jedes Mal, wenn er Sie sieht, wird er daran erinnert, wie schwach und feige er sich benommen hat, als Sie ihn damals brauchten.«

Auf diesen Gedanken war Toni im Zusammenhang mit Frank noch nie gekommen, doch damit ließ sich sein Verhalten in gewisser Weise erklären. Dankbarkeit durchflutete sie. Sorgfältig darauf bedacht, nicht zu viel Gefühl zu zeigen, sagte sie: »Das klingt sehr plausibel.«

Stanley zuckte mit den Schultern. »Jenen, denen wir unrecht getan haben, können wir niemals vergeben.«

Toni musste bei diesem Paradox grinsen. Stanley kannte sich mit Menschen ebenso gut aus wie mit Viren.

Er legte ihr sachte eine Hand auf die Schulter – war das nur eine aufmunternde Geste, oder hatte es mehr zu bedeuten? Stanley Oxenford vermied gemeinhin jeden direkten Körperkontakt mit seinen Angestellten. In dem einen Jahr ihrer Bekanntschaft hatte Toni genau drei Mal seine Berührung gespürt: Beim ersten Gespräch über die freie Mitarbeit, bei ihrer Einstellung und bei ihrer Beförderung hatte er ihr jedes Mal die Hand geschüttelt. Auf der Weihnachtsfeier hatte er ausschließlich mit seiner Sekretärin Dorothy getanzt, einer fülligen Matrone mit mütterlich effizientem Auftreten und Benehmen, die ein wenig an eine treu sorgende Entenmutter erinnerte. Toni hätte ihn gern zum Tanz aufgefordert, unterließ es dann aber, weil sie fürchtete, ihre Gefühle für ihn zu verraten. Später ärgerte sie sich über ihre Hasenfüßigkeit und wünschte sich, sie hätte etwas mehr Chuzpe gezeigt, so wie Susan Mackintosh.

»Gut möglich, dass Frank die Story nicht nur deshalb an Osborne verraten hat, weil er Sie ärgern wollte«, sagte Stanley. »Ich denke, er hätte es auf jeden Fall getan, denn Osborne wird sich sicher mit einem positiven Bericht über die Polizei von Inverburn im Allgemeinen und über Superintendent Frank Hackett im Besonderen revanchieren.«

Seine Hand wärmte ihre Haut unter der Seidenbluse. War es wirklich nur eine beiläufige Geste ohne jeden Hintergedanken? Die ihr nun schon sattsam bekannte Unsicherheit über das, was in seinem Kopf vorging, begann Toni zu nerven. Ob er meinen BH-Träger spürt, dachte sie und hoffte, dass er *nicht* spürte, wie sehr sie seine Berührung genoss.

Sie wusste nicht, ob seine Theorie über Frank und Carl Osborne stimmte. »Es ist sehr nett von Ihnen, dass Sie das so sehen«, sagte sie, beschloss aber gleichzeitig, dafür zu sorgen, dass Franks Verhalten der Firma nicht schadete.

Es klopfte an der Tür, und Cynthia Creighton, die Leiterin der PR-Abteilung von Oxenford Medical, betrat das Büro. Im selben Augenblick verschwand Stanleys Hand von Tonis Schulter. Cynthia, eine dünne Frau, die gerade ihren fünfzigsten Geburtstag gefeiert hatte, trug Strickstrümpfe und einen Tweedrock. Sie war ein aufrichtiger Gutmensch. Toni hatte Stanley einmal mit der Bemerkung zum Lachen gebracht, Cynthia gehöre zu jener Art von Menschen, die sich ihr Müsli selbst herstellten. Normalerweise eher zögerlich und zurückhaltend, befand sie sich jetzt am Rande der Hysterie. Ihr Haar war zerzaust, sie atmete schwer und redete zu schnell. »Diese Leute haben mich *geschubst*«, sagte sie. »Die benehmen sich ja wie Tiere! Wo bleibt die Polizei?«

»Ein Streifenwagen ist unterwegs«, sagte Toni. »Er wird in zehn oder fünfzehn Minuten hier sein.«

»Die sollen die ganze Bande da draußen festnehmen!«

Toni erkannte mit Schrecken, dass Cynthia nicht in der Lage war, mit der Krise fertig zu werden. Ihre Hauptaufgabe bestand in der Verwaltung eines kleinen Spendenbudgets für wohltätige Zwecke. Mal wurde eine Schülerfußballmannschaft, mal ein öffentlicher Wandertag gesponsert, und stets hatte sie dafür gesorgt, dass der Name der Firma Oxenford Medical in der Lokalzeitung *Inverburn Courier* gut vertreten war – und zwar in Verbindung mit Themen, die nichts mit Viren und Tierversuchen zu tun hatten. Toni wusste, dass diese Arbeit durchaus nicht unwichtig war, denn die Leser vertrauten ihrem Lokalblättchen, während sie überregionalen Zeitungen eher skeptisch gegenüberstanden. Cynthias fein dosierte Pressearbeit vor Ort immunisierte die Firma daher gegen bösartige Horrorgeschichten der Fleet-Street-Journaille, die jedes wissenschaftliche Projekt ruinieren konnten. Was Cynthia dagegen fehlte, war jedwede konkrete Erfahrung im Umgang mit dem Rudel von Schakalen, in das sich die britische Presse verwandelt, sobald sie Blut geleckt hat, und sie war viel zu durcheinander, um noch vernünftige Entscheidungen treffen zu können.

Stanley sah das offenbar genauso. »Ich möchte, dass Sie in dieser

Angelegenheit mit Toni zusammenarbeiten, Cynthia«, sagte er. »Sie hat Medienerfahrung aus ihrer Zeit bei der Polizei.«

»Ach ja?« Sichtlich erleichtert und dankbar sah Cynthia Toni an.

»Ja, ich habe ein Jahr lang in der Presseabteilung gearbeitet. So was Schlimmes wie da unten habe ich allerdings dort nie erlebt.«

»Was, meinen Sie, sollen wir tun?«

»Also, ich meine …« Toni zögerte; sie hielt sich nicht für befähigt, jetzt einfach das Kommando zu übernehmen. Andererseits handelte es sich um einen Notfall, und so, wie es aussah, war sie die beste verfügbare Kandidatin. Sie beschränkte sich aufs Grundsätzliche: »Es gibt eine simple Verhaltensregel für den Umgang mit den Medien«, sagte sie, ohne zu erwähnen, dass in der gegenwärtigen Situation eine solche Vereinfachung vielleicht nicht zielführend war. »Erstens: Entscheiden Sie, was Sie der Öffentlichkeit mitteilen, welche Botschaft Sie überbringen wollen. Zweitens: Achten Sie darauf, dass die Botschaft der Wahrheit entspricht, sodass Sie nie in die Verlegenheit kommen, sie zurücknehmen zu müssen. Drittens: Wiederholen Sie Ihre Botschaft wieder und immer wieder.«

»Hmm …« Stanley war offenbar skeptisch, schien aber selbst keinen besseren Vorschlag zu haben.

»Meinen Sie, wir sollten uns entschuldigen?«, fragte Cynthia.

»Nein«, erwiderte Toni schnell. »Das würde uns als Eingeständnis dafür ausgelegt, dass wir nachlässig waren, und das stimmt einfach nicht. Niemand ist perfekt, doch unsere Sicherheitsvorkehrungen sind auf höchstem Niveau.«

»Und das ist unsere Botschaft?«, fragte Stanley.

»Nein, eher nicht. Das klingt zu defensiv.« Toni überlegte einen Augenblick. »Wir sollten zunächst einmal sagen, dass unsere Arbeit hier für die Zukunft der Menschheit von entscheidender Bedeutung ist … Nein, das klingt zu apokalyptisch. Wir betreiben medizinische Forschung, die Menschenleben retten wird, das ist besser. Diese Art Forschung birgt selbstverständlich auch Risiken, aber unser Sicherheitssystem ist nach menschlichem Ermessen absolut dicht. Und eines steht fest: Sollten wir unsere Arbeit *einstellen* müssen, werden viele Menschen unnötigerweise sterben.«

»Das klingt gut«, sagte Stanley.

»Und stimmt die Botschaft denn auch?«, wollte Cynthia wissen.

»Selbstverständlich«, antwortete Stanley. »Jedes Jahr taucht ein neues Virus aus China auf und bringt Tausende um. Mit unserem Medikament könnten sie überleben.«

Toni nickte. »Perfekt! Einfach und einleuchtend.«

Doch Stanley hatte noch Bedenken. »Wie bringen wir die Botschaft rüber?«

»Ich denke, Sie sollten in zwei Stunden eine Pressekonferenz geben. Gegen Mittag werden die Nachrichtenagenturen die Angelegenheit aus einem neuen Blickwinkel sehen wollen und daher froh sein, wenn sie von uns Informationen bekommen. Sobald das geschehen ist, werden sich auch die Leute da draußen verziehen, jedenfalls die meisten. Sie wissen dann, dass mit weiteren Neuigkeiten vorerst nicht zu rechnen ist, da gehen sie lieber nach Hause und feiern Weihnachten wie alle anderen auch.«

»Ich hoffe, Sie haben Recht«, sagte Stanley. »Cynthia, würden Sie bitte alles Nötige in die Wege leiten?«

Cynthia war noch immer außer sich. »Aber ... aber, was soll ich denn tun?«

Toni sprang ein. »Die Pressekonferenz wird in der Großen Halle stattfinden. Es ist der einzige Raum, in dem wir so viele Leute unterbringen können, und außerdem sind die Stühle schon aufgestellt, weil Professor Oxenford ja für halb zehn eine Betriebsversammlung einberufen hat. Sie sollten also zuerst die Leute da draußen informieren. Dann haben sie was, das sie an ihre Redaktionen weitermelden können, und geben vielleicht erst einmal Ruhe. Als Nächstes rufen Sie die Nachrichtenagenturen an, insbesondere Reuters, und bitten um die Bekanntgabe des Termins, damit auch jene davon erfahren, die bislang noch keine Leute hier vor Ort haben.«

»Ja, richtig«, sagte Cynthia unsicher, »okay.« Sie wandte sich zum Gehen, und Toni nahm sich vor, so bald wie möglich zu überprüfen, ob sie ihren Auftrag auch erfüllte.

Kaum war Cynthia verschwunden, meldete sich Dorothy über die Gegensprechanlage und sagte zu Stanley: »Ich habe hier Laurence

Mahoney von der Amerikanischen Botschaft in London auf Leitung eins.«

»Ich erinnere mich an ihn«, sagte Toni. »Er hat uns vor ein paar Monaten besucht, und ich habe ihn in der Firma herumgeführt.« Ein Großteil der Forschungsarbeit bei Oxenford Medical wurde vom amerikanischen Militär bezahlt. Das Verteidigungsministerium in Washington war sehr an dem neuen Antivirenwirkstoff interessiert, weil es ein potentes Mittel gegen Angriffe mit biologischen Waffen zu werden versprach. Stanley Oxenford hatte Geldgeber für die lange Testphase gebraucht, und die amerikanische Regierung war nur allzu bereit gewesen, in die Bresche zu springen. Laurence Mahoneys Aufgabe bestand darin, das Projekt im Auftrag des Verteidigungsministeriums im Auge zu behalten.

»Augenblick, bitte, Dorothy«, sagte Stanley, ohne ans Telefon zu gehen, und wandte sich an Toni: »Mahoney ist für uns wichtiger als alle britischen Medien zusammengenommen. Ich möchte nicht unvorbereitet mit ihm sprechen. Ich muss wissen, was er vorhat, damit ich entsprechend reagieren kann.«

»Soll ich ihn vertrösten?«

»Horchen Sie ihn aus.«

Toni griff zum Telefon und drückte auf eine Taste. »Hallo, Larry, hier ist Toni Gallo! Wir haben uns im September kennen gelernt. Wie geht es Ihnen?«

Mahoney war ein sauertöpfischer Presseoffizier mit einer quäkenden Stimme, die Toni an Donald Duck erinnerte. »Ich mache mir Sorgen«, sagte er.

»Dann lassen Sie mich wissen, worüber.«

»Ich hoffte eigentlich, mit Professor Oxenford sprechen zu können«, erwiderte Mahoney pikiert.

»O ja, auch er möchte baldmöglichst mit Ihnen reden«, sagte Toni so aufrichtig, wie es ihr möglich war. »Im Augenblick ist er gerade in einer Besprechung mit dem Laborleiter.« In Wirklichkeit saß Stanley auf der Schreibtischkante und beobachtete sie mit einer Miene, die man ebenso als Ausdruck der Zuneigung wie als bloße Neugier hätte interpretieren können. Als sich ihre Blicke trafen, sah er weg. »Er wird

Sie anrufen, sobald er sich selbst ein Bild gemacht hat – das heißt, mit Sicherheit noch vor der Mittagspause.«

»Wie, zum Teufel, konnte so was passieren?«

»Der junge Mann hat ein Kaninchen in einem Matchsack aus dem Labor geschmuggelt. Wir haben inzwischen eine obligatorische Taschendurchsuchung am Eingang zum BSL-4-Labor angeordnet, damit dergleichen nicht noch einmal vorkommen kann.«

»Ich befürchte negative Publicity für die Regierung unseres Landes. Wir wollen nicht, dass man uns vorwirft, wir ließen tödliche Viren auf die schottische Bevölkerung los.«

»Da besteht überhaupt keine Gefahr«, sagte Toni und kreuzte die Finger.

»Wurde in irgendeinem Bericht bei euch da oben erwähnt, dass das Projekt mit amerikanischen Geldern finanziert wird?«

»Nein.«

»Früher oder später kommt das aber raus, darauf können Sie Gift nehmen.«

»Ich bin sicher, dass wir auch auf diesen Fall vorbereitet sind.«

»Das Schlimmste, was aus unserer Sicht – und damit auch aus Ihrer – passieren könnte, wäre eine Berichterstattung, die behauptet, diese Forschungen würden deshalb in Schottland durchgeführt, weil wir Amerikaner mit solchen gefährlichen Experimenten im eigenen Land nichts zu tun haben wollen.«

»Danke für die Warnung. Ich glaube, wir haben eine überzeugende Antwort auf diese Frage. Schließlich ist das Medikament von Professor Oxenford direkt hier in Schottland entwickelt worden. Logisch, dass es dann auch vor Ort getestet wird.«

»Ich möchte nicht in eine Situation geraten, in der wir unsere guten Absichten nur dadurch beweisen können, dass wir die Forschung nach Fort Detrick verlegen.«

Toni war sprachlos vor Schreck. Fort Detrick in Frederick, Maryland, war das Medizinische Forschungsinstitut für Infektionskrankheiten der amerikanischen Armee. Wie stellte Mahoney sich das vor? Für den Kreml bedeutete eine solche Verlegung das sichere Ende. Nach einer längeren Pause antwortete sie: »Von einer solchen Situation kann überhaupt nicht die Rede sein, davon sind wir meilenweit entfernt, Tausende von Meilen weit.« Sie hätte Maloneys Drohung lieber noch entschiedener zurückgewiesen, aber ihr war nichts anderes eingefallen.

»Nun, das will ich auch hoffen. Sorgen Sie dafür, dass Stanley mich baldmöglichst zurückruft.«

»Ich danke Ihnen, Larry.« Sie legte auf und sagte zu Stanley: »Die können doch nicht einfach unsere Forschungsabteilung nach Fort Detrick verlegen, oder?«

Stanley wurde blass. »Nein«, sagte er, »jedenfalls sieht der Vertrag das nicht vor. Aber wir haben es hier mit der Regierung des mächtigsten Landes der Erde zu tun, und die kann im Endeffekt durchsetzen, was sie will. Was soll ich denn im Ernstfall tun? Soll ich sie etwa anzeigen? Dann würde ich den Rest meines Lebens in Gerichtssälen verbringen – vorausgesetzt, ich könnte mir ein solches Verfahren finanziell überhaupt leisten.«

Es erschütterte Toni, dass Stanley so leicht angreifbar war, hatte sie doch bisher immer nur den ruhigen, Vertrauen erweckenden Mann gekannt, der für jedes Problem die richtige Lösung fand. Jetzt wirkte er völlig geknickt. Am liebsten hätte sie ihn in den Arm genommen und getröstet. »Aber würden sie es auch tun?«

»Nun, die Mikrobiologen in Fort Detrick hätten mit Sicherheit nichts dagegen, unser Projekt zu übernehmen, wenn man ihnen die Wahl ließe.«

»Und was hieße das für Sie?«

»Ich wäre bankrott.«

»*Was?*«, rief Toni entsetzt.

»Ich habe meinen letzten Penny in das neue Labor gesteckt«, erwiderte Stanley mit finsterer Miene. »Mein Konto habe ich um eine Million Pfund überzogen. Nach unserem Vertrag mit dem Verteidigungsministerium sind die Laborkosten für vier Jahre gedeckt, doch wenn sie uns jetzt den Boden unter den Füßen wegziehen, stehe ich da mit meinen Schulden und kann sie nicht zurückzahlen – weder die der Firma noch meine eigenen.«

Toni konnte es kaum fassen. Wie war es möglich, dass so plötzlich, von einer Minute auf die andere, Stanleys gesamte Zukunft – und damit auch ihre eigene – auf dem Spiel stand? »Aber das neue Medikament ist doch Millionen wert«, wandte sie ein.

»Es wird so viel wert sein, ja. Eines Tages. Aus wissenschaftlicher Sicht habe ich daran nicht den geringsten Zweifel, und deshalb habe ich mir ja auch solche Summen geliehen. Aber ich hatte nicht geahnt, dass ein solches Projekt allein durch eine negative Darstellung in der Öffentlichkeit zerstört werden kann.«

Toni berührte seinen Arm. »Und all das nur, weil ein idiotischer Fernsehreporter seine Horrorstory braucht! Es ist unglaublich!«

Stanley tätschelte die Hand, die sie auf seinen Arm gelegt hatte, dann streifte er sie ab und erhob sich. »Jammern hilft uns jetzt nicht weiter. Wir müssen die Lage eben in den Griff bekommen.«

»Da stimme ich Ihnen zu. Es ist Zeit, Sie wollten vor der Belegschaft sprechen. Sind Sie so weit?«

»Ja.« Gemeinsam verließen sie sein Büro. »Das ist eine gute Übung für die Pressekonferenz danach.«

Dorothy hob die Hand, als sie an ihrem Schreibtisch vorbeikamen. »Einen Augenblick, bitte«, sagte sie ins Telefon, drückte eine Taste und wandte sich an Stanley: »Der schottische Ministerpräsident.« Sie war sichtlich beeindruckt. »Persönlich! Er möchte mit Ihnen sprechen.«

Stanley wandte sich an Toni: »Gehen Sie in die Halle, und sorgen Sie dafür, dass die Leute nicht weglaufen. Ich komme nach, sobald ich kann.« Er drehte sich um und kehrte in sein Büro zurück.

Kit Oxenford wartete über eine Stunde auf Harry McGarry.

McGarry, bekannt als Harry Mac, stammte aus Govan, einem Arbeitervorort von Glasgow, und war in einem Mietshaus am Ibrox Park aufgewachsen, ganz in der Nähe des Hauptquartiers der Glasgow Rangers, des protestantischen Fußballklubs der Stadt. Mit dem Geld, das er mit Drogengeschäften, illegalem Glücksspiel, Diebstahl und Zuhälterei verdient hatte, war es ihm gelungen, seinen Wohnsitz zu verlegen – geographisch zwar nur um anderthalb Kilometer, gesellschaftlich jedoch um einiges mehr. Er lebte jetzt jenseits der Paisley Road in Dumbreck in einem großen, neuen Haus mit Swimmingpool.

Das Gebäude war möbliert und dekoriert wie ein teures Hotel, mit Stilmöbeln und gerahmten Kunstdrucken an den Wänden, allerdings ohne jeden persönlichen Anstrich – keine Familienfotos, kein Nippes, keine Blumen, keine Haustiere. Kit saß in der großen Diele herum und wartete nervös. Unter den Augen eines dicken Leibwächters in einem billigen schwarzen Anzug starrte er die gestreifte gelbe Tapete und die spindeligen Beine der Beistelltischchen an.

Harry Macs Reich erstreckte sich über Schottland und den Norden Englands. Er arbeitete mit seiner Tochter Diana zusammen, die immer nur Daisy genannt wurde. Der Spitzname war blanker Hohn – »Daisy« war eine gewalttätige, sadistische Schlägertype.

Harry war der Besitzer des illegalen Casinos, in dem Kit spielte. Lizenzierte Casinos in Großbritannien litten unter einer Reihe von kleinkarierten Gesetzen, die ihre Profite minderten: Hausrabatte, Tischgebühren, Trinkgelder, Alkohol an den Spieltischen – alles war verboten. Außerdem musste man mindestens vierundzwanzig Stunden lang Mitglied sein, bevor man spielen durfte. Harry scherte sich nicht um diese gesetzlichen Auflagen, und Kit liebte die anrüchige Atmosphäre des illegalen Spiels.

Kit Oxenford war fest davon überzeugt, dass die meisten Spieler Dummköpfe waren und die Leute, die die Casinos betrieben, auch nicht viel gescheiter. Ein intelligenter Spieler musste eigentlich immer gewinnen. Beim Blackjack gab es eine Strategie, die für jede mögliche Hand anwendbar war. Das System hieß *Basic*, und er kannte es in- und auswendig. Seine Chancen verbesserte er dadurch, dass er sich die Karten, die verteilt wurden, merkte. Beginnend bei null zählte er für jede niedrige Karte – Zwei, Drei, Vier, Fünf oder Sechs – einen Punkt und zog einen Punkt ab, wenn er eine hohe Karte erhielt – Zehn, Bube, Dame, König oder Ass (Sieben, Acht und Neun ignorierte er). Ergab sich nach dem Geben eine positive Zahl in seinem Kopf, so enthielt der Talon mehr hohe Karten als niedrige, und seine Chancen, im Verlauf des Spiels eine Zehn zu ziehen, standen nicht schlecht. Ergab sich eine negative Zahl, war die Wahrscheinlichkeit, dass er eine niedrige Karte zog, erheblich größer. Auf dieser Basis kalkulierte Kit sein Risiko.

Aber dann hatte er eine längere Pechsträhne gehabt, und als sich seine Schulden auf 50 000 Pfund beliefen, verlangte Harry sein Geld.

Kit hatte seinen Vater um Hilfe gebeten – ein demütigender Bittgang, wie man sich denken kann. Bei seiner Entlassung hatte Kit ihm bittere Vorwürfe gemacht, dass er sich überhaupt nicht um seinen Sohn schere. In Wirklichkeit verhielt es sich natürlich ganz anders: Sein Vater liebte ihn und hätte nahezu alles für ihn getan. Kit wusste das genau und gab es nun auch zu. Das Zerrbild, das er sich von ihm gemacht hatte, zerbrach jämmerlich. Aber der Einsatz war die Mühe wert gewesen, denn Stanley hatte gezahlt.

Kit hatte ihm versprechen müssen, dass er nie wieder spielen würde, und er hatte auch die besten Vorsätze gehabt. Doch die Versuchung war einfach zu groß. Es war Wahnsinn, es war eine Krankheit, es war schändlich und erniedrigend – aber für Kit gab es auf der ganzen Welt nichts Aufregenderes und Spannenderes als das Glücksspiel, und deshalb konnte er dem Drang einfach nicht widerstehen.

Als seine Schulden erneut auf 50 000 Pfund angewachsen waren, ging er wiederum zu seinem Vater, doch diesmal blieb Stanley hart. »Ich habe das Geld nicht«, sagte er. »Vielleicht könnte ich es mir leihen, aber was hätte das für einen Sinn? Du würdest es verlieren und immer wieder zu mir kommen, bis wir am Ende alle beide pleite sind.« Kit hatte ihn einen herzlosen Geizhals geschimpft, einen knickrigen Onkel Dagobert, einen Halsabschneider und Schlimmeres. Er werde nie wieder mit ihm reden, schwor er. Die Worte waren sehr verletzend – Kit wusste ganz genau, wie er seinem Vater wehtun konnte –, aber Stanley hatte sich nicht umstimmen lassen.

Zu diesem Zeitpunkt wäre es für Kit das Beste gewesen, wenn er das Land verlassen hätte.

Er träumte davon, nach Italien zu gehen und in Lucca, der Heimatstadt seiner Mutter, ein neues Leben zu beginnen. In seiner Jugend, vor dem Tod der Großeltern, war die Familie mehrmals dort zu Besuch gewesen. Lucca war eine hübsche, friedliche alte Stadt, umgeben von einer Stadtmauer und mit zahlreichen kleinen Plätzen, auf denen man im Schatten sitzen und Espresso trinken konnte. Italienisch beherrschte Kit leidlich – Mamma Marta hatte mit den Kindern, solange sie klein waren, ihre Muttersprache gesprochen. Kit wollte sich ein Zimmer in einem der hohen alten Häuser mieten und seinen Lebensunterhalt damit bestreiten, dass er Leuten, die Probleme mit ihrem Computer hatten, seine Hilfe anbot – eine Arbeit, die ihm nicht allzu viel Mühe bereiten würde. Ja, ein solches Leben würde ihn glücklich machen – bildete er sich ein.

Aber er fuhr nicht nach Lucca. Stattdessen versuchte er, das Geld, das er am Spieltisch verloren hatte, am Spieltisch zurückzugewinnen.

Seine Schulden stiegen auf eine viertel Million Pfund.

Für eine solche Summe würde Harry Mac ihn bis zum Nordpol verfolgen. Kit dachte an Selbstmord und fragte sich beim Anblick jedes hohen Gebäudes in Glasgow, ob man irgendwie aufs Dach gelangen und sich von dort in die Tiefe stürzen konnte.

Drei Wochen war es jetzt her, dass man ihn in dieses Haus einbestellt hatte. Ihm war übel geworden vor Angst, denn für ihn stand fest, dass man ihn brutal zusammenschlagen würde. Als man ihn in den

Salon mit den gelben Seidensofas führte, hatte er sich gefragt, wie man verhindern wollte, dass die Polster mit Blut verschmiert würden. »Da ist ein Herr, der dir eine Frage stellen möchte«, hatte Harry gesagt. Kit konnte sich nicht vorstellen, was für Fragen ihm ein Freund von Harry stellen wollte – außer vielleicht: *Wo bleibt das verdammte Geld?*

Der Herr war ein ruhiger Mittvierziger namens Nigel Buchanan in teurer Freizeitkleidung: Kaschmir-Jacke, dunkle Slacks und ein Hemd mit offenem Kragen. In weichem Londoner Tonfall sagte er: »Kannst du mich ins Hochsicherheitslabor von Oxenford Medical bringen?«

Zwei weitere Personen waren bei diesem Gespräch im gelben Salon zugegen. Zum einen Macs Tochter Daisy, ein junge Frau von etwa fünfundzwanzig, sehr muskulös, mit gebrochener Nase, unreiner Haut und einem Ring durch die Unterlippe. Sie trug Lederhandschuhe. Zum anderen war da Elton, ein gut aussehender Schwarzer in Daisys Alter und, so wie es aussah, ein Freund von Nigel.

In seiner Erleichterung darüber, dass man ihn nicht zum Krüppel schlug, hätte Kit zu allem ja gesagt.

Nigel bot ihm 300 000 Pfund für die Arbeit einer Nacht.

Kit konnte sein Glück kaum fassen. Das reichte ja nicht nur, um seine Schulden zu begleichen, sondern auch noch für einen neuen Start in Lucca. Ein Traum schien in Erfüllung zu gehen. Er war überglücklich. Alle seine Probleme schienen mit einem Schlag gelöst.

Harry hatte später in ehrfurchtsvollem Ton über Nigel gesprochen. Der Mann war Einbrecher von Beruf, stahl aber nur auf Bestellung und für ein vorher festgesetztes Entgelt. »Er ist der Größte«, sagte Harry. »Du möchtest ein Bild von Michelangelo? Kein Problem. Einen Atomsprengkopf? Nigel besorgt ihn dir – vorausgesetzt, du kannst ihn dir leisten. Erinnerst du dich noch an Shergar, das Rennpferd, das damals entführt wurde? Das war auch Nigels Werk.« Und nach einer Pause fügte er hinzu: »Er lebt in Liechtenstein!« Es klang, als wäre Liechtenstein ein exotischeres Domizil als der Mars.

In den drei Wochen, die seither vergangen waren, hatte Kit den Diebstahl des Antivirenmittels vorbereitet. Ab und zu plagte ihn zwar ein wenig das schlechte Gewissen, weil er einen raffinierten Plan zur Beraubung seines eigenen Vaters austüftelte, doch meistens löste die

Vorstellung, sich an Daddy rächen zu können, eine Art trunkene Schadenfreude in ihm aus. Schließlich hatte der Mann ihn entlassen und sich später geweigert, ihn aus den Fängen dieser Gangster zu befreien. Davon abgesehen, wäre der Raub auch für Toni Gallo ein schwerer Schlag ins Kontor.

Mit großer Sorgfalt war Nigel die Einzelheiten mit ihm durchgegangen. Er hinterfragte alles. Gelegentlich beriet er sich mit Elton, der für die technische Ausrüstung, einschließlich der Fahrzeuge, zuständig war. Kit gewann den Eindruck, dass Elton ein hoch qualifizierter Techniker war, der mit Nigel schon öfter zusammengearbeitet hatte. Auch Daisy sollte an dem Bruch teilnehmen, angeblich, um die Gang im Notfall schlagkräftiger zu machen, doch Kit vermutete, dass ihre Hauptfunktion darin bestand, ihn um 250 000 Pfund zu erleichtern, sobald er seinen Lohn in Händen hielt.

Kit hatte vorgeschlagen, dass sie sich auf einem aufgelassenen Flugplatz in der Nähe des Kreml treffen sollten. Nigel hatte Elton angesehen, und der hatte gesagt: »Das ist cool!« Elton sprach breiten Londoner Dialekt. »Wir könnten uns dort auch mit dem Käufer treffen – kann ja sein, dass er einfliegen will.«

Am Ende fand Nigel den Plan brillant, und Kit strahlte vor Freude.

Doch nun hatte sich die Situation schlagartig verändert, und Kit musste Harry klar machen, dass der Plan nicht durchgeführt werden konnte. Er fühlte sich elend: enttäuscht, deprimiert und voller Angst.

Endlich wurde er zu Harry geführt. Nervös folgte er dem Leibwächter durch die Waschküche im rückwärtigen Teil des Hauses zu dem Pavillon, in dem sich der Swimmingpool befand. Er war im Stil einer Orangerie aus der Zeit Edwards VII. gehalten und mit glasierten Kacheln in dunklen Farben ausgekleidet. Das Becken selbst war in einem unangenehmen Grünton gehalten. Das muss ihm irgendein Innenarchitekt vorgeschlagen haben, dachte Kit, und Harry hat die Pläne abgenickt, ohne auch nur einen Blick darauf zu werfen.

Harry Mac war ein kleiner, untersetzter Mann von fünfzig Jahren mit der grauen Haut eines lebenslangen Rauchers. Gekleidet in einen violetten Bademantel, saß er an einem schmiedeeisernen Tisch, trank schwarzen Kaffee aus einer kleinen Porzellantasse und las die Horoskopseite der *Sun*. Daisy war im Wasser und schwamm unermüdlich ihre Bahnen. Zu Kits Überraschung schien sie außer Taucherhandschuhen nichts am Leib zu haben. Daisy trug immer Handschuhe.

»Ich habe keine Veranlassung, mich mit dir zu treffen, mein Junge«, sagte Harry. »Ich will dich nicht sehen, ich weiß nichts von dir und von dem, was du heute Abend vorhast, und ich kenne auch keinen Menschen namens Nigel Buchanan. Verstehst du mich?« Er bot Kit keinen Kaffee an.

Die Luft war heiß und feucht. Kit trug seinen besten Anzug, einen mitternachtsblauen Mohair, dazu ein weißes Hemd mit offenem Kragen. Das Atmen fiel ihm schwer, und seine Haut unter den Kleidern war unangenehm feucht. Ihm war jetzt klar, dass er mit seinem Besuch bei Harry am Tag eines geplanten Coups gegen die Etikette des kriminellen Milieus verstoßen hatte. Aber er hatte keine Alternative. »Ich musste mit dir reden«, sagte er. »Hast du die Nachrichten gesehen?«

»Und wenn ich sie gesehen hätte?«

Kit unterdrückte den Ärger, der in ihm aufkeimte. Männer wie Harry gaben niemals zu, dass sie etwas nicht wussten, und wenn es um die trivialsten Dinge ging. »Bei Oxenford Medical hat's einen Mega-Gau gegeben«, sagte Kit. »Ein Laborant ist an einem Virus krepiert.«

»Und was soll ich da tun? Vielleicht Blumen schicken?«

»Die Sicherheitsvorkehrungen werden jetzt drastisch verschärft. Es ist der denkbar schlechteste Zeitpunkt, um dort einen Bruch zu machen. Es ist ohnehin schwer genug. Die Alarmanlage, die sie dort haben, ist auf dem neuesten Stand der Technik, und die Sicherheitsbeauftragte ist zäh wie ein Gummisteak.«

»Was bist du nur für ein Jammerlappen.«

Niemand hatte Kit gebeten, Platz zu nehmen, daher lehnte er sich an einen Sessel und kam sich dabei ziemlich dämlich vor. »Wir müssen die Sache abblasen.«

»Ich werde dir jetzt etwas erklären«, sagte Harry, nahm sich eine Zigarette aus dem Päckchen, das auf dem Tisch lag, und zündete sie mit einem goldenen Feuerzeug an. Ein Hustenanfall überkam ihn, ein Raucherhusten aus den tiefsten Tiefen seiner Lunge. Als der Anfall vorüber war, spuckte er ins Schwimmbassin und nippte an seinem Kaffee. Dann nahm er den Gesprächsfaden wieder auf: »Erstens: Ich habe gesagt, dass es heute passieren wird. Nun ist dir das vielleicht nicht ganz klar, weil du in höheren Kreisen aufgewachsen bist – aber wenn ein Mann sagt, dass etwas passieren wird, und dann passiert es nicht, gilt er allgemein als ein Wichser.«

»Ja, aber ...«

»Es sollte dir nicht einmal im Traum einfallen, mich zu unterbrechen ...«

Kit schwieg.

»Zweitens: Nigel Buchanan ist kein bekiffter Schuljunge, der bei Woolworth in Govan Cross einbrechen will. Nein, er ist eine Legende, und – wichtiger noch – er verfügt über hervorragende Kontakte zu einigen höchst respektablen Herrschaften in London. Und wenn man mit solchen Herrschaften zu tun hat, will man noch viel weniger als Wichser gelten.«

Er machte eine Pause, als wolle er Kit zum Widerspruch herausfordern, doch Kit sagte kein Wort. Wie konnte es nur dazu kommen, dass ich mich mit solchen Leuten eingelassen habe, dachte er. Er hatte sich in eine Wolfshöhle gewagt – und nun stand er wie gelähmt da, als warte er nur darauf, sich in Stücke reißen zu lassen.

»Drittens: Du schuldest mir eine viertel Million Pfund. Bisher hat es noch nie jemanden gegeben, der mir so lange so viel Geld geschuldet hat und nicht an Krücken geht. Ich denke, ich habe mich klar genug ausgedrückt.«

Kit nickte schweigend. Ihm war so schlecht vor Angst, dass er fürchtete, sich übergeben zu müssen.

»Also erzähl mir nicht, dass wir die Sache abblasen müssen.« Harry griff wieder zur *Sun*, als wäre das Gespräch damit beendet.

Kit zwang sich zu einer Antwort: »Ich meinte doch *verschieben*, nicht abblasen!«, brachte er heraus. »Wir können das doch an einem anderen Tag erledigen, wenn sich die Aufregung erst mal gelegt hat.«

Harry blickte nicht einmal auf. »Zehn Uhr am Ersten Weihnachtsfeiertag, hat Nigel gesagt. Außerdem will ich mein Geld.«

»Das hat doch keinen Sinn, wenn man uns mit Sicherheit dabei erwischt!«, sagte Kit verzweifelt. Harry würdigte ihn keiner Antwort mehr. »Wir können doch alle noch ein bisschen länger warten, oder?« Es war, als rede er gegen eine Wand an. »Besser später als nie!«

Harrys Blick schweifte über das Schwimmbecken, dann winkte er mit der Hand. Daisy musste ihn stets im Auge behalten haben, denn sie kletterte sofort aus dem Wasser. Ihre Handschuhe behielt sie an. Sie hatte kräftige Schultern und Arme, und als sie sich in Bewegung setzte, bewegten sich ihre flachen Brüste kaum. Kit sah, dass eine Brust tätowiert und die Warze der anderen mit einem Ring geschmückt war, und als Daisy näher kam, konnte ihm auch nicht mehr entgehen, dass sie vollkommen rasiert war. Sie hatte einen Waschbrettbauch und schmale Hüften; der Schamhügel war weit vorgewölbt, und alle Details waren sichtbar, nicht nur für Kit, sondern auch für ihren Vater, wenn er sich die Mühe gemacht hätte, hinzuschauen. Ein böses Gefühl beschlich Kit.

Harry schien von alldem nichts zu bemerken. »Kit möchte, dass wir auf unser Geld noch ein Weilchen warten, Daisy«, sagte er, stand auf und zog den Gürtel seines Bademantels straff. »Sei so gut und erkläre ihm, was wir davon halten – ich bin zu müde.« Er klemmte sich die Zeitung unter den Arm und entfernte sich.

Daisy packte Kit bei den Aufschlägen seines besten Anzugs. »Hör mal«, bat er, »ich will doch bloß, dass diese Geschichte nicht in einer Katastrophe endet, für uns alle …« Da riss ihn Daisy von den Beinen, und er verlor das Gleichgewicht und wäre zu Boden gegangen, wenn sie ihn nicht gehalten hätte. Doch Sekundenbruchteile später warf sie ihn ins Schwimmbecken.

Kit war schockiert, wusste aber im gleichen Augenblick, dass er sich glücklich schätzen konnte, wenn sein Anzug das einzige Opfer der Attacke blieb. Kaum hatte er den Kopf wieder über der Wasseroberfläche, da sprang Daisy absichtlich auf ihn drauf. Ihre Knie krachten auf seinen Rücken und verursachten einen höllischen Schmerz. Kit schrie auf und schluckte Wasser, als er erneut unterging.

Sie befanden sich am flachen Ende des Beckens. Kit kam mit den Füßen auf dem Boden auf und wollte sich aufrichten, doch im selben Moment umklammerte Daisy seinen Kopf wie ein Schraubstock. Wieder verlor er das Gleichgewicht. Daisy drückte ihm das Gesicht unter Wasser.

Er hielt die Luft an und rechnete mit einem Schlag auf den Kopf oder dergleichen, doch Daisy rührte sich nicht. Als er Luft holen musste, begann er sich gegen die Umklammerung zu wehren, doch die Befreiung gelang ihm nicht – die Frau war einfach zu stark. Er wurde wütend und schlug mit Armen und Beinen um sich, aber seine Gegenwehr war zu schwach. Er fühlte sich wie ein Kind bei einem Wutanfall – hilflos herumzappelnd im festen Griff der Mutter.

Er brauchte jetzt Luft, und zwar sehr schnell. Mühsam kämpfte er einen Anflug von Panik nieder und widerstand dem Drang, einfach den Mund aufzureißen. Ihm war jetzt klar, dass Daisy seinen Kopf unter dem linken Arm hielt und sich mit einem Knie auf dem Beckenboden abstützte, sodass ihr eigener Kopf nur knapp aus dem Wasser ragte. Kit verhielt sich ganz ruhig, bis seine Füße nach unten sanken. Vielleicht konnte er diese Furie glauben machen, er habe das Bewusstsein verloren. Seine Füße erreichten den Boden. Er suchte einen festen Stand und legte dann alle Kraft in einen ruckartigen Abstoß vom Boden, um Daisy aus dem Gleichgewicht zu bringen. Aber sie rührte sich kaum, sondern verstärkte nur noch den Griff um seinen Kopf. Kit hatte das Gefühl, sein Schädel werde von Stahlklammern zusammengepresst.

Er öffnete unter Wasser die Augen. Seine Wange wurde gegen ihre knochigen Rippen gequetscht. Es gelang ihm, den Kopf ein wenig zu drehen. Er öffnete den Mund, biss zu, spürte, wie sie zusammenzuckte und sich ihr Griff ein kleines bisschen lockerte. Er presste die Kiefer zusammen und versuchte die Hautfalte regelrecht durchzubeißen, als er plötzlich ihre behandschuhten Finger spürte, die sich in seine Augenhöhlen schoben. Reflexartig zuckte er zurück, wobei er unwillkürlich seinen Biss lockerte. Ihr Fleisch glitt ihm aus dem Mund.

Panik überkam ihn mit aller Macht. Er konnte die Luft nicht mehr anhalten. Sein nach Sauerstoff gierender Körper zwang ihn, um Atem zu ringen, und Wasser strömte in seine Lungen. Er hustete und erbrach sich gleichzeitig, und bei jedem Anfall floss mehr Wasser in seinen Rachen. Wenn das so weiterging, war er bald tot, das war ihm völlig klar.

Da schien seine Widersacherin plötzlich nachzugeben. Brutal zog sie seinen Kopf aus dem Wasser. Er riss den Mund auf, sog die herrlich frische Luft ein und hustete sich einen Wasserschwall aus der Lunge. Doch bevor er einen zweiten Atemzug tun konnte, drückte ihm Daisy den Kopf wieder hinunter, und statt Luft inhalierte er Wasser.

Was nun kam, war schlimmer als Panik. Wie von Sinnen vor Furcht schlug er um sich. Die Todesangst verlieh ihm neue Kräfte, und diesmal fiel es sogar seiner Peinigerin nicht mehr so leicht, ihn festzuhalten. Doch sosehr er sich auch bemühte, es gelang ihm nicht, seinen Kopf über Wasser zu bekommen. Schließlich versuchte er erst gar nicht mehr, den Mund geschlossen zu halten, sondern ließ das Wasser einfach in sich hineinströmen. Je eher er ertrank, desto schneller war diese Quälerei vorbei.

Daisy zog seinen Kopf wieder hoch.

Kit spuckte Wasser und schaffte einen lebenswichtigen Atemzug, doch schon wurde er erneut untergetaucht.

Er schrie, aber es kam kein Laut mehr. Seine Gegenwehr wurde schwächer. Kit wusste, dass Harry seiner Tochter nicht den Auftrag gegeben hatte, ihn umzubringen, denn ohne ihn konnte der geplante Einbruch nicht stattfinden. Allerdings war Daisy nicht ganz klar im Kopf, und so, wie es aussah, ging sie einfach zu weit. Aus, vorbei, dachte er, ich sterbe. Seine weit aufgerissenen Augen zeigten ihm nur noch verwaschenes Grün, dann schwand seine Sehkraft, und es wurde dunkel um ihn, als sei plötzlich die Nacht über ihn hereingebrochen.

Dann verlor er das Bewusstsein.

Ned hatte keinen Führerschein, deshalb setzte Miranda sich ans Steuer des Toyota Previa. Tom, ihr Sohn, saß mit seinem Gameboy hinter ihr. Die letzte Sitzreihe war umgeklappt, um Platz für einen Berg von Weihnachtspräsenten zu schaffen, die in rotes und goldenes Papier eingewickelt und mit grünem Geschenkband zugebunden waren.

Es begann leicht zu schneien, als sie die Seitenstraße der Great Western Road verließen, in der Mirandas Wohnung lag. Weiter nördlich, weit draußen über dem Meer, tobte ein Blizzard, doch wenn man den Meteorologen Glauben schenken konnte, würde er an Schottland vorbeiziehen.

Miranda war zufrieden: Sie war mit den beiden Männern in ihrem Leben unterwegs zu ihrem Elternhaus, wo sie im Kreise ihrer Familie das Weihnachtsfest verbringen wollte. Es erinnerte sie an ihre Studentenzeit – auch damals war sie zu Weihnachten immer heimgefahren, voller Vorfreude auf gute Hausmannskost, saubere Badezimmer, gebügelte Laken und das schöne Gefühl, von allen geliebt und umsorgt zu werden.

Ihr erstes Ziel war ein Vorort von Glasgow, in dem Neds Exfrau lebte. Sie wollten seine Tochter Sophie abholen und sie nach Steepfall mitnehmen.

Toms Gameboy gab eine abfallende Tonfolge von sich, die wahrscheinlich besagte, dass er sein Raumschiff zu Bruch gefahren hatte oder von einem Gladiator enthauptet worden war. Er seufzte und sagte: »Ich hab in so 'ner Autozeitschrift 'ne Anzeige gesehen. Da gibt's echt coole Monitore, die hinten in die Kopfstützen eingebaut werden, damit die Leute auf den Rücksitzen Filme und so sehen können.«

»Ja, die sind natürlich ein absolutes Muss«, sagte Ned und lächelte.

»Klingt aber ziemlich teuer«, warf Miranda ein.

»Nöö, so teuer sind die nicht«, sagte Tom.

Miranda sah ihn im Rückspiegel an. »Also, wie viel?«

»Weiß ich nicht. Aber sie sahen jedenfalls nicht teuer aus.«

»Dann finde doch mal den Preis heraus, dann sehen wir, ob wir uns so etwas leisten können.«

»Ja, okay! Cool! Und wenn es dir zu teuer ist, frage ich Opa.«

Miranda lächelte. Wenn du Großvater in der richtigen Stimmung erwischst, schenkt er dir alles, was du willst, dachte sie.

Sie hatte immer gehofft, dass Tom das wissenschaftliche Genie seines Großvaters erben würde. Noch ließ sich nichts Definitives sagen. Seine schulischen Leistungen waren sehr gut, aber nicht sensationell. Außerdem wusste Miranda noch immer nicht genau, worin genau das außergewöhnliche Talent ihres Vaters lag. Natürlich war er ein brillanter Mikrobiologe, aber das war nicht alles. Einerseits war es wohl seine Fantasie, die ihm sagte, in welcher Richtung man forschen musste, um Fortschritte zu erzielen, andererseits war da aber auch seine unverkennbare Fähigkeit, ein Team von Mitarbeitern so zu führen und zu inspirieren, dass alle an einem Strang zogen. Wie konnte man bei einem Elfjährigen schon sagen, ob er über solche Eigenschaften verfügte? Momentan konnte ohnehin nichts die Aufmerksamkeit und Fantasie ihres Sohnes mehr fesseln als neue Computerspiele.

Miranda drehte das Radio an. Ein Chor sang ein Weihnachtslied. »Wenn ich noch einmal ›Ihr Kinderlein kommet‹ höre, bringe ich mich um, indem ich mich auf einem Christbaum pfählen lasse«, sagte Ned. Miranda wechselte den Sender und erwischte John Lennon mit *War is Over*. Ned stöhnte und sagte: »Ist dir nicht klar, dass Radio Hölle das ganze Jahr über Weihnachtslieder bringt? Das weiß doch jedes Kind.«

Miranda lachte. Kurz darauf fand sie einen Sender mit klassischer Musik. Ein Klaviertrio spielte. »Wie wär's damit?«

»Haydn! Perfekt!«

Ned hatte für Popkultur absolut nichts übrig. Das gehörte zu seinem Image als weltfremder Intellektueller, ebenso wie seine Unfähigkeit, ein Automobil zu steuern. Miranda störte das nicht. Auch sie hielt nichts von Popmusik, Fernsehserien und billigen Kopien berühmter Gemälde. Allerdings hörte sie gerne Weihnachtslieder.

Sie mochte Neds Eigenarten und Macken. Trotzdem ging ihr das Gespräch mit Olga im Café nicht aus dem Kopf. War Ned ein Weichei? Schon manchmal hatte sie sich gewünscht, er hätte mehr Durchsetzungsvermögen. Jasper, ihr geschiedener Mann, besaß diese Eigenschaft im Überfluss, und es kam vor, dass Miranda sich nach jener Art von Sex sehnte, wie sie ihn von Jasper kannte. Er war im Bett ein Egoist und hatte sie hart rangenommen, immer nur an sein eigenes Vergnügen denkend. Miranda, wie sie sich zu ihrer Schande eingestand, hatte sich dadurch befreit gefühlt und es genossen. Später war der Reiz verflogen. Sie erkannte, dass Jasper auch auf allen anderen Gebieten egoistisch und rücksichtslos war und hatte die Nase gestrichen voll von ihm. Dennoch wünschte sie sich insgeheim, Ned wäre wenigstens manchmal ein wenig wie Jasper.

Kit fiel ihr ein. Seine Absage war eine bittere Enttäuschung für sie gewesen. Sie hatte sich solche Mühe gegeben, ihn zu überreden, dass er Weihnachten mit der Familie feierte. Zuerst hatte er den Gedanken weit von sich gewiesen, dann aber nachgegeben und zugesagt. Bei so viel Sprunghaftigkeit konnte sie sein neuerlicher Sinneswandel eigentlich nicht sonderlich überraschen. Trotzdem empfand Miranda seine Absage als schmerzhaften Schlag, weil sie so gerne die ganze Familie um sich gehabt hätte, so wie es zu Mamma Martas Lebzeiten meistens gewesen war.

Der Bruch zwischen Daddy und Kit machte Miranda Angst. Er war so kurz nach Mammas Tod gekommen. Die Familie erschien auf einmal so verwundbar und zerbrechlich – und wenn schon die Familie keine Sicherheit mehr bot, wo sollte es da noch Gewissheiten geben?

Sie bog von der Hauptstraße ab in eine ehemalige Arbeitersiedlung, wo sich ein kleines Steinhaus an das andere reihte. Vor einem etwas größeren, in dem früher ein Vorarbeiter gewohnt haben mochte, hielt sie an. Hier hatten Ned und Jennifer bis zu ihrer Trennung vor zwei Jahren gelebt. Davor hatten sie das Haus unter großem Kostenaufwand renoviert und modernisiert, und die Ratenzahlungen belasteten Ned noch immer. Jedes Mal, wenn Miranda hier vorbeifuhr, ärgerte sie sich über die hohe Summe, mit der Ned Jennifer unterstützte.

Jetzt zog sie die Handbremse an, ließ aber den Motor laufen. Sie und Tom blieben im Wagen sitzen, während Ned durch den Vorgarten zum Eingang ging. Miranda betrat das Haus nie. Obwohl Ned Miranda erst kennen gelernt hatte, nachdem er das eheliche Heim längst verlassen hatte, benahm sich Jennifer ihr gegenüber so feindselig, als wäre Miranda für das Scheitern der Ehe verantwortlich. Sie ging ihr möglichst aus dem Weg, gab sich am Telefon stets kurz angebunden und bezeichnete sie, wie Miranda durch die indiskrete Sophie erfahren hatte, im Gespräch mit ihren Freundinnen nur als »diese fette Nutte«. Jennifer selber war spindeldürr und hatte eine Nase wie ein Vogelschnabel.

Die vierzehnjährige Sophie, in Jeans und leichtem Pulli, öffnete die Tür. Ned gab ihr einen Kuss und ging hinein.

Aus dem Autoradio erklangen Dvořáks Slawische Tänze. Auf dem Rücksitz piepste in unregelmäßigen Abständen Toms Gameboy. Draußen wirbelten Schneeflocken um den Wagen. Miranda stellte die Heizung höher.

Ned kam wieder aus dem Haus und trat an Mirandas Wagenfenster. Er wirkte verärgert. »Jennifer ist nicht da«, sagte er, »und Sophie hat noch nicht einmal angefangen, sich reisefertig zu machen. Wärst du so nett, mit reinzukommen und ihr beim Packen zu helfen?«

»Ach, Ned, ich glaube nicht, dass das gut wäre«, sagte Miranda, die sich alles andere als wohl in ihrer Haut fühlte. Es war ihr unangenehm, das Haus zu betreten – auch und gerade dann, wenn Jennifer nicht da war.

Ned schien kurz vor einem Panikanfall zu stehen. »Ehrlich gesagt, ich habe keine Ahnung, was so ein Mädchen alles braucht.«

Das glaubte Miranda sofort. Für Ned war es ja schon eine fast unlösbare Aufgabe, seinen eigenen Koffer zu packen. In den Jahren mit Jennifer hatte er es kein einziges Mal getan. Vor ihrem ersten gemeinsamen Urlaub – einer Kunst- und Kulturreise nach Florenz – hatte sich Miranda aus Prinzip geweigert, ihm diese Arbeit abzunehmen, und ihn damit gezwungen, es zu lernen. Allerdings hatte sie bei späteren Reisen – einem Wochenende in London, vier Tagen in Wien – Neds Gepäck überprüft und prompt jedes Mal entdeckt, dass er etwas Wichtiges vergessen hatte. Für jemand anders den Koffer zu packen war offenbar jenseits seiner Vorstellungskraft.

Miranda seufzte und stellte den Motor ab. »Tom, du kommst dann aber bitte auch mit«, sagte sie.

Das Haus ist schön eingerichtet, dachte sie, als sie in die Diele trat. Jennifer hat einen guten Blick... Die Hausherrin hatte, ganz im Stil einer stolzen Vorarbeitersgattin aus der Zeit vor etwa hundert Jahren, einfaches, rustikales Mobiliar mit bunten Stoffen kombiniert. Auf dem Kaminsims standen Weihnachtskarten, ein Baum fehlte jedoch.

Die Vorstellung, dass Ned in diesem Haus gelebt hatte, kam Miranda irgendwie seltsam vor. Jeden Abend nach der Arbeit war er hierher zurückgekehrt, so wie er jetzt zu ihr nach Hause in die Wohnung kam. Er hatte die Nachrichten im Rundfunk angehört, sich an den Abendbrottisch gesetzt, russische Romane gelesen, routinemäßig seine Zähne geputzt und war dann, ohne weiter nachzudenken, ins Bett gegangen, nur eben mit einer anderen Frau in seinen Armen.

Sophie lag im Wohnzimmer auf dem Sofa und sah fern. Sie hatte einen gepiercten Nabel mit einem billigen Halbedelstein darin. Zigarettenrauch stieg Miranda in die Nase.

»So, Sophie«, sagte Ned, »Miranda wird dir jetzt beim Packen helfen, okay, mein Püppchen?« Ein flehentlicher Unterton, der Miranda innerlich schaudern ließ, lag in seiner Stimme.

»Ich gucke mir gerade diesen Film an«, erwiderte Sophie mürrisch.

Miranda war klar, dass Sophie jetzt nur auf Befehle reagieren würde, nicht auf Bitten. Also griff sie entschlossen nach der Fernbedienung und stellte den Fernseher ab. »Zeig mir bitte dein Zimmer, Sophie«, sagte sie in einem Ton, der keinen Widerspruch duldete.

Sophie verzog trotzig das Gesicht.

»Und zwar ein bisschen flott, wir haben nicht ewig Zeit.«

Widerwillig erhob sich das Mädchen und schlurfte aus dem Zimmer. Miranda folgte Sophie die Treppe hinauf in ein total unaufgeräumtes Jungmädchenzimmer, dessen Wände mit Postern von jungen

Männern geschmückt waren, die alle durch verrückte Frisuren und lächerlich sackartige Jeans auffielen.

»Wir werden fünf Tage in Steepfall sein, also brauchst du zunächst mal zehn Schlüpfer.«

»So viele hab ich nicht.«

Miranda bezweifelte das, aber sie sagte nur: »Dann nehmen wir halt das, was da ist. Du kannst ja zwischendurch mal waschen.«

Sophie stand mitten im Zimmer, einen rebellischen Ausdruck in ihrem hübschen Gesicht.

»Na los«, sagte Miranda und sah Sophie scharf an. »Ich bin nicht dein Dienstmädchen. Her mit den Schlüpfern!«

Sophie konnte ihrem Blick nicht standhalten. Sie schlug die Augen nieder, drehte sich um und öffnete die oberste Schublade ihrer Kommode. Sie war randvoll mit Unterwäsche.

»Fünf BHs!«, kommandierte Miranda.

Langsam zog Sophie die gewünschten Wäschestücke heraus.

Der kritische Punkt ist überwunden, dachte Miranda und öffnete eine Schranktür. »Für abends brauchst du ein paar anständige Klamotten.« Sie nahm ein rotes Kleid mit Spaghettiträgern heraus, das für eine Vierzehnjährige viel zu sexy war. »Das ist aber hübsch«, log sie.

Sophie taute ein wenig auf. »Es ist neu.«

»Wir sollten es so einpacken, dass es nicht knittert. Habt ihr irgendwo Seidenpapier?«

»In der Küche, glaub ich.«

»Gut, ich hol's. Und du kümmerst dich unterdessen um ein Paar saubere Jeans.«

Miranda ging hinunter. Sie hatte das Gefühl, Sophie gegenüber allmählich die richtige Balance zwischen Freundlichkeit und Autorität zu finden. Ned und Tom waren im Wohnzimmer und sahen fern. Miranda ging in die Küche und rief: »Sag mal, Ned, weißt du, wo das Seidenpapier ist?«

»Nein, tut mir Leid.«

»Dumme Frage«, murmelte Miranda und begann eine Schublade nach der anderen aufzuziehen.

Das Seidenpapier fand sich schließlich ganz hinten in einem Schränkchen mit Nähzeug. Miranda musste sich auf den Fliesenboden knien, um das Papier unter einer Schachtel mit Schleifen und Bändern hervorzukramen. Es war gar nicht so einfach. Miranda spürte, wie ihr das Blut zu Kopf stieg. Lächerlich, dachte sie, ich bin erst fünfunddreißig... Ich sollte mich mühelos bücken können. Da müssen unbedingt zehn Pfund runter. Keine Bratkartoffeln zur Weihnachtspute!

Als sie den Packen Seidenpapier endlich in Händen hielt, hörte sie die Hintertür klappern und kurz darauf die Schritte einer Frau. Sie blickte auf. Vor ihr stand Jennifer.

»Was, zum Teufel, treiben Sie denn hier?«, fragte Neds Ex. Jennifer war eine kleine Frau, die es aber hervorragend verstand, sich Respekt zu verschaffen, wozu die hohe Stirn und die Adlernase durchaus ihren Teil beitrugen. Sie trug einen eleganten, maßgeschneiderten Mantel und hochhackige Stiefeletten.

Miranda rappelte sich auf. Sie schnaufte leicht. Zu ihrem Entsetzen spürte sie, dass ihr im Nacken der Schweiß ausbrach. »Ich hab Seidenpapier gesucht«, sagte sie.

»Das sehe ich! Ich will wissen, was Sie überhaupt in meinem Haus zu suchen haben.«

Im Türrahmen erschien Ned. »Hallo, Jenny, ich hab dich gar nicht kommen hören.«

»Ja, offenbar habe ich dir nicht genug Zeit gelassen, Alarm zu schlagen«, erwiderte Jennifer sarkastisch.

»Tut mir Leid«, sagte er, »aber ich bat Miranda, hereinzukommen, damit sie...«

»Das war ein Fehler!«, unterbrach ihn seine Verflossene. »Ich will deine Weiber nicht in meinem Haus haben!«

Das klang, als unterhielte Ned einen ganzen Harem. Tatsache war, dass er nach der Trennung von Jennifer nur mit zwei Frauen ausgegangen war. Die erste hatte er nur ein einziges Mal gesehen, und die zweite war Miranda. Es wäre jedoch kindisch und kleinkariert erschienen, auf solche Einzelheiten hinzuweisen. Miranda beschränkte sich deshalb darauf, zu sagen: »Ich wollte bloß Sophie helfen.«

»Um Sophie kümmere *ich* mich. Und jetzt verlassen Sie bitte mein Haus.«

»Es tut mir wirklich Leid, dass wir dich so überfallen haben, Jenny, aber...«

»Spar dir deine Entschuldigungen. Sorg bloß dafür, dass sie verschwindet.«

Miranda lief tiefrot an. So unverschämt war sie noch nie behandelt worden. »Dann geh ich wohl besser«, sagte sie.

»Richtig!«, bestätigte Jennifer.

»Ich komme dann so bald wie möglich mit Sophie nach«, sagte Ned.

Miranda war auf Ned genauso wütend wie auf Jennifer, hätte aber in diesem Moment keinen Grund dafür nennen können. Sie war noch nicht im Flur, als Jennifer hinter ihr her rief: »Sie können die Hintertür benützen!«

Zu ihrer eigenen Beschämung zögerte Miranda, doch als sie die Andeutung eines gehässigen Lächelns in Jennifers Miene erkannte, erwachte ihr Widerspruchsgeist. »Nein«, sagte sie ruhig und steuerte auf den Haupteingang zu. Als sie am Wohnzimmer vorbeikam, rief sie: »Tom, komm mit!«

»Einen Moment noch!«, rief er zurück.

Miranda ging zu ihm. Tom sah fern. Sie packte ihn am Handgelenk, riss ihn vom Sofa und schleifte ihn mit sich.

»Das tut weh!«, protestierte er.

Miranda knallte die Eingangstür hinter ihnen zu. »Das nächste Mal kommst du sofort, wenn ich dich rufe!«

Ihr war zum Heulen zumute, als sie in den Wagen stieg. Jetzt konnte sie nur noch in ihrem Auto sitzen und warten wie eine Dienerin, während sich Ned im Haus mit seiner Ex-Frau amüsierte. Ob Jennifer das ganze Drama geplant hat, um mich zu demütigen, fragte sie sich. Zuzutrauen ist es ihr durchaus. Ned hat sich unmöglich benommen... Miranda wusste jetzt, warum sie so sauer auf ihn war: Er hatte zugelassen, dass Jennifer sie beleidigte, ohne auch nur ein Wort dagegen zu sagen. Stattdessen hatte er sich unentwegt entschuldigt. Und wofür? Wenn Jennifer rechtzeitig den Koffer ihrer Tochter gepackt oder das Mädchen dazu gebracht hätte, es selber zu tun, hätte Miranda das Haus gar nicht erst betreten müssen. Am meisten aber ärgerte sie sich darüber, dass sie ihren Zorn an Tom ausgelassen hatte. Jennifer hätte ich anbrüllen sollen, dachte sie, nicht ihn...

Sie sah ihn im Rückspiegel an und sagte: »Tommy, es tut mir Leid, dass ich so grob zu dir war.«

»Schon gut«, sagte er, ohne von seinem Gameboy aufzublicken. »Mir tut es Leid, dass ich nicht sofort gekommen bin, als du mich gerufen hast.«

»Dann ist ja alles vergeben und vergessen«, sagte sie. Eine Träne rollte ihr über die Wange, und sie wischte sie rasch fort.

»Viren töten Tag für Tag Tausende von Menschen«, sagte Stanley Oxenford, »und durchschnittlich alle zehn Jahre fallen in Großbritannien an die fünfundzwanzigtausend Menschen einer Grippe-Epidemie zum Opfer. Die Spanische Grippe 1918 hat mehr Todesopfer gefordert als der gesamte Erste Weltkrieg. Im Jahr 2002 starben weltweit drei Millionen Menschen an Aids, das durch das HIV-Virus hervorgerufen wird. Außerdem spielen Viren bei zehn Prozent aller Krebserkrankungen eine Rolle.«

Toni, die rechts neben ihm in der Großen Halle unter dem polierten Gebälk der dem Mittelalter nachempfundenen Dachkonstruktion saß, hörte ihm aufmerksam zu. Er klang ruhig und beherrscht, aber sie kannte ihn gut genug, um den kaum hörbaren Tremor in seiner Stimme wahrzunehmen, der seine innere Erregung verriet. Laurence Mahoneys Drohung hatte ihn furchtbar mitgenommen, und es gelang ihm nur mit Mühe, die Angst um sein Lebenswerk hinter einer ungetrübten Fassade zu verbergen.

Sie beobachtete die Gesichter der versammelten Reporter. Waren sie überhaupt imstande, Stanley richtig zuzuhören und die Bedeutung seiner Arbeit zu erkennen? Toni hatte Erfahrung mit Journalisten. Einige waren intelligent, viele aber strohdumm. Einige wenige fühlten sich der Wahrheit verpflichtet und berichteten entsprechend, die Mehrheit aber hatte solche Skrupel nicht, sondern war nur an Sensationen interessiert. Toni fand es empörend, dass solche Figuren über das Schicksal eines Mannes wie Stanley Oxenford bestimmten. Aber die Macht der Boulevardpresse war eine brutale Tatsache, an der heutzutage niemand mehr vorbeikam. Wenn es auch nur einem dieser Schmierfinken einfiel, Stanley als verrückten Wissenschaftler in einem Frankenstein-Schloss darzustellen, so war nicht mehr auszuschließen, dass die Amerikaner pikiert den Geldhahn zudrehten, und dies wäre eine Tragödie – nicht nur für Stanley, sondern für die ganze Welt.

Sicher, die Erprobungsphase des Antivirenmittels konnte auch woanders weitergeführt und zu Ende gebracht werden. Aber ein völlig ruinierter Stanley Oxenford würde keine weiteren Wundermittel erfinden. Toni war so wütend, dass sie die Journalisten am liebsten rechts und links geohrfeigt und angebrüllt hätte: »He, wacht auf, hier geht es auch um *eure* Zukunft!«

»Viren sind Teil unseres Lebens, aber wir müssen uns damit nicht tatenlos abfinden«, fuhr Stanley fort, und Toni bewunderte seine Rhetorik. Seine Stimme war dem Ernst der Lage angemessen, aber doch entspannt. Dies war der Tonfall, in dem er jüngeren Kollegen etwas erklärte; er klang nicht wie ein Redner vor Publikum, sondern wie der Teilnehmer an einer Gesprächsrunde: »Die Forschung ist in der Lage, Viren zu besiegen. Vor Aids hieß die große Menschheitsgeißel schwarze Pocken – bis ein Forscher namens Edward Jenner 1796 eine Schutzimpfung dagegen fand. Heute leben wir in einer Welt ohne Pocken. Auf ganz ähnliche Weise ist auch die Kinderlähmung in weiten Gebieten der Welt eliminiert worden, und in der Zukunft wird es uns auch gelingen, die Grippe, Aids und letztlich sogar den Krebs zu besiegen – und diejenigen, die das schaffen, werden Wissenschaftler sein wie wir und in Laboratorien wie den unseren hier in dieser Firma arbeiten.«

Eine Frau hob die Hand und rief: »Woran arbeiten Sie hier – und zwar genau?«

»Würden Sie bitte Ihren Namen und Ihren Auftraggeber nennen?«, sagte Toni.

»Edie McAllan, Wissenschaftskorrespondentin von *Scotland on Sunday*.«

Cynthia Creighton, die links neben Stanley saß, machte sich eine Notiz.

»Wir haben ein Antivirenmittel entwickelt«, antwortete Stanley. »So etwas ist selten. Es gibt zahllose Antibiotika, die Bakterien bekämpfen, aber nur wenige Medikamente gegen Viren.«

»Was ist denn da der Unterschied?«, fragte ein Mann und fügte hinzu: »Clive Brown, *Daily Record*.«

Der *Daily Record* war ein Revolverblatt. Toni war mit der Richtung, in der sich die Pressekonferenz entwickelte, nicht unzufrieden. Sie wollte, dass sich die Medien auf die rein wissenschaftlichen Fragen konzentrierten. Je besser die Reporter begriffen, worum es ging, desto eher konnte man darauf hoffen, dass sie nicht nur reinen Blödsinn schrieben, der der Firma schadete.

»Bakterien«, erklärte Stanley, »sind winzige Lebewesen, die man unter einem herkömmlichen Mikroskop betrachten kann. Jeder von uns ist Wirt von einigen Milliarden dieser Kleinstlebewesen. Viele Bakterien sind nützlich; sie unterstützen zum Beispiel unsere Verdauung oder sorgen für den Abbau toter Hautzellen. Nur wenige sind Krankheitserreger, und davon lassen sich einige mithilfe von Antibiotika bekämpfen. Viren sind kleiner und einfacher konstruiert als Bakterien. Sichtbar sind sie nur unter dem Elektronenmikroskop. Viren können sich nicht fortpflanzen – und deshalb bemächtigen sie sich der biochemischen Ausrüstung von lebenden Zellen und zwingen sie, Kopien des Virus zu produzieren. Bis heute ist kein einziges Virus bekannt, das für den Menschen nützlich wäre, und es gibt auch nur wenige Medikamente, die zur Bekämpfung von Viren eingesetzt werden können. Aus diesem Grunde ist die Einführung eines neuen Antivirenmittels eine so gute Nachricht für die Menschheit.«

Edie McAllan fragte: »Gegen welche Art von Viren ist Ihr Mittel denn geeignet?«

Wieder eine wissenschaftliche Frage. Toni glaubte allmählich, dass sie mit der Pressekonferenz tatsächlich genau das erreichen konnten, was sie sich erhofft hatten, und es kostete sie einige Mühe, ihren Optimismus im Zaum zu halten. Aus ihrer Erfahrung als Pressesprecherin bei der Polizei wusste sie, dass es Journalisten gab, die durchaus ernsthafte, intelligente Fragen stellten und dann am Schreibtisch in der Redaktion unsäglich dumme Hetzartikel produzierten. Außerdem kam es immer wieder vor, dass vernünftige Beiträge von irgendwelchen unverantwortlichen Ignoranten umgeschrieben wurden.

»Das ist genau die Frage, um deren Beantwortung wir uns gegenwärtig bemühen«, erwiderte Stanley. »Wir erproben das Mittel an einer Vielzahl von Viren, damit wir uns ein Bild von seinem Wirkungsspektrum machen können.«

»Sind auch gefährliche Viren dabei?«, wollte Clive Brown wissen.

»Ja. Niemand braucht ein Medikament gegen harmlose Viren.«

Es war eine humorvolle Antwort auf eine dämliche Frage. Die Zuhörer lachten, Brown dagegen wirkte sichtlich verärgert. Tonis Zuversicht schwand. Ein gedemütigter Journalist würde nicht ruhen, bis er sich gerächt hatte.

»Ich danke Ihnen für Ihre Frage, Clive«, sagte sie schnell in dem Versuch, ihn zu besänftigen. »Wir haben hier bei Oxenford Medical in den Labors, die sich mit speziellen Stoffen befassen, die bestmöglichen Sicherheitsvorkehrungen. Im BSL-4-Labor – die Abkürzung bedeutet *Bio Safety Level Four* – ist das Alarmsystem direkt mit dem regionalen Polizeipräsidium in Inverburn verbunden. Das Labor wird rund um die Uhr von Sicherheitskräften bewacht, und heute Morgen erst habe ich das Personal dafür verdoppelt. Als weitere Vorsichtsmaßnahme dient, dass die Werkschutzangehörigen das Labor nicht betreten können, sondern es über interne Überwachungskameras kontrollieren.«

Brown ließ sich damit nicht beschwichtigen. »Wie konnte dieser Hamster denn dann herauskommen, wenn Ihre Sicherheitsvorkehrungen so perfekt sind?«

Auf diese Frage war Toni vorbereitet. »Dazu will ich Ihnen dreierlei sagen. Erstens: Es handelte sich nicht um einen Hamster. Sie haben diese Information von der Polizei, aber sie ist leider falsch.« Toni hatte Frank diese Fehlinformation absichtlich gegeben. Er war ihr auch prompt auf den Leim gegangen und hatte sich damit selber als Quelle für den Bericht von Carl Osborne identifiziert. »Was die reinen Fakten hinsichtlich der Vorgänge hier bei uns im Hause angeht, so möchte ich Sie alle bitten, sich auf *unsere* Version zu verlassen. Es handelte sich um ein Kaninchen, und es hörte nicht auf den Namen Fluffy.«

Wieder gab es Lacher. Selbst Brown schmunzelte.

»Zweitens: Das Kaninchen wurde in einem Matchsack aus dem Labor geschmuggelt. Wir haben daraufhin sofort eine obligatorische Taschendurchsuchung vor dem Eingang zum BSL-4-Labor angeordnet, damit so etwas nie wieder passieren kann. Drittens: Ich habe nicht gesagt, dass unser Sicherheitssystem perfekt ist, sondern lediglich von den ›bestmöglichen Sicherheitsvorkehrungen‹ gesprochen. Wir tun unser Möglichstes – mehr können Menschen nicht tun.«

»Sie geben also zu, dass Ihr Labor eine ständige Gefahrenquelle für die arglose Bevölkerung Schottlands darstellt?«

»Nein. Bei uns sind Sie sicherer aufgehoben als auf der Autobahn oder wenn Sie in Prestwick ein Flugzeug besteigen. Viren töten täglich viele Menschen, aber es ist nur ein einziges Mal vorgekommen, dass ein Mensch an einem Virus aus unseren Laboratorien gestorben ist – und diese Person war kein argloser Schotte, sondern ein Angestellter, der sich mit voller Absicht über unsere Vorschriften hinweggesetzt und bewusst ein großes Risiko auf sich genommen hat.«

Im Großen und Ganzen läuft es bis jetzt recht gut, dachte Toni und hielt nach dem nächsten Fragesteller Ausschau. Die Fernsehkameras surrten, die Blitzlichter blitzten, und Stanley präsentierte sich als das, was er war: ein brillanter Wissenschaftler mit ausgeprägtem Verantwortungsgefühl. Allerdings stand zu befürchten, dass die Sender die Bilder von der Pressekonferenz zu undramatisch fanden und stattdessen nur die jungen Leute vor den Werkstoren zeigten, die mit Sprechchören für die Rechte der Tiere demonstrierten. Nur allzu gerne hätte Toni den Kameraleuten etwas anderes Interessantes vorgeführt.

Jetzt meldete sich erstmals Franks Freund Carl Osborne zu Wort. Er war ein gut aussehender Mann in Tonis Alter mit dem Auftreten eines Filmschauspielers. Sein Haar war eine Spur zu hell, um naturblond zu sein. »Können Sie uns präzise sagen, wie groß die Gefahr für die Öffentlichkeit war, die durch dieses Kaninchen entstanden ist?«, fragte er.

»Das Virus ist über die Artgrenzen hinaus nicht besonders ansteckend«, sagte Stanley. »Um Michael infizieren zu können, muss das Kaninchen ihn wohl gebissen haben. Jedenfalls gehen wir davon aus.«

»Was wäre passiert, wenn das Kaninchen entkommen wäre?«

Stanley sah aus dem Fenster. Draußen fielen Schneeflocken vom Himmel. »Es wäre erfroren«, sagte er.

»Angenommen, es wäre von einem anderen Tier gefressen worden. Hätte sich beispielsweise ein Fuchs mit dem Virus infizieren können?«

»Nein. Viren sind jeweils auf eine sehr geringe Anzahl von Arten spezialisiert, im Normalfall nur auf eine, seltener auch auf zwei oder drei. Das Virus, über das wir hier sprechen, befällt keine Füchse oder andere wild lebende Tiere in Schottland, jedenfalls nicht nach unserem derzeitigen Kenntnisstand. Es befällt nur Menschen, Makaken – das ist eine Affenart – und bestimmte Kaninchenrassen.«

»Hätte Michael Ross andere Menschen mit dem Virus anstecken können?«

»Ja, durch Tröpfcheninfektion beim Niesen oder dergleichen. Dieser Sachverhalt machte uns anfangs die größten Sorgen. So, wie es momentan aussieht, hatte Michael Ross aber in der kritischen Phase keinen Kontakt zu Kollegen oder Freunden. Dennoch wären wir Ihnen sehr verbunden, wenn Sie auch über das Fernsehen und die Presse dazu aufrufen würden, dass alle, die in dieser Phase doch mit ihm Kontakt gehabt haben sollten, sich bitte unverzüglich bei uns melden.«

»Wir versuchen nicht, die Sache herunterzuspielen«, warf Toni hastig ein. »Wir sind vielmehr tief betroffen von dem Vorfall und haben, wie ich Ihnen schon erläuterte, unsere Sicherheitsvorkehrungen noch einmal verschärft. Auf der anderen Seite dürfen wir natürlich auch nicht übertreiben.« Journalisten zu sagen, sie dürften nicht übertreiben, ist ungefähr das Gleiche, wie Rechtsanwälten das Streiten zu verbieten, dachte sie. »Fakt ist, dass für die Öffentlichkeit keine Gefahr bestand.«

Osborne hakte nach. »Angenommen, Michael Ross hätte einen Freund angesteckt, der wiederum einen anderen angesteckt hätte ... Wie viele Menschen hätten an der Infektion sterben können?«

»Auf solch abenteuerliche Spekulationen können wir uns jetzt nicht einlassen«, erwiderte Toni schnell. »Das Virus hat sich nicht ausgebreitet. Ein Mensch ist gestorben. Das ist einer zu viel, aber bestimmt kein Anlass, die vier Reiter der Apokalypse heraufzubeschwören.« Gleich darauf biss sie sich auf die Zunge und dachte, dieses Bild hätte ich mir sparen können, das war dumm. Wenn einer jetzt darauf herumreitet und es völlig aus dem Zusammenhang gerissen zitiert, dann sieht es womöglich so aus, als hätte ich den Weltuntergang angekündigt ...

»Wenn ich richtig informiert bin, wird Ihre Arbeit von der amerikanischen Armee finanziert«, sagte Osborne.

»Vom US-Verteidigungsministerium, ja«, bestätigte Stanley. »Dort interessiert man sich verständlicherweise für Medikamente, die gegen biologische Waffen wirksam sein könnten.«

»Trifft es denn nicht zu, dass die Amerikaner diese Experimente nur deshalb in Schottland durchführen lassen, weil ihnen die Gefahr für ihr eigenes Land zu groß ist?«

»Ganz im Gegenteil«, sagte Stanley. »In den Staaten gibt es zahlreiche ganz ähnliche Projekte, zum Beispiel im Epidemiologischen Institut in Atlanta, Georgia, und im Medizinischen Forschungsinstitut für Infektionskrankheiten der amerikanischen Armee in Fort Detrick, Maryland.«

»Und warum hat man sich dann ausgerechnet für Schottland entschieden?«

»Weil das Mittel hier bei uns entwickelt wurde, bei Oxenford Medical.«

Man soll aufhören, wenn man gerade eine Glückssträhne hat, dachte Toni und beschloss, die Pressekonferenz zu beenden. »Ich möchte diese Fragestunde nicht vorzeitig abbrechen«, sagte sie, »aber ich weiß, dass einige von Ihnen um zwölf Redaktionsschluss haben. Vergessen Sie bitte nicht, die Infomappe mitzunehmen, die Ihnen ausgehändigt wurde. Falls Sie noch keine bekommen haben – Cynthia hat noch ein paar Exemplare.«

»Eine Frage noch«, sagte Clive Brown vom *Record*. »Was sagen Sie zu der Demonstration da draußen?«

Toni merkte, dass ihr immer noch keine interessante Szene für die Kameras eingefallen war.

»Die jungen Leute«, erklärte Stanley, »glauben eine einfache Antwort auf eine komplizierte ethische Fragestellung zu haben. Wie die meisten einfachen Antworten ist sie leider falsch.«

Seine Reaktion war korrekt, klang aber ein bisschen hartherzig, weshalb Toni hinzufügte: »Außerdem hoffen wir, dass sie sich nicht erkälten.«

Die Zuhörer lachten. Toni erhob sich zum Zeichen, dass die Pressekonferenz beendet war. Im gleichen Moment kam ihr eine Idee. Sie winkte Cynthia Creighton zu sich, kehrte den Reportern den Rücken zu und sagte in leisem, eindringlichem Ton: »Gehen Sie schnell runter in die Kantine, organisieren Sie zwei, drei Leute, und lassen Sie den Demonstranten vor dem Tor heißen Kaffee und Tee bringen.«

»Wie mitfühlend«, sagte Cynthia.

Tony handelte keineswegs aus reiner Menschenfreundlichkeit, sondern eher aus Zynismus – nur reichte die Zeit jetzt nicht für lange Erklärungen. »Es muss jetzt gleich geschehen«, drängte sie. »Also ab mit Ihnen!«

Cynthia eilte davon.

Toni wandte sich an Stanley und sagte: »Gut gemacht! Das haben Sie perfekt hingekriegt.«

Er zog ein rot gepunktetes Taschentuch aus seiner Jacketttasche und tupfte sich diskret das Gesicht ab. »Ich hoffe, damit sind wir über den Berg.«

»Das wissen wir spätestens nach den Mittagsnachrichten. Aber jetzt sollten Sie besser verschwinden, sonst werden Sie von denen noch zu Exklusivinterviews genötigt.« Stanley stand unter Druck, und Toni wollte ihn schützen.

»Gute Idee! Ich muss ohnehin nach Hause.« Er lebte in einem Bauernhaus an der Steilküste, acht Kilometer von der Firma entfernt. »Ich möchte dort sein, wenn meine Familie eintrifft.«

Toni war enttäuscht. Sie hatte sich darauf gefreut, die Berichte über die Pressekonferenz mit ihm diskutieren zu können. »Na gut«, sagte sie. »Ich warte hier die Reaktionen ab.«

»Zumindest ist mir die schlimmste Frage erspart geblieben.«

»Welche?«

»Die Frage nach der Überlebensrate bei *Madoba-2*.«

»Was wollen Sie damit sagen?«

»Egal, wie schlimm eine Virusinfektion ist – normalerweise gibt es einige Personen, die sie überstehen. An der Überlebensrate misst sich die Gefährlichkeit einer Infektion.«

»Und wie ist die Rate bei *Madoba-2*?«

»Null«, sagte Stanley.

Toni starrte ihn an. Sie war heilfroh, dass sie vor der Pressekonferenz keine Ahnung davon gehabt hatte.

Stanley nickte über ihre Schulter. »Da kommt Osborne.«

»Ich fange ihn ab«, sagte Toni und ging auf Osborne zu, während Stanley die Halle durch eine Seitentür verließ. »Hallo, Carl. Ich hoffe, du hast alles bekommen, was du brauchst?«

»Ja, ja, ich denke schon. Aber mich interessiert noch, was Stanley Oxenfords erster großer Erfolg war.«

»Er gehörte zu dem Forscherteam, das Acyclovir erfand.«

»Und das ist …?«

»… die Salbe, die du dir draufschmierst, wenn du Herpes an der Lippe hast. Der Markenname ist Zovirax. Das war auch schon ein Antivirenmittel.«

»Ach ja? Interessant.«

Toni hielt Carls Interesse für gespielt und fragte sich, worauf er in Wirklichkeit hinauswollte. »Sag mal, können wir uns darauf verlassen, dass du einen vernünftigen Artikel schreibst, die Fakten richtig wiedergibst und die Gefahren nicht übertreibst?«

»Du denkst wohl, ich schreibe was über die vier Reiter der Apokalypse …«

Sie zuckte zusammen. »Es war dumm von mir, dass ich euch ein solches Stichwort in den Mund gelegt habe. Damit hab ich die Hysterie, die ich vermeiden wollte, eher angeheizt.«

»Mach dir keine Gedanken darüber, ich werde dich nicht zitieren.«

»Danke.«

»Keine Ursache. Ich würde das Zitat ja liebend gerne bringen, aber meine Leser hätten nicht die geringste Ahnung, was es bedeutet.« Er wechselte das Thema. »Ich hab dich kaum gesehen, seit du dich von Frank getrennt hast. Wie lang ist das denn jetzt her?«

»Genau zwei Jahre. Es war an Weihnachten.«

»Und wie ist es dir seither ergangen?«

»Ziemlich schlecht, um ehrlich zu sein, zumindest in der ersten Zeit. Aber inzwischen läuft es schon wieder besser – jedenfalls bis heute.«

»Wir sollten uns mal zusammensetzen und uns wieder auf den letzten Stand der Dinge bringen.«

Toni hatte keine Lust, ihre Zeit mit Osborne zu vertun, doch sie antwortete höflich: »Ja, warum nicht?«

Seine nächste Frage kam sofort und erwischte sie auf dem falschen Fuß: »Wie wär's? Möchtest du heute Abend auswärts essen?«

»Auswärts…?«

»Ja.«

»Also… gewissermaßen… mit dir ausgehen?«

»Noch einmal ja.«

Das war nun das Letzte, womit sie gerechnet hätte. »Nein!«, sagte sie laut, ehe ihr einfiel, wie gefährlich dieser Mann werden konnte. Rasch versuchte sie, der Zurückweisung ihre Schärfe zu nehmen. »Es tut mir Leid, Carl, du hast mich total überrascht. Ich kenne dich schon so lange, aber eben nicht… nicht so. «

»Vielleicht kann ich dein Bild von mir ändern…« Er sah plötzlich sehr jungenhaft und verletzlich aus. »Gib mir eine Chance!«

Sie blieb bei ihrem Nein, zögerte aber einen Augenblick. Carl war ein gut aussehender, charmanter Mann, sogar eine lokale Berühmtheit, und er verdiente gutes Geld. Die meisten unverheirateten Frauen, die auf die vierzig zugingen, hätten sich eine solche Chance nicht entgehen lassen – nur, was sie selbst betraf, so fühlte sie sich überhaupt nicht zu ihm hingezogen. Mit Carl auszugehen hätte sie selbst dann nicht gereizt, wenn sie ihr Herz nicht längst an Stanley verloren hätte. Warum, fragte sie sich.

Die Antwort zu finden kostete sie nur eine Sekunde. Carl war nicht integer. Bei einem Mann, der um einer Sensationsstory willen jederzeit bereit war, die Wahrheit zu verdrehen, musste man davon ausgehen, dass er auch in anderen Lebensbereichen unehrlich war. Nein, ein Ungeheuer war er nicht. Es gab viele solche Männer wie ihn und auch einige Frauen dieses Schlages. Aber für Toni war es einfach nicht vorstellbar, mit einem so seichten Typ wie Carl intim zu werden. Wie hätte sie einen Menschen, dem sie kein Vertrauen schenken konnte, küssen können, ihm kleine Geheimnisse anvertrauen, all ihre Hemmungen ablegen, ihm ihren Körper überlassen können? Allein schon bei der Vorstellung wurde ihr übel.

»Ich fühle mich sehr geschmeichelt«, log sie. »Aber trotzdem – nein.«

So leicht gab er allerdings nicht auf. »Weißt du, dass ich schon immer von dir geträumt habe, selbst als du noch mit Frank zusammen warst? Das musst du doch gespürt haben.«

»Du hast gern mit mir geflirtet – aber das hast du auch mit den meisten anderen Frauen.«

»Das war nicht dasselbe.«

»Bist du nicht mit diesem Mädchen von der Wetterkarte befreundet? War da nicht erst kürzlich ein Bild in der Zeitung?«

»Mit Marnie? Aber das war doch nichts Ernstes. Das war doch hauptsächlich publicityhalber.«

Toni hatte mit ihrer Frage offenbar einen Nerv getroffen. Vermutlich hat Marnie ihn abblitzen lassen, dachte sie. »Tut mir Leid«, sagte sie mitfühlend.

»Lass Taten sprechen, keine Worte. Komm, geh einfach heute Abend mit mir essen. Ich hab im *La Chaumière* schon einen Tisch bestellt.«

Das *La Chaumière* war ein Luxusrestaurant. Die Reservierung musste daher schon eine Zeit lang zurückliegen – wahrscheinlich war Marnie die Auserwählte gewesen. »Ich hab heute Abend zu tun«, sagte sie.

»Du trauerst doch nicht etwa immer noch Frank nach, oder?«

Toni lachte bitter. »Das habe ich tatsächlich eine Weile getan, dumm, wie ich bin. Aber inzwischen bin ich darüber hinweg. Und zwar meilenweit.«

»Jemand anders also?«

»Nein, nichts Festes.«

»Aber du interessierst dich für jemanden. Doch nicht etwa für den alten Herrn Professor?«

»Mach dich nicht lächerlich«, sagte Toni.

»Du wirst doch nicht etwa rot, oder?«

»Ich hoffe, nein – obwohl jede Frau, die sich einem solchen Verhör ausgesetzt sieht, mit vollem Recht erröten dürfte.«

»Mein Gott, du spekulierst wirklich auf Stanley Oxenford!« Carl konnte eine Zurückweisung nicht ertragen. In seiner Wut verzerrte sich sein Gesicht zu einer hässlichen Fratze. »Ja, natürlich, er ist ja Witwer, nicht wahr? Die Kinder sind aus dem Haus, und dann das viele Geld, das ihr zwei ganz alleine verjubeln könnt.«

»Das ist wirklich ekelhaft, Carl ...«

»Die Wahrheit ist oft ekelhaft. Du hast eine Vorliebe für Überflieger, was? Erst Frank, der Mann mit der schnellsten Karriere in der Geschichte der schottischen Polizei, und nun ein steinreicher Wissenschaftler und Unternehmer. Du bist ein Prominenten-Groupie, Toni!«

Sie musste dem ein Ende setzen, ehe sie noch die Beherrschung verlor. »Ich danke dir, dass du zu unserer Pressekonferenz gekommen bist«, sagte sie und reichte ihm die Hand. Er schüttelte sie automatisch. »Und nun gehab dich wohl.« Toni machte kehrt und ließ ihn stehen.

Sie zitterte vor Wut. Der Kerl hatte ihre tiefsten Empfindungen in den Dreck gezogen. Dem drehe ich eher den Hals um, als dass ich mit ihm ausgehe, dachte sie und versuchte sich zu beruhigen. Mitten in einer schweren beruflichen Krise konnte sie ihren Emotionen nicht einfach freien Lauf lassen.

Sie ging zum Empfangstisch an der Tür und sprach Steve Tremlett an, den Werkschutzleiter. »Bleiben Sie bitte hier, bis alle gegangen sind, und achten Sie darauf, dass niemand versucht, hier inoffiziell herumzuschnüffeln.« Ein entschlossener Spion konnte versuchen, sich in die Hochsicherheitsbereiche einzuschleichen, indem er jemanden mit Zugangsberechtigung abpasste und hinter ihm hineinschlüpfte, solange die Tür noch offen stand.

»Überlassen Sie das nur mir«, sagte Steve.

Toni beruhigte sich allmählich. Sie zog ihren Mantel an und ging hinaus. Es schneite jetzt stärker, doch die Demonstranten harrten nach wie vor aus. Toni ging zum Wachhäuschen neben dem Tor. Die Kantinenmitarbeiter schenkten heiße Getränke aus. Die Demonstranten hatten ihre Sprechchöre vorübergehend eingestellt und die Spruchbänder beiseite gelegt. Stattdessen lächelten sie und plauderten miteinander.

Und alle Kameras waren auf sie gerichtet.

Es hat doch alles prima geklappt, dachte Toni. Wieso bin ich dann so deprimiert?

Sie kehrte in ihr Büro zurück, schloss die Tür hinter sich und blieb stehen, heilfroh, eine Minute für sich allein zu haben. Die Pressekonferenz hatte ich voll im Griff, dachte sie. Stanley habe ich Osborne vom Leib gehalten, und der Trick mit den heißen Getränken für die Demonstranten hat funktioniert wie ein Zauberspruch. Natürlich ist das noch kein Anlass zum Feiern, solange wir nicht wissen, was die Reporter daraus machen, aber bis jetzt hat sich eigentlich jede meiner Entscheidungen als richtig erwiesen...

Warum also fühlte sie sich so niedergeschlagen?

Teilweise lag es sicher an Osborne. Eine solche Begegnung konnte jeden fertig machen. Der Hauptgrund für ihre triste Stimmung war jedoch, wie Toni erkannte, Stanley Oxenford. Nach allem, was sie an diesem Vormittag für ihn getan hatte, war er praktisch ohne ein Wort des Dankes verschwunden. Er ist eben der Chef, dachte sie. Und wie wichtig ihm seine Familie ist, weiß ich ja auch nicht erst seit heute. Ich bin nur eine Mitarbeiterin – geschätzt, gemocht, respektiert, aber eben nicht geliebt...

Das Telefon klingelte. Toni starrte den Apparat an und ärgerte sich über das fröhliche Gedudel. Sie wollte mit niemandem reden, nahm aber dann doch ab.

Es war Stanley. Er rief aus seinem Wagen an. »Warum kommen Sie nicht in einer Stunde oder so bei mir vorbei? Wir können uns gemeinsam die Nachrichten ansehen und erfahren, wie es um unser Schicksal bestellt ist.«

Tonis Laune besserte sich schlagartig. Ihr war, als wäre plötzlich die Sonne durch die Wolken gekommen. »Einverstanden«, sagte sie. »Es ist mir ein Vergnügen.«

»Gut möglich, dass man uns nebeneinander ans Kreuz schlägt.«

»Es wäre mir eine Ehre.«

Auf der Fahrt nach Norden begann es heftiger zu schneien. Große weiße Flocken fielen auf die Windschutzscheibe des Toyota Previa und wurden von den langen Scheibenwischern weggefegt. Da die Sicht schlechter wurde, musste Miranda die Geschwindigkeit reduzieren. Der Schnee schien den Wagen schalldicht abzuschotten, denn außer dem leisen Hintergrundgeräusch der Reifen gab es nichts mehr, das mit der klassischen Musik aus dem Radio hätte konkurrieren können.

Die Atmosphäre im Wagen war gedrückt. Hinten hatte Sophie sich Kopfhörer übergestreift und hörte ihre eigene Musik, während Tom völlig in der piepsenden Welt des Gameboys versunken war. Auch Ned sagte kein Wort, sondern beschränkte sich darauf, gelegentlich mit dem Zeigefinger das Orchester zu dirigieren. Während er zu den Klängen von Elgars Cellokonzert in den Schnee hinausblickte, beobachtete Miranda sein ruhiges, bärtiges Gesicht und erkannte, dass ihm überhaupt nicht klar war, wie übel er sie im Stich gelassen hatte.

Er spürte ihre Unzufriedenheit. »Es tut mir Leid, dass Jennifer so ausgeflippt ist«, sagte er.

Miranda warf einen Blick in den Rückspiegel und sah, dass Sophie zur Musik aus ihrem Walkman rhythmisch nickte. Nachdem sie sich davon überzeugt hatte, dass das Mädchen sie nicht hören konnte, sagte sie: »Jennifer war absolut unverschämt.«

»Es tut mir Leid«, wiederholte Ned. Sein eigenes Verhalten zu erklären oder sich gar dafür zu entschuldigen, hielt er offenbar nicht für nötig.

Sie musste ihm diese bequeme Illusion zerstören. »Was mich wirklich aufregt, ist nicht Jennifers Benehmen, sondern deines«, sagte sie.

»Ich weiß jetzt auch, dass es ein Fehler war, dich hereinzubitten, ohne sie vorher zu warnen.«

»Nein, darum geht es nicht. Wir alle machen Fehler.«

Er war erkennbar verärgert und sah sie fragend an. »Worum dann?«

»Ach, Ned! Du hast mich überhaupt nicht verteidigt!«

»Ich ging eigentlich davon aus, dass du dich selbst verteidigen kannst.«

»Du begreifst es einfach nicht! Natürlich kann ich das und brauche nicht bemuttert zu werden. Aber du solltest mein Beschützer sein.«

»Ein edler Ritter in schimmernder Rüstung...«

»Genau!«

»Ich hielt es für wichtiger, dass sich die Situation erst einmal ein wenig beruhigt.«

»Und damit lagst du eben falsch! Wenn ich angegriffen werde, erwarte ich von dir keine abgewogene Lagebeurteilung, sondern dann möchte ich, dass du mir zur Seite stehst.«

»Ich fürchte, so ein Kämpfertyp bin ich nicht.«

»Das weiß ich«, erwiderte Miranda, und beide schwiegen.

Die schmale Straße folgte der Küstenlinie eines Fjords. Sie kamen an kleinen Gehöften vorbei; auf den Weiden standen hier und da Pferde mit Winterdecken und grasten. Sie fuhren durch Dörfer mit weiß gestrichenen Kirchen und Häuserzeilen entlang der Küste. Miranda war deprimiert. Angenommen, die Familie nahm Ned herzlich auf, worum sie, Miranda, ausdrücklich gebeten hatte – wollte sie wirklich einen so passiven Mann heiraten? Sie hatte sich nach einem netten, gebildeten und intelligenten Mann gesehnt, doch jetzt war ihr klar, dass er auch stark sein sollte. War sie zu anspruchsvoll? Sie dachte an ihren Vater. Er war immer lieb, selten wütend, nie streitsüchtig – doch auf die Idee, ihn als schwach zu bezeichnen, war bisher noch nie jemand gekommen.

Ihre Stimmung besserte sich, als sie sich Steepfall näherten. Man erreichte das Haus über eine lange, gewundene Straße, die durch einen Wald führte. Wieder im offenen Gelände, umrundete sie dann eine Landzunge, deren Küste steil zum Meer hin abfiel.

Zuerst kam die Garage in Sicht. Es handelte sich um einen ehemaligen Kuhstall, der renoviert und mit drei Kipptoren ausgestattet worden war. Miranda fuhr daran vorbei und auf das Hauptgebäude zu.

Beim Anblick des alten Farmhauses, von dem aus sich ein weites Panorama über die Küste öffnete, seinen alten Steinmauern mit ihren kleinen Fenstern und dem steilen Schieferdach wurde Miranda von Kindheitserinnerungen überwältigt. Sie war mit fünf Jahren zum ersten Mal hierher gekommen, und jedes Mal, wenn sie zurückkehrte, verwandelte sie sich für ein paar Augenblicke in ein kleines Mädchen mit weißen Söckchen, das auf der granitenen Türschwelle in der Sonne sitzt und vor einer Klasse aus drei Puppen, zwei Meerschweinchen in einem Käfig und einem schläfrigen alten Hund Lehrerin spielt. Das Gefühl war sehr intensiv, aber nur flüchtig: Miranda wusste plötzlich genau, wie sie als Fünfjährige gefühlt und gedacht hatte, doch wenn sie die Erinnerung festhalten wollte, war ihr, als griffe sie in eine Rauchwolke.

Der dunkelblaue Ferrari ihres Vaters stand vor dem Haus. Stanley überließ es immer Luke, dem Mann für alles, ihn in die Garage zu fahren. Der Wagen war gefährlich schnell, obszön kurvenreich und sündhaft teuer für die täglichen acht Kilometer zur Firma und wieder zurück. Hier oben an der kargen schottischen Steilküste wirkte er genauso fehl am Platz wie eine hochhackige Kurtisane auf einem matschigen Bauernhof. Aber Stanley Oxenford besaß weder eine Yacht noch einen Weinkeller, noch ein Rennpferd, und er reiste auch nicht zum Skifahren nach Gstaad oder zum Spielen nach Monte Carlo. Der Ferrari war seine einzige Schwäche.

Miranda brachte ihren Toyota zum Stehen. Tom rannte sofort ins Haus, und Sophie folgte ihm, wenn auch langsamer. Sie hatte Stanley zwar vor ein paar Monaten auf Olgas Geburtstagsfeier kennen gelernt, war aber noch nie hier gewesen. Miranda beschloss, Jennifer fürs Erste zu vergessen. Hand in Hand mit Ned ging sie hinein.

Wie immer betraten sie das Haus durch die Küchentür an der Seite. Zunächst gelangten sie in einen kleinen Vorraum, in dem ein großer Stiefelschrank stand, und dann durch eine weitere Tür in die geräumige Küche. Für Miranda war es immer wieder eine Heimkehr. Vertraute

Gerüche strömten auf sie ein: Es duftete nach gebratenem Fleisch, gemahlenem Kaffee und Äpfeln, ja es hing immer noch ein Hauch von den französischen Zigaretten im Raum, die Mamma Marta geraucht hatte. Kein anderes Domizil hatte in Mirandas Seele dieses Zuhause ersetzen können: weder das Apartment in Camden Town, in dem sie ihre wilden Jahre verbracht hatte, noch das moderne Vorstadthaus, wo sie während ihrer kurzen Ehe mit Jasper Casson gelebt hatte, und auch nicht die Wohnung in Glasgow, in der sie Tom aufgezogen hatte, zuerst allein und mittlerweile gemeinsam mit Ned.

Eine ausgewachsene schwarze Großpudelhündin namens Nellie wackelte vor Freude mit dem ganzen Körper und schleckte alle ab, deren sie habhaft werden konnte. Miranda begrüßte Luke und Lori, das philippinische Hausmeisterehepaar, das gerade das Mittagessen vorbereitete. »Ihr Vater ist eben erst heimgekommen«, sagte Lori. »Er wäscht sich gerade die Hände.«

Miranda trug Tom und Sophie auf, den Tisch zu decken. Sie wollte nicht, dass die Kinder vor dem Fernsehapparat Wurzeln schlugen und sich den Rest des Nachmittags nicht mehr von der Stelle bewegten. »Du kannst Sophie zeigen, wo alles ist, Tom«, sagte sie. Wenn sie eine Aufgabe hatte, würde es Sophie leichter fallen, sich als Familienmitglied zu fühlen.

Im Kühlschrank lagen einige Flaschen von Mirandas Lieblingsweißwein. Daddy trank nicht viel, doch Mamma hatte sich ihren Wein nicht nehmen lassen, und so hatte Stanley immer dafür gesorgt, dass der Vorrat nicht ausging. Miranda entkorkte eine Flasche und goss Ned ein Glas ein.

Kein schlechter Anfang, fand sie: Sophie half Tom bereitwillig beim Auslegen des Bestecks, und Ned nippte zufrieden am Sancerre. Vielleicht war dieses Bild die richtige Einstimmung für die Feiertage, nicht der Auftritt mit Jennifer.

Wenn Ned wirklich in Zukunft sein Leben mit Miranda teilen wollte, dann musste er dieses Haus und die Familie, die darin aufgewachsen war, lieben. Er war schon einige Male hier gewesen, allerdings nie mit Sophie, und er hatte auch noch nie im Haus übernachtet. Es war also sein erster längerer Besuch. Miranda wünschte sich, dass er sich wohl fühlte und mit allen gut auskam. Jasper, ihrem Ex-Mann, hatte es in Steepfall nie gefallen. Am Anfang war er über seinen Schatten gesprungen und hatte alle für sich eingenommen, doch bei späteren Besuchen hatte er sich sehr zurückgezogen und war nach der Abfahrt regelmäßig furchtbar wütend gewesen. Er konnte Stanley offenbar nicht leiden und hielt ihn für »autoritär«, was irgendwie seltsam war, denn Stanley ordnete so gut wie nie etwas an (ganz anders als Mamma Marta, die ein so strenges Regiment führte, dass ihre Kinder sie manchmal »Mamma Mussolini« nannten). Jetzt, im Rückblick, wurde Miranda klar, dass Jasper seine Macht über sie in Gegenwart eines anderen Mannes, der sie liebte, bedroht gesehen hatte. War ihr Vater in der Nähe, traute Jasper sich nicht, sie zu unterdrücken.

Das Telefon klingelte. Miranda griff zum Apparat, der an der Wand neben dem großen Kühlschrank hing. »Hallo?«

»Miranda? Hier ist Kit.«

Sie freute sich. »Hallo, kleiner Bruder! Wie geht's dir?«

»Ich bin fix und fertig, um ehrlich zu sein.«

»Und warum?«

»Ich – ich bin in einen Swimmingpool gefallen. Lange Geschichte. Wie sieht's aus in Steepfall?«

»Wir sitzen gerade am Küchentisch, trinken Daddys Wein und wünschen uns, du wärst auch hier.«

»Na ja, ich bin unterwegs. Ich komme nun doch.«

»Super!«, rief Miranda und verzichtete bewusst auf die Frage nach den Gründen für seinen Sinneswandel. Wahrscheinlich würde er ohnehin nur wieder »lange Geschichte« sagen.

»In ungefähr einer Stunde bin ich da. Aber hör mal – kann ich trotzdem im Gästehaus schlafen?«

»Warum nicht? Letztlich muss es Daddy entscheiden, aber ich rede mit ihm.«

Kaum hatte Miranda den Hörer wieder aufgehängt, trat ihr Vater ins Zimmer. Er trug noch Weste und Anzugshose, hatte aber die Hemdsärmel hochgekrempelt. Er begrüßte Ned mit Handschlag und gab seiner Tochter und den Kindern einen Kuss. Er sieht richtig durchtrainiert aus, dachte Miranda und fragte: »Bist du gerade am Abnehmen?«

»Ich spiele regelmäßig Squash. Wer hat da angerufen?«

»Kit. Er kommt jetzt doch.« Sie beobachtete sein Gesicht, neugierig auf die Reaktion.

»Das glaube ich erst, wenn ich ihn sehe.«

»Ach, Daddy, ein bisschen freuen könntest du dich schon!«

Er tätschelte ihre Hand. »Wir alle mögen Kit, aber du kennst ihn doch. Ich hoffe, er kommt, verlass mich aber nicht darauf.« Er sagte es in leichtem Ton, doch Miranda entging nicht, dass er sich sehr bemühte, eine innere Verletzung zu überspielen.

»Er möchte unbedingt im Gästehaus übernachten.«

»Hat er gesagt, warum?«

»Nein.«

»Wahrscheinlich bringt er ein Mädchen mit und will nicht, dass wir alle ihre Lustschreie hören«, bemerkte Tom.

Es wurde mucksmäuschenstill in der Küche. Miranda war vollkommen baff. Wo hatte der Junge das her? Tom war elf Jahre alt und sprach niemals über Sex. Nach einer kurzen Pause brachen alle in schallendes Gelächter aus. Tom war das offenbar peinlich. »Das hab ich in einem Buch gelesen«, sagte er. Wahrscheinlich wollte er vor Sophie erwachsen erscheinen, dachte Miranda. Noch ist er ein kleiner Junge – aber nicht mehr lange …

»Wie dem auch sei«, sagte Stanley. »Mir ist das gleichgültig, wer wo schläft, das wisst ihr ja.« Er warf einen nervösen Blick auf seine Armbanduhr. »Ich muss mir die Mittagsnachrichten ansehen.«

»Das mit dem Laboranten tut mir Leid«, sagte Miranda. »Warum hat er das getan?«

»Jeder von uns hat ab und zu verrückte Ideen, aber ein einsamer Mensch hat niemanden, der sie ihm ausredet.«

Die Tür ging auf, und Olga kam herein – und wie immer, wenn sie ein Zimmer betrat, redete sie. »Dieses Wetter ist ja ein Albtraum! Nichts als rutschende und schlitternde Menschen! Ist das Wein, was ihr da trinkt? Gebt mir auch einen Schluck, bevor ich in die Luft gehe! Nein, Nellie, bitte nicht schnüffeln, das gilt in der menschlichen Gesellschaft als vulgär. Hallo, Daddy, wie geht's dir?«

»*Nella merde*«, antwortete Stanley.

Miranda kannte den Ausdruck; er stammte von ihrer Mutter und bedeutete so viel wie »beschissen«. Mamma Marta hatte sich der frommen Illusion hingegeben, dass ihre Kinder italienische Flüche nicht verstanden.

»Ich hab von dem Typ gehört, der da gestorben ist. Ist das so schlimm für dich?«

»Das kann ich dir sagen, sobald wir die Nachrichten gesehen haben.«

Hinter Olga betrat ihr Ehemann Hugo die Küche, ein kleiner Mann mit lausbübischem Charme. Als er Miranda küsste, verharrten seine Lippen eine Sekunde zu lang auf ihrer Wange.

»Wo soll Hugo das Gepäck hinbringen?«, fragte Olga.

»Nach oben«, sagte Miranda.

»Das Gästehaus hast offenbar du dir unter den Nagel gerissen, was?«

»Nein, da übernachtet Kit.«

»Also, ich bitte dich!«, protestierte Olga. »Das große Doppelbett, das schöne Bad und die Kitchenette – alles für eine Person, während wir uns zu viert das enge alte Bad da oben teilen müssen?«

»Er hat ausdrücklich darum gebeten.«

»Na und? Dann bitte ich eben auch ausdrücklich darum.«

Miranda begann ihre Schwester auf die Nerven zu gehen. »Um Himmels willen, Olga, so denk doch abwechslungshalber ein einziges Mal nicht nur an dich selbst! Du weißt doch, dass Kit seit … seit dem Theater damals nicht mehr hier gewesen ist. Mir liegt sehr daran, dass er sich bei uns wohl fühlt.«

»Dann bekommt er also das beste Schlafzimmer, weil er Daddy bestohlen hat – ist das deine Logik?«

»Aus dir spricht mal wieder die Anwältin. Spar dir das für deine gebildeten Freunde.«

»Schluss jetzt, ihr beiden«, sagte ihr Vater in einem Tonfall, den sie noch aus ihrer Kinderzeit kannten. »In diesem Fall muss ich Olga Recht geben. Es ist egoistisch von Kit, das ganze Gästehaus für sich zu beanspruchen. Miranda und Ned können dort schlafen.«

»Dann bekommt also keiner, was er will«, erwiderte Olga.

Miranda seufzte. Warum konnte Olga ihr Gezänk nicht einstellen? Sie kannten doch ihren Vater. Normalerweise bekam man von ihm alles, was man wollte, doch wenn er einmal nein gesagt hatte, dann war das endgültig. Stanley war vielleicht nachgiebig, aber zwingen ließ er sich zu gar nichts.

»Ihr sollt doch nicht dauernd streiten, ich bring's euch schon noch bei«, sagte er.

»Nein, das hilft nichts. Seit dreißig Jahren sprichst du diese salomonischen Urteile, und wir haben bis heute nichts dazugelernt.«

Stanley lächelte. »Da hast du Recht! Ich glaube, meine Einstellung zur Kindererziehung war von Beginn an grundfalsch. Soll ich noch mal von vorne anfangen?«

»Zu spät, zu spät.«

»Gott sei Dank!«

Hoffentlich ist Kit nicht so verärgert, dass er auf dem Fuß kehrtmacht und gleich wieder davonfährt, dachte Miranda.

Der Auftritt von Caroline und Craig, den Kindern von Hugo und Olga, beendete die Auseinandersetzung.

Die siebzehnjährige Caroline trug einen Käfig mit mehreren weißen Ratten. Nellie schnupperte aufgeregt daran. Caroline sah in ihrer Beziehung zu Tieren eine Möglichkeit, den Umgang mit Menschen zu meiden. Viele Mädchen machten eine solche Phase durch, aber Miranda meinte, dass sie mit siebzehn eigentlich vorüber sein müsste.

Der fünfzehnjährige Craig schleppte zwei randvoll mit Geschenken gefüllte Plastikmüllsäcke heran. Er hatte das lausbübische Grinsen seines Vaters, war aber so groß wie Olga. Er setzte die Säcke ab, begrüßte die Anwesenden flüchtig und ging dann schnurstracks auf Sophie zu. Miranda fiel ein, dass die beiden sich auf Olgas Geburtstagsfeier kennen gelernt hatten. »Du hast dir ja deinen Bauchnabel piercen lassen!«, sagte Craig zu Sophie. »Cool! Hat es wehgetan?«

Jetzt erst bemerkte Miranda, dass sich auch eine fremde Person in der Küche aufhielt. Die Frau stand an der Tür zum Flur und hatte das Haus demnach durch den Haupteingang betreten. Sie war groß und eine ausgesprochene Schönheit: hohe Wangenknochen, gebogene Nase, üppiges rotblondes Haar und wunderbare grüne Augen. Sie trug einen braunen, ein wenig zerknitterten Kreidestreifenanzug, doch konnte auch ihr nahezu perfektes Make-up nicht ganz die Anzeichen von Müdigkeit unter ihren Augen verbergen. Amüsiert betrachtete sie die muntere Szene in der überfüllten Küche, und Miranda fragte sich, wie lange sie schon schweigend dastehen und zusehen mochte.

Auch die anderen entdeckten nun den neuen Gast, und allmählich wurde es still in der Küche. Schließlich drehte sich Stanley um, sagte »Oh, Toni!« und sprang von seinem Stuhl auf. Überrascht stellte Miranda fest, dass er sich über den Besuch sehr zu freuen schien. »Nett, dass Sie vorbeischauen! Kinder, das ist meine Mitarbeiterin Antonia Gallo.«

Die Frau strahlte, als könne es für sie nichts Schöneres geben als eine ständig zankende Großfamilie. Sie hatte ein breites, großzügiges Lächeln und volle Lippen. Das muss diese ehemalige Polizistin sein, die Kit damals überführt hat, dachte Miranda. Daddy scheint sie aber trotzdem zu mögen …

»Toni«, sagte Stanley, »darf ich Ihnen meine Familie vorstellen?« Miranda fiel der Stolz in seiner Stimme auf. »Meine Tochter Olga, ihr Mann Hugo und ihre Kinder – Caroline mit den zahmen Ratten und Craig, das ist der Lange hier. Meine Tochter Miranda, ihr Sohn Tom, ihr Verlobter Ned und Neds Tochter Sophie.« Toni sah allen Familienmitgliedern in die Augen, lächelte sie freundlich an und gab sich aufrichtig interessiert. Es war nicht leicht, sich acht neue Namen auf einmal zu merken, doch hatte Miranda das Gefühl, dass Toni damit keine Schwierigkeiten haben würde. »Der Herr, der gerade die Karotten schält, ist Luke, und die Dame am Herd ist Lori … Nein, Nellie, die Dame möchte nicht an deinem Büffelknochen knabbern, obwohl sie deine Großzügigkeit sehr zu schätzen weiß.«

»Es freut mich sehr, Sie kennen zu lernen«, sagte Toni, und es klang durchaus ehrlich. Allerdings war ihr anzumerken, dass sie unter starker nervlicher Anspannung stand.

»Sie haben sicher einen anstrengenden Tag hinter sich«, sagte Miranda. »Das Unglück mit diesem Laboranten tut mir sehr Leid.«

»Es war Toni, die ihn gefunden hat«, sagte Stanley.

»O Gott!«

Toni nickte. »Wir sind uns, dem Himmel sei Dank, ziemlich sicher, dass er sonst niemanden angesteckt hat. Jetzt müssen wir einfach hoffen, dass uns die Medien nicht kreuzigen.«

Stanley sah erneut auf seine Uhr. »Entschuldigt uns«, sagte er zu seiner Familie. »Wir sehen uns die Nachrichten in meinem Arbeitszimmer an.« Er hielt Toni die Tür auf und verließ mit ihr die Küche.

Die Kinder plapperten wieder los, und Hugo machte Ned gegenüber eine Bemerkung über die schottische Rugbymannschaft. Miranda wandte sich an Olga. Ihr Streit war vergessen. »Attraktive Frau«, sagte sie nachdenklich.

»Ja«, bestätigte Olga. »Ziemlich genau mein Alter, oder?«

»Siebenunddreißig, achtunddreißig, ja. Und Daddy hat abgenommen.«

»Das ist mir auch aufgefallen.«

»Eine gemeinsam gemeisterte Krise bringt die Menschen einander näher.«

»Geschieht das nicht gerade?«

»Also, was denkst du?«

»Das Gleiche wie du.«

Miranda trank ihren Wein aus. »Ja, das dachte ich mir.«

Toni war hingerissen von der Szene, die sich ihr in der Küche bot: Erwachsene, Kinder, Personal und Haustiere, Wein trinkend, kochend, streitend, Witze erzählend, lachend. Ihr war, als wäre sie mitten in eine fröhliche Party geraten, auf der sie niemanden kannte. Sie hätte gerne mitgemacht, fühlte sich aber ausgeschlossen. Das ist Stanleys Leben, dachte sie. Er und seine Frau hatten eine Familie gegründet und diese Wärme, dieses gemütliche Heim geschaffen. Sie bewunderte ihn dafür, und sie beneidete seine Kinder. Wahrscheinlich war ihnen überhaupt nicht bewusst, wie privilegiert sie waren. Minutenlang hatte Toni ebenso fasziniert wie verwirrt dagestanden. Kein Wunder, dass Stanley so sehr an seiner Familie hing.

Sie fand die Situation aufregend – und verzweifelte schier an ihr. Es wäre ihr, wenn sie es sich erlaubt hätte, nicht schwer gefallen, sich in einer Fantasie zu verlieren: sich selbst als Teil dieser Gruppe zu sehen, neben Stanley sitzend als seine Ehefrau, voller Liebe für ihn und seine Kinder, wohlig eingebettet in die Behaglichkeit ihrer Gemeinschaft. Aber sie unterdrückte den Wachtraum. Es war unmöglich, und zur Selbstquälerei bestand kein Anlass. Gerade die Stärke der familiären Bindungen war es, die dafür sorgen würde, dass sie, Toni, außen vor blieb.

Als man sie endlich bemerkte, spürte sie die kritischen Blicke Olgas und Mirandas, der beiden Töchter. Es war eine sorgfältige Prüfung: detailliert, unverfroren, feindselig. Etwas diskreter, wenngleich nicht unähnlich, musterte sie Lori, die Köchin.

Toni verstand diese Reaktion. Dreißig Jahre lang hatte Marta in dieser Küche das Regiment geführt. Sie hätten sich Marta gegenüber illoyal gefühlt, wenn sie Toni *nicht* mit Ablehnung begegnet wären. Jede Frau, die Stanley mochte, konnte zur Bedrohung werden und die Familie entzweien. Eine »Neue« konnte Vaters Überzeugungen und Verhaltensweisen ändern und seine Zuneigung in eine andere Richtung lenken. Sie konnte ihm sogar noch Kinder gebären – Halbbrüder und Halbschwestern, die sich den Teufel um die Traditionen der ursprünglichen Familie scherten und mit den anderen nicht durch die unzerreißbaren Ketten einer gemeinsam erlebten Kindheit verbunden waren. Sie würden Ansprüche auf einen Teil des Erbes erheben, vielleicht sogar auf das gesamte.

Ob Stanley diese heimlichen Widerstände spürte? Toni folgte ihm in sein Arbeitszimmer, und einmal mehr überkam sie dieses frustrierende Gefühl der Unwissenheit: Sie hatte keine Ahnung, was in seinem Kopf vorging.

Es war ein sehr maskulin wirkender Raum mit einem viktorianischen Säulenfuß-Schreibtisch, einem Bücherregal mit gewichtiger mikrobiologischer Fachliteratur und einer abgewetzten Ledercouch vor einem offenen Kamin, in dem ein Holzfeuer brannte. Der Hund war hinter ihnen her getappt und streckte sich nun vor dem Feuer aus wie ein lockiger schwarzer Läufer. Auf dem Kaminsims stand ein gerahmtes Foto von einem dunkelhaarigen Teenager in weißem Tennisdress – es war das gleiche Mädchen wie auf dem Brautbild in Stanleys Büro bei Oxenford Medical. Die kurzen Shorts zeigten lange, athletische Beine. Das starke Augen-Make-up und das Haarband verrieten Toni, dass das Bild in den Sechzigerjahren entstanden war. »War Marta auch Naturwissenschaftlerin?«, fragte sie.

»Nein, sie hatte Englisch studiert. Als wir uns kennen lernten, unterrichtete sie Italienisch für Fortgeschrittene an einem Gymnasium in Cambridge.«

Toni war überrascht. Sie hatte sich immer vorgestellt, dass Marta Stanleys Leidenschaft für seinen Beruf geteilt habe. Man muss also nicht unbedingt in Biologie promoviert haben, um von ihm geheiratet zu werden, dachte sie und sagte: »Sie war sehr hübsch.«

»Hinreißend, ja«, erwiderte Stanley. »Schön, groß, sexy, Ausländerin, eine Teufelin auf dem Tennisplatz und eine Herzensbrecherin außerhalb desselben. Ich war wie vom Blitz getroffen. Fünf Minuten nachdem ich sie kennen gelernt hatte, war ich rettungslos in sie verliebt.«

»Und Marta auch in Sie?«

»Das dauerte länger. Sie wurde ja von vielen Bewunderern umschwärmt. Ich habe nie begriffen, warum sie sich am Ende für mich entschieden hat. Sie hat immer gesagt, sie könne einem intellektuellen Eierkopf nicht widerstehen.«

Das wundert mich nicht, dachte Toni. Marta hatte gefallen, was Toni selbst gefiel: Stanleys Stärke. Bei ihm wusste man sofort, woran man war: Er war ein Mann, bei dem Wort und Tat übereinstimmten, einer, auf den man sich verlassen konnte. Hinzu kamen andere Vorteile: Er war warmherzig und klug – und wusste sich sogar geschmackvoll zu kleiden.

Aber was empfinden Sie jetzt, wollte sie ihn fragen. *Sind Sie noch mit der Erinnerung an sie verheiratet?* Aber Stanley Oxenford war ihr Chef, und sie hatte nicht das Recht, sich nach seinen persönlichen Gefühlen zu erkundigen. Und außerdem stand da auf dem Kaminsims Marta und schwang ihren Tennisschläger wie eine Keule.

Toni setzte sich neben Stanley auf die Couch. Sie versuchte ihre Emotionen zu verdrängen und sich auf die aktuelle Krisensituation zu konzentrieren. »Haben Sie die amerikanische Botschaft angerufen?«, fragte sie.

»Ja, hab ich. Ich habe Mahoney beruhigt, jedenfalls fürs Erste. Aber der sieht sich natürlich auch die Nachrichten an, genau wie wir.«

So viel hängt von den kommenden Minuten ab, dachte Toni. Sie können die Rettung für die Firma bedeuten – oder das Aus. Vielleicht ist Stanley danach bankrott, ich stehe wieder einmal auf der Straße, und die Welt verliert einen hervorragenden Wissenschaftler ... Aber gerate jetzt bloß nicht in Panik, sondern behalte deinen gesunden Menschenverstand! Sie zog ein Notizbuch aus ihrer Schultertasche. Cynthia Creighton war im Büro geblieben und nahm die Sendung auf Video auf, damit sie sich danach alles noch einmal in Ruhe ansehen konnten. Vorerst wollte Toni nur aufschreiben, was ihr spontan zu dem Bericht einfiel.

Die schottischen Nachrichten kamen vor den englischen.

Der Tod von Michael Ross war nach wie vor die Spitzenmeldung, doch war es ein Nachrichtensprecher und nicht Carl Osborne, der das Thema einführte. Das ist ein gutes Zeichen, dachte Toni voller Hoffnung. Die lächerlich falsche Darstellung der wissenschaftlichen Fakten durch Osborne blieb den Zuschauern daher erspart. Das Virus wurde korrekt »*Madoba-2*« genannt. Der Sprecher vergaß auch nicht den Hinweis darauf, dass Michaels Tod gerichtsmedizinisch untersucht würde.

»So weit, so gut«, murmelte Stanley.

»Ich habe den Eindruck, dass irgendeinem höheren Tier im Sender heute Morgen beim Frühstück Osbornes schlampige Reportage aufgefallen ist und dass er dann mit dem festen Vorsatz ins Studio ging, für eine seriösere Berichterstattung zu sorgen.«

Die nächste Kameraeinstellung zeigte die Szene vor den Toren von Oxenford Medical. »Tierversuchsgegner nutzten den tragischen Todesfall zu einer Protestaktion vor den Werkstoren«, sagte der Sprecher. Toni war angenehm überrascht. Dieses Urteil war positiver, als sie erhofft hatte, besagte es doch indirekt, dass man die Demonstranten als zynische Opportunisten ansah, die den Medienrummel für ihre eigenen Ziele ausnutzen wollten.

Nach der Demo erschien die Große Halle auf dem Bildschirm. Toni hörte ihre eigene Stimme und stellte fest, dass ihr schottischer Akzent stärker durchklang, als sie erwartet hätte. Sie erläuterte das Sicherheitssystem und musste zugeben, dass diese Passage nicht gerade die wirkungsvollste war: nur eine Stimme, die monoton über Alarmanlagen und Wachen referierte. Vielleicht, dachte sie, wäre es doch besser gewesen, wir hätten den Kameraleuten gestattet, die Luftschleuse am Eingang zum BSL-4-Labor zu filmen, dazu das Fingerabdruckidentifizierungsgerät und die U-Boot-Türen; Bilder sind eben immer aussagekräftiger als Worte …

Dann kam Carl Osborne ins Bild mit seiner Frage: »Können Sie uns präzise sagen, wie groß die Gefahr für die Öffentlichkeit war, die durch dieses Kaninchen entstanden ist?«

Toni beugte sich vor. Jetzt kam die entscheidende Phase.

Der Wortwechsel zwischen Carl und Stanley folgte: Osbornes Horrorszenarien und Stanleys begründete Zurückweisungen. Das ist nicht gut, dachte Toni, im Publikum setzt sich doch bloß der Gedanke fest, dass es zu einer Masseninfektion wild lebender Tiere hätte kommen können, obwohl Stanley das klipp und klar verneint hat.

Carl fragte: »Hätte Michael Ross andere Menschen mit dem Virus anstecken können?«

»Ja, durch Tröpfcheninfektion beim Niesen oder dergleichen«, erwiderte Stanley ernst.

Den Rest seiner Ausführungen hatte der Berichterstatter einfach weggelassen.

»Verdammt!«, murmelte Stanley.

»Der Bericht ist noch nicht zu Ende«, sagte Toni. Es konnte besser werden – oder schlimmer.

Sie hoffte, als Nächstes würde ihre Intervention gezeigt werden, ihr Versuch, den Eindruck zu verwischen, dass Oxenford Medical das Risiko herunterspielen wolle. Stattdessen kam eine telefonierende Susan Mackintosh ins Bild, und eine Reporterstimme berichtete, dass die Firma alle Mitarbeiter anrufe, um herauszufinden, ob sie in der kritischen Zeit Kontakt zu Michael Ross gehabt hätten. Dagegen lässt sich nichts einwenden, dachte Toni erleichtert. Sie haben die Gefahrensituation zwar ziemlich holzschnittartig dargestellt, aber immerhin zeigen sie auch, dass die Firma tut, was sie kann.

Die letzte Einstellung von der Pressekonferenz war eine Nahaufnahme von Stanley Oxenford. Er wirkte seriös und verantwortungsbewusst und sagte: »... und in der Zukunft wird es uns auch gelingen, die Grippe, Aids und letztlich sogar den Krebs zu besiegen – und diejenigen, die das schaffen, werden Wissenschaftler sein wie wir und in Laboratorien wie den unseren in dieser Firma hier arbeiten.«

»Das ist gut«, sagte Toni.

»Wird damit dieser Dialog mit Osborne und sein Gerede von den infizierten Tieren aufgewogen?«

»Ich glaube schon. Sie wirken sehr Vertrauen erweckend.«

Auf den letzten Aufnahmen waren Kantinenangestellte zu sehen, die dampfend heiße Getränke an die Demonstranten im Schnee verteilten. »Toll – sie bringen die Bilder tatsächlich!«, sagte Toni.

»Das habe ich gar nicht mitbekommen«, meinte Stanley. »Wer ist denn auf diese Idee gekommen?«

»Ich.«

Carl Osborne hielt einer Angestellten ein Mikrophon vor die Nase und fragte: »Diese Leute hier demonstrieren gegen Ihren Betrieb. Warum geben Sie ihnen Kaffee?«

»Weil 's hier draußen so kalt ist«, erwiderte die Frau.

Toni und Stanley lachten über die Schlagfertigkeit der Mitarbeiterin und das positive Licht, das diese Szene auf die Firma warf.

Der Nachrichtensprecher kam wieder ins Bild und berichtete: »Der schottische Ministerpräsident sagte heute Morgen in einer Stellungnahme: ›Ich habe heute früh mit den Verantwortlichen von Oxenford Medical, der Polizei von Inverburn und den regionalen Gesundheitsbehörden gesprochen und mich davon überzeugt, dass alles Menschenmögliche getan wird, um eine weitere Gefährdung der Öffentlichkeit auszuschließen.‹ Und nun zu den anderen Nachrichten.«

»Mein Gott«, sagte Toni, »ich glaube, wir haben es geschafft.«

»Heiße Getränke an die Demonstranten! Das war wirklich eine gute Idee! Wann ist Ihnen das denn eingefallen?«

»In allerletzter Sekunde. Aber schauen wir noch, was die Engländer bringen.«

In der Hauptnachrichtensendung wurde zuerst über ein Erdbeben in Russland und dann über den Tod von Michael Ross berichtet. Das Bildmaterial war ähnlich, doch fehlten die Einstellungen mit Carl Osborne, der nur in Schottland eine Medienpersönlichkeit war. Stanley wurde in einer kurzen Sequenz mit der Aussage zitiert: »Das Virus ist über die Artgrenzen hinaus nicht besonders ansteckend. Um Michael infizieren zu können, muss das Kaninchen ihn wohl gebissen haben.« Eine Stellungnahme des britischen Umweltministers in London war sehr zurückhaltend und mied jede Dramatisierung. Im Übrigen war der Bericht im gleichen unhysterischen Ton gehalten wie der schottische. Tonis Erleichterung war grenzenlos.

»Gut zu wissen, dass nicht alle Journalisten so sind wie dieser Carl Osborne«, sagte Stanley.

»Er hat mich zum Abendessen eingeladen«, sagte Toni und fragte sich im gleichen Augenblick, warum sie das erzählte.

Stanley sah sie überrascht an. »*Ha la faccia peggio del culo!*«, sagte er. »So ein unverschämter Kerl!«

Toni lachte. Wörtlich übersetzt bedeutete der Satz: »Sein Gesicht ist noch schlimmer als sein Hintern.« Sicher wieder einer von Martas Ausdrücken. »Er ist ein attraktiver Mann«, sagte sie.

»Das ist doch nicht Ihr Ernst, oder?«

»Auf jeden Fall sieht er gut aus.« Erst jetzt merkte sie, dass sie es darauf anlegte, Stanley eifersüchtig zu machen. Hör auf mit diesen Spielchen, schalt sie sich insgeheim.

»Und was haben Sie geantwortet?«

»Ich habe ihm natürlich einen Korb gegeben.«

»Na, das beruhigt mich aber …« Stanley wirkte verlegen und fügte rasch hinzu: »Nicht, dass es mich etwas anginge, aber der ist Ihrer nicht wert. Da fehlen Lichtjahre.« Er wandte seine Aufmerksamkeit wieder dem Fernsehgerät zu und schaltete auf einen Nachrichtensender um.

Ein paar Minuten lang sahen sie Bilder von russischen Erdbebenopfern und Rettungsteams. Toni fand es idiotisch, dass sie Stanley von Osbornes Einladung erzählt hatte. Andererseits – seine Reaktion darauf hatte ihr gefallen.

Es folgte ein Bericht über die Ereignisse bei Oxenford Medical, und auch diesmal war die Reportage nüchtern und faktenorientiert. Stanley stellte den Fernseher ab und sagte: »Eine öffentliche Kreuzigung durch das Fernsehen ist uns wohl erspart geblieben.«

»Morgen ist Weihnachten, da gibt es keine Zeitungen«, bemerkte Toni, »und am Donnerstag ist die Geschichte schon ein alter Hut. Wenn nichts Außergewöhnliches mehr geschieht, dürften wir das Schlimmste überstanden haben.«

»Ja, wenn uns ein zweites Kaninchen entkommt, geht alles wieder von vorn los.«

»Es wird keine weiteren Sicherheitspannen geben«, sagte Toni in festem Ton. »Dafür werde ich sorgen.«

Stanley nickte. »Ich muss Ihnen sagen, dass Sie diese Krise hervorragend gemeistert haben. Ich bin Ihnen dafür sehr dankbar.«

Toni strahlte. »Wir haben die Wahrheit gesagt, und man hat uns geglaubt.«

Sie lächelten einander an; es war ein Augenblick glücklicher Intimität. Doch dann klingelte das Telefon auf dem Schreibtisch.

Stanley hob ab. »Oxenford«, sagte er, »ja, bitte stellen Sie ihn durch, ich habe seinen Anruf erwartet.« Er sah Toni an und hauchte: »Mahoney!«

Toni stand auf. Sie war nervös. Sie und Stanley waren überzeugt, alles richtig gemacht zu haben – aber sahen das die Amerikaner genauso? Sie beobachtete Stanleys Miene.

»Hallo, Larry«, sagte er ins Telefon, »haben Sie die Nachrichten gesehen?... Es freut mich, dass Sie das auch so sehen... Ja, die hysterische Reaktion, die Sie so gefürchtet haben, ist ausgeblieben... Sie kennen ja meine Sicherheitsbeauftragte, Antonia Gallo – sie hat sich um die Presse gekümmert und das ganz großartig gemacht... Ja, dieser Meinung bin ich auch... Sie haben vollkommen Recht, die Sicherheitsproblematik hat in Zukunft allerhöchste Priorität, ja... Schön, dass Sie angerufen haben... Auf Wiederhören!«

Stanley legte auf und grinste Toni an. »Geschafft!«, sagte er, schloss sie überschwänglich in die Arme und drückte sie an sich.

Toni presste ihr Gesicht an seine Schulter. Der Tweed seiner Weste war überraschend weich. Sie atmete seinen warmen, dezenten Duft ein, und ihr wurde schlagartig bewusst, wie lange es schon her war, dass sie einem Mann so nahe gewesen war. Sie schlang die Arme um ihn, erwiderte die Umarmung heftig und spürte ihre Brüste an seinem Oberkörper.

Wäre es nach ihr gegangen, hätten sie ewig so stehen bleiben können. Doch nach einigen Sekunden machte sich Stanley sanft aus der Umarmung frei. Er wirkte plötzlich ganz schüchtern. Wie um schnell wieder zu den angemessenen Umgangsformen zurückzukehren, schüttelte er ihr die Hand und sagte: »Meine aufrichtige Anerkennung!«

Der kurze Körperkontakt hatte Toni erregt. Mein Gott, dachte sie, wie kann das denn so schnell gehen?

»Darf ich Ihnen das Haus zeigen?«, fragte Stanley.

»Es wäre mir ein Vergnügen«, erwiderte Toni glücklich. Dass ein Mann seinen Gästen das Haus zeigte, war nicht unbedingt üblich. Es war eine andere Art von Intimität.

Küche und Arbeitszimmer, die beiden Räume, die sie bereits gesehen hatte, lagen im rückwärtigen Teil des Hauses und sahen auf einen Hof mit mehreren weiteren Gebäuden hinaus. Stanley führte Toni nun in einen Flügel, der anscheinend nachträglich an das alte Farmhaus angebaut worden war. Hier betraten sie ein Speisezimmer mit Blick aufs Meer. In einer Ecke stand ein Schrank mit Silberpokalen. »Martas Tennistrophäen«, erklärte Stanley stolz. »Sie hatte eine Rückhand wie eine Rakete.«

»Sie war offenbar sehr erfolgreich.«

»Ja, sie hatte sich sogar für Wimbledon qualifiziert, konnte aber dann nicht antreten, weil Olga unterwegs war.«

Der Blick vom Wohnzimmer auf der anderen Seite des Flurs ging ebenfalls aufs Meer hinaus. Dort stand ein Weihnachtsbaum; auf dem Boden darunter und darum herum türmten sich die Geschenke. Auch in diesem Zimmer gab es ein Bild von Marta, diesmal ein Gemälde in Lebensgröße. Es zeigte eine Frau von ungefähr vierzig Jahren, etwas fülliger jetzt und mit weicheren Gesichtszügen. Obwohl das Zimmer warm und freundlich war, hielt sich niemand darin auf. Das wahre Herz des Hauses ist wahrscheinlich die Küche, dachte Toni.

Der Grundriss war einfach: Wohn- und Esszimmer im vorderen, Küche und Arbeitszimmer im hinteren Teil des Hauses. »Oben gibt es nicht viel zu sehen«, sagte Stanley. Trotzdem ging er die Treppe hinauf, und Toni folgte ihm. Zeigt er mir jetzt mein künftiges Heim, fragte sie sich unwillkürlich und schob den Gedanken schnell wieder beiseite; es war nichts als eine dumme Fantasie. Das Ganze war lediglich eine nette Geste von ihm.

Aber er hatte sie in den Arm genommen.

Der ältere Teil des Hauses, der oberhalb von Wohn- und Arbeitszimmer lag, bestand aus drei kleinen Schlafzimmern und einem Bad. Es war noch zu erkennen, dass dort die Kinder aufgewachsen waren: An einer Wand hing ein Poster von *The Clash*, in einer Ecke stand ein alter Kricketschläger, dessen Griff sich in seine Bestandteile auflöste, und in einem Regal fand sich eine vollständige Ausgabe der »Narnia«-Bücher von C. S. Lewis.

Im Anbau befand sich ein repräsentatives Schlafzimmer, an das sich ein Ankleideraum und ein Badezimmer anschlossen. Das große Bett war gemacht, alle Zimmer waren sauber und aufgeräumt. Toni fand es einerseits sehr aufregend, in Stanleys Schlafzimmer zu stehen, andererseits war es irgendwie peinlich. Und auf einem Nachttisch stand – schon wieder – ein Bild von Marta. Das Farbfoto zeigte sie mit ungefähr Mitte fünfzig. Ihr Haar war hexengrau, das Gesicht ausgezehrt. Die Krebserkrankung, an der sie dann gestorben war, hatte bereits Spuren hinterlassen. Das Bild war alles andere als schmeichelhaft. Er muss sie wirklich immer noch sehr lieben, dachte Toni, sonst würde er nicht auch die Erinnerung an diese traurige Zeit so in Ehren halten.

Sie wusste nicht, was sie als Nächstes zu erwarten hatte. Würde er einen Annäherungsversuch machen, hier, unter dem strengen Blick seiner Frau und mit seinen Kindern unten im Erdgeschoss? Nein, das war wohl kaum sein Stil. Vielleicht dachte er daran, aber er würde es nicht tun, würde nie eine Frau einfach überrumpeln, sondern sie aus Gründen des Anstands und der Etikette auf herkömmliche Weise umwerben. Zum Teufel mit Abendessen und Kino, wollte Toni sagen, pack mich doch einfach, Herrgott noch mal... Aber sie schwieg, und nachdem Stanley ihr noch das mit Marmor gefliste Badezimmer gezeigt hatte, geleitete er sie wieder nach unten.

Die Hausführung war natürlich ein großes Privileg für sie gewesen und hätte sie eigentlich Stanley noch näher bringen müssen. Doch in Wahrheit fühlte Toni sich ausgeschlossen. Ihr war, als stünde sie draußen vor dem Haus und beobachte durchs Fenster, wie eine harmonische, sich selbst genügende Familie um den Tisch herum saß. Tonis Euphorie verflog.

Im Flur stupste der große Pudel Stanley an. »Nellie möchte Gassi gehen«, sagte er und spähte durch das kleine Fenster neben der Tür. »Es schneit nicht mehr«, sagte er. »Wollen wir ein bisschen frische Luft schnappen?«

»Gerne.«

Toni zog ihren Parka an, und Stanley schlüpfte in einen alten blauen

Anorak. Dann traten sie in eine weiße Welt hinaus. Tonis Porsche Boxster stand neben Stanleys Ferrari F50 und zwei anderen Wagen. Alle waren sie mit Schnee bedeckt und sahen aus wie Eistorten. Der Hund lief auf die Klippen zu, zweifellos eine ihm wohl vertraute Strecke. Stanley und Toni folgten. Toni fand eine Gemeinsamkeit zwischen Nellie und der verstorbenen Marta: das lockige schwarze Haar.

Ihre Füße schoben den Pulverschnee zur Seite, unter dem hartes Dünengras zum Vorschein kam. Sie überquerten eine große Rasenfläche. Ein paar verkrüppelte Bäume standen schief, fast zu Boden gezwungen vom unermüdlichen Wind. Zwei Jugendliche kamen ihnen aus Richtung Klippe entgegen: der ältere Junge mit dem attraktiven Grinsen und das mürrische Mädchen mit dem gepiercten Nabel. Toni erinnerte sich an die Namen: Craig und Sophie. Als Stanley ihr in der Küche seine Familie vorstellte, hatte sie sich bemüht, sich alle Einzelheiten zu merken. Craig umwarb Sophie heftig, das war unverkennbar, doch Sophie ging mit gesenktem Blick und verschränkten Armen ihres Weges. Toni beneidete die beiden: So einfach war ihr Leben noch, so unkompliziert die Entscheidungen, vor denen sie standen. Sie waren so jung und ungebunden, an der Schwelle zum Erwachsensein, und konnten sich frei ins Abenteuer des Lebens stürzen. Am liebsten hätte sie Sophie zugerufen: Spiel nicht die Unerreichbare! Genieße die Liebe, solange du es kannst; sie ist nicht immer so leicht zu haben.

»Wie verbringen Sie das Fest?«, wollte Stanley wissen.

»Ganz anders als Sie, so viel ist sicher. Ich leiste mir eine kleine Wellness-Kur mit Freunden, lauter Singles und kinderlose Paare. Ein Weihnachtsfest für Erwachsene ohne Putenbraten, Plätzchen und Weihnachtsmann – wir lassen uns nur ein bisschen verwöhnen und plaudern miteinander.«

»Klingt sehr verlockend. Ich dachte, Sie hätten zu Weihnachten Ihre Mutter bei sich.«

»Hatte ich auch in den vergangenen Jahren. Doch diesmal nimmt meine Schwester Bella sie – was mich ziemlich überrascht hat, wie ich gestehen muss.«

»Überrascht?«

Toni verzog das Gesicht zu einer Grimasse. »Bella hat drei Kinder und meint, das befreie sie von allen anderen Verpflichtungen. Ich weiß nicht so recht, ob das fair ist, aber ich liebe meine Schwester, und deshalb akzeptiere ich es.«

»Wollen Sie eines Tages auch Kinder haben?«

Toni hielt den Atem an. Das war eine sehr intime Frage. Welche Antwort wird er hören wollen, fragte sie sich. Sie hatte keine Ahnung und sagte die Wahrheit: »Vielleicht. Für meine Schwester war das immer der eine große Wunsch. Die Sehnsucht nach Babys beherrschte ihr Leben. Ich bin da anders. Ich beneide Sie um Ihre Familie – man spürt sofort, dass alle Sie lieben und respektieren und gerne bei Ihnen sind. Aber ich möchte nicht unbedingt alles andere in meinem Leben aufgeben, nur um Mutter werden zu können.«

»Ich glaube nicht, dass man ›alles‹ aufopfern muss«, sagte Stanley.

Du musstest das nicht, dachte Toni, aber wie war das mit Martas Chance in Wimbledon? Aber sie sagte etwas anderes: »Und Sie? Sie könnten doch auch noch mal eine Familie gründen.«

»Ich? O nein«, erwiderte er schnell. »Meine Kinder wären höchst empört darüber.«

Toni fühlte sich ein wenig enttäuscht, dass sich er in diesem Punkt so entschieden gab.

Sie erreichten die Klippe. Zu ihrer Linken senkte sich die Landzunge in einer sanften Kurve zum schneebedeckten Strand ab, während zu ihrer Rechten die Felsen senkrecht ins Meer abfielen. Der Klippenrand war mit einem robusten Holzzaun gesichert, der hoch genug war, um kleinere Kinder abzuhalten, aber doch nicht so hoch, dass er die Sicht versperrte. Stanley und Toni lehnten sich an den Zaun und blickten auf die Wellen, die dreißig Meter tiefer gegen die Felsen schlugen. Die Dünung war lang und tief, sie hob und senkte sich wie der Brustkorb eines schlafenden Riesen. »Was für ein wunderschönes Stückchen Erde«, sagte Toni.

»Noch vor ein paar Stunden dachte ich, dass ich es verlieren würde.«

»Ihr Haus, meinen Sie?«

Stanley nickte. »Ich habe es als Sicherheit für meinen Überziehungskredit eingesetzt. Wenn ich bankrott gehe, kriegt die Bank mein Haus.«

»Aber Ihre Familie ...«

»Meinen Kindern und Enkeln würde es das Herz brechen. Und nun, nachdem Marta von mir gegangen ist, sind sie mein Ein und Alles.«

»Und sonst niemand?«

Er zuckte mit den Schultern. »Nein, ehrlich gesagt niemand.«

Sie sah ihn an. Seine Miene war ernst, aber nicht sentimental. Warum erzählt er mir das, dachte sie und glaubte auch gleich, die Antwort zu wissen. Es ist ein Wink mit dem Zaunpfahl. Es stimmte ja nicht, dass ihm nur noch an seinen Kindern und Enkelkindern gelegen war – er lebte ja auch für seine Arbeit. Aber er wollte ihr zu verstehen geben, wie wichtig für ihn die Einheit der Familie war. Und nachdem sie ihn vorhin in der Küche erlebt hatte, sah sie das auch ein. Aber warum hatte er es ihr ausgerechnet hier und jetzt gesagt? Vielleicht, dachte sie, befürchtet er, dass ich einen falschen Eindruck von ihm bekommen habe.

Sie musste es genau wissen, die ganze Wahrheit. In den vergangenen Stunden war enorm viel geschehen, doch alles war irgendwie zweideutig geblieben. Er hatte sie berührt, sie umarmt und sie gefragt, ob sie Kinder haben wolle. Steckte mehr dahinter – oder nicht? Sie musste es unbedingt wissen.

»Wollen Sie damit sagen, dass Sie nie etwas tun würden, das das, was ich da unten in der Küche mitbekommen habe, gefährden könnte – Ihre familiäre Gemeinschaft?«

»Ja. Sie alle schöpfen Kraft daraus, ob es ihnen nun bewusst ist oder nicht.«

Toni sah ihm jetzt direkt in die Augen. »Und das ist so wichtig für Sie, dass Sie niemals auf die Idee kommen würden, eine neue Familie zu gründen?«

»Ja.«

Die Botschaft ist eindeutig, dachte Toni. Er mag mich, will aber nicht, dass etwas Ernstes daraus wird. Die Umarmung im Arbeitszimmer war eine impulsive Geste aus einem Triumphgefühl heraus, die Führung durchs Haus ein unbedachter Augenblick der Intimität. Und jetzt rudert er zurück. Am Ende hat sich die Vernunft durchgesetzt.

Toni spürte, wie ihr Tränen in die Augen stiegen. Nein, er durfte nicht sehen, wie sehr sie das bewegte; allein die Vorstellung entsetzte sie. Sie wandte sich ab und sagte: »Dieser Wind ...«

Der kleine Tom war ihre Rettung. Er kam durch den Schnee auf sie zu gerannt und rief: »Opa! Opa! Onkel Kit ist da!«

Zusammen mit dem Jungen kehrten sie zum Haus zurück. Keiner von beiden sprach ein Wort, beide waren verlegen.

Zwei frische parallele Reifenspuren führten zu einem schwarzen Peugeot Coupé. Kein besonderes Fahrzeug, aber nach außen hin ganz schick, genau das Richtige für ihn, dachte Toni missmutig. Sie wollte Kit nicht sehen. Selbst wenn sie sich in Topform gefühlt hätte, wäre ihr der Gedanke an eine Begegnung mit ihm unangenehm gewesen. Nach dem Gespräch mit Stanley war sie innerlich so aufgewühlt, dass sie ein solches Zusammentreffen, von dem nichts Gutes zu erwarten war, unter allen Umständen vermeiden wollte. Aber sie hatte ihre Handtasche im Haus gelassen, weshalb ihr nichts anderes übrig blieb, als Stanley ins Haus hinein zu begleiten.

Kit war in der Küche und wurde von seinen Verwandten willkommen geheißen – wie der verlorene Sohn, dachte Toni. Miranda umarmte ihn, Olga küsste ihn, Luke und Lori strahlten ihn an, und Nellie buhlte mit Gebell um seine Aufmerksamkeit. Toni stand in der Küchentür und sah, wie Stanley seinen Sohn begrüßte. Kit wirkte wachsam. Bei Stanley schienen sich Freude und Kummer die Waage zu halten, ähnlich wie wenn er von Marta sprach. Kit streckte ihm die Hand entgegen, doch sein Vater schloss ihn in die Arme. »Es freut mich wirklich sehr, dass du gekommen bist, mein Sohn«, sagte er.

»Na, dann hol ich mal meine Reisetasche aus dem Wagen«, erwiderte Kit. »Ich bin im Gästehaus untergebracht, nicht wahr?«

»Nein«, sagte Miranda nervös, »du schläfst oben.«

»Aber ich ...«

Olga ließ ihn nicht ausreden. »Jetzt mach kein Theater, Kit. Daddy hat das so entschieden, und es ist sein Haus.«

Toni sah nackte Wut in Kits Augen aufblitzen, aber er hatte sich schnell wieder im Griff. »Na, meinetwegen«, sagte er und versuchte so zu tun, als sei ihm diese Entscheidung letztlich gleichgültig, doch seine erste Reaktion hatte ihn verraten. Toni fragte sich, was er im Schilde führte. Warum war er so versessen darauf, in dieser Nacht außerhalb des Hauptgebäudes zu schlafen?

Sie schlüpfte in Stanleys Arbeitszimmer. Die Erinnerung an die Umarmung überwältigte sie. Näher werden wir einander nie kommen, dachte sie, und ich hätte so gern mit ihm geschlafen ... Sie wischte sich mit dem Ärmel über die Augen.

Ihr Notizbuch lag noch dort, wo sie es liegen gelassen hatte, auf seinem alten Schreibtisch. Sie steckte es in ihre Handtasche, warf sich die Tasche dann über die Schulter und trat wieder auf den Flur hinaus.

In der Küche sprach Stanley gerade mit der Köchin. Toni winkte ihm zu. Er unterbrach sein Gespräch und kam zu ihr. »Toni, nochmals vielen Dank für alles!«

»Fröhliche Weihnachten«, sagte sie.

»Ja, Ihnen auch.«

Sie entfernte sich schnell.

Draußen stand Kit an seinem Wagen und öffnete gerade den Kofferraum. Toni warf einen Blick hinein und erkannte ein paar graue Kartons, die irgendwelches Computerzubehör enthielten. Kit war IT-Spezialist – aber wozu brauchte er das Zeug zu Weihnachten in seinem Elternhaus?

Sie hoffte, wortlos an ihm vorbeizukommen, doch als sie die Tür ihres Wagens aufschloss, sah er auf, und ihre Blicke trafen sich. »Fröhliche Weihnachten, Kit«, sagte sie höflich.

Er hob einen kleinen Koffer aus dem Kofferraum und schlug den Deckel zu. »Verpiss dich, du Nutte!«, fauchte er und ging ins Haus.

Craig war ganz begeistert über das Wiedersehen mit Sophie. Auf der Geburtstagsfeier seiner Mutter hatte er Feuer gefangen. Sophie war hübsch, ein dunkeläugiger, dunkelhaariger Typ, und obwohl eher klein und schlank, war ihr Körper sanft gerundet. Aber es war nicht ihr Aussehen, das ihn verzaubert hatte, sondern ihr Auftreten. Sie nahm alles ganz cool. Nichts konnte sie beeindrucken – weder Großvaters Ferrari F50 noch Craigs fußballerische Leistungen – er spielte in der schottischen U-16-Mannschaft –, noch die Tatsache, dass seine Mutter Olga Kronanwältin war und damit zur juristischen Elite des Landes zählte. Sophie kleidete sich, wie es ihr gefiel, ignorierte »Rauchen-verboten!«-Schilder, und wer sie langweilte, dem konnte es passieren, dass sie ihn stehen ließ, bevor er einen Satz zu Ende gesprochen hatte. Auf der Geburtstagsfeier hatte sie sich mit ihrem Vater über das Piercing gestritten. Er hatte es ihr schlankweg verboten – und da war sie nun und hatte den kleinen Klunker im Nabel.

Es war nicht leicht, mit ihr klarzukommen. Craig merkte das, als er ihr Steepfall und die Umgebung zeigte. Nichts schien ihr zu gefallen, und Schweigen war das Einzige, was man halbwegs als Zustimmung betrachten konnte. Davon abgesehen äußerte sie hin und wieder abschätzige Kürzel wie »Krass!«, »Shit!« oder »Crazy!«, aber sie ließ ihn jedenfalls nicht stehen, daher wusste Craig, dass er sie wenigstens nicht langweilte.

Er führte sie zur Scheune. Erbaut im 18. Jahrhundert, war sie das älteste Gebäude auf dem Grundstück. Großvater hatte Heizung, Licht und Wasser einbauen lassen, doch der alte Holzbau war erhalten geblieben. Im Erdgeschoss befand sich ein Freizeitraum mit Billardtisch, Kicker und einem großen Fernsehapparat. »Hier kann man 's ganz gut aushalten«, sagte Craig.

»Cool«, bemerkte Sophie, was geradezu einem Begeisterungssturm gleichkam, und deutete auf eine erhöhte Plattform. »Was 'n das?«

»Eine Bühne.«

»Wozu braucht ihr so was?«

»Meine Mutter und Tante Miranda haben als Mädchen gerne Theater gespielt. Einmal haben sie hier in der Scheune mit nur vier Leuten *Antonius und Kleopatra* aufgeführt.«

»Komisch.«

Craig deutete auf zwei Feldbetten. »Da schlafen Tom und ich«, sagte er. »Aber jetzt komm mit rauf, ich zeig dir dein Schlafzimmer.«

Eine Leiter führte zum Heuboden hinauf. Eine Wand gab es nicht; man konnte sich lediglich an einem Geländer festhalten. Oben standen zwei einzelne, frisch bezogene Betten. Davon abgesehen, bestand die Einrichtung lediglich aus einer Garderobenstange, auf der man seine Kleider aufhängen konnte, und einem Drehspiegel. Auf dem Boden lag Carolines Koffer. Der Deckel stand offen.

»Viel Privatsphäre hat man hier ja nicht«, kommentierte Sophie.

Auch Craig war das aufgefallen. Die Schlafarrangements kamen ihm vielversprechend vor. Natürlich würden hier auch Caroline, seine ältere Schwester, und sein jüngerer Vetter Tom übernachten, aber das änderte nichts an der vagen, erregenden Vorfreude, die sich seiner bemächtigt hatte: Wer konnte schon sagen, was noch alles geschehen würde? »Hier.« Er klappte eine alte Spanische Wand auf. »Dahinter kannst du dich ausziehen, wenn du dich genierst.«

Ihre dunklen Augen funkelten ihn böse an, als habe er sie mit der Bemerkung beleidigt. »Ich *geniere* mich nicht!«

Er empfand eine seltsame Erregung bei ihrem Ausbruch. »War ja nur 'ne Info«, sagte er und setzte sich auf eines der Betten. »Die sind ganz schön bequem – bequemer jedenfalls als unsere Feldbetten da unten.«

Sophie zuckte mit den Schultern.

In seiner Fantasie setzte sie sich jetzt auf das Bett neben ihn. Die eine Version sah vor, dass sie ihn rücklings auf die Matratze schubste und einen Ringkampf mit ihm inszenierte, der alsbald in eine wilde Küsserei überging. In der anderen Version nahm sie seine Hand, flüsterte ihm zu, wie viel ihr seine Freundschaft bedeute, und küsste ihn. Aber die Realität des Lebens sah anders aus: Sophie war weder nach Spielen noch nach sentimentalen Gefühlsäußerungen zumute. Vielmehr wandte sie sich von ihm ab und sah sich mit sichtlichem Missfallen auf dem leeren Heuboden um. Craig erkannte, dass sie vom Küssen jetzt nichts wissen wollte. Leise sang sie vor sich hin: »*I'm dreaming of a shite Christmas…*«

»Das Badezimmer ist unten, hinter der Bühne. Eine Badewanne gibt's nicht, aber die Dusche funktioniert.«

»Welch ein Luxus!« Sophie erhob sich und stieg die Leiter hinunter, immer noch mit der obszönen Verhunzung von Bing Crosbys Weihnachtsklassiker auf den Lippen.

Na ja, dachte Craig, wir sind ja erst zwei Stunden hier, und ich hab fünf Tage Zeit, sie rumzukriegen…

Er folgte ihr. Es gab da noch etwas, das sie vielleicht doch aus der Reserve locken konnte. »Ich zeig dir noch was«, sagte er und führte sie wieder ins Freie.

Sie traten auf einen großen, rechteckigen Hof, der auf allen vier Seiten von Gebäuden umgeben war, vom Haupthaus, vom Gästehaus, von der Scheune, aus der sie gerade kamen, und von der Garage, in der drei Fahrzeuge Platz hatten. Craig führte Sophie um das Haupthaus herum zum Vordereingang. Die Küche mied er, weil man ihnen dann vielleicht gleich irgendwelche häuslichen Pflichten zugewiesen hätte. Als sie eintraten, sah er, dass sich Schneeflocken in Sophies schimmerndem schwarzem Haar verfangen hatten. Er blieb stehen und starrte sie wie verzaubert an.

»Was 'n los?«, fragte sie.

»Der Schnee in deinen Haaren…«, sagte er. »Sieht wunderschön aus.«

Sophie schüttelte ungeduldig ihren Kopf, und die Schneeflocken verschwanden. »Du spinnst«, sagte sie.

Okay, dachte Craig, du magst also keine Komplimente.

Er führte sie die Treppen hinauf ins Obergeschoss. Im alten Teil des Hauses befanden sich dort drei kleine Schlafzimmer und ein altmodisches Bad. Großvaters Suite befand sich im neuen Anbau. Craig klopfte an die Tür; es konnte ja sein, dass Großvater im Zimmer war. Als niemand antwortete, trat er ein und durchmaß mit schnellen Schritten das Schlafzimmer mit dem großen Doppelbett. Im Ankleideraum öffnete er eine Schranktür und schob eine Reihe von Kleidungsstücken beiseite – Nadelstreifen-, Tweed- und karierte Anzüge, die meisten blaugrau. Er ging auf die Knie und taste im Schrank herum, bis er die Rückwand fand. Dann gab er ihr einen Stoß – und eine ungefähr einen Quadratmeter große, an einem Scharnier befestigte Klappe sprang auf. Craig kletterte durch die Öffnung.

Sophie folgte ihm, und Craig kletterte noch einmal zurück und zog die Schranktür wieder zu. Dann fummelte er in der entstandenen Dunkelheit nach dem Lichtschalter. Eine nackte Glühbirne, die von einem Dachbalken herunterhing, flammte auf.

Sie befanden sich in einem Speicher. Der Raum wurde beherrscht von einem großen alten Sofa, aus dem an mehreren Rissen die Füllung herausquoll. Daneben stapelten sich auf den Dielen eine Anzahl modriger Fotoalben. Diverse Pappkartons und Teekisten enthielten, wie Craig noch von einem früheren Besuch wusste, Mutters Schulzeugnisse, mehrere Romane von Enid Blyton, in die mit kindlicher Schrift der Satz *Dieses Buch gehört Miranda Oxenford* eingetragen war; ferner eine Kollektion hässlicher Aschenbecher, Schüsseln und Vasen, bei denen es sich wohl um unerwünschte Geschenke oder Fehlkäufe handelte. Sophie strich mit den Fingern über die Saiten einer verstaubten Gitarre; sie war grässlich verstimmt.

»Hier oben kannst du rauchen«, sagte Craig. Leere Zigarettenpackungen längst vergessener Marken – *Woodbines*, *Players*, *Senior Service* – ließen ihn vermuten, dass hier die Nikotinsucht seiner Mutter begonnen hatte. Auch Schokoladenpapier lag herum – das ging wahrscheinlich auf die dicke Tante Miranda zurück. Für die vielen Herrenmagazine mit Titeln wie *Männerfantasien*, *Höschenspiele* oder *Gesäßmäßigkeiten* war dagegen eher Onkel Kit zuständig.

Craig hoffte, dass Sophie diese Magazine nicht sehen würde, doch sie fielen ihr als Erstes auf. Sie nahm ein Heft zur Hand. »*Wow!* Pornos, da schau her!«, sagte sie und wirkte dabei so munter wie den ganzen Tag noch nicht. Sie setzte sich aufs Sofa und begann in dem Magazin zu blättern.

Craig sah weg. Obwohl er es nie zugegeben hätte: Er kannte diese Hefte Seite für Seite. Pornos gingen aber nur Jungen etwas an und waren außerdem reine Privatsache. Doch Sophie hatte sich direkt vor seiner Nase bereits in ein *Hustler*-Magazin vertieft und studierte die Seiten so genau, als müsse sie darüber eine Examensarbeit schreiben.

Um sie abzulenken, sagte er: »Dieser Teil des Hauses war früher, als es hier noch Landwirtschaft gab, die Molkerei. Großvater hat sie in eine Küche umbauen lassen. Weil das Dach so hoch war, haben sie einfach noch eine Zwischendecke eingezogen und den Raum hier oben als Speicher genutzt.«

Sophie blickte nicht einmal auf. »Die Frauen hier sind ja alle rasiert!«, sagte sie und brachte ihn damit noch mehr in Verlegenheit. »Echt pervers.«

»Du kannst von hier aus in die Küche sehen«, fuhr er fort. »Und zwar da drüben, wo der Abzug vom Herd durch die Decke kommt.« Er legte sich flach auf den Boden und spähte durch einen breiten Spalt zwischen den Dielenbrettern und einem Metallrohr. Von dort ließ sich die gesamte Küche überblicken. Er konnte die Flurtür am anderen Ende, den langen Kiefernholztisch, die Schränke auf beiden Seiten und die Türen sehen, die ins Esszimmer und in die Waschküche führten. Auch der Herd und die Anrichte sowie die beiden Türen, die links und rechts davon in eine große Speisekammer bzw. durch den Vorraum mit dem Stiefelschrank zum Hintereingang führten, waren gut zu erkennen. Die meisten Familienmitglieder hatten sich um den Küchentisch versammelt. Caroline, Craigs Schwester, fütterte gerade ihre Ratten. Miranda schenkte Wein ein, Ned las den *Guardian*, Lori pochierte einen ganzen Lachs in einem Fischtopf.

»Ich glaube, Tante Miranda betrinkt sich«, sagte Craig.

Das schien Sophie zu interessieren. Sie ließ das Pornoheft fallen und legte sich neben Craig auf die Dielen. »Können die uns nicht sehen?«, flüsterte sie.

Er sah zu, wie sie durch den Spalt linste. Ihre Haare waren hinter die Ohren gekämmt. Die Haut ihrer Wange sah unheimlich zart und weich aus. »Achte mal drauf, wenn du das nächste Mal in der Küche bist«, sagte er. »Unmittelbar neben dem Spalt ist eine Deckenlampe montiert. Er ist daher nur schwer zu erkennen, selbst wenn du weißt, wo er ist.«

»Also weiß praktisch niemand, dass du hier oben bist?«

»Na ja, den Speicher kennen natürlich alle. Und pass vor allem auf Nellie auf. Sobald du dich rührst, hebt sie den Kopf, spitzt die Ohren und lauscht. Sie weiß genau, dass du hier oben bist – und wer sie beobachtet, könnte ebenfalls Verdacht schöpfen.«

»Trotzdem ist das cool. Sieh mal, mein Vater! Der tut so, als ob er die Zeitung liest und macht in Wirklichkeit Miranda schöne Augen. Kotz, würg!« Sie drehte sich auf die Seite, stützte sich auf den Ellbogen und fummelte eine Schachtel Zigaretten aus ihrer Jeanstasche. »Willste eine?«

Craig schüttelte den Kopf. »Wenn man's Fußballspielen ernst nimmt, darf man nicht rauchen.«

»Wie kann man Fußball ernst nehmen? Das ist doch ein *Spiel!*«

»Macht aber mehr Spaß, wenn man richtig gut ist.«

»Hast schon Recht.« Sie blies den Rauch aus, und Craig starrte wie gebannt auf ihre Lippen. »Wahrscheinlich ist das der Grund dafür, dass ich Sport nicht mag. Ich bin ein solcher Spasti.«

Craig spürte, dass er eine Art Barriere durchbrochen hatte. Endlich redete sie mit ihm, und das, was sie sagte, klang gar nicht so dumm. »Worin bist du denn gut?«, wollte er wissen.

»Da gibt's nicht viel.«

Er zögerte, dann plapperte er los: »Auf'ner Party hat mir ein Mädchen mal gesagt, dass ich gut küssen kann.« Er hielt den Atem an. Irgendwie musste er das Eis ja mal brechen – nur: Es war vielleicht noch zu früh.

»Ach ja?« Ihr Interesse schien eher akademischer Natur zu sein. »Wie machste'n das?«

»Soll ich's dir zeigen?«

Ein Anflug von Panik huschte über ihr Gesicht. »Kommt gar nicht in Frage!«, sagte sie und hob die Hand, als wolle sie ihn abwehren. Dabei hatte er sich gar nicht bewegt.

Craig wusste, dass er zu forsch gewesen war. Er hätte sich ohrfeigen können. »Keine Angst«, sagte er und lächelte, um seine Enttäuschung zu verbergen. »Ich tue garantiert nichts, was du nicht willst. Ehrenwort!«

»Es ist ja nur … weil ich diesen Freund habe.«

»Ach ja, ich verstehe.«

»Ja – aber das darfst du nicht weitersagen.«

»Und was ist das für einer?«

»Mein Freund? Der ist Student.« Sie wandte den Blick ab und kniff die Augen zusammen, um sie vor dem Zigarettenrauch zu schützen.

»An der Uni in Glasgow?«

»Ja. Er ist neunzehn und glaubt, ich wäre siebzehn.«

Craig wusste nicht, ob er ihr das abnehmen sollte. »Was studiert er denn?«

»Wen interessiert das schon? Irgendwas Langweiliges. Jura, glaub ich.«

Craig spähte noch einmal durch den Spalt. Lori streute gerade gehackte Petersilie über eine Schüssel mit dampfenden Kartoffeln. Er hatte auf einmal Hunger. »Das Essen ist fertig«, sagte er. »Ich zeig dir, wie du hier sonst noch rauskommst.«

Er ging zum anderen Ende des Speichers und öffnete dort eine große Tür. Ein schmaler Sims ragte aus der Mauer. Der Hof lag ungefähr fünf Meter unter ihnen. Oberhalb der Tür war an der Außenseite des Hauses ein Flaschenzug angebracht; mit dessen Hilfe waren das Sofa und die Teekisten auf den Speicher gekommen. »Von so weit oben kann ich aber nicht runterspringen«, sagte Sophie.

»Musst du auch nicht.« Mit den Händen befreite Craig den Sims vom Schnee. Dann ging er bis zu dessen Ende und gelangte mit einem großen Schritt hinunter auf das Pultdach über der Stiefelkammer. »Kinderleicht«, sagte er.

Sophie folgte ihm auf dem Fuße. Craig sah ihr an, dass sie Angst hatte. Am Ende des Simses bot er ihr die Hand, und sie griff unnötig fest zu. Er geleitete sie auf das Dach, kehrte noch einmal zurück, um die Speichertür zu schließen, und war dann schnell wieder bei ihr. Vorsichtig gingen sie über die rutschige schiefe Ebene abwärts. Unten angelangt, legte Craig sich auf den Bauch, glitt über die Kante und ließ sich auf den Boden plumpsen.

Sophie folgte ihm. Als sie auf dem Dach lag und ihre Beine über die Kante baumelten, packte Craig sie mit beiden Händen um die Hüften und hob sie herunter. Sie war leicht.

»Danke«, sagte Sophie mit triumphierendem Blick. Sie sah aus, als habe sie erfolgreich ein abenteuerliches Wagnis überstanden.

So schwierig war es ja nun auch wieder nicht, dachte Craig, als sie zum Essen gingen. Vielleicht ist sie ja doch nicht so mutig, wie sie immer tut.

Der Kreml sah richtig hübsch aus. Überall auf seinen Wasserspeiern und Türmchen, seinen Portalen und Fenstersimsen lag Schnee und zeichnete die viktorianischen Verzierungen weiß nach. Toni stellte ihren Wagen ab und betrat das Gebäude. Es war still. Die meisten Angestellten waren bereits nach Hause gegangen, weil sie Angst hatten, im Schnee stecken zu bleiben – obwohl es ja im Grunde gar keiner Ausrede bedurfte, wenn man am Heiligabend etwas früher als sonst nach Hause wollte.

Toni fühlte sich verletzt und überempfindlich. Sie hatte so etwas wie einen emotionalen Autounfall hinter sich, sah sich aber gezwungen, alle Gedanken an Liebe und Liebesleid rigoros zu verdrängen. Dazu war später noch Zeit. Wenn sie heute Nacht allein im Bett lag, konnte sie noch genug über Stanleys Worte und Taten nachgrübeln – aber jetzt ging die Arbeit vor.

Sie hatte einen triumphalen Erfolg erzielt – und deshalb hatte Stanley sie umarmt. Doch trotz allem nagte eine Sorge an ihr. Ein Satz von Stanley wollte ihr nicht aus dem Kopf: *Wenn uns ein zweites Kaninchen entkommt, geht alles wieder von vorn los...* Er hatte Recht. Ein zweiter Vorfall dieser Art würde die Affäre sofort wieder hochkochen lassen, nur wäre dann alles zehnmal schlimmer, und mit PR-Tricks alleine ließe sich der Skandal nicht verhindern. *Es wird keine weiteren Sicherheitspannen geben*, hatte sie ihm versprochen, *dafür werde ich sorgen*. Jetzt lag es an ihr, ihren Worten Geltung zu verleihen.

Sie betrat ihr Büro. Die einzige Bedrohung, die sie sich vorstellen konnte, ging von den Tierversuchsgegnern aus. Der Tod von Michael Ross mochte andere auf dumme Gedanken bringen; sie könnten versuchen, weitere Labortiere zu »befreien«. Möglich war auch, dass Michael mit anderen Aktivisten zusammengearbeitet hatte, die eigene Pläne verfolgten. Er konnte ihnen sogar genau die Insiderinformationen gegeben haben, mit deren Hilfe sich die Sicherheitsvorkehrungen im Kreml umgehen ließen.

Sie wählte die Nummer des regionalen Polizeipräsidiums und ließ sich mit Superintendent Frank Hackett verbinden, ihrem Ex.

»Na, noch mal davongekommen, was?«, fragte er. »Hast unglaubliches Schwein gehabt. Man hätte dich öffentlich ans Kreuz schlagen sollen.«

»Wir haben nur die Wahrheit gesagt, Frank. Ehrlich währt am längsten, das ist die beste Strategie, wie du weißt.«

»Mir hast du nicht die Wahrheit gesagt. Ein Hamster namens Fluffy! Du hast mich wie einen Vollidioten aussehen lassen.«

»Das war nicht sehr nett, zugegeben. Aber du hättest ja auch die Story nicht gleich Carl Osborne weitererzählen müssen. Wir sind quitt, einverstanden?«

»Was willst du?«

»Glaubst du, das Michael Ross Mittäter hatte, als er das Kaninchen stahl?«

»Keine Ahnung.«

»Ich habe dir doch dieses Adressbuch gegeben und gehe davon aus, dass du alle möglichen Kontaktpersonen überprüft hast. Was ist zum Beispiel mit diesen Tierversuchsgegnern – sind das nur friedliche Demonstranten oder ist ihnen auch Schlimmeres zuzutrauen?«

»Meine Untersuchungen sind noch nicht abgeschlossen.«

»Komm, Frank, ich brauche bloß einen kleinen Tipp in die richtige Richtung. Muss ich mit weiteren Vorkommnissen dieser Art rechnen?«

»Ich fürchte, ich kann dir nicht helfen.«

»Frank, wir haben uns mal geliebt. Wir haben acht Jahre lang zusammengelebt. Geht das nicht ein bisschen anders?«

»Versuchst du mir mit dem Hinweis auf unsere ehemalige Beziehung vertrauliche Informationen zu entlocken?«

»Nein! Zum Teufel mit den Informationen, die bekomme ich auch woanders. Ich will bloß nicht von einem Mann, den ich mal geliebt habe, wie eine Feindin behandelt werden. Wo steht denn geschrieben, dass wir nicht freundlich miteinander umgehen dürfen?«

Es klickte in der Leitung, dann ertönte das Freizeichen. Frank hatte aufgelegt.

Toni seufzte. Würde er je wieder zur Vernunft kommen, dachte sie. Hoffentlich findet er bald eine neue Freundin, die beruhigt ihn dann vielleicht ein bisschen ...

Sie rief Odette Cressy an, ihre Freundin bei Scotland Yard. »Ich hab dich in den Nachrichten gesehen«, sagte Odette.

»Wie sah ich aus?«

»Autoritär.« Odette kicherte. »Wie eine Frau, die *niemals* in einem durchsichtigen Kleid in einen Nachtklub gehen würde ... Aber das weiß ich besser!«

»Du musst es aber nicht unbedingt jedem auf die Nase binden.«

»Wie dem auch sei – zwischen deinem *Madoba-2*-Vorfall und ... meinen Interessen scheint es keine Querverbindungen zu geben.«

Sie meinte den Terrorismus. »Gut«, sagte Toni, »aber verrate mir mal was – rein theoretisch, versteht sich.«

»Raus mit der Sprache.«

»Terroristen könnten sich doch Proben von Ebola-Viren oder dergleichen relativ leicht besorgen. Sie bräuchten bloß irgendwo in Zentralafrika in ein Krankenhaus zu marschieren, das nur von einem neunzehnjährigen Hilfspolizisten bewacht wird, der Zigaretten qualmend in der Lobby herumlungert. Wieso sollten sie sich da die Mühe machen, in ein Hochsicherheitslabor einzubrechen?«

»Aus zweierlei Gründen. Erstens: Sie haben keine Ahnung, wie leicht es ist, in Afrika an dieses Ebola-Zeug heranzukommen. Zweitens: *Madoba-2* ist nicht dasselbe wie Ebola. Es ist noch schlimmer.«

Toni erinnerte sich, was Stanley zu ihr gesagt hatte, und schauderte: »Überlebensrate null.«

»Du hast es erfasst.«

»Was ist mit diesen Tierversuchsgegnern von *Animals Are Free*? Habt ihr die überprüft?«

»Natürlich. Die sind harmlos. Mehr als vielleicht mal 'ne Straßenblockade habt ihr von denen kaum zu erwarten.«

»Das ist eine gute Nachricht. Mir geht es bloß darum, zu verhindern, dass sich so ein Vorfall wiederholt.«

»Aus unserer Sicht ist das eher unwahrscheinlich.«

»Danke, Odette. Du bist eine wahre Freundin. So was ist selten.«

»Du klingst ein bisschen deprimiert.«

»Ach, mein Ex führt sich auf wie 'ne Diva.«

»Sonst nichts? An den bist du doch gewöhnt. Ist was mit dem Professor?«

Toni gelang es nie, Odette etwas vorzumachen, nicht einmal am Telefon. »Er hat mir gesagt, dass seine Familie für ihn das Wichtigste ist und dass er nie etwas tun würde, was sie verärgern könnte.«

»Schuft.«

»Wenn du mal einen Mann siehst, der kein Schuft ist, frag ihn, ob er einen Bruder hat.«

»Was machst du denn an den Feiertagen?«

»Wellness. Massage, Gesichtsmasken, Maniküre, lange Spaziergänge.«

»Allein?«

Toni lächelte. »Nett, dass du dir Sorgen um mich machst – aber so todtraurig bin ich nun auch wieder nicht.«

»Mit wem bist du denn unterwegs?«

»Mit einer ganzen Gruppe. Bonnie Grant ist eine alte Freundin, wir haben gemeinsam studiert – die einzigen beiden Maschinenbau-Studentinnen an der ganzen Uni. Sie ist seit kurzem geschieden. Charles und Damien kennst du ja. Und dann sind noch zwei Paare dabei, die du nicht kennst.«

»Na, die beiden Schwulis werden dich schon aufmuntern.«

»Stimmt.« Wenn Charlie und Damien richtig aufdrehten, konnte Toni lachen, bis ihr die Tränen kamen. »Und was machst du?«

»Kann ich noch nicht sagen. Du weißt ja, wie verhasst mir diese Vorausplanerei ist.«

»Na, dann genieß mal deine Spontanentschlüsse.«

»Fröhliche Weihnachten!«

Sie legten auf, und Toni ließ Steve Tremlett kommen, den Werkschutzleiter.

Sie war mit ihm ein gewisses Risiko eingegangen. Er war ein Kumpel von Ronnie Sutherland gewesen, seinem Vorgänger, der mit Kit Oxenford unter einer Decke gesteckt hatte. Es gab keine Beweise, dass Steve von dem Betrug gewusst hatte, doch fürchtete Toni, er könne ihr übel nehmen, dass sein Freund entlassen worden war. Sie hatte ihm einen Vertrauensvorschuss gegeben und ihn auf Ronnies Posten befördert, und er hatte es ihr mit Loyalität und effizienter Arbeit gedankt.

Eine Minute später stand er in ihrem Büro. Steve war ein kleiner, gepflegter Mann von fünfunddreißig Jahren mit schütterem blondem Haar, das der Mode entsprechend absolut kurz geschnitten war. Er hatte einen Aktenordner dabei. Toni deutete auf einen Stuhl, und Tremlett nahm Platz.

»Die Polizei glaubt nicht, dass Michael Ross Mittäter hatte«, sagte sie.

»Ich hielt ihn immer für einen Einzelgänger.«

»Trotzdem müssen wir absolut sicher sein, dass unser Kreml heute Nacht hermetisch abgeriegelt ist.«

»Kein Problem.«

»Checken wir das noch mal durch. Haben Sie den Schichtplan dabei?«

Tremlett reichte ihr ein Blatt Papier. Im Normalfall taten nachts drei Wachen Dienst. Eine saß unten im Pförtnerhaus, eine in der Rezeption, und eine dritte überwachte die Monitore im Kontrollraum. Wer seinen Posten verlassen musste, nahm ein tragbares Telefon mit, das an die interne Telefonanlage angeschlossen war. Der Wachhabende an der Rezeption machte jede Stunde die Runde durchs Hauptgebäude, und der Kollege aus dem Pförtnerhaus patrouillierte das Gelände. Anfangs hatte Toni geglaubt, drei Personen wären zu wenig für einen Hochsicherheitsauftrag wie diesen, aber die eigentliche Sicherheit ergab sich aus der ausgefeilten Technologie, während der menschliche Faktor lediglich eine Ergänzung darstellte. Trotzdem hatte sie die Wachen für die Weihnachtsfeiertage verdoppelt, sodass alle drei Posten mit jeweils zwei Personen besetzt waren und halbstündlich patrouilliert werden konnte.

»Wie ich sehe, haben Sie heute Abend Dienst.«

»Ich brauche die Überstunden.«

»Okay.« Das Wachpersonal arbeitete normalerweise in Zwölf-Stunden-Schichten, doch kam es immer wieder vor, dass jemand rund um die Uhr im Einsatz war, vor allem, wenn Ausfälle zu bewältigen waren, oder auch, wie jetzt, in Notfällen. »Kann ich den Notfallplan sehen?«, fragte Toni.

Tremlett reichte ihr eine laminierte Seite aus dem Ordner. Er enthielt die Telefonnummern, die im Brandfall, bei Überflutung, beim Zusammenbruch des Computersystems oder der Telefonanlage und anderen akuten Problemen angerufen werden mussten.

»Ich möchte, dass Sie in der nächsten Stunde all diese Nummern anwählen und sich erkundigen, ob sie über Weihnachten besetzt sind.«

»Wird gemacht.«

Sie gab ihm die Seite zurück. »Und haben Sie keine Hemmungen, die Polizei in Inverburn anzurufen, wenn Ihnen irgendetwas komisch vorkommt, und sei es auch nur eine Kleinigkeit.«

Er nickte. »Mein Schwager Jack hat zufällig heute Dienst. Meine Frau ist mit den Kindern rüber zu seiner Familie, damit sie Weihnachten nicht allein sind.«

»Wie viele Polizisten haben heute Abend in Inverburn Dienst? Wissen Sie das?«

»In der Nachtschicht? Ein Inspector, zwei Sergeants, sechs Constables. Außerdem steht ein Superintendent vom Dienst auf Abruf bereit.«

Das war nur eine kleine Truppe, aber sobald die Pubs geschlossen hatten und die Betrunkenen zu Hause waren, würde es ohnehin nicht mehr viel zu tun geben. »Sie wissen nicht zufällig, wer der Super vom Dienst ist?«

»Doch. Ihr Frank.«

Toni verzichtete auf einen Kommentar. »Ich lasse mein Handy Tag und Nacht angeschaltet und werde höchstwahrscheinlich nicht weit vom Schuss sein. Ich möchte, dass Sie mich sofort anrufen, sobald

Ihnen die geringste Unregelmäßigkeit auffällt, egal zu welcher Zeit, okay?«

»Selbstverständlich.«

»Es macht mir nichts aus, wenn ich mitten in der Nacht aufgeweckt werde.« Sie würde allein im Bett liegen, erwähnte dies aber nicht, weil Tremlett dies vielleicht als peinliche Vertraulichkeit interpretiert hätte.

»Ich verstehe«, sagte er, und vielleicht stimmte es ja.

»Das ist alles. In ein paar Minuten bin ich fort.« Sie sah auf die Uhr; es war kurz vor 16.00 Uhr. »Frohes Fest, Steve.«

»Ihnen auch, danke.«

Er ging. Draußen brach bereits die Dämmerung herein, und Toni konnte im Fenster ihr Spiegelbild sehen. Sie sah zerzaust und müde aus. Sie schaltete ihren Computer ab und sperrte den Aktenschrank zu.

Es war Zeit, dass sie sich auf den Weg machte. Sie musste nach Hause, sich umziehen und dann noch zu dem Wellness-Hotel fahren, immerhin eine Strecke von 85 Kilometern. Je eher sie loskam, desto besser: Das Wetter sollte laut Vorhersage zwar nicht schlechter werden, aber Vorhersagen konnten auch falsch sein.

Irgendwie widerstrebte es ihr, den Kreml zu verlassen. Die Sicherheit der Firma war ihr Job. Sie hatte alle erdenklichen Vorkehrungen getroffen – aber sie hasste es, Verantwortung zu delegieren.

Es kostete sie Überwindung, aufzustehen. Ich bin Abteilungsleiterin, kein Wachposten, dachte sie. Wenn ich alles Menschenmögliche zur Gewährleistung der Sicherheit getan habe, kann ich gehen. Wenn nicht, bin ich inkompetent und kann meinen Hut nehmen.

Der wahre Grund dafür, dass sie am liebsten geblieben wäre, war ihr durchaus bewusst: Sobald sie aufhörte zu arbeiten, würde sie unweigerlich an Stanley denken.

Sie hängte sich ihre Tasche über die Schulter und verließ das Gebäude.

Es schneite wieder heftiger.

Kit war fuchsteufelswild wegen der Übernachtungsarrangements.

Mit seinem Vater, seinem Neffen Tom, seinem Schwager Hugo und Mirandas Verlobtem Ned saß er im Wohnzimmer, überwacht von Mamma Martas Porträt, das an der Wand hing. Für Kit wirkte sie auf diesem Bild immer ungeduldig, so als könne sie es kaum erwarten, aus dem Ballkleid herauszukommen, sich eine Schürze umzubinden und Lasagne zu kochen.

Die Frauen der Familie bereiteten das Festessen für morgen vor, und die Jugendlichen hielten sich in der Scheune auf. Die Männer sahen sich im Fernsehen einen Film an. Der Held, verkörpert von John Wayne, war ein dümmlicher Kraftprotz, der Kit ein wenig an Harry Mac erinnerte. Es fiel ihm schwer, der Handlung zu folgen. Er war zu angespannt.

Er hatte Miranda *ausdrücklich* gesagt, dass er im Gästehaus schlafen musste. In ihrer Sentimentalität hatte sie ihn beinahe auf Knien angefleht, das Weihnachtsfest im Kreise der Familie zu verbringen, und er hatte sich breitschlagen lassen und ihr den Wunsch erfüllt. Miranda dagegen hatte ihren Teil der Vereinbarung nicht eingehalten. Typisch Frau.

Anders als seine jüngere Tochter war der Alte nicht sentimental, sondern ungefähr so weichherzig wie ein Glasgower Bulle am Samstagabend. Er hatte offensichtlich, von Olga unterstützt, Mirandas Vorschlag abgelehnt. Kit dachte, seine Schwestern müssten eigentlich Goneril und Regan heißen, nach den räuberischen Töchtern von König Lear.

Kit musste heute Abend Steepfall verlassen und morgen früh zurückkehren, ohne dass jemandem seine Abwesenheit auffiel. Hätte er im Gästehaus schlafen können, wäre das viel einfacher gewesen. Er hätte sagen können, er wolle nun zu Bett gehen, hätte die Lichter ausschalten und sich davonstehlen können. Sein Wagen stand bereits in der Garage, die so weit vom Haus entfernt lag, dass man nicht hörte, wenn dort ein Motor angelassen wurde. Morgen würde er dann zu einem Zeitpunkt, wenn alle damit rechneten, dass er noch schlief, zurückkehren, sich ins Gästehaus schleichen und ganz unschuldig ins Bett steigen.

So war es geplant, aber nun erwies sich alles als viel schwieriger. Sein Zimmer lag neben dem von Olga und Hugo im alten Teil des Hauses mit seinen quietschenden Dielenbrettern. Hier musste er warten, bis auch das letzte Familienmitglied sich zurückgezogen hatte. Wenn alles still war, musste er sich aus seinem Zimmer stehlen, sich auf Zehenspitzen die Treppe hinunterschleichen und geräuschlos das Haus verlassen. Und wenn irgendwer aufwachte und auf den Flur trat – Olga zum Beispiel, weil sie auf die Toilette musste –, was sollte er dann sagen? »Ich will eben mal frische Luft schnappen gehen.« Mitten in der Nacht in den Schnee hinaus? Und wie sollte das morgen früh gehen? Es ließ sich kaum vermeiden, dass ihn auf dem Weg zurück ins Zimmer jemand sah; er würde sich darauf hinausreden müssen, dass er einen Morgenspaziergang unternommen habe oder kurz mit dem Auto unterwegs gewesen sei. Und wenn dann später die Polizei kam und Fragen stellte, würde sich dann einer der Anwesenden an den – für Kit absolut ungewöhnlichen – Morgenspaziergang erinnern?

Er versuchte, sich alle Bedenken aus dem Kopf zu schlagen. Es gab ein drängenderes Problem: Er musste seinem Vater die Chipkarte stehlen, die ihm Zugang zum BSL-4-Labor verschaffte.

Er hätte sich solche Karten im Dutzend von einem Händler für Sicherheitsbedarf schicken lassen können. Diese spezielle wurde jedoch vom Hersteller mit einem Ortscode versehen, der dafür sorgte, dass sie nur an einer Stelle funktionierte. Der Code auf den Karten vom Händler würde im Kreml nicht passen.

Nigel Buchanan hatte immer wieder nach der Karte gefragt. »Wo bewahrt dein Vater sie denn auf?«

»Normalerweise in seiner Jacketttasche.«

»Und wenn sie da nicht ist?«

»Dann ist sie in seiner Brieftasche oder in seinem Aktenkoffer, nehme ich an.«

»Wie kommst du daran, ohne dass dich jemand dabei beobachtet?«

»Das Haus ist groß. Ich schnapp sie mir, wenn mein Vater im Bad ist oder einen Spaziergang macht.«

»Wird er sie nicht vermissen?«

»Nicht bevor er sie braucht, und das wird frühestens am Freitag der Fall sein. Da habe ich sie längst zurückgelegt.«

»Bist du dir da sicher?«

An dieser Stelle war es Elton zu viel geworden, und er hatte in seinem breiten Londonerisch dazwischengefunkt: »Verdammt noch mal, Nigel, wir erwarten von Kit, dass er uns in ein streng bewachtes Hochsicherheitslabor einschleust. Wie soll das denn klappen, wenn er nicht mal imstande ist, seinem verfluchten Alten so 'n Kärtchen zu klauen!«

Stanleys Karte besaß den richtigen Ortscode, doch auf dem Fingerabdruck-Chip waren Stanleys Daten gespeichert, nicht Kits. Aber auch dazu hatte sich Kit etwas einfallen lassen.

Der Film näherte sich seinem dramatischen Höhepunkt. John Wayne würde in Kürze seine ersten Opfer erschießen. Kit sah darin eine gute Gelegenheit für einen heimlichen Streifzug.

Er stand auf, murmelte etwas von der Toilette und verließ den Raum. Vom Flur aus warf er einen Blick in die Küche, wo Olga gerade einen riesigen Truthahn füllte und Miranda Rosenkohl putzte. Sein Blick fiel auf zwei Türen – die eine führte in die Waschküche, die andere ins Esszimmer. Gerade kam Lori mit einer zusammengefalteten Tischdecke aus der Waschküche und trug sie ins Esszimmer.

Kit verschwand im Arbeitszimmer seines Vaters und schloss die Tür hinter sich.

Wie er Nigel gegenüber schon angedeutet hatte, war es am wahrscheinlichsten, dass Stanleys Chipkarte in einer seiner Anzugtaschen steckte. Kit hatte damit gerechnet, dass das Jackett entweder am Kleiderhaken hinter der Tür oder über der Rückenlehne des Schreibtischstuhls hängen würde, doch nun erkannte er sehr schnell, dass davon nicht die Rede sein konnte.

Nachdem er nun schon einmal im Arbeitszimmer war, konnte er sich gleich noch etwas genauer umsehen. Natürlich war es gefährlich – was sollte er sagen, wenn zufällig jemand hereinkam? Das Risiko musste er eingehen. Die Alternative war, dass der große Coup nicht stattfinden würde, dass er die 300 000 Pfund in den Schornstein schreiben und sich auch das Ticket nach Lucca aus dem Kopf schlagen konnte. Vor allem aber würde auch nichts aus der Rückzahlung seiner Spielschulden an Harry Mac werden. Er musste daran denken, was Daisy mit ihm angestellt hatte, und ein Schauer lief ihm über den Rücken.

Die Aktentasche seines alten Herrn stand auf dem Boden neben dem Schreibtisch. Kit durchsuchte sie schnell. Sie enthielt einen Ordner mit Verteilungsdiagrammen, die Kit nichts sagten, die aktuelle Ausgabe der *Times* mit dem noch nicht ganz gelösten Kreuzworträtsel, eine halbe Tafel Schokolade und ein schmales, in Leder gebundenes Notizbuch, in dem sein Vater immer aufzulisten pflegte, was er alles zu tun hatte. Alte Leute haben immer solche Listen, dachte Kit. Warum haben sie nur so eine furchtbare Angst davor, sie könnten etwas vergessen?

Der Schreibtisch war sorgfältig aufgeräumt. Kit sah weder eine Ausweiskarte noch eine Hülle oder ein anderes Behältnis, in dem eine solche möglicherweise aufbewahrt wurde – lediglich einen kleinen Stapel Akten, einen Becher voller Stifte und ein Buch mit dem Titel *Seventh Report of the International Committee on Taxonomy of Viruses*.

Er öffnete die oberste Schreibtischschublade. Sein Atem ging schneller, und er spürte, dass sich auch sein Herzschlag beschleunigt hatte. Was werden sie tun, wenn sie mich jetzt erwischen, dachte er. Die Polizei rufen? Ach was, du hast nichts zu verlieren, mach weiter ... Er riss die nächste Schublade auf, aber seine Hände zitterten.

Sein Vater benutzte diesen Schreibtisch schon seit dreißig Jahren. Das Sammelsurium an nutzlosen Gegenständen, das sich in dieser Zeit allmählich angehäuft hatte, war erstaunlich: Schlüsselringe mit

Souveniranhängern, ausgetrocknete Füllfederhalter, eine altmodische Rechenmaschine, Briefpapier mit längst ungültigen Telefonnummern, Tintenfläschchen, Handbücher für veraltete Software – wie lange war es her, dass irgendjemand *PlanPerfect* benutzt hatte? Was fehlte, war die gesuchte Ausweiskarte.

Kit verließ das Arbeitszimmer. Niemand hatte ihn hinein-, niemand hinausgehen sehen.

Leise stieg er die Treppe hinauf. Sein Vater war ein ordentlicher Mann, der nur selten etwas verlor. Dass er seine Brieftasche an einer ungewöhnlichen Stelle – wie beispielsweise auf dem Stiefelschrank – liegen gelassen hatte, war so gut wie ausgeschlossen. Die einzige Möglichkeit, die noch in Frage kam, war demnach das Schlafzimmer.

Kit ging hinein und schloss die Tür hinter sich.

Mamma Marta war inzwischen nicht mehr so allgegenwärtig. Als Kit zum letzten Mal in diesem Zimmer gewesen war, lagen überall noch ihre persönlichen Habseligkeiten herum: ein ledernes Schreibetui, ein silbernes Bürstenset, das sie von ihrer Mutter geerbt hatte, ein Foto von Stanley in einem wertvollen alten Rahmen. Das alles war inzwischen nicht mehr da. Geblieben waren die Vorhänge und die Polster in einem kühnen blauweißen Stoff, der Mutters Sinn fürs Dramatische entsprach.

Auf beiden Seiten des Bettes stand je eine kleine viktorianische Kommode aus schwerem Mahagoni, die als Nachttisch diente. Sein Vater hatte immer auf der rechten Seite des großen Doppelbetts geschlafen. Kit öffnete die Schubladen und fand eine Taschenlampe – wahrscheinlich für Stromausfälle – und einen Band von Prousts Gesammelten Werken – vermutlich gegen Schlaflosigkeit. Er überprüfte auch die Schubladen auf Mutters Bettseite, doch sie waren alle leer.

Die Suite bestand aus drei Räumen: zuerst das Schlafzimmer, dann das Ankleidezimmer und zum Schluss das Bad. Kit betrat das Ankleidezimmer, einen quadratischen Raum, der ringsum von Schränken gesäumt war. Einige waren weiß gestrichen, andere hatten Spiegeltüren. Draußen war es schon dämmerig, doch für Kits Vorhaben reichte das Licht noch aus, sodass er darauf verzichten konnte, die Lampen anzuknipsen.

Er öffnete die Tür zu dem Schrank, in dem Stanleys Anzüge untergebracht waren. Über einem Kleiderbügel hing das Jackett zu dem Anzug, den er gerade trug. Aus der Innentasche fingerte Kit eine große schwarze Lederbrieftasche. Sie war schon alt und abgewetzt und enthielt ein kleines Bündel Banknoten sowie mehrere Plastikkarten, eine nach der anderen in eine Reihe gesteckt. Eine davon war die Ausweiskarte für den Kreml.

»Bingo«, sagte Kit leise.

In diesem Augenblick öffnete sich nebenan die Schlafzimmertür.

Kit hatte die Tür zum Ankleidezimmer nicht geschlossen, sodass er sehen konnte, wie seine Schwester Miranda den Raum betrat. Sie trug einen orangefarbenen Wäschekorb aus Plastik.

Dort, wo er stand, nämlich vor dem geöffneten Schrank mit Vaters Anzügen, befand sich Kit eigentlich in Mirandas Blickrichtung, doch bei dem trüben Licht sah sie ihn nicht sofort. Geistesgegenwärtig versteckte er sich hinter der Zimmertür. Wenn er vorsichtig hinter der Tür hervorsah, konnte er Miranda im großen Schlafzimmerspiegel erkennen.

Seine Schwester schaltete das Licht ein und fing an, das Bett abzuziehen. So, wie es aussah, hatten sie und Olga einige von Loris Pflichten übernommen. Mir bleibt nichts anderes übrig, als zu warten, dachte Kit.

Ein Anflug von Selbsthass überkam ihn: Da stehe ich heimlich hinter der Tür, ein Eindringling in meinem eigenen Elternhaus. Ich bestehle meinen Vater und verstecke mich vor meiner Schwester. Wie konnte es nur so weit kommen?

Die Antwort war glasklar: Sein Vater hatte ihn im Stich gelassen, hatte zu einem Zeitpunkt, als er seine Hilfe am dringendsten benötigte, kategorisch nein gesagt. Das war aller Übel Anfang.

Aber ich werde alle verlassen und ihnen nicht einmal sagen, wohin ich gehe. Ich fange in einem anderen Land ein neues Leben an, tauche im kleinstädtischen Milieu von Lucca unter, esse Tomaten und Pasta, trinke toskanischen Wein und spiele am Abend um geringe Einsätze Pinokel. Ich werde unauffällig sein wie eine Hintergrundfigur auf einem großen Gemälde, wie der zufällig vorbeikommende Passant, der den sterbenden Märtyrer keines Blickes würdigt. Endlich werde ich Frieden finden...

Während Miranda gerade das Bett mit frischen Laken bezog, betrat Hugo das Schlafzimmer.

Er hatte sich umgezogen, trug jetzt grüne Kordhosen und einen roten Pullover und sah darin aus wie ein Weihnachtskobold. Er schloss die Tür hinter sich. Kit zog die Brauen zusammen. Hatte Hugo irgendwelche Geheimnisse mit seiner Schwägerin?

»Was willst du, Hugo?«, fragte Miranda. Es klang argwöhnisch.

Hugo grinste sie mit Verschwörermiene an, sagte aber nur: »Ich dachte, ich kann dir vielleicht ein bisschen helfen.« Er ging ums Bett herum und fing an, das Laken festzustecken.

Kit stand noch immer hinter der Tür zum Ankleideraum, in der einen Hand Vaters Brieftasche, in der anderen die Chipkarte für den Kreml. Wenn er unentdeckt bleiben wollte, durfte er sich nicht rühren.

Miranda warf einen sauberen Kopfkissenbezug übers Bett. »Hier«, sagte sie.

Hugo stopfte das Kissen hinein. Gemeinsam streiften sie den Bettbezug über. »Mir kommt es vor, als hätten wir uns eine halbe Ewigkeit nicht gesehen«, sagte Hugo. »Ich vermisse dich.«

»Quatsch keinen Blödsinn!«, erwiderte Miranda kühl.

Kit konnte sich keinen Reim darauf machen, war aber irgendwie fasziniert von der Szene. Was ging hier vor?

Miranda glättete die Überdecke. Hugo ging um das Bett herum auf sie zu. Miranda nahm den Wäschekorb und hielt ihn wie einen Schutzschild vor sich. Hugo grinste sie unverschämt an und sagte: »Na, wie wär's mit einem Küsschen? Um der alten Zeiten willen?«

Sie sprechen in Rätseln, dachte Kit. Was für »alte Zeiten« meint Hugo denn? Er und Olga waren seit fast zwanzig Jahren verheiratet. Hatte er Miranda mal geküsst, als sie vierzehn war?

»Hör auf damit, und zwar sofort!«, sagte Miranda mit fester Stimme.

Hugo packte den Wäschekorb und schubste ihn vor, sodass Mirandas Waden gegen die Bettkante stießen und sie sich unwillkürlich setzen musste. Sie ließ den Korb los und versuchte sich mit den Händen abzustützen. In diesem Augenblick stieß Hugo den Wäschekorb zur

Seite, beugte sich vor, drückte Miranda aufs Bett, sprang hinterher und kniete sich über sie. Kit war fassungslos. Er hatte Hugo schon immer für einen Hallodri gehalten; es war einfach seine Art, mit jeder attraktiven Frau zu flirten, die ihm über den Weg lief. Aber mit Miranda? Das wäre Kit im Traum nicht in den Sinn gekommen.

Hugo schob ihren lockeren Faltenrock hoch. Miranda hatte breite Oberschenkel und Hüften. Sie trug einen Schlüpfer aus schwarzer Spitze und Strapse – und das war für Kit die bislang erstaunlichste Enthüllung.

»Runter von mir!«, sagte sie.

Kit wusste nicht, was tun. Es ging ihn nichts an, also wollte er sich nicht einmischen – aber einfach stehen bleiben und zuschauen, das ging auch nicht. Selbst wenn er sich abwandte, würde er akustisch alles mitbekommen. Konnte er sich vielleicht an den beiden vorbeistehlen, während sie auf dem Bett miteinander rangen? Nein, dazu war das Schlafzimmer zu klein. Ihm fiel die Geheimtür im Schrank ein, die zum Speicher hinausführte – aber er käme ja nicht einmal ungesehen bis zum Schrank! Wie gelähmt blieb er stehen und behielt das Geschehen im Auge.

»Nur ein Quickie«, sagte Hugo. »Kein Mensch erfährt was davon.«

Miranda holte mit dem rechten Arm aus und versetzte Hugo eine gewaltige Ohrfeige. Dann riss sie abrupt ein Knie hoch und traf ihn an einer sehr empfindlichen Stelle. Sie wand sich wie eine Schlange, warf Hugo ab und sprang auf die Füße.

Hugo blieb auf dem Bett liegen. »Mensch, das tut weh!«, jammerte er.

»Geschieht dir recht«, sagte Miranda. »Und nun hör mir gut zu: Tu das niemals wieder!«

Er zog den Reißverschluss seiner Hose hoch und erhob sich. »Warum nicht? Was willst du denn tun – Ned davon erzählen oder was?«

»Ich sollte es ihm erzählen, ja, aber dazu fehlt mir der Mut. Es stimmt, ich habe einmal mit dir geschlafen, als ich sehr einsam und depressiv war, aber ich bereue es zutiefst, bis auf den heutigen Tag.«

Ach so war das, dachte Kit – Miranda hat mal mit Olgas Mann geschlafen! Er war schockiert. Hugos Benehmen überraschte ihn nicht so sehr – ein kleines Verhältnis nebenbei mit der eigenen Schwägerin war eine Vorstellung, die vielen Männern gefallen würde. Aber Miranda war moralisch bis zur Prüderie in solchen Dingen. Kit hätte geschworen, dass sie *niemals* mit einem verheirateten Mann schlafen würde, geschweige denn mit dem Mann ihrer Schwester.

»Es war das Schändlichste, was ich in meinem ganzen Leben getan habe«, fuhr Miranda fort, »und ich will nicht, dass Ned jemals davon erfährt.«

»Womit drohst du mir dann? Mit Olga?«

»Sie würde sich von dir scheiden lassen und nie wieder ein Wort mit mir sprechen. Das würde die Familie zerstören.«

Na, ganz so schlimm würde es wohl nicht werden, dachte Kit. Aber Miranda ist ja immer so besorgt um den Zusammenhalt der Familie.

»Tja, dann stehst du eigentlich ziemlich hilflos da, oder täusche ich mich?«, sagte Hugo zufrieden. »Und da wir keine Feinde sein können – warum küsst du mich dann nicht ganz lieb und bleibst meine Freundin?«

»Weil du mich anwiderst!« Mirandas Stimme war eiskalt.

»Ach so, ach ja!« Hugo klang resigniert, aber nicht so, als ob er sich schämte. »Gut, dann hasst du mich eben. Was mich betrifft, so bete ich dich an – nach wie vor.« Er schenkte ihr sein charmantestes Lächeln und entfernte sich, wobei er leicht hinkte.

Als die Tür ins Schloss fiel, sagte Miranda: »Hurensohn, beschissener!«

Kit hatte sie noch nie so fluchen hören.

Miranda hob den Wäschekorb auf. Doch statt, wie erwartet, das Zimmer zu verlassen, kam sie auf ihn zu. Wahrscheinlich hat sie frische Handtücher dabei, die sie ins Bad bringen will, dachte Kit. Er hatte keine Chance mehr zu entkommen. Mit drei Schritten war Miranda im Ankleideraum und knipste das Licht an.

Kit konnte gerade noch die Chipkarte in seine Hosentasche gleiten lassen. Im nächsten Augenblick hatte seine Schwester ihn auch schon entdeckt und quietschte vor Schreck auf. »Kit! Was tust du denn hier? Meine Güte, hast du mich erschreckt!« Dann wurde sie leichenblass und fügte hinzu: »Du musst das ja alles mitbekommen haben.«

»Tut mir Leid.« Er zuckte mit den Schultern. »Ich wollte das nicht.«

Jetzt errötete seine Schwester. »Du erzählst das aber nicht weiter, oder?«

»Nein, natürlich nicht.«

»Ich meine es ernst, Kit. Niemand darf davon erfahren. Es wäre grauenhaft. Du könntest zwei Ehen damit zerstören.«

»Ich weiß, ich weiß.«

Jetzt erst sah sie die Brieftasche in seiner Hand. »Was hattest du eigentlich hier vor?«

Er zögerte, dann kam ihm plötzlich eine Idee. »Ich brauche Geld.« Er zeigte ihr die Scheine in der Brieftasche.

»Ach, Kit!« Es klang traurig, aber nicht anklagend. »Warum willst du immer, dass dir das Geld in den Schoß fällt?«

Er verbiss sich eine empörte Antwort. Sie nahm ihm seine Lügengeschichte ab, das war die Hauptsache. Er schwieg und setzte eine Armesündermiene auf.

»Olga sagt immer, dass du dir lieber einen Shilling klaust, als ein ehrliches Pfund zu verdienen«, fuhr Miranda fort.

»Schon gut, reib nicht noch Salz in die Wunde.«

»Du kannst doch nicht einfach Daddys Brieftasche plündern! Das ist ja furchtbar!«

»Mir steht das Wasser bis zum Hals, ehrlich gesagt.«

»Ich geb dir Geld!« Sie stellte den Wäschekorb ab. Ihr Rock hatte auf der Vorderseite zwei Taschen. Miranda griff in eine hinein, zog ein paar zerknitterte Geldscheine heraus, glättete sie und reichte Kit zwei Fünfzigpfundnoten. »Wende dich halt an mich«, sagte sie, »ich lass dich schon nicht hängen.«

»Danke, Mandy«, erwiderte Kit.

»Aber klau niemals mehr von Daddy!«

»Okay.«

»Und erzähle um Himmels willen niemandem etwas von Hugo und mir!«

»Versprochen«, sagte Kit.

Toni hatte ungefähr eine Stunde lang tief geschlafen, als der Wecker sie aus ihren Träumen riss.

Sie stellte fest, dass sie angezogen auf ihrem Bett lag. Nicht einmal Jacke und Schuhe hatte sie abgestreift, so müde war sie gewesen. Doch der kurze Schlaf hatte ihr gut getan, sie fühlte sich jetzt wesentlich frischer. Da sie während ihrer Zeit bei der Polizei oft Schichtdienst gehabt hatte, war sie unregelmäßige Arbeitszeiten gewohnt. Sie konnte überall einschlafen und war nach dem Aufwachen sofort wieder hellwach.

Sie bewohnte eine Etage in einem viktorianischen Haus mit mehreren Wohnungen, hatte ein Schlafzimmer, ein Wohnzimmer, eine kleine Küche und ein Bad. Inverburn war ein Fährhafen, aber von ihrem Apartment aus bot sich kein Blick aufs Meer. Toni mochte ihre Wohnung nicht besonders: Es war der Ort, an den sie nach der Trennung von Frank geflohen war, und sie verband keine angenehmen Erinnerungen damit. Obwohl sie schon zwei Jahre hier wohnte, sah sie in ihrem gegenwärtigen Domizil allenfalls eine Übergangslösung.

Sie stand auf, zog die Bürokleidung aus, die sie nun schon seit zweieinhalb Tagen am Leib hatte, und warf sie in den Wäschekorb. Mit einem Hausmantel über der Unterwäsche lief sie geschäftig hin und her und packte den Koffer für die fünf Übernachtungen im Wellness-Hotel. Ursprünglich hatte sie bereits am Abend vorher packen und heute Mittag abfahren wollen; es gab also einiges nachzuholen.

Sie konnte ihren Kurzurlaub kaum erwarten. Das ist genau das, was ich jetzt brauche, dachte sie. Ich lasse mir den Kummer wegmassieren, schwitze in der Sauna Giftstoffe aus, lasse mir die Nägel lackieren, die Haare schneiden und die Wimpern aufdrehen – vor allem aber freue ich mich unglaublich darauf, mit meinen alten Freunden zu reden, Spiele zu spielen und ein paar Tage lang meine Sorgen zu vergessen.

Ihre Mutter musste inzwischen bei Bella sein. Mutter war eine intelligente Frau, die allmählich ihren Verstand verlor. Die ehemalige Sekundarschullehrerin für Mathematik hatte Toni während des Studiums immer helfen können, sogar noch im letzten Jahr vor ihrem Ingenieursexamen. Inzwischen war sie nicht einmal mehr imstande, im Laden ihr Wechselgeld zu zählen. Toni liebte ihre Mutter sehr und war tieftraurig über ihren geistigen Verfall.

Bella, ihre Schwester, war ein bisschen oberflächlich. Sie putzte, wenn sie gerade Lust dazu hatte, kochte, wenn sie Hunger hatte, und manchmal vergaß sie sogar, ihre Kinder in die Schule zu schicken. Bernie, ihr Mann, war Friseur, arbeitete aber nur selten wegen einer nicht näher diagnostizierten Brustkrankheit. Wenn man ihn routinemäßig fragte: »Wie geht's dir?«, antwortete er meistens: »Der Arzt hat mich gerade noch einmal für vier Wochen krankgeschrieben.«

Toni hoffte, dass es Mutter bei Bella gefallen würde. Bella war eine liebenswerte Schlampe, und Mutter hatte daran nie Anstoß genommen, im Gegenteil: Sie war immer gern nach Glasgow gereist und hatte in der zugigen Sozialwohnung zusammen mit den geliebten Enkelkindern halbgare Pommes gemampft. Doch inzwischen befand sie sich in einer Vorstufe zur Senilität, und da war es fraglich, ob sie Bellas chaotische Haushaltsführung noch immer mit philosophischem Gleichmut hinnehmen würde. Genauso unklar war, ob Bella mit Mutters zunehmender Unberechenbarkeit fertig würde.

Als Toni einmal eine etwas unfreundliche Bemerkung über Bella entschlüpft war, hatte ihre Mutter spitz gekontert: »Sie ist nicht so furchtbar ehrgeizig wie du und deshalb die Glücklichere von euch beiden.« Mutter war taktlos geworden, aber ihre Kommentare waren oft noch von schmerzhafter Präzision.

Als der Koffer fertig gepackt war, wusch Toni sich die Haare und nahm ein Bad, um die zwei Tage höchster innerer Anspannung abzuspülen. Dabei schlief sie in der Badewanne ein. Als sie erschrocken wieder hochfuhr, stellte sie fest, dass nicht viel mehr als eine Minute vergangen sein konnte, denn das Wasser war noch immer heiß. Sie stieg aus der Wanne und rubbelte sich kräftig ab.

Sie betrachtete sich im großen Badezimmerspiegel und dachte: Ich habe noch alles, was ich vor zwanzig Jahren hatte – nur eben alles fünf Zentimeter tiefer. Was gut war bei Frank, zumindest in der Anfangszeit ihrer Beziehung, war, dass ihm ihr Körper so gefallen hatte. »Was hast du für tolle, große Titten«, hatte er manchmal gesagt, obwohl Toni der Meinung war, dass ihre Brüste für ihre Figur eigentlich *zu* groß waren. Aber Frank verehrte sie. Ein andermal hatte er, als er zwischen ihren Beinen lag, gesagt: »Eine Muschi in dieser Farbe hab ich noch nie gesehen. Sieht aus wie ein Ingwerplätzchen.« Sie fragte sich inzwischen, wie lange es noch dauern mochte, bis wieder einmal jemand die Farbe ihres Schamhaars bewunderte.

Sie zog braune Jeans und einen dunkelgrünen Pullover an. Als sie gerade den Koffer zumachte, klingelte das Telefon. Es war ihre Schwester. »Hallo, Bella«, sagte Toni. »Wie geht's Mutter?«

»Sie ist nicht hier.«

»Was? Du solltest sie doch um dreizehn Uhr abholen!«

»Weiß ich. Aber ich kam hier nicht weg. Bernie hatte den Wagen.«

»Und du bist immer noch nicht unterwegs?« Toni sah auf ihre Uhr. Es war halb sechs. Sie stellte sich Mutter in ihrem Altenheim vor, in Hut und Mantel in der Eingangshalle sitzend, einen Koffer neben dem Stuhl, und Stunde um Stunde wartend. Sie wurde ärgerlich. »Was denkst du dir eigentlich dabei?«, fragte sie Bella.

»Das Problem ist, dass das Wetter inzwischen sehr schlecht ist.«

»Es schneit in ganz Schottland, aber nicht stark.«

»Na ja, Bernie will jedenfalls nicht, das ich bei diesem Wetter hundert Kilometer durch Nacht und Nebel fahre.«

»Wenn du sie zum vereinbarten Zeitpunkt abgeholt hättest, würdest du nicht bei Nacht und Nebel fahren müssen!«

»O je, jetzt bist du mir böse, ich hab's ja kommen sehen.«

»Ich bin dir nicht böse …« Toni hielt inne. Ihre Schwester hatte sie schon öfter mit diesem Trick rumgekriegt. Im nächsten Augenblick würden sie darüber reden, wie Toni ihre Wut in den Griff bekommen könnte – statt darüber, dass Bella ein Versprechen gebrochen hatte. »Zerbrich dir nicht den Kopf darüber, wie ich mich fühle«, sagte sie. »Denk doch mal an Mutter! Glaubst du nicht, dass sie jetzt sehr enttäuscht ist?«

»Doch, natürlich, aber für das Wetter kann ich auch nichts.«

»Was wirst du jetzt tun?«

»Da gibt es nicht viel, was ich noch tun kann.«

»Dann lässt du sie also über Weihnachten im Heim?«

»Es sei denn, du holst sie zu dir. Von dir aus sind das ja nur fünfzehn Kilometer.«

»Bella, ich habe eine Wellness-Kur gebucht, das weißt du doch! Sieben Freunde warten schon auf mich. Wir wollen fünf Tage gemeinsam verbringen. Ich hab schon vierhundert Pfund angezahlt und freue mich wahnsinnig auf eine kleine Auszeit.«

»Das klingt ein bisschen egoistisch.«

»Moment mal: Die letzten drei Male hat Mutter Weihnachten *bei mir* verbracht. Ist das egoistisch?«

»Du hast ja keine Ahnung, wie schwer es ist mit drei Kindern und einem Mann, der zu krank ist, um zu arbeiten. Du hast einen Haufen Geld und brauchst dich nur um dich selbst zu kümmern.«

Ich bin eben nicht so dämlich, einen Faulenzer zu heiraten und mir drei Kinder von ihm machen zu lassen, dachte Toni, sprach es jedoch nicht aus. Mit Bella zu streiten führte zu gar nichts. Sie war mit dem Leben, das sie führte, gestraft genug. »Dann möchtest du also, dass ich auf meinen Urlaub verzichte, Mutter aus dem Heim hole und mich über Weihnachten um sie kümmere.«

»Das liegt ganz bei dir«, sagte Bella betont pietätvoll. »Du musst dich eben nach deinem Gewissen richten.«

»Danke für den nützlichen Rat.« Tonis Gewissen sagte, dass sie sich um ihre Mutter kümmern müsse, und Bella wusste das ganz genau. Toni brachte es einfach nicht über sich, die alte Frau über Weihnachten in diesem Heim zu lassen, allein in ihrem Zimmer oder in der Kantine bei fade schmeckendem Putenfleisch und lauwarmem Rosenkohl, bis ihr dann der als Weihnachtsmann verkleidete Heimleiter ein billiges, in grellbuntes Papier eingewickeltes Geschenk überreichte... Allein der Gedanke daran war für Toni kaum erträglich. »Okay«, sagte sie, »ich fahr hin und hol sie.«

»Ich bedauere nur, dass du das nicht ein bisschen freundlicher sagen konntest«, erwiderte ihre Schwester.

»Ach, leck mich doch am Arsch, Bella!«, gab Toni zurück und legte auf.

Deprimiert rief sie im Hotel an und machte ihre Buchung rückgängig. Dann bat sie, einen ihrer Freunde ans Telefon zu holen. Es dauerte eine Weile, bis sich schließlich Charlie meldete, der Mann aus Lancashire, der an seinem unverkennbaren Tonfall leicht zu erkennen war. »Wo steckst du, Toni?«, fragte er. »Wir hocken schon alle im Jacuzzi! Du lässt dir wirklich was entgehen!«

»Ich kann nicht kommen«, sagte sie traurig und erklärte ihm, was vorgefallen war.

Charlie war außer sich. »Das ist total unfair dir gegenüber! Du brauchst unbedingt mal ein paar Tage Erholung!«

»Das weiß ich, aber ich kann einfach die Vorstellung nicht ertragen, dass Mutter in diesem Heim herumhockt, während alle anderen im Kreise ihrer Familien Weihnachten feiern.«

»Außerdem hast du ja auch im Job einiges hinter dir, nicht wahr?«

»Ja, das ist eine sehr traurige Geschichte, aber ich glaube, Oxenford Medical ist noch einmal davongekommen – vorausgesetzt, es bleibt bei diesem einen Fall.«

»Ich hab dich in der Glotze gesehen.«

»Und? Wie sah ich aus?«

»Großartig, aber ich stehe mehr auf deinen Chef.«

»Ich auch, aber der hat drei erwachsene Kinder, die er nicht verärgern will. Von daher ist, fürchte ich, nicht viel zu machen.«

»Teufel auch, du hast einen üblen Tag hinter dir.«

»Es tut mir so Leid, dass ich euch enttäuschen muss.«

»Ohne dich macht alles nur halb so viel Spaß.«

»Charlie, ich muss jetzt aufhören. Ich will Mutter so schnell wie möglich abholen. Frohe Weihnachten.« Sie legte den Telefonhörer auf und starrte den Apparat an. »Was für ein jämmerliches Leben«, sagte sie laut. »Was für ein beschissenes, jämmerliches Leben.«

Craig kam mit seinen Bemühungen um Sophie nur sehr langsam voran.

Sie hatten den ganzen Nachmittag miteinander verbracht. Er hatte im Tischtennis gewonnen und sie im Pool-Billard. In Musikfragen waren sie sich einig: Beide mochten Gitarrenbands lieber als Drum-and-Bass. Beide lasen sie gerne Horrorromane, auch wenn Sophie Stephen King vorzog und Craig Anne Rice. Er erzählte ihr von der Ehe seiner Eltern, die ebenso stürmisch wie leidenschaftlich verlief, und sie berichtete ihm von Neds und Jennifers Scheidung, bei der kein Auge trocken geblieben war.

Aber Sophie ließ ihn nicht an sich rankommen. Sie berührte nicht beiläufig seinen Arm, sah ihn nicht mit großen Augen an, wenn er mit ihr sprach, und schnitt keine romantischen Themen an wie Ausgehen oder Kuscheln. Stattdessen erzählte sie Geschichten aus einer Welt, aus der er ausgeschlossen war, eine Welt der Nachtklubs – wie sie mit ihren vierzehn Jahren da nur reinkam? –, eine Welt mit lauter kiffenden Freunden und jungen Männern auf Motorrädern.

Je näher das Abendessen rückte, desto verzweifelter wurde Craig. Für einen einzigen Kuss zum Abschied wollte er nicht fünf Tage lang hinter ihr herlaufen. Nach seiner Vorstellung musste er sie schon am ersten Tag für sich gewinnen, um sie dann in den nächsten vier Ferientagen *richtig* kennen zu lernen. Sophies Zeitplan sah jedoch definitiv anders aus. Craig brauchte eine Abkürzung zu ihrem Herzen.

Sophie schien ihm noch nicht das Niveau zuzubilligen, das für ihre romantischen Ansprüche genügte. All dieses Gerede über ältere Leute sollte im Grunde nichts anderes besagen, als dass er, Craig, nur ein kleiner dummer Junge war, wobei sein richtiges Alter – er war immerhin ein Jahr und sieben Monate älter als sie – überhaupt keine Rolle spielte. Irgendwie, dachte er, muss ich ihr beweisen, dass ich genauso reif und gescheit bin wie sie selber.

Sophie wäre nicht das erste Mädchen, dass er küsste. In der zehnten Klasse war er sechs Wochen lang mit Caroline Stratton gegangen. Sie war zwar hübsch, aber leider auch ziemlich langweilig. Lindy Riley, die rundliche Schwester eines Fußballkameraden, war da schon aufregender gewesen. Sie hatte ihm einiges erlaubt, was er zuvor noch nie getan hatte, dann aber ihre Gunst dem Keyboard-Spieler einer Glasgower Rockband zugewandt. Darüber hinaus gab es etliche Mädchen, die er ein- oder zweimal geküsst hatte.

Aber diesmal war ohnehin alles ganz anders. Nachdem er Sophie auf der Geburtstagsfeier seiner Mutter kennen gelernt hatte, war sie ihm nicht mehr aus dem Kopf gegangen – genauer gesagt: Er hatte seit vier Monaten jeden Tag an sie gedacht. Eines der Fotos, die sein Vater auf der Feier gemacht hatte – es zeigte einen gestikulierenden Craig und eine lachende Sophie –, nutzte er inzwischen als Bildschirmschoner auf seinem Computer. Er hatte nach wie vor Augen für andere Mädchen, doch wenn er sie dann insgeheim mit Sophie verglich, war die eine zu blass, die andere zu dick, die dritte einfach zu unattraktiv und so weiter. Und unter dem Strich waren alle öde und konventionell. Dass Sophie schwierig war, störte ihn nicht – an schwierige Frauen war er gewöhnt, seine Mutter war schließlich auch eine. Tatsache war, dass irgendetwas an Sophie ihn geradewegs ins Herz getroffen hatte.

Um sechs Uhr abends – sie lungerten auf dem alten Sofa in der Scheune herum – war sein Tagesbedarf an Fernsehen gedeckt. »Wollen wir ins Haus rübergehen?«, fragte er sie.

»Warum?«

»Die sitzen jetzt alle am Küchentisch.«

»Na und?«

Na, irgendwie ist das doch ganz nett, dachte Craig. In der Küche ist es warm, das Essen steht auf dem Herd, und man kann es schon riechen, mein Vater erzählt lustige Geschichten, und Tante Miranda schenkt uns Wein ein. Das ist einfach gemütlich. Das Problem war, dass Sophie sich davon nicht beeindrucken lassen würde, deshalb sagte er zu ihr: »Da gibt's vielleicht Drinks.«

Sophie stand auf. »Gut. Ich will einen Cocktail.«

Träum nur weiter, dachte Craig, Großvater wird einer Vierzehnjährigen keine harten Sachen anbieten. Wenn wir Sekt trinken, bekommst du vielleicht ein halbes Glas... Aber er nahm ihr die Illusionen nicht. Sie zogen ihre Mäntel an und gingen hinaus.

Es war jetzt vollkommen dunkel, doch ringsum an den Hausmauern waren Lampen angebracht, die den Hof hell erleuchteten. Dichter und dichter wirbelten die Schneeflocken durch die Luft, und der Boden war rutschig. Sie hatten schon fast die Hintertür des Bauernhauses erreicht, als Craig bei einem Blick um die Ecke Großvaters Ferrari erspähte, der noch immer vor dem Haupteingang parkte. Auf dem geschwungenen Bogen seines hinteren Spoilers lag der Schnee schon mindestens fünf Zentimeter hoch. Luke hatte offenbar noch nicht die Zeit gefunden, den Wagen in die Garage zu fahren.

»Das letzte Mal, als ich hier war, durfte ich Großvaters Schlitten in die Garage fahren.«

»Du kannst doch gar nicht fahren«, sagte Sophie skeptisch.

»Ich hab noch keinen Führerschein, aber das heißt noch lange nicht, dass ich nicht fahren kann.« Er wusste, dass er maßlos übertrieb. Sein Vater hatte ihn ein paar Mal ans Steuer seines Mercedes gelassen – einmal an einem Strand, ein anderes Mal auf einem aufgelassenen Flugfeld, aber noch nie auf einer normalen Straße.

»Okay, dann fahr ihn doch in die Garage, jetzt gleich«, sagte Sophie.

Craig wusste, dass er um Erlaubnis hätte fragen müssen. Doch wenn er das jetzt sagte, hätte es ausgesehen, als wolle er einen Rückzieher machen. Außerdem war es gut möglich, das Großvater nein sagte, und dann wäre die Chance, Sophie seine Reife zu demonstrieren, dahin gewesen. Also sagte er: »Okay, wird gemacht.«

Der Ferrari war unverschlossen, und der Schlüssel steckte.

Sophie lehnte sich mit verschränkten Armen an die Hausmauer. Ihre Haltung besagte so viel wie: Nun, dann zeig mir mal, was du kannst. Aber Craig wollte sie nicht so einfach davonkommen lassen. »Warum fährst du nicht mit?«, fragte er. »Hast du etwa Angst?«

Sie setzten sich beide ins Auto.

Es war gar nicht so leicht. Die Sitze waren tief und befanden sich fast auf der Höhe der Türschwellen. Craig musste erst ein Bein ins Innere setzen und dann mit seiner Kehrseite über die flache Armlehne rutschen. Endlich waren sie drin und schlugen die Türen zu.

Der Schalthebel war rein zweckmäßig, nichts weiter als eine Aluminiumstange mit einem Knauf am oberen Ende. Craig vergewisserte sich, dass er sich im Leerlauf befand, und drehte den Zündschlüssel. Mit dem Röhren einer Boeing 747 sprang der Motor an.

Craig hoffte insgeheim, dass der Lärm vielleicht Luke alarmierte, damit der aus dem Haus geeilt kam, die Hände zum Protest erhoben. Aber der Ferrari stand vor dem Haupteingang, während die Familie in der Küche im rückwärtigen Teil des Hauses saß, wo die Fenster zum Hof hinaus gingen. Das grollende Röhren des Motors drang nicht durch die dicken Steinmauern.

Die träge Kraft des großen Motors ließ den ganzen Wagen erzittern wie bei einem Erdbeben. Craig spürte die Vibrationen durch den schwarzen Ledersitz. »Das ist cool!«, sagte Sophie aufgeregt.

Craig schaltete die Scheinwerfer an. Zwei Lichtkegel, durch die Schneeflocken taumelten, strahlten quer über den Garten. Craig legte die Hand auf den Schalthebel, trat die Kupplung und drehte sich um. Die Zufahrt führte in gerader Linie rückwärts zur Garage, bevor sie in die kurvenreiche Straße überging, die um die Spitze der Landzunge herumführte.

»Nun mach schon!«, sagte Sophie. »Fahr los!«

Craig spielte den Abgeklärten, um sich seine Bedenken nicht anmerken zu lassen. »Entspann dich!«, sagte er und löste die Handbremse. »Genieß die Fahrt.« Er drückte die Kupplung und legte den Rückwärtsgang ein. Dann gab er, so vorsichtig er konnte, Gas. Der Motor knurrte bedrohlich. Millimeterweise ließ Craig das Kupplungspedal zurückgleiten, und der Wagen begann ganz langsam rückwärts zu rollen.

Craig hielt das Steuerrad mit lockerer Hand und bewegte es weder nach links noch nach rechts. Nachdem er die Kupplung ganz losgelassen hatte, tippte er wieder aufs Gaspedal. Der Wagen schoss nach hinten und rollte an der Garage vorbei. Sophie stieß einen Angstschrei aus. Craig nahm sofort das Gas weg und trat auf die Bremse. Der Wagen rutschte ein wenig auf dem schneebedeckten Boden, hielt aber zu Craigs Erleichterung die Spur. Als er zum Stehen kam, fiel Craig in letzter Sekunde noch ein, dass er die Kupplung treten musste, wenn er den Motor nicht abwürgen wollte.

Er war mit sich zufrieden. Er hatte das Fahrzeug unter Kontrolle behalten, gerade noch. Besser noch: Er war nach außen hin ruhig geblieben, während Sophie sich gefürchtet hatte. Vielleicht bringt sie das von ihrem hohen Ross herunter, dachte er.

Die Garage stand im rechten Winkel zum Haupthaus, und ihre Tore befanden sich nun links vor dem Ferrari. Kits Wagen, ein schwarzes Peugeot Coupé, parkte am anderen Ende direkt vor der Garage. Craig fand die Fernbedienung für das Garagentor unter dem Armaturenbrett und drückte auf den Knopf. Das hinterste der drei Tore schwenkte nach oben.

Der betonierte Garagenvorplatz war mit einer glatten Schneeschicht überzogen. An der von Craig aus gesehen vorderen Ecke des Gebäudes standen ein paar Sträucher, am anderen Ende des Vorplatzes ein großer Baum. Er musste lediglich diese beiden Hindernisse beachten und den Wagen auf seinen Stellplatz bugsieren.

Mit gestiegenem Selbstbewusstsein schaltete er in den ersten Gang, tippte aufs Gas und ging von der Kupplung. Der Wagen setzte sich in Bewegung. Craig drehte am Steuerrad, was bei der langsamen Geschwindigkeit und ohne Servolenkung recht schwer war, und der Ferrari drehte sich gehorsam nach links. Craig gab etwas mehr Gas, und das Fahrzeug wurde schneller, gerade schnell genug, dass es spannend wurde. Craig schlug nach rechts ein und zielte auf das offen stehende Tor, erkannte, dass er zu schnell war, und stieg auf die Bremse.

Das war ein Fehler.

Der Ferrari rollte relativ zügig mit nach rechts eingeschlagenen Vorderrädern über die schneebedeckte Fläche. Kaum fassten die Bremsen, verloren die Hinterräder ihren Halt, und anstatt nach rechts in die

Garage zu fahren, schlitterte der Wagen seitwärts über den Vorplatz. Craig wusste zwar, was geschah, hatte aber keine Ahnung, wie er sich in dieser Situation verhalten musste. Er drehte das Steuer weiter nach rechts, was den Rutscheffekt noch verstärkte. Unerbittlich schlitterte der Ferrari über die glatte Fläche, wie ein Boot, das von einer heftigen Bö erfasst wurde. Craig trat gleichzeitig auf Kupplung und Bremse, ohne damit irgendetwas zu bewirken.

Die Garage glitt rechts von der Windschutzscheibe an ihnen vorbei. Craig befürchtete schon, der Ferrari würde Kits Wagen rammen, und ihm fiel ein Stein vom Herzen, als er den Peugeot um ein paar Zentimeter verfehlte. Dann ließ der Schwung nach, und Craig hoffte schon, er sei noch einmal davongekommen, doch kurz bevor der Wagen zum Stehen kam, touchierte er mit dem vorderen linken Kotflügel den großen Baum.

»Das war super!«, rief Sophie.

»Das seh ich anders, verdammt noch mal!« Craig nahm den Gang heraus, sprang aus dem Wagen und betrachtete dessen Vorderfront. Obwohl man den Anprall kaum gespürt hatte, erkannte er im Schein der Lampen an der Außenmauer der Garage eine große, nicht zu übersehende Beule im schimmernden blauen Kotflügel. »Scheiße«, murmelte er betroffen.

Auch Sophie war ausgestiegen und besah sich den Schaden. »*Sooo* groß ist die Delle nun auch wieder nicht«, sagte sie.

»Red doch keinen Stuss!« Auf die Größe kam es nicht an. Die Karosserie war beschädigt, und er, Craig, war schuld daran. Übelkeit stieg in ihm auf. Was für ein Weihnachtsgeschenk für Großvater!

»Vielleicht merken sie es gar nicht«, sagte Sophie.

»Natürlich merken sie das«, erwiderte er wütend. »Großvater fällt das auf, sobald er den Wagen sieht.«

»Aber das wird noch eine Zeit lang dauern. Bei dem Wetter wird er so schnell nicht wegfahren wollen.«

»Na und? Was hilft mir das?«, antwortete Craig ungeduldig. Er wusste, dass das nicht sehr freundlich klang, aber es war ihm egal. »Ich muss dafür gradestehen.«

»Besser, du bist nicht hier, wenn die Sache auffliegt.«

»Ich sehe nicht, was …« Er hielt inne. O doch, er sah, was sie meinte. Wenn ich jetzt beichte, dachte er, ist das Weihnachtsfest versaut … Großmutter Marta hätte gesagt: *Das wird ein* bordello …, worunter sie einen Mordszirkus verstand. Wenn ich dagegen den Mund halte und erst später gestehe, was ich ausgefressen habe, ist das Theater vielleicht nur halb so groß …

Auf jeden Fall war der Gedanke, die Aufdeckung um ein paar Tage zu verschieben, sehr verlockend.

»Ich muss den Wagen in die Garage bringen.« Craig hatte laut gedacht.

»Park ihn doch so, dass er mit dem lädierten Kotflügel direkt an der Wand steht«, schlug Sophie vor. »Dann wird die Delle nicht entdeckt, wenn jemand dran vorbeigeht.«

Der Vorschlag ist gar nicht so übel, dachte Craig. In der Garage standen noch zwei weitere Fahrzeuge: ein schwerer Toyota Land Cruiser Amazon mit Vierradantrieb, den Großvater bei Wetter wie diesem benutzte, und Lukes alter Ford Mondeo, mit dem er und Lori zwischen ihrem anderthalb Kilometer entfernten Häuschen und der Farm hin- und herpendelten. Luke würde sicher heute Abend noch in die Garage kommen, um sein Auto zu holen und heimzufahren. Wenn das Wetter noch schlechter wurde, war es auch möglich, dass er sich den großen Land Cruiser borgen und den Ford hier lassen würde. Egal, wofür er sich entschied – in die Garage musste er, und da wäre es schon gut, wenn der Ferrari so nah an der Wand stand, dass die Delle nicht zu sehen war.

Der Motor lief noch. Craig setzte sich wieder hinters Steuer, legte den ersten Gang ein und fuhr langsam an. Sophie lief in die Garage und stellte sich ins Scheinwerferlicht. Als der Ferrari hereinrollte, deutete sie mit den Händen an, wie groß der Zwischenraum zwischen Wand und Wagenseite noch war.

Beim ersten Versuch betrug er fast noch einen halben Meter. Das war zu viel. Craig unternahm einen zweiten Versuch. Nervös sah er in den Rückspiegel, aber kein Mensch ließ sich blicken. Ein Glück, dass sie bei dem kalten Wetter alle im warmen Haus bleiben, dachte er.

Beim dritten Versuch gelang es ihm endlich, den Abstand zur

Mauer auf etwa zehn bis zwölf Zentimeter zu verringern. Er stieg aus und schaute nach: So, wie der Ferrari geparkt war, konnte man den Blechschaden von keiner Seite sehen.

Craig schloss das Tor und machte sich mit Sophie auf den Weg zur Küche. Er war mit den Nerven fertig und hatte ein schlechtes Gewissen. Ganz anders Sophie – sie war bester Laune. »Das war wirklich schrill«, sagte sie, »endschrill!«

Erst jetzt merkte Craig, dass es ihm endlich gelungen war, ihr zu imponieren.

Kit stellte seinen Computer in der Rumpelkammer auf, einem winzigen Raum, den man nur von seinem Schlafzimmer aus erreichte. Er verkabelte einen Fingerabdruck-Scanner und ein gebrauchtes Schreib- und Lesegerät für Chipkarten, das er bei eBay für 270 Pfund erstanden hatte, mit dem Laptop.

Die Rumpelkammer war schon immer sein Reich gewesen. Als er noch klein war, besaß die Familie nur die drei Schlafzimmer im Altbau: Das große war für Mutter und Vater reserviert, Olga und Miranda schliefen im mittleren, und Kit in einem Kinderbettchen in der angrenzenden Rumpelkammer. Nach der Errichtung des Anbaus und nachdem Olga zum Studium fortgezogen war, konnte Kit das ehemalige Mädchenzimmer übernehmen. Dennoch war die Rumpelkammer immer seine »Bude« geblieben, in der er sich am wohlsten fühlte.

Das Mobiliar entsprach immer noch den Bedürfnissen eines Schülers: ein billiger Schreibtisch, ein Bücherregal, ein kleiner Fernsehapparat und ein Sitzmöbel, das als »Schlafsessel« bezeichnet wurde, denn es ließ sich zu einem schmalen Bett ausklappen. Oft hatte es Schulfreunden, die bei ihm übernachteten, als Lager gedient. Als er sich jetzt an den Schreibtisch setzte, musste er unwillkürlich an die vielen öden Stunden denken, die er hier über den Hausaufgaben zugebracht hatte – Erdkunde, Biologie, Könige des Mittelalters und unregelmäßige Verben. *Ave, Caesar!* Er hatte so viel gelernt – und alles längst vergessen.

Er nahm die Chipkarte, die er seinem Vater gestohlen hatte, zur Hand und steckte sie in das Schreib-Lese-Gerät. Der obere Teil sah aus dem Schlitz heraus, und es waren deutlich die aufgedruckten

Worte *Oxenford Medical* zu erkennen. Hoffentlich kommt jetzt keiner rein, dachte Kit. Die übrigen Mitglieder der Familie hielten sich in der Küche auf, wo Lori gerade *osso bucco* nach Mamma Martas berühmtem Rezept zubereitete. Kit konnte den Oregano riechen. Daddy hatte eine Flasche Sekt geöffnet. Inzwischen waren sie so weit, dass sie Geschichten erzählten, die mit den Worten »Wisst ihr noch, wie …« begannen.

Der Chip auf der Karte enthielt Detailangaben zu Vaters Fingerabdruck. Es handelte sich nicht bloß um ein einfaches Bild, denn das wäre zu leicht zu fälschen gewesen – ein Foto des Fingers hätte einen normalen Scanner täuschen können. Stattdessen hatte Kit eine Vorrichtung erfunden, die durch die Messung winziger elektrischer Spannungsunterschiede zwischen den Erhebungen und Vertiefungen fünfundzwanzig Punkte des Fingerabdrucks erfasste. Außerdem hatte er ein Programm zur Codierung der Daten entwickelt. In Kits Wohnung standen mehrere Prototypen des Fingerabdruck-Scanners, und er hatte natürlich auch eine Kopie von seiner eigenen Software behalten.

Er gab dem Laptop den Befehl, die Karte zu lesen. Die einzige Gefahr lag darin, dass irgendwer bei Oxenford Medical – Toni Gallo zum Beispiel – auf die Idee gekommen war, die Software zu modifizieren, sodass Kits Programm nicht mehr funktionieren würde und ein neuer Zugangscode erforderlich war, um die Karte zu lesen. Zwar war es höchst unwahrscheinlich, dass sich jemand diese teure Mühe gemacht hatte, nur um einem Risiko vorzubeugen, welches für jeden normalen Menschen eher im Reich der Fantasie anzusiedeln war – aber hundertprozentig auszuschließen war es eben nicht. Nigel gegenüber hatte Kit dieses potenzielle Problem nicht erwähnt.

Sekundenlang starrte er besorgt auf den Bildschirm. Dann endlich flackerte er und präsentierte eine Seite mit codierten Daten: die Angaben zu Stanleys Fingerabdrücken. Kit seufzte erleichtert auf und speicherte die Datei ab.

In diesem Augenblick ging die Tür auf, und seine Nichte Caroline betrat den Raum. Sie hatte natürlich eine Ratte dabei.

Caroline kleidete sich jünger, als sie war. Sie trug ein geblümtes

Kleid und weiße Strümpfe. Die Ratte hatte weißes Fell und rosa Augen. Caroline setzte sich in den Schlafsessel und streichelte ihren Liebling.

Kit unterdrückte einen Fluch. Er konnte seiner Nichte kaum sagen, dass er in Ruhe gelassen werden wollte, weil er mit etwas beschäftigt war, das niemanden etwas anging. Andererseits konnte er, solange sie im Zimmer saß, nicht weiterarbeiten.

Das Mädchen hatte ihn immer nur gestört. Von klein auf hatte Caroline ihren jungen Onkel Kit vergöttert. Schon als Junge war ihm das bald auf die Nerven gegangen, weil sie die Angewohnheit hatte, ihm auf Schritt und Tritt zu folgen. Doch sie ließ sich nur schwer abschütteln.

Er versuchte es auf die nette Art. »Na, wie geht's der Ratte?«, fragte er.

»Er heißt Leonard«, antworte Caroline mit leicht vorwurfsvollem Unterton.

»Aha, Leonard. Wo hast du ihn her?«

»Aus dem Tierladen in der Sauchiehall Street.« Sie ließ die Ratte los, und das Tier lief ihren Arm hinauf und hockte sich auf die Schulter.

Kit hielt das Mädchen für verrückt – schleppte sie da eine Ratte mit sich herum wie ein Baby! Caroline sah mit ihren langen schwarzen Haaren und den buschigen schwarzen Augenbrauen wie ihre Mutter Olga aus, doch während Olga ausgebufft und spröde war, war Caroline noch mehr als feucht hinter den Ohren. Aber sie war ja auch erst siebzehn, das konnte sich noch auswachsen.

Hoffentlich ist sie so sehr mit sich und ihrer Ratte beschäftigt, dass ihr die Aufschrift »Oxenford Medical« auf der Chipkarte im Lesegerät nicht auffällt, dachte er. Selbst Caroline musste es merkwürdig vorkommen, dass er neun Monate nach seiner Entlassung aus dem Kreml noch eine Chipkarte besaß, mit der er sich Zugang zur Firma beschaffen konnte.

»Was machst du da?«, fragte sie.

»Ich arbeite. Ich muss den Job noch heute fertig kriegen.« Am liebsten hätte er die Karte aus dem Lesegerät gerissen und weggesteckt, aber er hatte Angst, Caroline dadurch erst darauf aufmerksam zu machen.

»Ich stör dich nicht, mach ruhig weiter.«

»Ist unten nichts los?«

»Mama und Tante Miranda stopfen im Wohnzimmer gerade die Geschenke in die Strümpfe, deshalb haben sie mich rausgeschmissen.«

»Ach so.« Er wandte sich wieder seinem Computer zu und stellte die Lesefunktion an. Sein nächster Schritt bestand darin, seinen eigenen Fingerabdruck zu scannen, aber das ging nicht, solange Caroline ihm dabei zusah. Auch wenn sie selbst vielleicht gar nicht verstand, was er da trieb, so konnte sie weitererzählen, was sie gesehen hatte, und ihre Gesprächspartner waren möglicherweise weniger naiv. Kit tat so, als studiere er intensiv den Bildschirm, doch in Wirklichkeit zermarterte er sich sein Hirn darüber, wie er sie loswerden konnte. Nach ungefähr einer Minute kam ihm eine Idee. Er täuschte einen Nieser vor.

»Gesundheit!«, sagte Caroline.

»Danke.« Er nieste noch einmal. »Weißt du was? Ich glaube, dass ich das dem lieben kleinen Leonard zu verdanken habe.«

»Wie denn das?«, fragte Caroline empört.

»Ich bin ein bisschen allergisch – und in einem so kleinen Raum ...«

Sie stand auf. »Wir wollen doch nicht, dass andere Leute unseretwegen niesen müssen, Lennie, oder?«, sagte sie und ging.

Dankbar schloss Kit die Tür hinter ihr, setzte sich wieder an den Computer und drückte den Zeigefinger seiner rechten Hand auf das Glas des Scanners. Das Programm untersuchte den Abdruck und kodierte die Merkmale. Kit sicherte die Datei.

Zum Schluss lud er die Angaben über seinen Fingerabdruck auf die Chipkarte und überschrieb damit die Daten seines Vaters. Niemand sonst hätte dies bewerkstelligen können, es sei denn, Kits Software hätte ihm zur Verfügung gestanden und dazu eine gestohlene Chipkarte mit dem richtigen Ortscode. Selbst wenn Kit das System noch einmal entwickelt hätte – er hätte sich nicht die Mühe gemacht, einen zusätzlichen Schutz gegen das Überschreiben der Daten einzubauen. Dieser Toni Gallo war allerdings auch das zuzutrauen. Wieder starrte er mit klopfendem Herzen auf den Bildschirm und rechnete schon fast mit einer Meldung, die ihm den Zugang verweigerte.

Aber es erschien keine solche Meldung. Diesmal hatte Toni ihn nicht ausgetrickst. Er prüfte die Daten noch einmal, um sicherzustellen, dass der Vorgang erfolgreich abgeschlossen war – und tatsächlich: Die Karte enthielt jetzt nicht mehr die verschlüsselten Fingerabdruckdaten seines Vaters, sondern seine eigenen. »Geschafft!«, sagte er laut und genoss still seinen Triumph.

Er zog die Karte wieder aus dem Gerät und steckte sie in die Tasche. Damit bekam er Zugang zum BSL-4-Labor. Wenn er dem Lesegerät am Eingang die Karte zeigte und seinen Finger auf die interaktive Oberfläche legte, würde der Computer die Daten auf der Karte lesen, mit dem Fingerabdruck vergleichen, Übereinstimmung feststellen und dann die Tür entriegeln.

Sobald er wieder auf der Farm war, wollte er die Prozedur wieder rückgängig machen – das heißt, die eigenen Fingerabdruckdaten löschen, jene von Stanley wieder aufspielen und dann irgendwann im Laufe des Vormittags die Chipkarte wieder in Vaters Brieftasche stecken. Im Kreml-Computer wäre dann gespeichert, dass Stanley Oxenford das BSL-4-Labor in den ersten Morgenstunden des 25. Dezember betreten hätte. Stanley würde natürlich protestieren und behaupten, er habe daheim im Bett gelegen. Toni Gallo aber würde der Polizei erzählen, wegen der Überprüfung des Fingerabdrucks könne nur er selbst die Karte benutzt haben. »Prächtig«, sagte Kit laut. Die Vorstellung, wie ratlos und verblüfft sie alle sein würden, bereitete ihm ein königliches Vergnügen.

Es gab biometrische Sicherheitssysteme, die Fingerabdrücke mit Daten verglichen, die in einem zentralen Computer gespeichert waren. Wäre im Kreml ein solches System installiert gewesen, so hätte Kit Zugang zu der entsprechenden Datenbank haben müssen. Aber Firmenangestellte hatten eine irrationale Abneigung gegen die Speicherung ihrer persönlichen Daten auf einem Computer des eigenen Unternehmens. Vor allem Wissenschaftler lasen oft den *Guardian* und zierten sich unter Hinweis auf ihre bürgerlichen Rechte und den Datenschutz. Kit hatte daher, um der Belegschaft das neue Sicherheitssystem schmackhaft zu machen, einen anderen Weg gewählt und die Fingerabdruckdaten auf der Chipkarte anstatt in einer zentralen Datenbank gespeichert – ohne dass er zum damaligen Zeitpunkt auch nur im Traum auf die Idee gekommen wäre, er könne eines Tages versuchen, das von ihm selbst entwickelte System auszutricksen.

Er war mit sich zufrieden. Der erste Schritt war getan. Er besaß jetzt einen Schlüssel für das BSL-4-Labor. Doch bevor ihm der etwas nutzen konnte, musste er erst einmal in den Kreml hineinkommen.

Er zog sein Handy aus der Tasche und wählte die Handynummer von Hamish McKinnon, einem der Werkschutzmänner, die heute im Kreml Dienst hatten. Hamish war der Dealer der Firma: Er versorgte die jüngeren Forscher mit Marihuana und die Sekretärinnen mit Ecstasy für ihre Wochenenden. Mit Heroin oder Crack hatte er nichts am Hut, weil er wusste, dass ihn über kurz oder lang ein Süchtiger verpfeifen würde. Kit hatte Hamish für heute Nacht zu seinem Vertrauten gemacht; er konnte sich seiner ziemlich sicher sein, denn der Mann hatte ja selber Geheimnisse, von denen er wollte, dass sie gewahrt blieben.

»Ich bin's«, sagte Kit, als Hamish sich meldete. »Kannst du reden?«

»Dir auch frohe Weihnachten, Ian, alter Kumpel!«, sagte Hamish gut gelaunt. »Wart 'ne Sekunde, ich geh mal kurz raus, das ist besser.«

»Alles in Ordnung?«

Hamishs Stimme klang jetzt sehr ernst. »Ja, aber sie hat die Wachen verdoppelt. Ich bin mit Willie Crawford auf Schicht.«

»Wo seid ihr positioniert?«

»Im Pförtnerhaus.«

»Perfekt. Ist alles ruhig?«

»Wie auf dem Friedhof.«

»Wie viele Wachen seid ihr insgesamt?«

»Sechs. Zwei hier, zwei an der Rezeption und zwei im Kontrollraum.«

»Okay. Das ist zu schaffen. Gib mir Bescheid, wenn irgendwas Unvorhergesehenes geschieht.«

»Okay.«

Kit beendete das Gespräch. Als Nächstes wählte er die Nummer, die ihm Zugang zum Telefoncomputer des Kreml verschaffte. Über diese Nummer konnte die Telefongesellschaft *Hibernian Telecom* bei Störfällen Ferndiagnosen stellen. Kit hatte eng mit HT zusammengearbeitet, da die installierten Alarmsysteme Telefonleitungen nutzten; von daher kannte er die Nummer und den Zugangscode. Auch hier war ein kritischer Moment zu überstehen, denn es war nicht auszuschließen, dass Nummer und Code in den neun Monaten seit seiner Entlassung geändert worden waren.

Aber das war nicht der Fall.

Kits Handy war mit seinem Laptop über einen Funkkontakt verbunden, der bis zu ca. fünfzehn Meter überbrücken konnte und sogar durch Mauern hindurch funktionierte, was später durchaus noch nützlich sein konnte. Über den Laptop stellte Kit nun eine Verbindung zum Zentralcomputer der Telefonanlage im Kreml her. Das System hatte Detektoren, die Einmischungen von außen registrierten, aber nicht Alarm schlugen, wenn dazu die firmeneigene Telefonleitung mit der entsprechenden Kennung benutzt wurde.

Als Erstes schaltete er alle Telefone im Kreml ab, ausgenommen jenes am Empfang.

Danach leitete er sämtliche Anrufe, die in den Kreml hineinkamen oder aus ihm hinausgingen, auf sein Handy um. Er hatte seinen Laptop bereits dahingehend programmiert, dass er die Nummern, die am ehesten in Frage kamen – wie jene Toni Gallos – erkannte. Der Computer konnte die Anrufe selbst beantworten oder den Anrufern vorgefertigte Antworten vorspielen, ja es war ihm sogar möglich, Anrufe weiterzuleiten und die Gespräche abzuhören.

Zum Schluss veranlasste Kit sämtliche Telefone im Kreml, fünf Sekunden lang zu klingeln, um die Wachen aufzuscheuchen. Dann unterbrach er die Leitung, setzte sich auf die Stuhlkante und wartete.

Er war sich ziemlich sicher, was nun geschehen würde. Die Wachen hatten eine Liste mit Personen, die in verschiedenen Notsituationen angerufen werden mussten. Ihre erste Reaktion würde ein Anruf bei der Telefongesellschaft sein.

Kit brauchte nicht lange zu warten. Sein Handy klingelte. Er ließ es klingeln und beobachtete den Bildschirm. Kurz darauf erschien eine Meldung: »Kreml ruft Toni.«

Damit hatte er nicht gerechnet. Der erste Anruf hätte eigentlich

HT gelten müssen. Aber Kit war auf alle Eventualitäten vorbereitet. Rasch aktivierte er eine für solche Fälle aufgenommene Ansage. Eine weibliche Stimme teilte dem Wachmann, der mit Toni sprechen wollte, mit, dass das Handy, das er angewählt habe, nicht angeschaltet oder nicht erreichbar war, und riet ihm, es später noch einmal zu versuchen. Der Wachmann legte auf.

Schon klingelte Kits Telefon erneut. Kit hoffte, dass die Wachen nun die Telefongesellschaft anrufen würden, sah sich aber auch diesmal enttäuscht. Auf dem Bildschirm erschien die Meldung: »Kreml ruft RPHQ.« Die Sicherheitscrew rief also bei der regionalen Polizeistation in Inverburn an. Das war durchaus in Kits Sinn. Er leitete den Anruf an die richtige Nummer weiter und hörte mit.

»Hier ist Steven Tremlett, Werkschutzleiter bei Oxenford Medical. Ich möchte einen ungewöhnlichen Zwischenfall melden.«

»Worum handelt es sich, Mr. Tremlett?«

»Kein großer Notfall, aber wir haben ein Problem mit unseren Telefonleitungen. Ich bin nicht sicher, ob unsere Alarmanlagen in diesem Fall funktionieren.«

»Ich hab's notiert. Können Sie die Leitungen reparieren lassen?«

»Ich rufe gleich beim Notdienst an, aber wann die am Heiligabend kommen, weiß der Himmel.«

»Sollen wir einen Streifenwagen schicken?«

»Wenn sonst nicht viel los ist. Wäre jedenfalls kein Fehler.«

Kit hoffte, die Polizei würde im Kreml vorbeischauen − sein Alibi klänge dann plausibler.

»Später, nach der Sperrstunde, wird einiges los sein, aber momentan ist alles ruhig«, erklärte der Polizist.

»Gut. Sagen Sie den Kollegen, ich hab 'ne Tasse Tee für sie.«

Das Gespräch war beendet. Kits Handy klingelte ein drittes Mal, und diesmal las er: »Kreml ruft HT.« Na endlich, dachte er erleichtert, denn auf diesen Anruf hatte er gewartet. Er drückte eine Taste und sagte in sein Telefon: »*Hibernian Telecom*. Kann ich Ihnen helfen?«

Steves Stimme meldete sich: »Hier ist Oxenford Medical. Wir haben ein Problem mit unserer Telefonanlage.«

Kit übertrieb seinen schottischen Dialekt, damit seine Stimme nicht erkannt wurde. »Ist das in der Greenmantle Road, Inverburn?«

»Ja.«

»Worin liegt das Problem?«

»Alle Telefonapparate sind tot, außer diesem hier, von dem ich spreche. Das Gebäude ist natürlich leer. Aber unsere Alarmanlagen sind an die Telefonleitungen angeschlossen. Wir müssen sicher sein, dass sie funktionieren.«

Just in diesem Augenblick betrat Kits Vater das Zimmer.

Kit erstarrte vor Schreck und kam sich vor, als wäre er wieder ein kleiner Junge und bei etwas Unerlaubtem ertappt worden. Stanley warf einen Blick auf den Computer und das Handy und zog die Brauen hoch. Kit riss sich zusammen. Ich bin kein kleines Kind mehr, dass Angst vor einer Strafpredigt hat, dachte er. Er bemühte sich, Ruhe zu bewahren, und sagte ins Telefon: »Ich rufe Sie in zwei Minuten zurück.« Dann drückte er eine Taste auf dem Keyboard des Laptops, und der Bildschirm wurde schwarz.

»Du arbeitest?«, fragte Stanley Oxenford.

»Ich muss noch was fertig machen.«

»An Weihnachten?«

»Ich habe versprochen, diese Software bis zum 24. Dezember zu liefern.«

»Inzwischen ist dein Kunde längst zu Hause, wie jeder vernünftige Mensch.«

»Aber sein Computer wird ihm sagen, dass ich ihm das Programm rechtzeitig vor Mitternacht zugemailt habe. Er kann also nicht behaupten, dass ich zu spät geliefert habe.«

Stanley lächelte und nickte. »Na gut – es freut mich, dass du so gewissenhaft bist.« Dann stand er sekundenlang wortlos da, obwohl unverkennbar war, dass er noch etwas auf dem Herzen hatte. Typisch Wissenschaftler, dachte Kit – lange Gesprächspausen machen ihnen nichts aus; bei ihnen zählt nur Genauigkeit.

Er wartete und versuchte mühsam, seine brennende Ungeduld zu bezähmen. Sein Handy klingelte.

»*Shit!*«, sagte er und ließ, an seinen Vater gewandt, sofort ein »*Sorry!*«

folgen. Ein Blick auf den Bildschirm verriet ihm, dass es diesmal kein umgeleiteter Anruf aus dem Kreml war, sondern Hamish McKinnon, der ihn von seinem eigenen Handy aus direkt anwählte. Ihn konnte er nicht ignorieren. Er drückte das Telefon ans Ohr, damit sein Vater auf keinen Fall mitbekam, was Hamish sagte. »Ja, bitte?«

»Alle Telefone sind kaputt!«

»Okay, damit war zu rechnen. Das ist Teil des Programms.«

»Du hast gesagt, ich soll dich anrufen, wenn etwas Ungewöhnliches …«

»Ja, das war auch ganz richtig so, aber ich muss jetzt Schluss machen. Danke dir.« Er beendete den Anruf.

»Ist unsere Auseinandersetzung jetzt wirklich beendet, mein Sohn?«, fragte Stanley.

Kit hasste diese Art von Gesprächen, bei denen immer davon ausgegangen wurde, dass beide Parteien das gleiche Maß an Schuld trugen. Aber er musste jetzt unbedingt wieder ans Telefon und widersprach deshalb nicht, sondern sagte nur: »Ja, ich denke schon.«

»Ich weiß, dass du dich ungerecht behandelt fühlst«, sagte sein Vater, als habe er seine Gedanken gelesen. »Die Logik dahinter ist mir zwar schleierhaft, aber ich akzeptiere, dass es sich so verhält. Auch ich habe das Gefühl, dass du mir gegenüber nicht fair warst. Aber wir sollten versuchen, das zu vergessen, und wieder Freunde sein.«

»Das meint Miranda auch.«

»Ich bin mir allerdings nicht sicher, ob du schon völlig darüber hinweg bist. Irgendetwas verschweigst du uns.«

Kit verschanzte sich hinter einer nichts sagenden Miene, um sich sein schlechtes Gewissen nicht anmerken zu lassen. »Ich tue mein Bestes«, sagte er. »Aber es ist nicht leicht.«

Stanley schien diese Antwort zu genügen. »Nun, mehr kann ich von dir wohl auch nicht verlangen«, sagte er, legte Kit die Hand auf die Schulter, beugte sich vor und küsste ihn auf die Stirn. »Ich kam, um dir zu sagen, dass das Abendessen gleich fertig ist.«

»Ich bin auch gleich fertig. In fünf Minuten komme ich runter.«

»Schön.« Sein Vater ging wieder.

Kit ließ sich in seinen Sessel sinken. Er zitterte, erfüllt von einer

Mischung aus Scham und Erleichterung. Sein Vater war ein kluger Mann, der sich keine Illusionen machte – und doch hatte er, Kit, das Verhör überstanden, obwohl es grauenhaft gewesen war.

Als seine Hände wieder einigermaßen ruhig waren, wählte er erneut die Nummer des Kremls.

Steve Tremlett meldete sich sofort. »Oxenford Medical«, sagte er.

»*Hibernian Telecom*«, antwortete Kit mit verstellter Stimme. Er kannte Tremlett nicht gut, und seit neun Monaten war er nicht mehr in der Firma gewesen. Dennoch durfte er kein Risiko eingehen. »Ich bekomme keinen Zugang zu Ihrem Zentralcomputer.«

»Das wundert mich gar nicht. Die Leitung ist eben auch tot. Sie müssen jemanden herschicken.«

Darauf hatte Kit spekuliert. Er musste aufpassen, dass Tremlett ihm seine Begeisterung nicht anhörte. »Es wird schwer sein, jemanden zu finden, der Ihnen am Heiligabend die Leitung repariert.«

»Kommen Sie mir nicht mit solchen Ausreden!« Steves Stimme verriet Ärger. »Sie haben uns garantiert, dass Sie jeden Fehler innerhalb von vier Stunden reparieren, und zwar rund um die Uhr, an jedem Tag des Jahres. Für diesen Service werden Sie von uns bezahlt. Es ist jetzt 19.55 Uhr, und ich zeichne diesen Anruf auf.«

»Schon gut, schon gut, regen Sie sich nicht auf. Ich schicke Ihnen so bald wie möglich ein paar Leute.«

»Das heißt wann?«

»Ich tue mein Bestes, dass bis Mitternacht jemand bei Ihnen ist.«

»Danke, wir warten.« Steve legte auf.

Kit legte sein Handy beiseite. Er schwitzte und wischte sich mit dem Ärmel über das Gesicht. So weit, so gut. Bis jetzt lief alles nach Plan.

Während des Abendessens im Speisezimmer ließ Stanley die Bombe platzen.

Miranda fühlte sich wohl. Das *osso bucco* war herzhaft und sättigend, und ihr Vater hatte dazu zwei Flaschen Brunello di Montepulciano geöffnet. Kit war ruhelos – wenn sein Handy klingelte, rannte er immer wieder die Treppe hinauf –, aber alle anderen waren entspannt. Die vier Kinder aßen schnell und verzogen sich dann wieder in die Scheune, um sich einen Film mit dem Titel *Scream II* auf DVD anzusehen. So kam es, dass am Ende sechs Erwachsene am Tisch saßen: Miranda und Ned, Olga und Hugo, Stanley Oxenford an der Schmalseite des Tisches und Kit ihm gegenüber. Lori schenkte Kaffee ein, während Luke die Geschirrspülmaschine füllte.

Und da sagte Stanley plötzlich: »Was würdet ihr davon halten, wenn ich mich nach einer neuen Frau umsehen würde?«

Niemand sagte ein Wort. Selbst Lori reagierte betroffen: Sie erstarrte beim Kaffee-Einschenken wie eine Salzsäule und guckte Stanley erschrocken an.

Miranda hatte schon so etwas Ähnliches geahnt – und empfand es trotzdem als beunruhigend, dass er es so unverblümt ansprach. »Ich nehme an, du sprichst von Toni Gallo«, sagte sie.

Er wirkte verblüfft und sagte: »Nein.«

»Was du nicht sagst!«, warf Olga ein.

Miranda glaubte ihm genauso wenig, aber sie nahm davon Abstand, ihrem Vater direkt zu widersprechen.

»Wie dem auch sei«, fuhr er fort. »Ich meine keine bestimmte Person, sondern mir geht es ganz allgemein ums Prinzip. Mamma Marta ist seit anderthalb Jahren tot – sie ruhe in Frieden. Fast vier Jahrzehnte lang war sie die einzige Frau in meinem Leben. Ich bin jetzt sechzig und habe vielleicht noch zwanzig oder dreißig Jahre vor mir, die ich nicht unbedingt allein verbringen möchte.«

Loris Blick verriet ihre Empörung. Er ist nicht allein, schien sie sagen zu wollen, er hat ja mich und Luke.

Olga reagierte patzig. »Was fragst du uns? Du brauchst doch wohl nicht unsere Genehmigung, wenn du mit deiner Sekretärin pennen willst. Oder mit wem immer.«

»Ich bitte euch nicht um Erlaubnis. Ich möchte wissen, was ihr davon hieltet, *wenn* es geschehen würde. Im Übrigen wird es gewiss nicht meine Sekretärin sein, denn Dorothy ist sehr glücklich verheiratet.«

Miranda meldete sich zu Wort, hauptsächlich um zu verhindern, dass Olga ihrem Unmut freien Lauf ließ. »Ich glaube, es würde uns allen nicht leicht fallen, dich mit einer anderen Frau in diesem Haus zu sehen, Daddy. Aber wir wollen, dass du glücklich bist, und ich denke, wir würden uns alle Mühe geben, eine Frau, die du liebst, in unserem Kreis willkommen zu heißen.«

Stanley verzog das Gesicht und sah sie an: »Klingt nicht gerade nach begeisterter Zustimmung, aber ich danke dir dafür, dass du dich bemühst, der Sache einen positiven Aspekt abzugewinnen.«

»Von mir kriegst du so was nicht zu hören«, sagte Olga. »Mein Gott, was sollen wir dazu schon sagen? Willst du diese Frau heiraten oder was? Willst du vielleicht noch Kinder in die Welt setzen?«

»Ich will überhaupt niemanden heiraten«, erwiderte Stanley unwirsch. Olga ärgerte ihn, weil sie sich weigerte, die Diskussion auf der Ebene zu führen, die er für richtig hielt. Mamma Marta hatte ihn auf genau dieselbe Art reizen können. »Aber ausgeschlossen ist gar nichts«, setzte er hinzu.

»Das ist doch unerhört!«, polterte Olga. »Als Kind habe ich dich kaum je zu Gesicht bekommen. Du warst doch immer in deinem Labor. Mamma und ich waren von morgens halb acht bis abends um neun mit der kleinen Mandy allein zu Haus. Wir sind in einer Alleinerzieher-Familie aufgewachsen, und das alles nur um deiner Karriere willen! Damit du deine Schmalband-Antibiotika, dieses Mittel gegen Geschwüre und diese Anticholesterinpille erfinden und reich und berühmt werden konntest. Ich will jetzt endlich meinen Lohn für das Opfer, das ich gebracht habe.«

»Du hast eine sehr teure Ausbildung bekommen«, sagte Stanley.

»Das reicht mir nicht. Ich möchte, dass meine Kinder das Geld erben, das du verdient hast – und nicht, dass sie es mit einem Haufen Bälger teilen müssen, geworfen von irgendeiner Nutte mit nix im Kopf als einem raffinierten Plan, wie man einen Witwer um den Finger wickelt.«

Miranda stieß einen Protestschrei aus.

Auch Hugo war peinlich berührt und sagte: »Red doch nicht so um den heißen Brei herum, liebste Olga, sondern komm auf den Punkt.«

Stanleys Miene verdüsterte sich. »Ich habe nicht die Absicht, *irgendeiner Nutte* den Hof zu machen.«

Olga sah ein, dass sie zu weit gegangen war. »War nicht so gemeint«, sagte sie, und für ihre Verhältnisse kam das einer Entschuldigung gleich.

»So ein großer Unterschied wäre es ohnehin nicht«, flachste Kit. »Mamma Marta war groß, sportlich, keine Intellektuelle und italienischer Herkunft. Toni Gallo ist groß, sportlich, keine Intellektuelle und spanischer Herkunft. Ich frage mich, ob sie gut kochen kann …«

»Sei doch kein Dummkopf«, beschied ihn Olga. »Der Unterschied besteht darin, dass Toni in den letzten vierzig Jahren nicht zu unserer Familie gehörte. Sie gehört nicht zu uns, sie ist ein Eindringling.«

»Schimpf du mich keinen Dummkopf, Olga!«, fauchte Kit. »Ich kann wenigstens noch sehen, was sich direkt vor meiner Nase abspielt.«

Miranda stockte das Herz. Worauf spielte er an?

Olga schien sich die gleiche Frage zu stellen: »Was spielt sich direkt vor meiner Nase ab und ich sehe es nicht?«

Miranda warf Ned einen heimlichen Seitenblick zu. Sie fürchtete, er könne sie später fragen, was Kit gemeint habe. Es kam öfter vor, dass ihm solche subtilen Dinge auffielen.

Kit machte einen Rückzieher. »Spart euch euer Kreuzverhör, das ist einfach lästig.«

»Machst du dir denn keine Gedanken über deine finanzielle Zukunft?«, fragte Olga Kit. »Dein Erbe steht doch genauso auf dem Spiel wie meines. Bist du so reich, dass dir das völlig gleichgültig ist?«

Kit lachte amüsiert. »Ja, genau so ist es.«

Miranda wandte sich an Olga: »Findest du nicht, dass du ein bisschen selbstsüchtig bist?«

»Na und? Daddy hat uns nach unserer Meinung gefragt.«

»Ich dachte mir, euch wäre es vielleicht unangenehm, wenn eine andere Frau den Platz eurer Mutter einnähme«, sagte Stanley. »Aber dass eure Hauptsorge meinem Testament gilt, darauf wäre ich nie gekommen.«

Es tat Miranda weh, wie mit ihrem Vater umgegangen wurde. Mehr aber noch machte sie sich Gedanken darüber, was Kit im Schilde führte. Geheimnisse zu bewahren war schon als Kind nicht seine Stärke gewesen. Die Schwestern hatten alles vor ihm verbergen müssen, was andere nichts anging. Wenn sie ihn ins Vertrauen zogen, wusste Mamma Marta innerhalb von fünf Minuten Bescheid. Und jetzt kannte er Mirandas dunkelstes Geheimnis. Er war zwar kein Kind mehr, aber andererseits auch nie richtig erwachsen geworden. Das war gefährlich.

Mirandas Herz schlug wie eine Buschtrommel. Wenn ich mich an dem Gespräch beteilige, kann ich ihm vielleicht eine andere Richtung geben, dachte sie und wandte sich wieder an Olga. »Worauf es ankommt, ist, dass die Familie zusammenhält. Egal, wie Daddy sich entscheidet, wir dürfen uns dadurch nicht auseinander dividieren lassen.«

»Halt du mir keine Vorträge über Familienbande«, erwiderte Olga wütend. »Red lieber mit deinem Bruder darüber.«

»Lasst meinen Fall aus dem Spiel!«, sagte Kit.

»Ich möchte nicht, dass diese alte Geschichte wieder aufgewärmt wird«, warnte Stanley.

Aber Olga ließ nicht locker. »Aber *er* ist es doch, der mit seinen krummen Touren die Familie fast auf den Hund gebracht hat.«

»Leck mich am Arsch, Olga!«, sagte Kit.

»Ich darf doch bitten!«, sagte Stanley mit fester Stimme. »Wir können eine leidenschaftliche Diskussion führen, ohne uns zu Beleidigungen und Obszönitäten hinreißen zu lassen.«

»Nun hab dich mal nicht so, Daddy!«, schimpfte Olga. Sie war wütend, weil Miranda sie selbstsüchtig genannt hatte, und musste unbedingt zurückschlagen. »Was kann denn für den Zusammenhalt einer Familie gefährlicher sein als ein Dieb in den eigenen Reihen?«

Scham und Wut trieben Kit das Blut ins Gesicht. »Ich werd euch was erzählen«, sagte er.

Miranda wusste, was jetzt kommen würde. Entsetzt streckte sie Kit ihren Arm entgegen, um ihm Einhalt zu gebieten. »Ich bitte dich, Kit, beruhige dich«, sagte sie flehentlich.

Er hörte ihr nicht zu. »Ich werde euch jetzt erzählen, was für die Familie noch gefährlicher sein könnte.«

Miranda brüllte ihn an: »Kit, halt jetzt bloß deinen Mund!«

Stanley spürte, dass es da etwas gab, wovon er noch nichts wusste. Er konnte sich keinen Reim darauf machen und runzelte die Stirn. »Wovon redet ihr?«

»Ich rede von einer Person ...«, begann Kit.

Miranda stand auf. »Nein!«

»... die mit ...«

Miranda ergriff ein Glas Wasser und schüttete Kit den Inhalt ins Gesicht.

Schlagartig verstummte das Gespräch.

Kit wischte sich sein Gesicht mit seiner Serviette ab. Während alle noch erschrocken schwiegen und ihn anstarrten, vollendete er seinen Satz: »... dem Ehemann ihrer Schwester schläft.«

Olga wusste beim besten Willen nicht, woran sie war. »Das ist doch Unfug. Ich habe nie mit Jasper geschlafen – oder mit Ned.«

Miranda verbarg ihr Gesicht in den Händen.

»Ich rede nicht von dir«, sagte Kit.

Olga sah Miranda an. Miranda nahm die Hände vom Gesicht, wandte aber den Blick ab.

Lori, die noch immer mit der Kaffeekanne in der Hand dastand, hielt vernehmbar die Luft an. Die Erkenntnis traf sie wie ein Schock.

»Herr im Himmel!«, sagte Stanley. »Das hätte ich mir nicht vorstellen können.«

Miranda sah Ned an. Auch er war entsetzt. »Stimmt das?«, fragte er. Miranda antwortete nicht.

Olga drehte sich zu Hugo um. »Du und meine Schwester?«

Er versuchte es mit seinem Lausbubengrinsen, worauf Olga ausholte und ihm ins Gesicht schlug. Es klang hart, eher nach Boxhieb als Ohrfeige. »Au!«, schrie er und zuckte heftig zurück.

»Du lausiger, verlogener…« Olga rang nach Worten. »Du Wurm! Du Schwein! Du Schweinehund! Du Scheißkerl…« Und dann ging sie auf Miranda los. »Du auch!«

Miranda wagte es nicht, sie anzusehen. Sie starrte auf die Tischplatte. Direkt vor ihr stand eine kleine Kaffeetasse aus feinem weißen Porzellan mit einem blauen Streifen; sie gehörte zu Mamma Martas Lieblingsservice.

»Wie konntest du?«, röhrte Olga. »Wie konntest du nur?«

Miranda würde versuchen, es ihr zu erklären. Irgendwann einmal. Doch alles, was sie jetzt sagen könnte, klänge unweigerlich nach Ausrede. Also schüttelte sie nur den Kopf.

Olga stand auf und verließ den Raum.

Hugo sah ihr dümmlich nach. »Ich glaube, es ist besser, ich…«, sagte er und folgte ihr.

Stanley bemerkte erst jetzt, dass Lori noch immer neben dem Tisch stand und ihr kein Wort entging. Arg verspätet sagte er zu ihr: »Lori, Sie helfen Luke jetzt besser in der Küche.«

Sie fuhr hoch, als habe man sie aufgeweckt. »Jawohl, Professor Oxenford.«

Stanley wandte sich an Kit: »Das war ein starkes Stück.« Seine Stimme zitterte vor Wut.

»Ja? Ach so, ja, ich bin schuld…«, murrte Kit. »Hab ich vielleicht mit Hugo geschlafen, he?« Er schmiss seine Serviette auf den Tisch und stapfte hinaus.

Ned saß da wie vom Donner gerührt. »Ähem…«, sagte er. »Entschuldigen Sie mich bitte.« Mit diesen Worten verschwand auch er.

Zurück blieben nur Miranda und ihr Vater. Stanley stand auf, ging zu ihr und legte ihr die Hand auf die Schulter. »Sie werden sich alle irgendwann beruhigen«, sagte er. »Es ist schlimm, aber es geht vorüber.«

Sie drehte sich zu ihm und presste ihr Gesicht in den weichen Stoff seiner Weste. »O Daddy, es tut mir ja so Leid«, sagte sie und begann zu weinen.

Das Wetter wurde immer schlimmer. Schon die Hinfahrt zum Altersheim hatte sich in die Länge gezogen, doch die Rückfahrt ging noch langsamer vonstatten. Die dünne, von Autoreifen festgefahrene Schneeschicht auf der Straße hatte sich nicht in Schneematsch verwandelt, sondern war gefroren. Ängstliche Fahrer schlichen nur noch im Schritttempo dahin und hielten alle anderen auf. Tonis roter Porsche Boxster war zwar das richtige Fahrzeug, um Schleicher zu überholen, aber die rutschigen Straßenverhältnisse waren nicht unbedingt sein Metier, und so konnte Toni nicht viel tun, um schneller ans Ziel zu kommen.

Ihre Mutter saß zufrieden auf dem Beifahrersitz. Sie trug einen grünen Wollmantel und einen Filzhut und war Bella nicht im Geringsten böse. Toni ärgerte das ein wenig, und sie schämte sich dieses Gefühls. In ihrem tiefsten Inneren wünschte sie sich, Mutter wäre ebenso wütend auf Bella, wie sie, Toni, es war. Es wäre ihr eine Genugtuung gewesen. Mutter aber schien zu glauben, Toni habe sie so lange warten lassen.

»Bist du dir eigentlich darüber im Klaren, dass Bella dich schon vor ein paar Stunden hätte abholen sollen?«, hatte sie sie leicht verärgert gefragt.

»Aber ja doch, mein Kind, aber deine Schwester hat eben eine Familie, um die sie sich kümmern muss.«

»Und ich habe einen verantwortungsvollen Job.«

»Ich weiß, ich weiß, dein Kinderersatz.«

»Also darf Bella dich versetzen, ich aber nicht?«

»So ist es, mein Kind.«

Toni versuchte, dem Beispiel ihrer Mutter zu folgen und alles großherzig zu verzeihen. Aber immer wieder musste sie an ihre Freunde im Hotel denken, die im Jacuzzi saßen, sich mit Wortspielereien vergnügten oder vor einem großen Kaminfeuer Kaffee tranken. Charles und Damien würden ihr Schwulsein immer ulkiger zur Schau stellen, je weiter der Abend voranschritt und je mehr sie sich entspannten. Michael würde Geschichten von seiner Mutter erzählen, einem irischen Feuerkopf von geradezu legendärem Ruhm in ihrer Heimatstadt Liverpool, und Bonnie würde Anekdoten aus Studententagen zum Besten geben, über die unmöglichen Situationen, die sich immer wieder daraus ergeben hatten, dass sie und Toni die einzigen weiblichen Wesen an einer Fakultät für Maschinenbau mit dreihundert Studenten waren.

Alle amüsieren sie sich königlich, dachte Toni, und ich fahre hier mit meiner Mutter durch den Schnee ... Ach was, hör auf zu jammern! Du bist erwachsen, und Erwachsene haben eben ihre Pflichten. Wer weiß, wie lange Mutter noch lebt? Du solltest froh sein über jede Minute, die du sie noch hast ...

Wenn sie an Stanley dachte, fiel es ihr schwerer, auch die gute Seite zu sehen. Sie hatte sich ihm an diesem Vormittag so nahe gefühlt – und jetzt war die Kluft zwischen ihnen größer als der Grand Canyon. Hab ich ihn zu sehr gedrängt, fragte sie sich immer wieder. Kam das etwa so rüber, als ob ich von ihm verlangen würde, dass er sich zwischen mir und seiner Familie entscheidet? Vielleicht hätte er sich gar nicht zu einer Entscheidung gezwungen gesehen, wenn ich ein bisschen zurückhaltender gewesen wäre?

Andererseits hatte sie sich ihm ja auch nicht direkt an den Hals geworfen, und wenn man als Frau einem Mann nicht ein bisschen Mut machte, brachte er den Mund vielleicht nie auf.

Kein Grund zum Katzenjammer, dachte sie. Du hast ihn verloren, und das war's dann eben.

Vor ihnen schimmerten die Lichter einer Tankstelle durch die Nacht. »Musst du mal zur Toilette, Mutter?«, fragte sie.

»Ja, bitte.«

Toni bremste und stoppte vor einer Zapfsäule. Sie füllte den Tank auf und half ihrer Mutter dann hinaus. Während sie zahlte, verschwand

Mutter in der Toilette. Als Toni zum Wagen zurückkehrte, klingelte ihr Handy. Der Kreml, schoss es ihr durch den Kopf. Schnell riss sie das Telefon ans Ohr. »Toni Gallo.«

»Hier spricht Stanley Oxenford.«

»Oh!« Das war eine Überraschung, mit der sie nicht im Entferntesten gerechnet hatte.

»Ich hoffe, ich rufe nicht zu einem unpassenden Zeitpunkt an«, sagte er höflich.

»Nein, nein, nein«, sagte sie schnell und glitt auf den Fahrersitz. »Ich dachte, der Anruf käme vielleicht aus dem Kreml, und fürchtete schon, es gebe dort Probleme.« Sie schloss die Tür.

»Dort ist alles in Ordnung, soweit ich weiß«, sagte er. »Wie gefällt es Ihnen in Ihrem Wellness-Hotel?«

»Ich bin woanders.« Sie erzählte ihm kurz, was geschehen war.

»Das muss ja eine bittere Enttäuschung für Sie sein.«

Ihr Herz schlug schneller – und das aus keinem sehr guten Grund. »Und Sie? Wie geht es Ihnen, ist alles in Ordnung?« Sie fragte sich, warum er sie angerufen hatte, und behielt dabei das hell erleuchtete Toilettenhäuschen im Auge. So, wie es aussah, ließ ihre Mutter sich Zeit.

»Das Abendessen im Kreise der Familie endete mit einem großen Streit. Nicht, dass mir dergleichen völlig unbekannt wäre – Auseinandersetzungen kommen bei uns durchaus vor.«

»Worum ging es denn?«

»Wollen Sie das wirklich wissen?«

Und warum ruft er mich dann an, dachte Toni. Dass Stanley ohne jeden konkreten Anlass telefonierte, war äußerst ungewöhnlich für ihn. Normalerweise war er so konzentriert, dass man das Gefühl hatte, er habe eine Themenliste vor sich liegen, die er abarbeiten wolle.

»Um es kurz zu machen: Kit hat uns allen enthüllt, dass Miranda mit Hugo geschlafen hat – mit dem Mann ihrer Schwester.«

»Ach du meine Güte!« Toni sah sie alle vor sich: Kit, gut aussehend und voller Schadenfreude; die hübsche rundliche Miranda; Hugo, dieser Casanova im Westentaschenformat, und die formidable Olga. Das war schon eine heiße Geschichte – aber dass Stanley sie ihr erzählte, verwunderte Toni noch mehr. Wieder einmal behandelte er sie, als wären sie gute, intime Freunde. Andererseits misstraute sie diesem Eindruck. Wenn ich mir neue Hoffnungen mache, wird er sie wieder zerstören, dachte sie. Trotzdem wollte sie das Gespräch nicht beenden und fragte daher: »Was halten Sie davon?«

»Nun ja, Hugo war schon immer ein Schlawiner. Nach zwanzig Jahren Ehe sollte Olga ihn eigentlich kennen. Sie fühlt sich gedemütigt und tobt jetzt natürlich – ich höre in diesem Augenblick, wie sie ihn anschreit –, aber ich glaube, sie wird ihm am Ende vergeben. Miranda hat mir den Hintergrund der Angelegenheit geschildert. Sie hatte kein längeres Verhältnis mit ihm. Ein einziges Mal hat sie mit ihm geschlafen, in einer depressiven Phase nach dem Scheitern ihrer Ehe, und seither schämt sie sich jeden Tag dafür. Ich denke, dass Olga ihr schließlich auch verzeihen wird. Wer mich mehr bekümmert, ist Kit.« Seine Stimme wurde traurig. »Ich habe mir immer einen mutigen, prinzipienfesten Sohn gewünscht, der zu einem aufrechten, ehrlichen Mann heranwächst und von aller Welt respektiert werden kann. Aber Kit ist leider hinterhältig und schwach.«

Toni ging plötzlich auf, dass Stanley mit ihr sprach, wie er vermutlich mit Marta gesprochen hätte. Nach einem Familienstreit wie diesem wären die beiden zu Bett gegangen und hätten über die jeweilige Rolle ihrer Kinder diskutiert. Er vermisst seine Frau und macht mich zu seiner Ersatz-Vertrauten ... Tonis anfängliche Begeisterung über seinen Anruf schwand, ja sie schlug sogar in Verärgerung um. Er hat nicht das Recht, mich so zu missbrauchen, das ist Ausbeutung, dachte sie. Außerdem muss ich langsam einmal nachsehen, was mit Mutter los ist ...

Sie wollte es ihm gerade mitteilen, als er sagte: »Aber ich sollte Sie nicht mit all diesen Dingen belasten. Ich rufe aus einem ganz anderen Grund an.«

Das klingt schon eher wie der alte Stanley, dachte sie. Mutter wird schon noch ein paar Minuten allein zurechtkommen ...

»Darf ich Sie in den Tagen nach Weihnachten einmal zum Abendessen einladen?«, fragte er.

Was soll denn das jetzt, dachte Toni und sagte: »Ja, natürlich dürfen Sie.« Was hatte das zu bedeuten?

»Sie wissen ja, wie wenig ich von Männern halte, die ihren weiblichen Angestellten Avancen machen. Sie bringen die Frauen damit in eine äußerst schwierige Lage. Wenn ich nein sage, denken sie, schadet das womöglich meiner Karriere.«

»Solche Befürchtungen sind mir fremd«, erwiderte Toni ein wenig steif. Sollte das heißen, dass die Einladung *nicht* als »Avance« zu verstehen war und sie sich keine Sorgen zu machen brauchte? Sie hatte das Gefühl, dass ihr die Atemluft knapp wurde, und musste sich anstrengen, normal zu klingen. »Es würde mich sehr freuen, mit Ihnen essen gehen zu können.«

»Mir ist unser Gespräch heute Morgen auf den Klippen nicht aus dem Kopf gegangen.«

Mir auch nicht, dachte sie.

»Ich habe da etwas zu Ihnen gesagt, was ich seither zutiefst bedauere.«

»Und was...« Jetzt blieb ihr wirklich fast die Luft weg. »Und was war das?«

»Dass ich Ihre Frage, ob ich mir vorstellen könnte, eine neue Familie zu gründen, schlankweg verneint habe.«

»Sie meinten das nicht so?«

»Ich habe das gesagt, weil ich... weil ich plötzlich Angst bekommen hatte. Seltsam, nicht wahr? Dass man in meinem Alter noch Angst hat...«

»Angst wovor?«

Nach langer Pause antwortete er: »Vor meinen Gefühlen.«

Toni hätte um ein Haar ihr Handy fallen lassen. Sie spürte, wie sie vom Hals aufwärts errötete. »Gefühlen...«, wiederholte sie.

»Wenn Ihnen dieses Gespräch furchtbar peinlich ist, brauchen Sie es mir bloß zu sagen. Ich werde nie wieder darauf zurückkommen.«

»Reden Sie weiter.«

»Als Sie erwähnten, dass Osborne Sie gebeten habe, mit ihm auszugehen, war mir klar, dass Sie nicht ewig Single bleiben würden, ja dass diese Phase möglicherweise bald zu Ende gehen wird... Aber bitte...« Er zögerte. »Bitte sagen sie es mir sofort, wenn Sie der Meinung sind, dass ich mich wie ein totaler Narr verhalte, und machen Sie diesem Elend ein Ende.«

»Nein...« Toni schluckte. Es fällt ihm extrem schwer, dachte sie, aber wahrscheinlich hat er seit vierzig Jahren kein solches Gespräch mehr mit einer Frau geführt. Ich muss ihm helfen, muss ihm klar und deutlich zu verstehen geben, dass ich mich nicht beleidigt fühle. »Nein«, sagte sie, »Sie verhalten sich nicht wie ein totaler Narr.«

»Ich hatte heute Vormittag den Eindruck, dass Sie mir... gewisse Sympathien entgegenbringen, und das machte mir Angst. Aber sagen Sie, ist es überhaupt richtig, dass ich Ihnen all dies erzähle? Ich wünschte, ich könnte Ihr Gesicht sehen.«

»Ich bin sehr froh«, sagte Toni mit leiser Stimme. »Ich bin sehr, sehr glücklich.«

»Wirklich?«

»Ja.«

»Wann kann ich Sie sehen? Es gibt noch viel, worüber ich mit Ihnen sprechen möchte.«

»Ich bin mit meiner Mutter unterwegs. Wir befinden uns gerade an einer Tankstelle, und in diesem Augenblick sehe ich, wie meine Mutter aus der Toilette kommt.« Toni stieg aus dem Wagen, das Telefon noch immer am Ohr. »Sprechen wir morgen Vormittag miteinander.«

»Bitte hängen Sie jetzt nicht auf. Es gibt noch so vieles zu sagen.«

Toni winkte ihrer Mutter zu und rief: »Hier! Hier bin ich!« Mutter hörte sie und drehte sich um. Toni hielt ihr die Beifahrertür auf, half ihr beim Einsteigen und sagte: »Ich beende gerade noch das Telefongespräch.«

»Wo sind Sie?«, fragte Stanley.

Toni schloss die Tür. »Nur etwa fünfzehn Kilometer westlich von Inverburn. Aber man kommt nur furchtbar langsam voran.«

»Ich möchte Sie morgen sehen. Wir haben beide unsere familiären Verpflichtungen – aber auch das Recht auf ein wenig Zeit für uns selbst.«

»Wir finden schon eine Möglichkeit.« Sie öffnete die Fahrertür. »Aber ich muss jetzt weiter – meiner Mutter wird allmählich kalt.«

»Bis dann«, sagte Stanley. »Rufen Sie mich an, sobald Sie wollen. Jede Zeit ist mir recht, jede.«

»Bis dann!« Toni schaltete das Handy ab und stieg wieder ein.

»Na, das ist aber ein strahlendes Lächeln«, sagte Mutter. »Du bist ja auf einmal bester Laune! Wer war denn das, der dich da angerufen hat – ein netter Mensch?«

»Ja«, sagte Toni. »Ein *sehr* netter Mensch.«

Ungeduldig wartete Kit in seinem Zimmer darauf, dass sich die anderen Bewohner des Hauses endlich zur Ruhe begaben. Er musste sich so schnell wie möglich auf den Weg machen, doch wenn jemand hörte, wie er das Haus verließ, war alles verloren. Also zwang er sich dazu, auszuharren.

Er saß an dem alten Schreibtisch in der Rumpelkammer. Sein Laptop war noch immer am Netz, um die Batterien zu schonen: Er wurde im Lauf der Nacht noch gebraucht. Kits Handy steckte in seiner Tasche.

Er hatte noch drei Anrufe aus dem beziehungsweise in den Kreml manipulieren müssen. Zwei davon waren harmlose Privatgespräche für Werkschutzmitarbeiter, die er durchlassen konnte. Der dritte Anruf war ein Gespräch aus dem Kreml nach Steepfall. Kit vermutete, dass Steve Tremlett Stanley über die Probleme mit der Telefonanlage unterrichten wollte, nachdem er Toni Gallo nicht hatte erreichen können. Kit hatte eine vorgefertigte Ansage abgespielt, die dem Anrufer mitteilte, dass der Anschluss gestört sei.

Er wartete und lauschte nervös auf die Geräusche des Hauses. Er hörte, wie sich Olga und Hugo im Schlafzimmer nebenan stritten. Olga nahm ihren Mann mit einem Sperrfeuer an Fragen und Behauptungen unter Beschuss, worauf Hugo mit kriecherischer Unterwürfigkeit, flehentlichen Bitten, Überredungsversuchen, Spott und neuerlicher Unterwürfigkeit reagierte. Unten in der Küche klapperten Luke und Lori noch ungefähr eine halbe Stunde mit Kochtöpfen und Geschirr, dann machten sie sich auf den Weg in ihr anderthalb Kilometer entferntes Häuschen, und die Tür fiel hinter ihnen ins Schloss. Die Kinder waren in der Scheune, während Miranda und Ned sich vermutlich ins Gästehaus zurückgezogen hatten. Der Letzte, der zu Bett ging, war Stanley. Er war noch ins Arbeitszimmer gegangen, hatte die Tür hinter sich geschlossen und einen Anruf getätigt, was man an den anderen Anschlüssen im Haus daran erkennen konnte, dass das »Besetzt«-Lämpchen aufleuchtete. Als er fertig war, dauerte es nicht mehr lange, und Kit hörte ihn die Treppe heraufkommen und seine Schlafzimmertür schließen. Olga und Hugo begaben sich nacheinander ins Badezimmer; danach herrschte Ruhe bei ihnen – sie hatten sich entweder versöhnt oder waren einfach erschöpft. Von Nellie, der Hündin, war anzunehmen, dass sie in der Küche neben dem Herd lag, am wärmsten Fleck im ganzen Haus.

Weil es noch eine Weile dauern würde, bis alle eingeschlafen waren, blieb Kit noch eine Zeit lang auf seinem Zimmer. Er fühlte sich rehabilitiert durch den abendlichen Streit. Mirandas Fehltritt bewies, dass er nicht der einzige Sünder in der Familie war. Auch wenn sie ihm jetzt alle vorwarfen, ein Geheimnis verraten zu haben, hielt er es für richtig, reinen Tisch gemacht zu haben. Er sah nicht ein, dass seine Verfehlungen maßlos aufgeblasen wurden, während Mirandas diskret verschwiegen werden mussten. Sollen sie sich ruhig ärgern, dachte er. Ich fand es toll, wie Olga Hugo eine geschmiert hat … Meine große Schwester wird noch zur Preisboxerin, dachte er belustigt.

Er fragte sich, ob er sich jetzt davonmachen konnte. Er war bereit. Er hatte seinen unverkennbaren Siegelring abgestreift und seine schicke Armani-Uhr durch eine unauffällige Swatch ersetzt. Er trug Jeans und einen warmen schwarzen Pullover. Die Stiefel wollte er die Treppe hinuntertragen und erst unten anziehen.

Kit stand auf – und hörte im selben Augenblick unten die Hintertür klappen. Er fluchte. Es war zum Haareausraufen! Irgendjemand war hereingekommen – wahrscheinlich die Kinder, die den Kühlschrank plündern wollten. Kit wartete und hoffte, dass es nicht zu lange dauerte, bis die Tür erneut ins Schloss fiel. Doch davon konnte nicht die Rede sein – im Gegenteil: Jemand kam die Treppe herauf.

Sekunden später hörte er, wie die Tür zu seinem Schlafzimmer aufging. Schritte durchquerten den Raum – und Miranda stand vor ihm in der Rumpelkammer. Sie trug Gummistiefel und über ihrem Nachthemd eine Barbour-Jacke und schleppte ein Laken und eine Bettdecke mit sich. Ohne ein Wort zu verlieren, ging sie zum Schlafsessel und klappte ihn auf.

Kit war fuchsteufelswild. »Was willst du denn hier, um Himmels willen?«

»Ich schlafe hier«, erwiderte Miranda mit leiser Stimme.

»Das geht nicht!«, sagte Kit, von Panik ergriffen.

»Ich wüsste nicht, warum.«

»Du sollst doch draußen im Gästehaus pennen!«

»Ich habe mich mit Ned gestritten – dank deiner Enthüllungen am Abendbrottisch, du hinterlistiger kleiner Scheißer.«

»Ich will dich hier nicht haben!«

»Es interessiert mich die Bohne, was du willst oder nicht willst.«

Kit bemühte sich, ruhig zu bleiben. Die schiere Verzweiflung überkam ihn, als er sah, wie seine Schwester sich ein Bett im Schlafsessel zurechtmachte. Wie soll ich denn nur hier wegkommen, ohne dass sie was merkt, dachte er. So, wie sie sich aufgeregt hat, findet sie womöglich stundenlang keinen Schlaf. Und morgen früh wacht sie garantiert auf, bevor ich zurück bin, und fragt sich, wo ich mich rumtreibe… Kit erkannte, dass sein Alibi zusammenbrach wie ein Kartenhaus.

Er musste jetzt aufbrechen. Also gab er sich noch wütender, als er war. »Leck mich doch am Arsch!«, sagte er, nahm den Laptop vom Netz und schloss den Deckel. »Ich bleibe jedenfalls nicht hier, solange du da bist.« Er stand schon im Schlafzimmer.

»Wo willst du denn hin?«

Ohne dass Miranda es sehen konnte, schnappte er sich seine Stiefel. »Ich geh ins Wohnzimmer und hock mich vor den Fernseher.«

»Stell ihn nicht zu laut!« Sie schlug die Kammertür zu.

Kit ging.

Auf Zehenspitzen schlich er über den Flur und die Treppe hinunter. Die Holzstufen quietschten, doch da das Haus sich permanent bewegte, fielen solche Geräusche nicht weiter auf. Durch ein kleines Fenster neben dem Haupteingang drang der schwache Schein der Lampe unter dem Vordach durch und bildete Lichthöfe um den Hutständer, den Endpfosten des Treppengeländers und den Stapel Telefonbücher auf dem Telefontischchen. Nellie kam aus der Küche angelaufen, stellte sich schwanzwedelnd vor die Tür und hoffte mit unverwüstlichem hündischem Optimismus darauf, zu einem nächtlichen Spaziergang ausgeführt zu werden.

Kit setzte sich auf die Treppe und zog seine Stiefel an. Es war ein gefährlicher Augenblick, und ein Angstschauer überfiel ihn, während er mit den Schnürsenkeln hantierte. Jederzeit konnte oben eine Tür aufgehen. Es gab immer Gründe dafür, mitten in der Nacht aufzustehen – Olga konnte durstig sein und sich einen Schluck Wasser holen wollen; Caroline konnte aus der Scheune herübertappen, um sich eine Kopfschmerztablette zu holen, und bei Stanley war immer damit zu rechnen, dass ihm eine wissenschaftliche Erleuchtung kam und er an seinen Computer ging.

Kit hatte seine Stiefel zugeschnürt und zog sich seine schwarze Puffa-Jacke über. Gleich hatte er es geschafft.

Wenn ihn jetzt noch jemand sah, würde er sich nicht mehr aufhalten lassen. Mit Problemen war erst morgen zu rechnen. Wer mich gehen sieht, kann sich den Rest vielleicht zusammenreimen, dachte er und setzte seine ganze Hoffnung darauf, dass niemand begreifen würde, was eigentlich geschehen war.

Er schob Nellie von der Tür weg und öffnete sie. Das Haus war nie abgesperrt – Stanley war der Meinung, dass sich Einbrecher nie in diese abgelegene Gegend verirren würden, und außerdem gab es ohnehin keine bessere Alarmanlage als den Hund.

Draußen war es bitterkalt, und es schneite heftig. Kit stupste Nellies Nase zurück ins Haus und drückte vorsichtig die Tür zu, bis sie mit einem leisen Klicken einschnappte.

Obwohl die Lampen rund ums Haus die ganze Nacht lang brannten, war die Garage kaum zu sehen. Der Schnee auf dem Boden lag mindestens schon fünfzehn Zentimeter hoch. Innerhalb weniger Minuten waren die Aufschläge von Kits Jeans ebenso durchnässt wie seine Socken. Ich hätte Gummistiefel anziehen sollen, dachte er.

Sein Wagen stand, von ihm aus gesehen, am hinteren Ende der Garage. Das Dach war mit einem dicken Schneepolster bedeckt. Hoffentlich springt er an, dachte Kit. Er stieg ein und legte den Laptop auf den Beifahrersitz, damit er schnell eingreifen konnte, wenn im Kreml Anrufe eingingen. Dann drehte er den Zündschlüssel. Der Wagen hustete und spuckte, doch der Motor sprang schon nach wenigen Sekunden an.

Hoffentlich hat das keiner gehört, dachte Kit.

Der Schnee fiel so dicht, dass er nichts sehen konnte. Kit war gezwungen, die Scheinwerfer anzustellen. Er konnte nur beten, dass gerade niemand aus dem Fenster schaute.

Er fuhr los. Die Rutschgefahr war extrem hoch. Im Schritttempo kroch er voran und vermied sorgfältig alle plötzlichen Richtungsänderungen. Es gelang ihm, die Zufahrt zu erreichen und mit großer Vorsicht die kurvenreiche Straße entlang der Klippen hinter sich zu bringen. Nach der Strecke durch den Wald gelangte er auf die Hauptstraße.

Hier war der Schnee nicht mehr jungfräulich; in beiden Richtungen verliefen Reifenspuren. Kit wandte sich nach Norden, also nicht Richtung Kreml, und hielt sich an die Spuren. Zehn Minuten später bog er in eine Seitenstraße ein, die sich durch die Hügel schlängelte. Hier gab es keine Spuren, sodass Kit die Geschwindigkeit noch weiter reduzieren musste und wünschte, er hätte einen Wagen mit Vierradantrieb.

Endlich sah er ein Schild mit der Aufschrift »Flugschule Inverburn« und bog in eine Einfahrt ab. Die Tore im Zaun standen offen. Im Lichtkegel der Scheinwerfer erschienen ein Hangar und ein Kontrollturm.

Das Gelände schien menschenleer zu sein. Kit hoffte einen Augenblick lang, die anderen würden nicht auftauchen und der ganze Coup könnte abgeblasen werden. Die Vorstellung, die furchtbare Anspannung könne mit einem Schlag vorüber sein, war so lebhaft, dass seine innere Hochstimmung plötzlich einer tiefen Niedergeschlagenheit wich. Reiß dich zusammen, dachte er. Heute Nacht wirst du all deine Probleme lösen.

Das Tor des Hangars stand halb offen, und Kit fuhr langsam hinein. Im Innern parkten keine Flugzeuge – der Flugbetrieb beschränkte sich auf die Sommermonate –, doch er erkannte sofort Nigel Buchanans hellen Bentley Continental, neben dem ein Lieferwagen mit der Aufschrift »Hibernian Telecom« stand.

Die anderen waren nirgendwo zu sehen, doch aus dem Treppenhaus drang ein schwacher Lichtschein. Kit packte seinen Laptop unter den Arm, stieg aus und ging die Treppe zum Kontrollturm hinauf.

In pinkfarbenem Rollkragenpullover unter einem Blazer saß Nigel am Schreibtisch. Er wirkte ruhig und besonnen und hielt ein Handy ans Ohr. Elton lehnte an der Wand. Er trug einen braunen Trenchcoat mit hochgeklapptem Kragen. Vor seinen Füßen lag ein großer Seesack. Daisy lümmelte sich in einen Sessel, ihre schweren Stiefel ruhten auf der Fensterbank. Sie trug eng sitzende Handschuhe aus hellbraunem Wildleder, die unpassend damenhaft wirkten.

Nigel sprach mit seiner sanften Londoner Stimme ins Telefon: »Hier schneit es ziemlich heftig, aber laut Wettervorhersage bekommen wir nur Ausläufer des Sturms mit... Ja, Sie können morgen früh sicher fliegen, kein Problem... Wir werden deutlich vor zehn Uhr hier sein... Ich werde im Kontrollturm sein, ja, und melde mich bei Ihnen, sobald Sie kommen... Nein, es gibt keinerlei Schwierigkeiten, solange Sie das Geld dabei haben – und zwar die gesamte Summe in gemischten Scheinen, wie vereinbart...«

Die Erwähnung des Geldes ließ Kit einen erwartungsfrohen Schauer über den Rücken laufen. In zwölf Stunden und ein paar Minuten würde er dreihunderttausend Pfund in seinen Händen halten. Sicher, den größten Teil davon würde er sofort an Daisy abtreten müssen, aber fünfzigtausend gehörten ihm. Er überlegte, wie viel Platz fünfzigtausend Pfund in gemischten Scheinen beanspruchte. Ob sie überhaupt in meine Taschen passen, fragte er sich. Ich hätte eine Aktentasche mitnehmen sollen...

»Ich danke *Ihnen*«, sagte Nigel. »*Goodbye!*« Er drehte sich um. »He, Kit, du bist ja pünktlich wie die Maurer.«

»Mit wem hast du da gerade telefoniert? Mit dem Kunden?«

»Mit seinem Piloten. Er kommt mit einem Helikopter.«

Kit runzelte die Stirn. »Und was steht auf dem Flugplan der Maschine?«

»Dass sie in Aberdeen startet und in London landen wird. Von einer unplanmäßigen Zwischenlandung an der Flugschule Inverburn erfährt kein Mensch was.«

»Gut.«

»Es freut mich, dass ich deine Zustimmung habe«, erwiderte Nigel mit einem Anflug von Sarkasmus. Kit stellte dauernd Fragen über Dinge, die in Nigels Verantwortungsbereich fielen. Es machte ihm offenbar Sorgen, dass Nigel zwar ein erfahrener Mann war, aber nicht über seine, Kits, Intelligenz und Bildung verfügte. Nigel beantwortete diese Fragen mit übertriebener Freundlichkeit. Er war ganz offensichtlich der Meinung, dass der Amateur Kit ihm gefälligst zu vertrauen habe.

»Machen wir uns auf die Socken, okay?«, sagte Elton. Er zog vier Overalls aus dem Seesack, die auf dem Rücken den Schriftzug *Hibernian Telecom* aufgedruckt trugen. Sie schlüpften hinein, und Kit sagte zu Daisy: »Deine Handschuhe passen aber nicht zu dem Overall.«

»Was für 'n Pech«, sagte sie.

Kit starrte sie kurz an, dann senkte er den Blick. Mit der gibt's noch Ärger, dachte er, mir wär's lieber, sie wäre heute Nacht nicht dabei… Er hatte Angst vor ihr – und er hasste sie. Er war fest entschlossen, ihr einen gewaltigen Denkzettel zu erteilen, zum einen, um seine eigene Autorität wiederherzustellen, zum anderen aber auch aus Rache für das, was sie ihm an diesem Vormittag angetan hatte. Eher früher als später war hier ein Showdown fällig, den Kit gleichermaßen fürchtete wie herbeisehnte.

Elton war gerade dabei, gefälschte Ausweise mit der Aufschrift »Hibernian Telecom – Wartungsdienst« zu verteilen. Kits Ausweis war mit dem Foto eines älteren Mannes versehen, der ihm nicht im Geringsten ähnelte. Der Mann auf dem Bild hatte schwarzes Haar, das die Ohren zur Hälfte bedeckte, und der Schnitt war, solange Kit zurückdenken konnte, noch nie modisch gewesen. Hinzu kamen ein schwerer Zapata-Schnauzbart und eine Brille.

Elton griff erneut in seinen Seesack und reichte Kit eine schwarze Perücke, einen schwarzen Schnurrbart und eine Brille mit schwerem Gestell und getönten Gläsern. Außerdem gab er ihm einen Handspiegel und eine kleine Tube Klebstoff. Kit klebte sich den Schnauzbart unter die Nase und stülpte sich die Perücke über. Sein eigenes Haar war mittelbraun und modisch kurz geschnitten, doch als er in den Spiegel sah, erkannte er, dass die Verkleidung sein Äußeres radikal veränderte. Elton hatte ganze Arbeit geleistet.

Kit vertraute ihm. Hinter seinem Humor verbarg sich knallharte Effizienz. Kit war überzeugt, dass Elton alles in seiner Macht Stehende tun würde, um den Job zu einem erfolgreichen Ende zu führen.

Kit hatte sich fest vorgenommen, den Werkschutzleuten, die schon zu seiner Zeit im Kreml gearbeitet hatten, möglichst fernzubleiben, war aber ziemlich zuversichtlich, dass sie ihn nicht erkennen würden, auch wenn er gezwungen sein sollte, mit ihnen zu reden. Er hatte seinen markanten Ring und die Uhr abgelegt, und seine Stimme konnte er verstellen.

Elton hatte auch an Verkleidung für Nigel, Daisy und sich selbst gedacht. Zwar waren sie den Leuten im Kreml völlig unbekannt, sodass sie nicht damit rechnen mussten, an Ort und Stelle identifiziert zu werden. Da die Wachen später aber der Polizei Beschreibungen der Eindringlinge geben würden, galt es sicherzustellen, dass diese keine Rückschlüsse auf die wahren Gesichter zuließen.

Auch Nigel trug jetzt eine Perücke. Sein eigenes Haar war sandfarben und kurz, das der Perücke grau meliert und kinnlang, sodass der Londoner mit dem Faible für legere Eleganz auf einmal wie ein alternder Beatle aussah. Auch auf Nigels Nase saß jetzt eine Brille mit altmodisch großem Gestell.

Daisys geschorenen Schädel bedeckte eine Perücke mit langen blonden Haaren. Gefärbte Kontaktlinsen verwandelten ihre hellblauen Augen in braune. Sie sah jetzt noch grässlicher aus als sonst. Kit hatte sich oft gefragt, wie ihr Sexualleben aussehen mochte. Einmal hatte er einen Mann getroffen, der behauptete, mit ihr geschlafen zu haben, doch das Einzige, was man aus ihm herausbekam, war die Bemerkung: »Ich bin immer noch voller blauer Flecken.« Daisy entfernte gerade die Stahlringe, die eine Augenbraue, ihre Nase und ihre Unterlippe durchbohrten, sah aber danach nur unwesentlich zivilisierter aus.

Für sich selbst hatte Elton die subtilste Verkleidung ausgesucht. Sie bestand lediglich aus falschen Zähnen, durch die er einen Überbiss bekam – und trotzdem hatte sich sein Äußeres total verändert. Aus dem hübschen Kerl war ein linkischer Strebertyp geworden.

Zum Schluss erhielten alle Baseballmützen mit dem Aufdruck *Hibernian Telecom.* »Die meisten Überwachungskameras sind ziemlich weit oben angebracht«, erklärte er. »Die Mützen mit den langen Schirmen sorgen dafür, dass man kein gutes Bild von euren Gesichtern bekommt.«

Sie waren fertig. Nach einem Augenblick, in dem sie einander nur wortlos ansahen, sagte Nigel: »Die Show kann beginnen.«

Sie verließen den Kontrollturm und stiegen die Treppe zum Hangar hinunter. Elton setzte sich ans Steuer des Lieferwagens, Daisy sprang auf den Sitz neben ihm, Nigel rutschte nach links außen. Da vorn kein Platz mehr frei war, blieb Kit nur die Möglichkeit, sich neben die Werkzeuge hinten auf der Ladefläche zu setzen.

Er wusste noch nicht, wie er reagieren sollte, als Daisy Elton auf die Pelle rückte und die Hand auf sein Knie legte. »Magst du Blondinen?«, fragte sie ihn.

Er starrte mit unbewegter Miene geradeaus. »Ich bin verheiratet.«

Ihre Hand wanderte über seinen Oberschenkel. »Ich wette, du willst mal ein weißes Mädchen. Zur Abwechslung. Hab ich Recht?«

»Ich bin mit einer Weißen verheiratet.« Er packte Daisy am Handgelenk und schob ihre Finger von seinem Bein.

Plötzlich erkannte Kit seine Chance. Das war eine Gelegenheit, es ihr heimzuzahlen! Obwohl das Herz ihm bis zum Hals klopfte, sagte er: »Setz dich hinten rein, Daisy!«

»Halt's Maul, du Wichser!«, erwiderte sie.

»Das ist keine Bitte, sondern ein Befehl. Ab mit dir!«

»Versuch doch, ob du mich da reinkriegst.«

»Okay, mach ich.«

»Na dann mal los«, sagte sie grinsend. »Ich kann's kaum erwarten.«

»Die Operation ist abgeblasen«, sagte Kit. Er atmete schwer vor Angst, doch es gelang ihm, seine Stimme ruhig zu halten. »Tut mir Leid, Nigel. Ich wünsch euch allen eine gute Nacht.« Mit schlotternden Beinen ging er zu seinem Wagen, ließ den Motor an und knipste die Scheinwerfer ein. Dann wartete er.

Durch die Frontscheibe des Lieferwagens konnte er sehen, wie sich die drei stritten. Daisy fuchtelte mit den Armen. Nach einer Weile stieg Nigel aus und hielt die Tür auf. Daisy wehrte sich immer noch. Nigel ging um das Fahrzeug herum, öffnete die Türen zur Ladefläche und kam wieder nach vorne.

Endlich stieg Daisy aus, blieb stehen und fixierte Kit mit einem bösen Blick. Wieder sagte Nigel etwas zu ihr, und da drehte sie sich um und sprang auf die Ladefläche. Krachend fielen die beiden hinteren Türen ins Schloss.

Kit kehrte zum Van zurück und nahm auf der Sitzbank neben dem Fahrer Platz. Nachdem Nigel die große Hangartür geschlossen hatte, stieg auch er wieder ein. Elton murmelte: »Ich hoffe, die irren sich nicht mit ihrer Wettervorhersage. Seht euch bloß diese beschissenen Schneemassen an.« Kurz darauf fuhren sie durch das Tor hinaus.

Kits Handy klingelte. Er öffnete seinen Laptop. Auf dem Bildschirm stand die Meldung: *Toni ruft Kreml.*

Als Toni das Tankstellengelände verließ, war ihre Mutter eingeschlafen. Toni hatte wieder angehalten, die Rückenlehne des Beifahrersitzes nach hinten geklappt und Mutter einen zusammengerollten Schal als Kissen unter den Kopf gelegt. Die alte Frau schlief wie ein Baby. Toni fand es seltsam, dass sie sich um ihre Mutter kümmern musste wie um ein Kind. Sie kam sich alt dabei vor.

Aber nach dem Gespräch mit Stanley gab es nichts mehr, was sie aus ihrer Hochstimmung reißen konnte. In der für ihn typischen beherrschten Art hatte er ihr klar gemacht, wie es um ihn und seine Gefühle stand, und dieses Wissen wärmte auf der langen, langsamen Fahrt durch den Schnee nach Inverburn Tonis Herz.

Als sie die Ausläufer der Stadt erreichten, schlief Mutter tief. Um diese Zeit waren immer noch ein paar Zecher und Nachtschwärmer unterwegs. Der kontinuierliche Verkehr sorgte dafür, dass die Straßen in der Stadt schneefrei blieben, und Toni konnte etwas schneller fahren, ohne befürchten zu müssen, dass der Wagen jeden Augenblick ins Schleudern geraten könnte. Sie nutzte die Gelegenheit zu einem Anruf im Kreml, nur zur Kontrolle.

Steve Tremlett meldete sich. »Oxenford Medical.«

»Hier ist Toni. Wie ist die Lage?«

»Hallo, Toni. Wir haben hier ein kleines Problem, aber das kriegen wir in Griff.«

Ein kalter Schauer überlief Toni. »Was ist das für ein Problem?«

»Die Telefonanlage ist ausgefallen – bis auf den Apparat hier an der Rezeption.«

»Wie ist das passiert?«

»Keine Ahnung. Vielleicht liegt's am Schnee.«

Toni schüttelte bestürzt den Kopf. »Unsere Telefonanlage hat uns ein paar hunderttausend Pfund gekostet. Die darf doch nicht einfach ausfallen, bloß weil das Wetter schlecht ist! Wird der Schaden repariert?«

»Ja. Ich habe den Notdienst von *Hibernian Telecom* angerufen. Sie schicken einen Wartungstrupp. Er müsste in den nächsten Minuten hier sein.«

»Was ist mit der Alarmanlage?«

»Ich weiß nicht, ob sie funktioniert.«

»Verdammt. Haben Sie die Polizei informiert?«

»Ja. Vorhin war ein Streifenwagen hier. Die Polizisten haben sich ein bisschen umgesehen, aber nichts Verdächtiges entdeckt. Sie sind schon wieder weg und jagen in der Stadt die weihnachtlichen Suffköppe.«

Ein Mann torkelte vor Tonis Wagen auf die Straße, und sie wich aus, um einen Zusammenprall zu vermeiden. »Ich verstehe das nicht«, sagte sie.

Tremlett meldete sich erst nach einer Verzögerung. »Wo sind Sie?«

»In Inverburn.«

»Ich dachte, Sie machen Wellness-Urlaub.«

»Wollte ich, aber dann gab es ein familiäres Problem. Lassen Sie mich wissen, was die Leute von HT rausfinden, okay? Sie können mich über mein Handy erreichen.«

»Wird gemacht.«

Toni beendete das Gespräch. »Teufel auch!«, sagte sie zu sich selbst. Erst Mutter – und nun das!

Sie kurvte durch die Straßen, die sich durch die Wohnviertel am Hang über dem Hafen schlängelten. Vor dem Haus, in dem ihre Wohnung lag, blieb sie stehen, stieg aber nicht aus.

Ich muss in den Kreml, dachte sie.

Hätte sie sich tatsächlich im Wellness-Hotel aufgehalten, so wäre eine Rückfahrt jetzt nicht in Frage gekommen. Die Strecke war einfach zu weit. Aber sie befand sich in Inverburn. Zwar würde die Fahrt bei diesem Wetter statt der üblichen fünfzehn Minuten mindestens eine Stunde dauern, aber das war ohne weiteres zu machen. Das einzige Problem war Mutter.

Toni schloss die Augen. Muss ich da wirklich hin, fragte sie sich. Selbst wenn Michael Ross und diese Tierversuchsgegner unter einer Decke steckten, war es doch sehr unwahrscheinlich, dass sie für den Defekt in der Telefonanlage verantwortlich waren. Es war nicht einfach, die Anlage durch Sabotage lahm zu legen. Andererseits hätte sie noch gestern früh ihre Hand dafür ins Feuer gelegt, dass es völlig unmöglich wäre, ein Kaninchen aus dem BSL-4-Labor zu schmuggeln.

Sie seufzte. Mir bleibt keine andere Wahl, dachte sie. Schließlich bin ich für die Sicherheit der Laboratorien verantwortlich. Ich kann nicht daheim bleiben und mich ins Bett legen, wenn es in der Firma nicht mit rechten Dingen zugeht.

Aber sie konnte ihre Mutter nicht allein lassen, und sie konnte zu dieser späten Stunde auch keine Nachbarn bitten, sich um sie zu kümmern.

Ich nehme sie einfach mit, beschloss sie.

Sie wollte gerade losfahren und hatte schon den ersten Gang eingelegt, als aus einem hellen Jaguar, der ein paar Wagen weiter vorne am Straßenrand parkte, ein Mann ausstieg. Irgendetwas an ihm kam Toni bekannt vor, und sie blieb unschlüssig stehen. Der Mann kam über den Bürgersteig auf sie zu; sein Schritt deutete darauf hin, dass er leicht angeheitert war, sich aber noch gut im Griff hatte. Er trat zu ihr ans Fenster, und Toni erkannte ihn: Es war Carl Osborne, der Fernsehreporter. Er trug ein kleines Bündel in der Hand.

Toni kuppelte wieder aus und drehte das Fenster herunter. »Hallo, Carl!«, sagte sie. »Was tust du denn hier?«

»Ich warte auf dich. Wollte gerade schon aufgeben.«

Tonis Mutter wurde wach und fragte: »He, Kind, ist das dein Freund?«

»Das ist Carl Osborne, und mein Freund ist er nicht.«

»Vielleicht wär er 's gern«, sagte Mutter mit der ihr eigenen taktlosen Genauigkeit.

Toni wandte sich an Carl, der grinsend vor dem Fenster stand. »Das ist meine Mutter, Kathleen Gallo.«

»Es ist mir ein Vergnügen, Sie kennen zu lernen, gnädige Frau.«

»Warum wartest du auf mich?«, wollte Toni wissen.

»Ich habe ein Geschenk für dich gekauft«, sagte er und zeigte, was er in der Hand hielt. Es war ein Hundebaby. »Fröhliche Weihnachten«, sagte er und ließ den Welpen auf Tonis Schoß fallen.

»Um Gottes willen, Carl, mach dich nicht lächerlich!« Sie packte das Fellbündel und versuchte, es ihm zurückzugeben.

Er trat einen Schritt zurück und hob abwehrend die Hände. »Nein, nein, der gehört dir.«

Der kleine Hund in ihren Händen war weich und warm, und sie spürte durchaus den Impuls, ihn an sich zu drücken. Doch ihr Verstand sagte ihr, dass sie das Tier so schnell wie möglich wieder loswerden musste. Sie stieg aus. »Ich will kein Haustier«, sagte sie mit fester Stimme. »Ich bin eine allein stehende Frau mit einem anstrengenden Job und einer alten Mutter – ich habe weder die Zeit noch die Kraft, einem Hund die Zuwendung und Aufmerksamkeit zu schenken, die er braucht.«

»Das findet sich schon, da bin ich ganz sicher. Wie willst du ihn denn nennen? Carl wäre zum Beispiel ein hübscher Name.«

Sie sah den Welpen an. Es war ein Englischer Schäferhund, weiß mit grauen Flecken und ungefähr acht Wochen alt. Sie konnte ihn gerade noch in einer Hand halten. Das Tier leckte sie mit rauer Zunge und warf ihr einen flehentlichen Blick zu. Es kostete Toni Überwindung, ihn nicht zu behalten.

Sie ging zu Carls Wagen und setzte das Tier vorsichtig auf den Beifahrersitz. »Denk dir selber einen Namen für ihn aus«, sagte sie. »Ich hab genug anderes zu tun.«

Carl wirkte enttäuscht. »Überleg's dir noch mal«, sagte er. »Ich ruf dich morgen wieder an.«

Toni kehrte zu ihrem Wagen zurück. »Nein, lass das bitte bleiben.« Sie legte den ersten Gang ein.

»Du bist ein hartherziges Weib«, sagte er, als Toni anfuhr.

Aus irgendeinem Grund traf sie die Stichelei bis ins Mark. Ich bin nicht hartherzig, dachte sie, während ihr völlig unerwartet Tränen in die Augen stiegen. Ich musste mit dem Tod von Michael Ross fertig werden, ein tollwütiges Reporterrudel abwimmeln und mich von Kit Oxenford beschimpfen lassen. Meine Schwester hat mich im Stich gelassen, und ich habe einen Urlaub absagen müssen, auf den ich mich unheimlich gefreut hatte. Ich trage die Verantwortung für mich selbst, für meine Mutter und für den Kreml – da kann ich nicht plötzlich noch einen jungen Hund übernehmen, basta.

Dann dachte sie an Stanley und merkte auf einmal, dass ihr Carl Osbornes Gerede wirklich vollkommen egal war.

Sie rieb sich mit dem Handrücken die Augen, starrte durch die Windschutzscheibe in die wirbelnden Schneeflocken, ließ das viktorianische Sträßchen, in dem sie wohnte, hinter sich und steuerte die Ausfallstraße an.

»Carl scheint recht nett zu sein«, sagte Mutter.

»Ist er aber nicht, Mutter, wirklich nicht. Man kann ihm nicht trauen, und oberflächlich ist er auch.«

»Niemand ist perfekt. Und so viele freie Männer gibt es in deinem Alter nicht mehr.«

»Praktisch keinen.«

»Du willst doch nicht bis an dein Lebensende allein bleiben.«

Toni unterdrückte ein Lächeln. »Nein, irgendwie hab ich das Gefühl, dass ich nicht allein bleiben werde.«

Als sie das Stadtzentrum hinter sich ließen, nahm der Verkehr rasch ab, und bald war die Straße wieder voller Schnee. Toni manövrierte sich vorsichtig durch eine Serie von Kreisverkehren, als ihr auffiel, dass ihnen ein Wagen folgte. Im Rückspiegel erkannte sie den hellen Jaguar.

Carl Osborne fuhr ihr nach.

Kurz entschlossen hielt sie am Straßenrand an, und Carl stoppte unmittelbar hinter ihr.

Sie stieg aus und trat an sein Fenster. »Was soll das?«, fragte sie.

»Ich bin Reporter, Toni«, sagte er. »Es ist Heiligabend und schon beinahe Mitternacht. Du kümmerst dich um deine alte Mutter – und trotzdem sieht es so aus, als wärst du zum Kreml unterwegs. Ich wittere eine Story.«

»Au, Scheiße«, sagte Toni.

ERSTER
WEIHNACHTSFEIERTAG

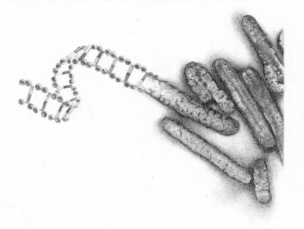

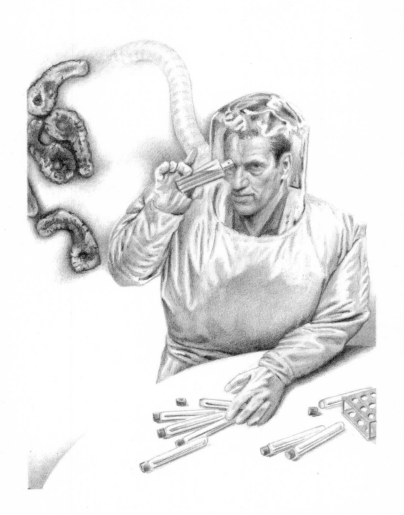

Mit seinen von Schneeflocken umwirbelten, in Flutlicht getauchten Dächern und Türmchen erinnerte der Kreml an ein Märchenschloss. Während der Lieferwagen mit dem Schriftzug *Hibernian Telecom* auf den Längsseiten auf das Haupttor zurollte, sah sich Kit einen Moment lang in der Rolle des schwarzen Ritters, der auf seinem Ross herbeisprengt, um die Festung zu belagern.

Er war heilfroh, dass sie endlich ankamen. Das Tief wuchs sich, allen Vorhersagen zum Trotz, mehr und mehr zu einem regelrechten Blizzard aus. Die Fahrt vom Flugplatz zum Kreml hatte viel länger gedauert als erwartet, und die Verspätung bereitete Kit Sorgen. Mit jeder zusätzlichen Minute, die verstrich, stieg die Gefahr neuer Risiken für seinen ausgefeilten Plan.

Es war vor allem Toni Gallos Anruf, der ihn beunruhigte. Er hatte sie zu Steve Tremlett durchgestellt, weil er befürchtete, sie könne, wenn er ihr eine falsche Nachricht vorspielte, direkt zum Kreml fahren, um herauszufinden, was dort vor sich ging. Doch nachdem er das Gespräch mitgehört hatte, musste er davon ausgehen, dass Toni auf jeden Fall kommen würde. Was für ein elendes Pech, dachte er. Wieso tummelt sie sich nicht in diesem Wellness-Hotel achtzig Kilometer von hier, sondern hält sich ausgerechnet in Inverburn auf?

Die erste der beiden Schranken ging hoch. Elton fuhr hindurch und stoppte vor dem Pförtnerhaus, das, wie Hamish Kit berichtet hatte, mit zwei Wachen besetzt war. Elton drehte das Seitenfenster herunter. Einer der Wächter beugte sich hinaus und sagte: »'n Abend, Jungs.«

Kit kannte den Mann nicht, aber seinem Gespräch mit Hamish

zufolge musste das Willie Crawford sein. Bei genauerem Hinsehen erkannte er auch Hamish selbst, der sich im Hintergrund hielt.

»Nett von euch, dass ihr Weihnachten hier rausgefahren seid«, sagte Willie.

»Alles Service«, erwiderte Elton.

»Ihr seid zu dritt, ja?«

»Plus Goldlöckchen hinten drin.«

Von hinten drang ein leises Schnauben. »Halt's Maul, Arschgesicht.«

Kit unterdrückte ein Stöhnen. Was sollten diese dummen Zänkereien in einem so entscheidenden Augenblick?

Nigel murmelte: »Hört auf, ihr zwei.«

Willie schien den Wortwechsel nicht mitbekommen zu haben. »Ich muss von jedem von euch den Ausweis sehen«, sagte er.

Alle zogen ihre gefälschten Papiere heraus, die Elton nach Kits Erinnerungen an das Aussehen der Hibernian-Telecom-Ausweise gestaltet hatte. Da die Telefonanlage nur selten ausfiel, war Kit davon ausgegangen, dass keine der Wachen genau wusste, wie die echten Ausweise aussahen. Doch als jetzt der Werkschutzmann die Papiere begutachtete, als handele es sich um verdächtige Fünfzig-Pfund-Noten, hielt Kit unwillkürlich den Atem an.

Willie schrieb sich alle Namen von den Ausweisen ab, bevor er sie kommentarlos zurückgab. Kit wandte den Blick ab und gestattete sich wieder zu atmen.

»Fahrt zum Haupteingang«, sagte Willie. »Haltet euch in der Mitte zwischen den Laternenpfosten, dann könnt ihr ihn nicht verfehlen.« Die Zufahrt war bis zur Unkenntlichkeit verschneit. »An der Rezeption findet ihr einen Mr. Tremlett, der sagt euch dann, wo 's langgeht.«

Die zweite Schranke hob sich, und Elton fuhr hindurch.

Nun waren sie drin.

Kit war schlecht vor Angst. Schon einmal hatte er das Gesetz gebrochen – bei dem Betrug, der ihn seinen Job gekostet hatte –, aber das war, seinem Empfinden nach, kein Verbrechen gewesen, sondern eher so etwas wie Schummeln beim Kartenspiel, und das tat er schon seit seinem elften Lebensjahr. Das, was wir jetzt tun, ist ein regelrechter Einbruch, sagte er sich, und dafür kommt man in den Knast... Er schluckte trocken, versuchte sich zu konzentrieren und dachte an die riesige Summe, die er Harry Mac schuldete. Er dachte an die Todesangst, die ihn befallen hatte, als er von Daisy um ein Haar ertränkt worden wäre. Nein, es gab kein Zurück; er musste diesen Coup durchziehen.

Nigel sagte leise zu Elton: »Pass auf, dass du Daisy nicht mehr ärgerst.«

»Ich hab doch bloß 'nen Witz gemacht«, verteidigte sich Elton.

»Sie hat keinerlei Sinn für Humor.«

Es war unklar, ob Daisy das gehört hatte oder nicht. Auf jeden Fall reagierte sie darauf nicht.

Elton hielt vor dem Haupteingang, und sie stiegen aus. Kit nahm seinen Laptop mit, Nigel und Daisy holten sich aus dem Laderaum Werkzeugkästen, und Elton trug eine teuer aussehende Aktenmappe aus burgunderfarbenem Leder, ganz schmal und mit einer Messingschließe – typisch für seinen Geschmack, aber nach Kits Empfinden ein bisschen seltsam für einen Mann vom Telefon-Reparaturservice.

Sie gingen zwischen den steinernen Löwen des Portals hindurch und betraten die Große Halle. Gedimmte Sicherheitslampen brannten und verstärkten noch den kirchenartigen Eindruck der viktorianischen Architektur: die längs unterteilten Fenster, die Spitzbögen und die parallel angeordneten Sparren. Die Funktion der Überwachungskameras wurde durch das Halbdunkel, wie Kit wusste, nicht beeinträchtigt, da sie mit Infrarotlicht arbeiteten.

An dem modernen Empfangstisch in der Mitte der Halle standen zwei weitere Wachen. Die eine war eine attraktive junge Frau, die Kit nicht kannte, und der Mann war Steve Tremlett. Kit hielt sich im Hintergrund, weil er vermeiden wollte, dass Steve ihn aus der Nähe sah. »Sie wollen zum Zentralrechner, nehme ich an?«, sagte Steve.

»Genau dort fangen wir an«, erwiderte Nigel.

Steve hob die Brauen, als er Nigels Londoner Akzent hörte, äußerte sich jedoch nicht dazu. »Susan zeigt Ihnen den Weg – ich muss am Telefon bleiben.«

Susan hatte kurzes Haar und eine gepiercte Augenbraue. Sie trug ein Hemd mit Epauletten und Krawatte, dunkle Uniformhosen und schwarze Schnürschuhe. Sie lächelte ihnen freundlich zu und führte sie in einen mit dunklem Holz getäfelten Korridor.

Eine unheimliche Ruhe bemächtigte sich Kits. Wir sind drin, und ein Mitglied des Werkschutzes eskortiert uns in den sicherheitsrelevanten Bereich. Gleich klauen wir das Beste, was diese Bude zu bieten hat … Aber es war auch der Fatalismus des Spielers, der ihn jetzt beherrschte: Die Karten sind verteilt, ich hab auf dieses Spiel gesetzt und muss mein Blatt ausreizen. Ich kann nur noch gewinnen oder verlieren.

Sie betraten den Kontrollraum. Er sah sauberer und ordentlicher aus, als Kit ihn in Erinnerung hatte: Die Kabel waren gut verstaut, die Protokollbücher standen eines neben dem anderen auf einem Regal – Tonis Einfluss, dachte er. Auch hier waren die Wachen verdoppelt: Statt nur einem Mann saßen zwei Werkschutzleute an einem langen Tisch und behielten die Monitore im Auge. Susan stellte sie als Don und Stu vor. Don war ein dunkelhäutiger Südinder mit schwerem Glasgower Akzent, Stu ein sommersprossiger Rotschopf. Kit kannte weder den einen noch den anderen. Im Grunde spielt es keine große Rolle, ob hier ein oder zwei Männer sitzen, dachte er. Was bedeutet schon ein Augenpaar mehr, vor dem man bestimmte Dinge verbergen, was ein zusätzliches Hirn, das man ablenken, was eine zweite Person, die eingelullt werden muss …?

Susan öffnete die Tür zum Geräteraum. »Hier ist der Zentralrechner.«

Einen Augenblick später betrat Kit das innerste Heiligtum. Einfach so, dachte er, obgleich ihn die Vorbereitung Wochen gekostet hatte. In diesem Raum befanden sich die Computer und alle anderen Geräte, die nicht nur das Telefonsystem, sondern auch die Beleuchtung, die Überwachungskameras und die Alarmanlagen steuerten. Allein, dass sie es bis hierher geschafft hatten, war schon ein Triumph für sich.

»Vielen Dank«, sagte er zu Susan, »hier übernehmen wir.«

»Wenn Sie irgendwas brauchen, kommen Sie einfach zur Rezeption«, erklärte Susan und ging.

Kit stellte seinen Laptop auf ein Bord und schloss ihn an den Telefon-Computer an. Er zog sich einen Stuhl heran und drehte den Laptop so, dass der Bildschirm von der Tür her nicht einsehbar war. Daisy sah ihm misstrauisch zu. »Geh nach nebenan«, sagte er zu ihr, »und behalt die Wachen im Auge.«

Sie warf ihm einen hasserfüllten Blick zu, dann folgte sie seiner Anordnung.

Kit holte tief Luft. Er wusste genau, was er zu tun hatte. Es kam jetzt darauf an, sehr zügig, aber auch sorgfältig und hoch konzentriert zu arbeiten.

Zuerst loggte er sich in das Programm ein, das die Videobilder aus den siebenunddreißig Überwachungskameras kontrollierte. Vor dem Eingang zum BSL-4-Labor schien alles normal zu sein. Das Bild vom Empfangstisch zeigte Steve, aber nicht Susan. Er überflog die Bilder der übrigen Kameras und fand Susan auf einer Patrouille anderswo im Haus. Er notierte sich die Zeit.

Das enorme Gedächtnis des Computers speicherte die Kamerabilder vier Wochen lang, bevor sie neu überspielt wurden. Kit kannte sich mit dem Programm aus, denn er hatte es selbst installiert. Er holte sich die Videobilder aus den BSL-4-Kameras für den gleichen Zeitraum in der vorangegangenen Nacht und überprüfte sie stichprobenartig, genauso wie die dazugehörigen Texte. Hauptsache, kein verrückter Wissenschaftler war auf die Idee gekommen, mitten in der Nacht im Labor zu arbeiten. Doch alle Aufnahmen zeigten nur menschenleere Räume. So weit, so gut.

Nigel und Elton sahen ihm in gespanntem Schweigen zu.

Als Nächstes fütterte Kit die Monitore, die von den heutigen Wachposten überprüft wurden, mit den Bildern aus der vorangegangenen Nacht.

Jetzt konnte man im BSL-4-Labor herumspazieren und tun und lassen, was man wollte, ohne dass die Wachen im Kontrollraum davon etwas mitbekamen.

Zwar waren die Monitore mit Schaltungen ausgestattet, die eine Überspielung der Bilder entdeckten. Aber dies galt nur, wenn diese Bilder aus einem anderen Videoplayer kamen. In diesem Fall kamen sie jedoch nicht aus einer fremden Quelle, sondern direkt aus dem eigenen Speicher – und damit gab es keinen Grund für das System, Alarm auszulösen.

Kit trat in den Hauptkontrollraum. Daisy, die Lederjacke über dem Overall der Hibernian Telecom, fläzte sich in einem Sessel. Kit musterte die Wand mit den Bildschirmen. Alles wirkte ganz normal. Don, der dunkelhäutige Werkschutzmann, sah ihn mit fragender Miene an. Um ihn in Sicherheit zu wiegen, sagte Kit: »Funktioniert hier einer von den Apparaten?«

»Nein, keiner«, sagte Don.

Auf allen Bildschirmen stand unten eine Textzeile mit Datum und Uhrzeit. Die Zeitangabe von gestern stimmte mit der heutigen überein, dafür hatte Kit gesorgt. Doch die Textzeile von gestern trug auch das Datum von gestern.

Kit wäre jede Wette eingegangen, dass kein Mensch jemals auf das Datum achtete. Die Wachen überprüften die Bildschirme auf Bewegung; einen Text, der ihnen nur sagte, was sie ohnehin schon wussten, beachteten sie nicht.

Hoffentlich irre ich mich da nicht, dachte Kit.

Don wunderte sich offensichtlich, dass sich der Mann vom Telefonstördienst so sehr für die Bilder der Überwachungskameras interessierte. »Kann ich Ihnen helfen?«, fragte er in beinahe drohendem Tonfall.

Daisy knurrte und bewegte sich unruhig auf ihrem Sessel hin und her, wie ein Hund, der spürt, wenn es zwischen den Zweibeinern zu Spannungen kommt.

Da klingelte Kits Handy.

Er ging wieder in den Geräteraum. Die Nachricht auf dem Bildschirm seines Laptops lautete: »Kreml ruft Toni an.« Wahrscheinlich wollte Steve Toni mitteilen, dass die Leute vom Stördienst eingetroffen waren. Kit entschied sich, den Anruf weiterzuleiten: Vielleicht gab er Toni so viel Gewissheit, dass sie es nicht mehr für nötig erachtete, herzukommen. Kit drückte eine Taste und hörte dann über sein Handy mit.

»Toni Gallo.« Sie saß in ihrem Auto – Kit hörte den Motor laufen.

»Hier ist Steve im Kreml. Die Stördienstleute von der *Hibernian Telecom* sind jetzt hier.«

»Haben sie schon rausgefunden, was los ist?«

»Sie haben gerade erst angefangen. Ich hoffe, ich habe Sie nicht aufgeweckt.«

»Nein. Ich bin nicht im Bett, ich bin auf dem Weg zu Ihnen.«

Kit fluchte. Genau das hatte er befürchtet.

»Es ist wirklich nicht nötig, dass Sie herkommen«, erklärte Steve.

Hundert Pro richtig, dachte Kit.

»Wahrscheinlich nicht«, gab Toni zurück. »Aber mir ist dann wohler.«

Kit fragte sich, wann mit ihr zu rechnen war.

Steve hatte offenbar den gleichen Gedanken. »Wo sind Sie denn jetzt?«

»Gar nicht weit weg, aber die Straßenverhältnisse sind katastrophal. Ich komme mit maximal zwanzig bis dreißig Stundenkilometer voran.«

»Sind Sie in Ihrem Porsche unterwegs?«

»Ja.«

»Wir sind in Schottland. Sie hätten sich einen Landrover kaufen sollen.«

»Ich glaub, ein Panzer wär noch besser gewesen!«

Nun sag schon, dachte Kit, wie lange brauchst du noch?

Toni beantwortete seine Frage. »Ich brauche mindestens noch eine halbe, vielleicht sogar eine ganze Stunde, bis ich da bin.«

Die beiden legten auf, und Kit fluchte still in sich hinein. Doch als er genauer darüber nachdachte, verlor Tonis bevorstehender Auftritt einiges von seinem Schrecken. Was soll sie denn auf den Gedanken bringen, dass hier ein Einbruch stattfindet, dachte er. Tagelang wird hier kein Mensch etwas vermissen. Es hat an Weihnachten einen Störfall in der Telefonanlage gegeben, der von einem Reparaturtrupp der Telecom behoben wurde, das ist alles. Erst nach den Feiertagen, wenn die Forscher wieder zur Arbeit erschienen, würde der Einbruch ins BSL-4-Labor ruchbar werden.

Die Hauptgefahr besteht darin, dass Toni mich trotz der Verkleidung erkennt, dachte Kit. Er sah zwar ganz anders aus als sonst, hatte seinen auffallenden Schmuck abgelegt, und es fiel ihm leicht, seine

Stimme zu verstellen und mit viel stärkerem schottischen Akzent zu sprechen – aber Toni hatte einen exzellenten Riecher, sodass er keinerlei Risiko eingehen durfte. Ich muss ihr möglichst aus dem Weg gehen und Nigel das Reden überlassen, dachte er. Und eines stand fest: Mit Toni Gallos Anwesenheit erhöhte sich die Wahrscheinlichkeit, dass etwas schief ging, mindestens um den Faktor zehn.

Sie mussten sich beeilen – mehr konnten sie gegen die drohende Gefahr nicht tun.

Kits nächste Aufgabe bestand darin, Nigel Zugang zum Labor zu verschaffen, ohne dass die Werkschutzleute etwas davon bemerkten. Das Hauptproblem bildeten die Patrouillen. Einmal pro Stunde trat einer der beiden Wachhabenden am Empfangstisch einen Rundgang durchs ganze Gebäude an. Der Gang erfolgte stets auf der gleichen Route und dauerte etwa zwanzig Minuten. Sobald der Posten den Eingang zum BSL-4-Labor passiert hatte, bestand eine Stunde lang keine Gefahr mehr.

Als Kit sich wenige Minuten zuvor mit seinem Laptop ins Überwachungsprogramm eingeklinkt hatte, befand sich Susan gerade auf ihrem Rundgang. Jetzt prüfte er das Bild von der Rezeption und sah Susan bei Steve am Tisch sitzen. Sie hatte ihre Patrouille offenbar beendet. Kit sah auf seine Uhr. Ihm blieb noch eine gute halbe Stunde, bevor sie zum nächsten Rundgang aufbrach.

Um die Kameras im Hochsicherheitslabor hatte sich Kit bereits gekümmert, nicht jedoch um jene, die den Eingang zum BSL-4-Labor überwachte. Er holte sich die Aufzeichnungen vom Vortag auf den Bildschirm und ließ sie mit doppelter Geschwindigkeit durchlaufen. Er brauchte exakt dreißig Minuten, in denen nicht eine Menschenseele auf den Bildern zu sehen war. Als die gestrige Patrouille auf dem Bildschirm erschien, hielt er inne und fütterte das Bildmaterial von dem Moment an, da die Wache aus dem Bild ging, in den Monitor im angrenzenden Raum. Don und Stu sollten in der nächsten Stunde – oder jedenfalls so lange, bis Kit die Anlage wieder auf Normalbetrieb schaltete – nur einen leeren Korridor zu sehen bekommen. Zwar würden weder die Uhrzeit noch das Datum auf dem Kontrollmonitor stimmen, doch auch diesmal ließ Kit es darauf ankommen, dass dieser Widerspruch den Werkschutzleuten in ihrer Routine entgehen würde.

Er wandte sich an Nigel. »Gehen wir.«

Elton blieb im Geräteraum, um darauf zu achten, dass niemand sich am Laptop zu schaffen machte.

Im Kontrollraum sagte Kit zu Daisy: »Wir holen eben den Nanometer aus dem Wagen. Du kannst hier bleiben.« Es gab gar keinen Nanometer – nur, woher sollten Don und Stu das wissen?

Daisy brummte irgendetwas und wandte den Blick ab. Besonders überzeugend spielt sie ihre Rolle nicht, dachte Kit. Hoffentlich interpretieren die Wachen ihr Verhalten einfach als schlechte Laune.

Kit und Nigel begaben sich auf schnellstem Wege zum BSL-4. Kit hielt die Chipkarte seines Vaters vor den Scanner und drückte seinen linken Zeigefinger auf den Bildschirm. Nun mussten sie warten, bis der Zentralcomputer die Informationen vom Bildschirm mit denen auf der Karte verglichen hatte. Kit fiel auf, dass Nigel Eltons schicke burgunderrote Ledermappe bei sich trug.

Das Licht über der Tür blieb beharrlich rot. Nigel warf Kit einen besorgten Blick zu. Kit versuchte, ruhig zu bleiben: Es *musste* einfach klappen. Auf der Chipkarte waren die Merkmale seines eigenen Fingerabdrucks gespeichert, er selbst hatte das überprüft. Was konnte da schon schief gehen?

Da sagte eine Frauenstimme hinter ihnen: »Tut mir Leid, hier dürfen Sie nicht rein.«

Die beiden Männer drehten sich um. Hinter ihnen stand Susan. Sie gab sich freundlich, wirkte aber beunruhigt. Wieso sitzt die nicht an der Rezeption, dachte Kit in Panik. Ihr nächster Rundgang ist doch erst in einer halben Stunde fällig …

Es sei denn, Toni hatte die Zahl der Patrouillen ebenso verdoppelt wie die der Wachen.

Eine Klingel ertönte wie von einer Türglocke. Alle drei richteten den Blick auf das Licht über der Tür. Es wurde grün, und langsam schob die schwere Tür sich auf.

Susan fragte: »Wie haben Sie die aufgekriegt?«, und jetzt verriet ihre Stimme Angst.

Kit senkte unwillkürlich seinen Blick auf die gestohlene Karte in seiner Hand.

Susan folgte seinem Blick. »So eine Chipkarte dürfen Sie doch gar nicht haben!«, sagte sie ungläubig.

Nigel trat auf sie zu, doch Susan machte auf dem Absatz kehrt und lief davon.

Nigel setzte ihr nach, aber er war ungefähr doppelt so alt wie sie. Der erwischt sie nie, dachte Kit und stieß einen Wutschrei aus. Seine Träume zerplatzten wie Seifenblasen. Mit einem Schlag war das ganze Unternehmen gescheitert. Wie konnte das nur passieren?

Da tauchte Daisy am Ende des Gangs auf, der zum Kontrollraum führte.

Niemals hätte Kit geglaubt, dass er sich über den Anblick ihres hässlichen Gesichts einmal freuen würde.

Daisy wirkte nicht einmal überrascht angesichts der Szene, die sich ihr bot: eine Wache, die auf sie zurannte, und Nigel, der ihr nachsetzte, während Kit wie angewurzelt vor der Tür stand. Sie musste auf den Monitoren im Kontrollraum gesehen haben, wie Susan vom Empfangstisch aufbrach und den Weg zum BSL-4-Labor einschlug, hatte die Gefahr sofort erkannt und sich entschlossen, ihr zu begegnen.

Als Susan Daisy erblickte, zögerte sie einen Moment, rannte dann aber weiter, offenkundig entschlossen, sich an ihr vorbeizudrängen.

Ein angedeutetes Lächeln spielte um Daisys Lippen. Sie holte aus und ließ die behandschuhte Faust mit voller Wucht in Susans Gesicht krachen. Es gab ein Übelkeit erregendes Geräusch wie von einer Melone, die auf einen gefliesten Fußboden fällt. Susan brach zusammen, als wäre sie gegen eine Mauer gerannt, während sich Daisy mit selbstzufriedener Miene ihre Fingerknöchel rieb.

Susan stemmte sich auf die Knie. Ein Wimmern blubberte durch das Blut, das Nase und Mund verschmierte. Daisy zog aus ihrer Jackentasche einen gut zwanzig Zentimeter langen biegsamen Totschläger, der, wie Kit annahm, aus stählernen Kugellagern in einer Lederhülle bestand. Als Daisy den Arm hob, schrie er: »Nein!«

Daisy hieb Susan den Totschläger über den Kopf, und die junge Frau vom Werkschutz brach lautlos zusammen.

»Hör auf!«, brüllte Kit.

Daisy hob den Arm, um ein weiteres Mal zuzuschlagen, doch Nigel trat ihr in den Weg und packte sie am Handgelenk. »Kein Grund, sie umzubringen«, sagte er.

Widerstrebend trat Daisy zurück.

»Du bist ja wahnsinnig, du blöde Kuh!«, schrie Kit sie an. »Wir kriegen einen Mordprozess an den Hals!«

Daisy betrachtete den hellbraunen Handschuh an ihrer Rechten, fand Blut an den Knöcheln und leckte es nachdenklich ab.

Kit starrte die bewusstlose Frau auf dem Boden an. Beim Anblick ihres verkrümmten Körpers wurde ihm fast übel. »Das hätte niemals passieren dürfen«, sagte er nervös. »Was tun wir jetzt mit ihr?«

Daisy rückte ihre blonde Perücke zurecht. »Fesseln und irgendwo verstecken.«

Sein Schock über den plötzlichen Ausbruch von brutaler Gewalt klang allmählich ab, und Kit begann wieder, klar zu denken. »Okay«, sagte er. »Wir bringen sie ins BSL-4. Da dürfen die Wachen nicht rein.«

»Zieh du sie rüber«, sagte Nigel zu Daisy. »Ich suche so lange was, womit wir sie fesseln können.« Er öffnete eine Bürotür.

Kits Handy klingelte, doch er achtete nicht darauf. Stattdessen zog er die Chipkarte heraus und öffnete die Labortür, die sich automatisch wieder geschlossen hatte, ein zweites Mal. Daisy schnappte sich einen roten Feuerlöscher und klemmte ihn zwischen Türstock und Tür, um sie offen zu halten. »Das geht nicht, damit löst du Alarm aus«, sagte Kit und entfernte den Feuerlöscher wieder.

Daisy schien es nicht zu glauben. »Der Alarm geht los, wenn man eine Tür offen hält?«

»Ja!«, sagte Kit ungeduldig. »Die haben hier eine Luftschleuse. Ich weiß das, weil ich die Alarmanlage selber eingebaut habe. Und jetzt halt die Klappe und tu, was man dir sagt!«

Daisy legte ihre Arme um Susans Brust und schleifte sie über den Teppich zur Labortür. Nigel hatte in dem Büro ein langes Stromkabel gefunden. Alle betraten sie jetzt das BSL-4, und die Tür schloss sich hinter ihnen.

Sie standen in einem kleinen Vorraum, der zu den Umkleideräumen führte. Daisy lehnte Susan an die Wand unterhalb eines Durchreiche-Autoklaven, mit dem man sterilisierte Gegenstände aus dem Labor entfernen konnte, und Nigel fesselte Susan an Händen und Füßen mit dem Stromkabel.

Kits Handy hörte endlich auf zu klingeln, und alle drei verließen den Vorraum. Dazu brauchte man keine Chipkarte: Die Tür öffnete sich, wenn man einen grünen Knopf an der Wand drückte.

Kit suchte verzweifelt nach einem Alternativplan. Alles, was er sich so schön zurechtgelegt hatte, war Makulatur. Die Chance, dass der Diebstahl eine Zeit lang unentdeckt bleiben würde, war dahin. »Sie werden Susan bald vermissen«, sagte er und zwang sich zur Ruhe. »Wenn nicht schon Don und Stu Verdacht schöpfen, weil sie von den Monitoren verschwunden ist, wird spätestens Steve Alarm schlagen, wenn sie nicht von ihrem Rundgang zurückkehrt. Wie auch immer – wir kommen nicht rechtzeitig aus dem Labor raus. Verdammt, alles ist schief gegangen!«

»Immer mit der Ruhe«, sagte Nigel. »Wir kommen schon noch klar, solange du nicht in Panik gerätst. Wir müssen bloß die anderen Wachen genauso ausschalten wie sie hier.«

Wieder klingelte Kits Handy. Ohne seinen Computer konnte er nicht feststellen, wer der Anrufer war. »Das ist wahrscheinlich Toni Gallo«, erklärte er. »Was machen wir, wenn sie hier aufkreuzt? Wir können doch nicht so tun, als wäre alles in schönster Ordnung, wenn der ganze Werkschutz gefesselt ist!«

»Lass sie erst mal kommen. Dann kümmern wir uns schon um sie.«

Kits Handy klingelte immer noch.

Toni kam nur noch mit höchstens zwanzig Stundenkilometern voran. Weit übers Steuerrad gebeugt, starrte sie mit zusammengekniffenen Augen in das dichte Schneegestöber jenseits der Windschutzscheibe und versuchte, die Straße zu erkennen. Ihre Scheinwerfer erleuchteten eine Wolke aus großen, weichen Schneeflocken, die das ganze Universum auszufüllen schien. So lange starrte Toni schon in den Schnee, dass ihre Lider brannten, als hätte sie Seife in die Augen bekommen.

Ihr Handy wurde zum Autotelefon, wenn sie es in eine Halterung am Armaturenbrett steckte. Sie hatte den Kreml angewählt und hörte nun, wie es dort endlos klingelte, ohne dass jemand abnahm.

»Scheint niemand da zu sein«, sagte Mutter.

Dieser Stördienst muss das ganze System lahm gelegt haben, dachte Toni. Hoffentlich funktioniert wenigstens die Alarmanlage noch! Und wenn was passiert, während die Telefone außer Betrieb sind? Voller Sorge und frustriert wegen der totalen Ungewissheit drückte sie auf die Taste, die den Anruf beendete.

»Wo sind wir?«, fragte Mutter.

»Gute Frage.« So vertraut ihr die Straße auch war – Toni konnte sie kaum noch erkennen. Sie hatte das Gefühl, schon seit Ewigkeiten unterwegs zu sein. Ab und zu warf sie einen Blick aus dem Seitenfenster und hielt Ausschau nach bestimmten Orientierungspunkten am Straßenrand. Jetzt glaubte sie, ein Landhaus mit einem charakteristischen schmiedeeisernen Tor zu erkennen, und dabei fiel ihr ein, dass es von hier aus nur noch etwa drei Kilometer bis zum Kreml waren. Das hob ihre Laune beträchtlich. »In einer Viertelstunde sind wir da, Mutter«, sagte sie.

Sie warf einen Blick in den Rückspiegel und sah die Scheinwerfer, die sie schon seit Inverburn verfolgten: die Seuche namens Carl Osborne in seinem Jaguar, der ihnen im gleichen Schneckentempo stur auf den Fersen blieb. An jedem anderen Tag hätte sich Toni einen Spaß draus gemacht, den Kerl abzuhängen.

Vertue ich nicht bloß meine Zeit, fragte sie sich. Wie wäre das schön, wenn wir jetzt zum Kreml kommen und einfach alles in Ordnung ist – die Telefonanlage repariert, die Alarmanlage funktionstüchtig, der Werkschutz gelangweilt und müde, aber auf Posten. Dann könnten wir endlich heimfahren, und ich kann mich ins Bett legen und davon träumen, wie morgen das Treffen mit Stanley verlaufen wird … Und das dämliche Gesicht von Carl möchte ich sehen, wenn ihm klar wird, dass er in der Weihnachtsnacht stundenlang durch den Schnee gegondelt ist – für nichts als eine Story über eine defekte Telefonanlage!

Sie erreichten einen relativ geraden Streckenabschnitt, und Toni wagte es, ein wenig Gas zu geben. Aber die Gerade war nur kurz, und gleich danach kam schon wieder eine Rechtskurve. Bremsen konnte Toni nicht, weil sie sonst ins Schleudern geraten wäre, deshalb schaltete sie einen Gang zurück, damit der Motor bremste, und behielt den Fuß stetig auf dem Gaspedal, während sie die Kurve ausfuhr. Sie spürte, wie das Heck des Porsche ausbrechen wollte, doch die breiten Hinterreifen hielten die Spur.

Auf der Gegenfahrbahn tauchten Scheinwerfer auf und kamen näher, sodass die hundert Meter, die noch zwischen den beiden Wagen lagen, plötzlich überschaubar waren. Viel gab es allerdings nicht zu sehen: Schnee, der schätzungsweise fünfundzwanzig Zentimeter hoch den Boden bedeckte, eine Trockenmauer zur Linken, ein weißer Hügel zur Rechten.

Toni registrierte nervös, dass das entgegenkommende Auto ziemlich schnell fuhr.

Sie kannte diesen Teil der Strecke: eine lange, weite Kurve, die sich um den Fuß des Hügels herumwand und eine Richtungsänderung von neunzig Grad bewirkte. Toni hielt sich streng an ihre Spur.

Aber der andere Wagen nicht.

Toni sah, wie er unvermittelt quer über seine Spur in die Straßenmitte schlitterte, und sie dachte: Der Trottel hat in der Kurve gebremst, und dann hat's ihm das Heck herumgezogen...

Im nächsten Moment erkannte sie voller Entsetzen, dass der Wagen direkt auf sie zuschleuderte. Es war ein mit vier jungen Männern besetzter Kombi. Für einen Sekundenbruchteil konnte Toni die Insassen erkennen, sah sie lachen und ahnte, dass sie ausgiebig gefeiert hatten und viel zu betrunken waren, um zu begreifen, in welcher Gefahr sie sich befanden.

»Vorsicht!«, brüllte sie überflüssigerweise, dann reagierte sie instinktiv. Sekundenbruchteile bevor der Porsche dem schleudernden Wagen frontal in die Seite gekracht wäre, zog sie das Steuerrad nach links und riss damit den Wagen herum. Beinahe gleichzeitig trat sie das Gaspedal durch. Der Wagen machte einen Satz nach vorn und geriet ins Schleudern. Einen Moment lang waren die beiden Fahrzeuge auf gleicher Höhe, nur durch wenige Zentimeter Abstand voneinander getrennt.

Der Porsche zog schlitternd nach links. Toni drehte das Lenkrad nach rechts und gab leicht Gas, worauf der Wagen auf seinen alten Kurs zurückschwenkte. Die Reifen griffen wieder.

Zunächst befürchtete Toni, der Kombi würde sie am hinteren Kotflügel erwischen; im nächsten Moment meinte sie, sie entkäme noch um Haaresbreite; dann scheppperte es laut, aber irgendwie oberflächlich, und Toni realisierte, dass der andere ihre Stoßstange gestreift hatte.

Es war zwar kein richtiger Zusammenstoß, doch der Porsche wurde dadurch aus der Bahn geworfen. Das Heck scherte nach links aus. Verzweifelt drehte Toni das Lenkrad ebenfalls nach links, in die Schleuderrichtung, doch bevor die Kurskorrektur greifen konnte, rammte der Wagen die Trockenmauer am Straßenrand. Diesmal krachte es furchtbar, Glas splitterte, und schließlich blieb der Wagen stehen.

Tonis erster besorgter Blick galt ihrer Mutter. Die alte Frau starrte mit offenem Mund vor sich hin, sichtlich verwirrt, aber unverletzt. Tonis Erleichterung war groß, doch dann fiel ihr Osborne ein.

Der Kombi musste nun ja direkt in Osbornes Jaguar krachen!

Ängstlich blickte sie in den Rückspiegel, wo die roten Rücklichter des Kombis und die weißen Scheinwerferlampen des Jaguars zu sehen waren. Der Kombi schlingerte, und der Jaguar wich ihm knapp aus, indem er hart an den Straßenrand fuhr. Dann fing sich der Kombi wieder und fuhr vorbei.

Der Jaguar hielt an, und das Fahrzeug mit den jugendlichen Trunkenbolden verschwand in der Nacht. Wahrscheinlich lachten sie immer noch.

Mit zittriger Stimme fragte Tonis Mutter: »Ich hab einen Knall gehört – sind wir mit diesem Auto zusammengestoßen?«

»Nicht ganz«, erwiderte Toni. »Wir sind gerade noch mal davongekommen.«

»Du solltest wirklich etwas vorsichtiger fahren, Toni«, erklärte Mutter.

Kit hatte einen Anfall von Panik niederzukämpfen. Sein brillanter Plan war praktisch Makulatur. Die letzte Chance, dass der Einbruch erst nach den Feiertagen entdeckt würde, wenn das Personal wieder zur Arbeit kam, war dahin. Allenfalls noch bis zum Schichtwechsel des Werkschutzes um sechs Uhr morgens konnte er geheim gehalten werden – doch wenn Toni Gallo tatsächlich hier aufkreuzte, blieb ihnen noch weniger Zeit.

Kits Plan hatte auch keine Gewaltanwendung vorgesehen.

Selbst bisher, dachte er in hilfloser Frustration, wäre es definitiv ohne Gewalt gegangen. Susan hätte auf ihrem Patrouillengang unverletzt gefangen genommen und gefesselt werden können ... aber wenn Daisy eine Gelegenheit zum Zuschlagen sieht, dann nutzt sie sie gnadenlos aus ... Kit hoffte verzweifelt, dass die anderen Wachen ohne Blutvergießen überwältigt werden konnten.

Im Augenblick liefen sie alle zum Kontrollraum, und plötzlich zogen Nigel und Daisy Pistolen.

Kit war entsetzt. »Keine Waffen!« protestierte er. »Das war so ausgemacht!«

»Ein Glück, dass wir uns nicht dran gehalten haben«, gab Nigel zurück.

Sie standen jetzt vor der Tür, und Kit starrte entgeistert auf die Waffen, kleine automatische Pistolen mit dicken Griffen. »Dadurch wird die Sache zum bewaffneten Raubüberfall, das ist euch doch klar, oder?«

»Nur dann, wenn wir erwischt werden.« Nigel drückte auf die Klinke und stieß die Tür auf.

Daisy rannte in den Raum und schrie mit schier überschnappender Stimme: »Auf den Fußboden! Alle beide! Sofort!«

Der Schock der beiden Männer verwandelte sich in totale Verblüffung und danach in Todesangst. Nach kurzem Zögern gehorchten sie und warfen sich zu Boden.

Kit fühlte sich machtlos. Er hatte den Raum als Erster betreten und sagen wollen: »Bitte verhalten Sie sich ruhig, und tun Sie, was Ihnen gesagt wird, dann wird Ihnen nichts passieren.« Doch er hatte die Kontrolle über die Ereignisse verloren. Im Augenblick blieb ihm nichts anderes übrig, als hinterherzulaufen und zu versuchen, das Allerschlimmste zu verhindern.

Elton erschien im Durchgang zum Geräteraum. Mit einem einzigen Blick erfasste er die Situation.

Daisy kreischte die Wachposten an: »Gesicht runter, Hände auf den Rücken, Augen zu! Dalli, dalli, oder ich schieß euch die Eier weg!«

Obwohl die Männer gehorchten, trat Daisy Don mit ihrem schweren Stiefel ins Gesicht. Er schrie auf und zuckte zur Seite, blieb jedoch auf dem Bauch liegen.

Kit pflanzte sich direkt vor Daisy auf. »Das reicht!«, brüllte er.

Elton schüttelte verwundert den Kopf. »Die is' doch wirklich total bekloppt.«

Die boshafte Häme in Daisys Miene machte Kit Angst, aber er zwang sich dazu, ihr unverwandt in die Augen zu starren. Er konnte ihr nicht erlauben, alles zu ruinieren; zu viel stand für ihn auf dem Spiel. »Hör zu!«, schrie er weiter. »Du bist noch nicht im Labor, und auf diese Weise kommst du auch nie rein! Wenn du so weitermachst, stehen wir um zehn mit leeren Händen vor unserem Kunden.« Sie wandte sich von dem anklagend auf sie gerichteten Finger ab, doch Kit ließ nicht locker. »Schluss jetzt mit diesen Brutalitäten, verstanden?«

Nigel sprang ihm bei. »Immer mit der Ruhe, Daisy«, sagte er. »Tu, was er sagt, und fessele die beiden hier, ohne ihnen dabei die Schädel einzutreten.«

»Wir legen sie zu dem Mädchen ins Labor«, sagte Kit.

Daisy fesselte ihnen die Hände mit Stromkabeln, dann trieben sie und Nigel die beiden mit vorgehaltener Pistole hinaus. Elton blieb zurück, behielt die Monitore im Auge und achtete besonders auf Steve an der Rezeption. Kit folgte den Gefangenen zum BSL-4-Labor und öffnete die Tür. Dort legten sie Don und Stu auf den Fußboden neben Susan und fesselten ihnen die Füße. Don blutete aus einer schlimm aussehenden Stirnwunde. Susan war anscheinend bei Bewusstsein, aber schwer angeschlagen.

»Einer noch«, sagte Kit, als sie wieder hinausgingen. »Steve in der Großen Halle. Aber keine unnötige Gewalt!«

Daisy grunzte angeekelt.

»Kit«, sagte Nigel, »du hältst jetzt besser den Mund, wenn die Posten in Hörweite sind. Kein Wort mehr von unserem Kunden und unserem Zehn-Uhr-Termin. Wenn du ihnen zu viel verrätst, werden wir sie töten müssen.«

Mit Entsetzen erkannte Kit, was er angestellt hatte. Er fühlte sich wie der letzte Idiot.

Sein Handy klingelte.

»Das könnte Toni sein«, sagte er. »Das muss ich überprüfen.« Er rannte in den Geräteraum. Auf dem Bildschirm seines Laptops stand: »Toni ruft im Kreml an.« Er legte das Gespräch auf den Apparat am Empfang und hörte dann mit.

»Hi, Steve, Toni hier. Gibt's was Neues?«

»Die Telekom-Leute sind immer noch da.«

»Und sonst? Alles in Ordnung?«

Mit dem Handy am Ohr trat Kit in den Kontrollraum und stellte sich hinter Elton, sodass er Steve auf dem Monitor beobachten konnte. »Ja, ich glaub schon. Nur – Susan Mackintosh sollte von ihrem Rundgang eigentlich schon zurück sein, aber vielleicht ist sie noch zur Toilette gegangen.«

Kit fluchte.

Besorgt fragte Toni: »Wie lange ist sie überfällig?«

Auf dem Monitor, der nur Schwarzweißbilder übertrug, sah Steve auf seine Armbanduhr. »Fünf Minuten.«

»Warten Sie noch weitere fünf Minuten. Wenn sie dann immer noch nicht da ist, machen Sie sich auf die Suche nach ihr.«

»Okay. Wo sind Sie jetzt?«

»Gar nicht mehr weit weg, aber ich hatte einen Unfall. Ein Wagen voller Besoffener hat meinen Porsche am Heck erwischt.«

Wärst du doch bloß verreckt dabei, dachte Kit.

»Wie geht es Ihnen?«, fragte Steve.

»Mir geht's gut, aber mein Wagen ist kaputt. Glücklicherweise war jemand hinter mir, der mich gleich aufgegabelt und mitgenommen hat.«

Und wer ist das, zum Teufel? »Mist!«, sagte Kit laut. »Sie bringt noch irgendeinen Kerl mit.«

»Wann werden Sie hier sein?«

»In zwanzig Minuten, vielleicht in dreißig.«

Kit bekam weiche Knie. Er taumelte und ließ sich auf einen der Stühle vor den Monitoren fallen. Zwanzig Minuten, höchstens dreißig! Wir brauchen allein zwanzig Minuten, um die Schutzkleidung für das Labor anzuziehen!

Toni verabschiedete sich und beendete das Telefonat.

Kit sprang wieder auf und lief hinaus auf den Flur. »Sie wird in zwanzig oder dreißig Minuten hier sein«, erklärte er. »Und sie bringt noch jemanden mit – ich weiß nicht, wen. Wir müssen uns beeilen!«

Sie rannten den Korridor entlang. Daisy, die vorneweg lief, platzte in die Große Halle und kreischte: »Hinlegen – sofort!«

Kit und Nigel blieben abrupt stehen. Die Halle war leer. »Scheiße«, sagte Kit.

Vor zwanzig Sekunden hatte Steve noch am Schalter gesessen. Er konnte also nicht weit sein. Kit sah sich im Halbdunkel um, sah die Sessel für wartende Besucher, den Beistelltisch mit wissenschaftlichen Zeitschriften, das Regal mit den Prospekten, in denen Oxenford Medical sich selbst und ihre Arbeit vorstellte, den Schaukasten mit Modellen von komplizierten Molekülen. Dann starrte er hinauf in das spärlich erleuchtete Gerippe der Dachkonstruktion, als könne sich Steve dort zwischen den Sparren verstecken.

Nigel und Daisy überprüften unterdessen die Korridore, die strahlenförmig von der Halle abzweigten, und rissen eine Tür nach der anderen auf.

Kits Blick blieb an zwei Strichfiguren auf einer Tür hängen, Männlein und Weiblein: Das waren die Toiletten. Er durchquerte die Halle und einen kurzen Flur. Dann betrat er die Herrentoilette.

Sie schien leer zu sein. »Mr. Tremlett?« Kit öffnete alle Toilettentüren. Es war tatsächlich niemand da.

Als er den Raum verließ, sah er Steve an die Rezeption zurückkehren. Demnach war der Werkschutzmann in der Damentoilette gewesen und hatte Susan gesucht.

Steve, der ihn offenbar gehört hatte, drehte sich um. »Sie suchen mich?«

»Ja.« Kit erkannte, dass er Steve nicht allein überwältigen konnte. Zwar war er selbst jünger und durchaus sportlich, doch Steve war ein Mann in den Dreißigern, topfit und wahrscheinlich nicht der Typ, der sich kampflos ausschalten ließ. »Ich muss Sie was fragen«, sagte Kit, um Zeit zu gewinnen. Er übertrieb seinen aufgesetzten schottischen Akzent. Steve durfte unter keinen Umständen seine Stimme wiedererkennen.

Steve hob die Klappe und trat ins Oval der Rezeption. »Und worum geht's?«

»Sofort.« Kit drehte sich um und rief Nigel und Daisy zu: »Hey! Hier in der Halle!«

Steve wirkte misstrauisch. »Was ist eigentlich los? Wieso wandern Sie durchs ganze Haus?«

»Ich erklär's Ihnen gleich.«

Steve betrachtete ihn aufmerksam und runzelte die Stirn. »Waren Sie schon mal hier?«

Kit schluckte. »Nein, noch nie.«

»Irgendwas an Ihnen kommt mir bekannt vor.«

Kit wurde der Mund trocken. Er brachte kaum noch ein Wort heraus. »Ich bin beim Notfallteam.« Wo blieben bloß die anderen?

»Mir gefällt das nicht.« Steve hob den Telefonhörer von seinem Apparat auf dem Schalter.

Wo blieben Nigel und Daisy? Noch einmal rief Kit: »Kommt in die Halle, ihr zwei!«

Steve wählte eine Nummer, und das Handy in Kits Tasche begann zu läuten. Steve hörte es. Er runzelte die Stirn, dachte nach – und auf einmal ging ihm ein Licht auf. »Sie haben die Anlage manipuliert!«

»Bewahren Sie die Ruhe«, sagte Kit, »dann passiert Ihnen nichts.« Noch im gleichen Atemzug ging ihm auf, dass er damit Steves Verdacht nur bestätigt hatte.

Der reagierte sofort. Er sprang mit einem Satz über den Schalter und rannte zur Tür.

»Halt!«, schrie Kit.

Steve stolperte, stürzte und rappelte sich wieder auf.

Im selben Moment stürmte Daisy in die Halle, erblickte Steve und schlug einen Haken, um ihm den Weg zum Haupteingang abzuschneiden.

Steve merkte sofort, dass er es nicht zur Tür schaffen würde. Er machte kehrt und lief in den Korridor, der zum BSL-4-Labor führte.

Daisy und Kit jagten hinter ihm her.

Steve sprintete den langen Flur hinunter. Kit erinnerte sich, dass es ganz am Ende, auf der rückwärtigen Seite des Gebäudes, einen Hinterausgang gab. Wenn Steve es bis dorthin schaffte und ins Freie entkam, standen die Chancen, ihn noch zu erwischen, schlecht.

Daisy war Kit ein gutes Stück voraus und bewegte die Arme wie eine Sprinterin. Kit fiel wieder ihre kraftvolle Schulterpartie ein, die er im Schwimmbad gesehen hatte. Steve jedoch war wieselflink und vergrößerte den Abstand zwischen ihnen stetig. Er würde ihnen entwischen.

Doch dann, als Steve auf Höhe der Tür zum Kontrollraum ankam, trat Elton vor ihm auf den Gang. Steve war zu schnell, um ausweichen zu können. Elton brauchte bloß ein Bein auszustrecken – Steve stolperte und stürzte zu Boden.

Elton ließ sich sofort mit beiden Knien auf sein Gesäß fallen und drückte ihm den Lauf einer Pistole an die Wange. »Keine Bewegung, das erspart dir die Kugel im Gesicht«, sagte er. Seine Stimme klang ruhig, aber äußerst überzeugend.

Steve blieb liegen und rührte sich nicht.

Elton stand auf, hielt Steve jedoch mit seiner Waffe in Schach. »So macht man das«, sagte er zu Daisy. »Ohne Blutvergießen.«

Sie sah ihn verächtlich an.

Nun schloss auch Nigel zu ihnen auf. »Was ist passiert?«

»Das ist jetzt egal«, rief Kit. »Die Zeit läuft uns davon!«

»Was ist mit den beiden im Pförtnerhäuschen?«, fragte Nigel.

»Die können wir vergessen. Sie wissen nicht, was hier passiert ist und werden's auch kaum rausfinden – die bleiben die ganze Nacht lang in ihrem Kabuff.« Kit deutete auf Elton. »Hol meinen Laptop aus dem Geräteraum, und warte auf uns im Wagen.« Er wandte sich an Daisy. »Bring Steve ins BSL-4, fessele ihn, und setz dich in den Wagen. Wir müssen ins Labor – und zwar sofort!«

In der Scheune hatte Sophie plötzlich eine Flasche Wodka hervorge-zogen.

Zwar hatte Craigs Mutter angeordnet, dass um Mitternacht das Licht gelöscht werden müsse, doch war sie nicht wieder erschienen, um nachzusehen, ob ihre Anweisung auch befolgt wurde. Die Jugend-lichen blieben daher einfach vor dem Fernseher sitzen und sahen sich einen alten Horrorfilm an. Craigs Schwester Caroline streichelte ihre weiße Ratte und tat so, als hielte sie den Film für furchtbar albern; Tom, sein kleiner Cousin, stopfte sich mit Schokolade voll und hielt sich nur mühsam wach. Sexy Sophie rauchte eine Zigarette nach der anderen und sprach kein Wort. Craig selbst fühlte sich hin und her gerissen zwischen seinem schlechten Gewissen wegen der Delle in Großvaters Ferrari und dem rastlosen Lauern auf eine Gelegenheit, Sophie zu küs-sen. Irgendwie war das Ambiente nicht romantisch genug – nur, wie sollte er das ändern?

Der Wodka überraschte ihn. Er hatte ihr Gerede über Cocktails für reine Angeberei gehalten, doch dann stieg sie die Leiter zu ihrem Lager im Heuboden hinauf, wo ihr Koffer stand, und kam mit einer halb vollen Flasche Smirnoff in der Hand wieder. »Wer möchte einen?«, fragte sie.

Natürlich wollten alle einen.

Als Gläser hatten sie nur Plastikbecher mit Bildchen von Pu dem Bär, Tigger und I-aah drauf. Im Kühlschrank befanden sich alkohol-freie Getränke und Eis. Tom und Caroline mixten ihren Wodka mit Coca Cola. Craig, der nicht wusste, wie er sich verhalten sollte, machte es einfach Sophie nach und trank den Wodka pur mit Eis. Es schmeckte bitter, doch Craig genoss das warme Glühen in der Kehle beim Hinunterschlucken.

Der Film hatte einen Durchhänger, und Craig fragte Sophie: »Weißt du schon, was du zu Weihnachten kriegst?«

»Zwei Decks und ein Mischpult, damit ich DJ spielen kann. Und du?«

»Snowboard-Ferien. Ein paar Kumpel von mir fahren zu Ostern nach Val d'Isère, aber das ist schweineteuer. Ich hab mir das Geld dafür gewünscht. Du willst also mal DJ werden?«

»Ich glaub, das könnte ich gut.«

»Dann ist das sozusagen dein Berufswunsch?«

»Keine Ahnung.« Sophie wirkte sauer. »Was is'n deiner?«

»Ich kann mich nicht so recht entscheiden. Ich wär schon ganz gerne Profi-Fußballer, aber in dem Job bist du mit Mitte dreißig am Ende – ganz abgesehen davon, dass ich vielleicht doch nicht gut genug bin. Ich könnte mir aber auch vorstellen, Wissenschaftler zu werden, so wie Großvater.«

»Bisschen öde, findest du nicht?«

»Nein, wirklich nicht! Er entdeckt fantastische neue Medikamente, ist sein eigener Boss, macht 'n Haufen Kies und fährt einen Ferrari F50 – was ist daran öde?«

Sophie zuckte mit den Schultern. »Gegen den Wagen hätte ich nichts …« Sie kicherte. » Nur was gegen die Delle.«

Craig empfand den Schaden, den er angerichtet hatte, plötzlich als nicht mehr gar so bedrückend. Er fühlte sich angenehm entspannt und sorgenfrei und spielte sogar mit dem Gedanken, Sophie sofort und ohne Rücksicht auf die Anwesenheit der anderen zu küssen. Das Einzige, was ihn noch zurückhielt, war die Aussicht auf die Abfuhr, die Sophie ihm erteilen konnte, und das vor den Augen seiner Schwester – nein, eine solche Demütigung wollte er sich ersparen.

Nur allzu gern hätte er gewusst, was in den Köpfen der Mädchen vorging. Aber es gab niemanden, der ihm das erklärte. Sein Vater, ja, der wusste bestimmt alles, was es da zu wissen gab. Craig hatte keine Ahnung, warum, aber die Frauen schienen bloß so auf ihn zu fliegen – doch wenn er ihn fragte, lachte Hugo nur.

In einem seltenen vertrauten Augenblick mit seiner Mutter hatte Craig auch sie gefragt, was Mädchen an einem Mann anziehend fanden. »Freundlichkeit«, hatte sie gesagt, aber das war eindeutig Quatsch. Wenn Bedienungen und Verkäuferinnen auf seinen Vater reagierten, indem sie ihn anstrahlten, rot wurden und beim Gehen deutlich mit den Hüften wackelten, dann lag das doch, um Himmels willen, nicht an seiner »Freundlichkeit«! Aber woran dann?

Jeder von Craigs Freunden hatte eine todsichere Theorie über das, was er unter Sexappeal verstand – nur eben leider jeder eine andere. Einer glaubte, den Mädchen gefiele es, wenn ein Kerl den starken Macker hervorkehrte und ihnen sagte, wo 's langging. Ein anderer meinte, man brauche sie nur zu ignorieren und schon umschwärmten sie einen wie die Mücke das Licht. Wieder andere behaupteten, Mädchen wären einzig und allein an einer sportlichen Figur, an gutem Aussehen oder an Geld interessiert.

Craig war zwar davon überzeugt, dass keiner von ihnen Recht hatte, besaß selber aber keine eigene Hypothese.

Sophie leerte ihr Glas. »Noch einen?«

Alle wollten noch einen.

Craig kam allmählich zu der Erkenntnis, dass der Film eigentlich urkomisch war. »Dieses Schloss ist ganz unverkennbar aus Sperrholz zusammengebaut«, erklärte er kichernd.

»Und obwohl der Film angeblich im Mittelalter spielt«, ergänzte Sophie, »haben sie alle Frisuren und Augen-Make-up aus den Sechzigerjahren.«

Unvermittelt verkündete Caroline: »O Gott, bin ich müde!« Sie stand auf, kletterte schwerfällig die Leiter hinauf und verschwand.

Da waren's nur noch drei, dachte Craig. Vielleicht wird's ja doch noch richtig romantisch.

Die alte Hexe im Film musste im Blut einer Jungfrau baden, um selber wieder jung zu werden. Die Badeszene bot eine so schreiend komische Mischung aus Anmache und plumper Obszönität, dass Craig und Sophie gar nicht mehr aus dem Kichern herauskamen.

»Mir wird schlecht«, sagte Tom.

»O nein!« Craig sprang auf. Sekundenlang war ihm etwas schwindlig, dann ging's wieder. »Ins Bad mit dir, aber flott!«, befahl er und nahm Tom beim Arm.

Eine fatale Sekunde bevor Tom die Toilette erreichte, kam ihm alles hoch.

Craig überging die Schweinerei auf dem Fußboden und führte den Kleinen zur Kloschüssel. Tom spuckte noch ein bisschen mehr, während Craig ihn um die Schultern fasste und den Atem anhielt. So viel zu einer romantischen Atmosphäre, dachte er.

Sophie erschien an der Tür. »Geht's ihm wieder besser?«

»Ja, ja.« Craig schlüpfte in die Rolle eines besserwisserischen Lehrers. »Eine unvernünftige Kombination aus Schokolade, Wodka und Jungfrauenblut.«

Sophie lachte. Dann schnappte sie sich zu Craigs Überraschung mehrere Lagen Klopapier, ließ sich auf die Knie nieder und fing an, die Fliesen sauber zu wischen.

Tom richtete sich wieder auf.

»Alles raus?«, fragte Craig.

Tom nickte.

»Bestimmt?«

»Bestimmt.«

Craig drückte auf die Spülung. »Dann putz dir jetzt die Zähne.«

»Warum?«

»Damit du nicht so grässlich stinkst.«

Tom griff nach seiner Zahnbürste.

Sophie warf das Wischpapier ins Klo und nahm noch mehr von der Rolle.

Craig führte Tom aus dem Badezimmer zu seinem Feldbett. »Zieh dich aus«, sagte er. Er klappte Toms kleinen Koffer auf und fand darin einen Schlafanzug mit Spiderman-Motiv. Tom zog ihn an und kletterte ins Bett, während Craig seine Klamotten zusammenlegte.

»Tut mir Leid wegen der Kotzerei«, sagte Tom.

»Schon gut«, erwiderte Craig. »Das kommt in den besten Familien vor.« Er zog die Bettdecke hoch bis unter Toms Kinn. »Träum schön.«

Er ging wieder ins Bad, das Sophie inzwischen mit erstaunlicher

Gründlichkeit gesäubert hatte. Sie schüttete gerade Desinfektionsmittel in die Kloschüssel. Craig wusch sich die Hände, und Sophie stellte sich neben ihn ans Waschbecken und tat es ihm nach. Das war ein sehr kameradschaftliches Gefühl.

Mit leiser, amüsierter Stimme sagte Sophie: »Als du ihm gesagt hast, er soll sich die Zähne putzen, hat er gefragt warum.«

Craig grinste sie im Spiegel an. »Als wollte er sagen, dass er heute Abend sowieso niemanden mehr küssen will – wozu also die Mühe?«

»Genau.«

So hübsch wie jetzt hat sie den ganzen Tag noch nicht ausgesehen, dachte Craig, als sie ihm im Spiegel zulächelte, diese dunklen, vergnügt funkelnden Augen … Er griff nach einem Handtuch und reichte ihr das eine Ende. Beide trockneten sie ihre Hände daran ab. Dann zog Craig Sophie am Handtuch zu sich heran und küsste sie auf den Mund.

Sie erwiderte den Kuss. Craig öffnete die Lippen und ließ Sophie seine Zungenspitze spüren. Sophie schien zu zögern, als wisse sie nicht genau, wie sie reagieren solle. Vielleicht hat sie trotz ihrer großen Sprüche doch noch gar nicht so oft geküsst, dachte Craig.

»Gehn wir wieder auf die Couch?«, murmelte er. »Im Klo rumzuknutschen gehört nicht gerade zu meinen Lieblingsbeschäftigungen.«

Sophie kicherte und ging ihm voran aus dem Badezimmer.

Nüchtern bin ich nicht so witzig, dachte Craig.

Er setzte sich dicht neben Sophie auf die Couch und legte seinen Arm um sie. Sie sahen sich den Film weiter an, doch nach einer Minute küsste Craig Sophie erneut.

Eine Luftschleuse wie auf einem U-Boot führte vom Umkleideraum in den Hochsicherheitsbereich. Kit drehte das Rad mit den vier Speichen und öffnete die Tür. Er war früher schon einmal in diesem Labor gewesen, allerdings bevor es seinem jetzigen Zweck diente und noch keine tödlichen Viren darin aufbewahrt wurden. Ein BSL-4-Labor in Betrieb hatte er noch nie betreten – dazu fehlte ihm jegliche Ausbildung. Als er die Duschkabine betrat, war ihm durchaus bewusst, dass er sich in eine potenziell lebensbedrohende Situation begab. Nigel folgte ihm, in den Händen Eltons burgunderfarbene Mappe. Elton selbst und Daisy warteten draußen im Lieferwagen.

Kit schloss die Tür hinter ihnen. Alle Türen waren elektronisch so gesteuert, dass sich die nächste immer erst öffnete, wenn die letzte sich hinter dem Eintretenden geschlossen hatte. In Kits Ohren knackte es. Beim Eintritt ins BSL-4-Labor wurde der Luftdruck schrittweise reduziert, sodass bei möglichen Lecks Luft nur innerhalb des geschlossenen Systems entweichen konnte und die Freisetzung gefährlicher Viren in die Außenwelt unmöglich war.

Durch eine weitere Tür gelangten sie in einen Raum, in dem Schutzanzüge aus blauem Plastik an Haken hingen. Kit zog seine Schuhe aus. »Such dir einen in deiner Größe, und steig rein«, sagte er zu Nigel. »Wir müssen die Sicherheitsvorkehrungen abkürzen.«

»Das höre ich aber gar nicht gern.«

Auch Kit war davon alles andere als begeistert, aber sie hatten keine Wahl. »Die übliche Prozedur dauert zu lange«, erklärte er. »Da musst du deine Klamotten komplett ablegen, Unterwäsche und Schmuck inklusive, und dich dann gründlich abschrubben wie ein Chirurg, bevor es weitergeht.« Er nahm einen der Anzüge vom Haken und machte sich daran, hineinzusteigen. »Beim Rausgehen dauert's noch länger. Da musst du dich in diesem Anzug duschen, zuerst mit einer Dekontaminationslösung, dann mit Wasser, und zwar in einer genau vorbestimmten Abfolge, die fünf Minuten lang dauert. Dann kannst du den Anzug ausziehen und duschst und schrubbst dich nackt für weitere fünf Minuten. Du putzt dir die Fingernägel und die Nase, räusperst dich und spuckst aus. Danach kannst du dich anziehen. Wenn wir uns an diese Vorgabe halten, dann steht schon die halbe Polizeitruppe von Inverburn vor der Tür, bis wir endlich hier rauskommen. Also verzichten wir auf die Duscherei. Wir ziehen nachher bloß die Anzüge wieder aus und machen uns vom Acker.«

Nigel war entsetzt. »Wie gefährlich ist das?«

»Ungefähr ebenso gefährlich, wie wenn du mit deinem Auto bei zweihundert Stundenkilometern durch die Gegend rast – es kann dich umbringen, doch solange du es dir nicht zur Gewohnheit machst, ist es kaum wahrscheinlich. Nun mach schon und zieh dir einen Anzug über!« Kit schloss seinen Helm. Das Plastikvisier verzerrte die Sicht ein wenig. Kit zog den diagonal verlaufenden Reißverschluss seines Anzugs zu, dann half er Nigel.

Er entschied, dass sie auf die üblichen Chirurgenhandschuhe verzichten konnten. Mit Isolierband klebte er die zu Nigels Anzug gehörigen Stulpenhandschuhe an den steifen runden Ärmelbündchen fest und bedeutete Nigel, dass er bei ihm das Gleiche tun solle.

Aus dem Raum mit den Anzügen traten sie in die Dekontaminierungsdusche, eine Kabine, die rundum an den Wänden sowie an der Decke mit Sprühdüsen ausgestattet war. Sie spürten, dass der Luftdruck noch einmal sank – um 25 oder 50 Pascal von einem Raum zum anderen, fiel es Kit wieder ein. Aus dem Duschraum traten sie ins eigentliche Labor.

Einen Moment lang empfand Kit nur blanke Angst. Es lag hier etwas in der Luft, das ihn töten konnte. Sein ganzes gescheites Gerede über die Abkürzung von Sicherheitsmaßnahmen und das Fahren mit zweihundert Stundenkilometern kam ihm nun tollkühn vor. Ich könnte durchaus sterben, dachte er. Ich könnte mir hier eine Krankheit einfangen, die mir das Blut aus Augen und Ohren und allen anderen Körperöffnungen laufen lässt. Was suche ich eigentlich hier? Wie konnte ich nur so blöd sein, mich auf so etwas einzulassen?

Er atmete langsam durch und beruhigte sich wieder. Du bist nicht auf die Luft hier drin angewiesen, du atmest nur saubere Luft von außerhalb des Labors ein, sprach er sich Mut zu. Kein Virus der Welt kommt durch diese Anzüge durch. Du bist wesentlich besser vor Infektionen geschützt als beispielsweise in der Economy Class in einer voll besetzten Boeing 747. Reiß dich zusammen!

Von der Decke baumelten gelbe Luftschläuche. Kit griff sich einen, befestigte ihn an der Öffnung an Nigels Gürtel und sah, wie sich Nigels Schutzanzug aufblies. Für sich tat er das Gleiche, gleich darauf hörte er, wie die Luft in seinen Anzug strömte. Seine Ängste legten sich.

Neben der Tür stand eine Reihe von Gummistiefeln, doch Kit ignorierte sie. Ihr Hauptzweck bestand darin, die Füße der Anzüge zu schützen und vor Abnutzung zu bewahren.

Er ließ seinen Blick durch das Labor schweifen, um sich zu orientieren. Konzentration auf die vor ihm liegende Aufgabe war jetzt gefragt, die Gefahren mussten verdrängt werden. Wegen der Epoxidfarbe, die die Wände luftdicht versiegelte, schien der ganze Raum zu schimmern. Auf Arbeitstischen aus rostfreiem Stahl standen Mikroskope und Computer. Es gab ein Faxgerät, mit dem man Notizen nach draußen schicken konnte, denn es war natürlich nicht möglich, Papier durch die Dusche und die Desinfektionsschleusen zu bringen. Kit sah Kühlschränke zur Aufbewahrung von Proben, Sicherheitsschränke zur Handhabung von biologisch gefährlichen Materialien sowie ein Regal mit Kaninchenkäfigen unter einer durchsichtigen Plastikabdeckung. Wenn das Telefon klingelte, leuchtete ein rotes Licht über der Tür auf, weil in den Schutzanzügen kaum etwas zu hören war. Ein blaues Licht diente zur Warnung im Notfall. Überwachungskameras deckten jeden Zentimeter im Raum ab.

Kit deutete auf eine Tür. »Ich glaube, der Tresor ist dort drin.« Er durchquerte den Raum, wobei sich sein Luftschlauch mit jedem Schritt verlängerte, öffnete die Tür zu einer gerade mal schrankgroßen Kammer, in der sich ein Kühlschrank mit einer Tastatur auf einer Arbeitsfläche befand. Die Zahlenfolge auf den LED-Tasten wechselte nach dem Zufallsprinzip, sodass der Code auch dann nicht herauszubekommen war, wenn man einer zugangsberechtigten Person auf die Finger schaute. Doch da Kit die Anlage selbst installiert hatte, war ihm die Kombination vertraut – es sei denn, man hätte sie inzwischen geändert.

Er tippte die Zahlen ein und zog am Türgriff.

Der Kühlschrank ging auf.

Nigel trat hinter Kit und blickte ihm über die Schulter.

Das kostbare Antiviren-Medikament lagerte, abgefüllt in Einwegspritzen verschiedener Dosierung, in kleinen Pappkartons. Kit deutete auf das Kühlschrankfach. Er hob die Stimme, sodass Nigel ihn durch die Schutzanzüge hindurch verstehen konnte. »Das ist das Medikament.«

»Das Medikament interessiert mich nicht«, sagte Nigel.

Kit glaubte sich verhört zu haben. »Wie bitte?«, rief er.

»Das Medikament interessiert mich nicht«, wiederholte Nigel.

Kit verstand die Welt nicht mehr. »Was redest du da für einen Blödsinn? Wozu sind wir denn dann hier?«

Nigel schwieg.

Im zweiten Fach lagerten diverse Virenproben, mit denen die Versuchstiere infiziert wurden. Nigel studierte aufmerksam die Etiketten und wählte schließlich eine Probe *Madoba-2* aus.

»Was willst du denn damit?«, fragte Kit.

Wortlos räumte Nigel sämtliche *Madoba-2*-Proben aus dem Kühlschrankfach. Es waren insgesamt zwölf Schachteln.

Um jemanden umzubringen, genügte eine einzige. Zwölf dieser Proben konnten eine Epidemie auslösen. Trotz des Schutzanzugs hätte Kit sich gescheut, die Schachteln auch nur anzurühren. Doch was hatte Nigel vor?

»Ich dachte«, sagte Kit, »du handelst im Auftrag von so einem internationalen Pharma-Multi.«

»Ich weiß.«

Nigel konnte es sich leisten, Kit für die Arbeit dieser Nacht dreihunderttausend Pfund zu zahlen. Kit wusste nicht, was Elton und Daisy bekamen, doch selbst wenn es erheblich weniger war, mussten Nigels Ausgaben bei gut einer halben Million liegen. Damit sich das Geschäft für ihn lohnte, musste sein eigenes Honorar bei mindestens einer, wenn nicht gar zwei Millionen Pfund liegen. Das Medikament war diesen Preis leicht wert. Aber wer war schon bereit, eine Million Pfund für einen tödlichen Virus zu bezahlen?

Kaum hatte sich Kit diese Frage gestellt, da fiel ihm auch schon die Antwort ein.

Nigel trug die Schachteln mit den Proben quer durchs Labor und stellte sie in eine Sterilbank.

Eine Sterilbank war ein Glaskasten mit einem Schlitz auf der Stirnseite, durch den der Wissenschaftler die Arme stecken konnte, um innerhalb des Kastens Experimente durchführen. Eine Pumpe sorgte dafür, dass die Luft von außen nach innen strömte. Eine perfekte Versiegelung war nicht notwendig, sofern der Wissenschaftler einen Schutzanzug trug.

Nigel öffnete die burgunderfarbene Ledermappe. Die obere Hälfte war mit Kühlaggregaten aus blauem Plastik ausgelegt. Virusproben mussten, wie Kit wusste, bei niedrigen Temperaturen aufbewahrt werden. Die untere Hälfte war angefüllt mit weißen Styroporchips, wie sie zur Verpackung zerbrechlicher Gegenstände verwendet werden. Inmitten der Chips lag wie ein kostbares Juwel ein ganz gewöhnlicher Parfümzerstäuber. Er war leer. Kit kannte die Marke. Sie hieß *Diablerie*; seine Schwester Olga benutzte sie.

Nigel stellte die Parfümflasche in die Vitrine. Sie beschlug sofort. »Sie haben mir gesagt, ich soll den Luftabzug anstellen«, erklärte er. »Wo ist der Schalter?«

»Warte!«, sagte Kit. »Was tust du da? Du musst das erklären!«

Nigel fand den Schalter und knipste ihn an. »Der Kunde will das Produkt in anwendbarer Form«, sagte er, und es klang, als übe er Geduld und Nachsicht gegenüber einem Begriffsstutzigen. »Ich fülle die Proben in die Parfümflasche um, und zwar hier unter der Sterilbank. Anderswo wäre es zu gefährlich.« Er drehte die Verschlusskappe von der Parfümflasche und öffnete die Schachtel mit den Proben. Zutage kam ein durchsichtiges Fläschchen aus Jenaer Glas mit einer weißen

Skala für die Mengenangabe auf der Seite. Die Handschuhe ließen Nigels Bemühungen plump und ungeschickt erscheinen. Er schraubte den Deckel des Fläschchens ab und goss die Flüssigkeit in die *Diablerie*-Flasche um. Dann verschloss er das Fläschchen wieder und nahm das nächste.

»Die Leute, denen du das verkaufst…«, stammelte Kit. »Weißt du, wofür die das Zeug haben wollen?«

»Ich kann mir 's vorstellen.«

»Es wird Menschen töten – Hunderte, wenn nicht gar Tausende!«

»Ich weiß.«

Die Parfümflasche bot eine geradezu ideale Methode, die Viren unter die Leute zu bringen. Auf einfachste Weise konnte ein Sprühnebel erzeugt werden. Die farblose Flüssigkeit mit den Viren wirkte vollkommen harmlos und würde unbemerkt alle Sicherheitskontrollen passieren. Eine Frau konnte sie an jedem beliebigen Ort aus der Handtasche nehmen und mit Unschuldsmiene die Luft mit einem Virus verseuchen, das für alle Menschen, die es einatmeten, tödlich war. Dass sie sich auch selbst damit umbringen würde, war unter Terroristen ja nichts Besonderes. Die Zahl der Toten wäre mit Sicherheit um ein Vielfaches höher als bei jedem Bombenanschlag. Voller Entsetzen sagte Kit: »Das ist Massenmord, wovon du da sprichst!«

»Ja.« Nigel drehte sich um und sah Kit ins Gesicht. Seine blauen Augen wirkten selbst durch die beiden Visiere noch einschüchternd. »Und du bist jetzt Mitwisser und Mittäter, also halt den Mund und stör mich nicht länger, damit ich mich konzentrieren kann.«

Kit stöhnte. Nigel hatte Recht. Diebstahl, das war alles, woran Kit gedacht hatte, als er sich auf diesen Deal einließ, und als Daisy Susan zusammenschlug, war er entsetzt gewesen. Doch was jetzt geschah, war tausendmal schlimmer – und er, Kit, konnte nichts mehr dagegen tun. *Wenn ich mich jetzt quer stelle, bringt Nigel mich vermutlich um,* dachte er – *und wenn der Coup misslingt und dieser mysteriöse Kunde die Viren nicht erhält, lässt Harry McGarry mich um die Ecke bringen, weil ich meine Schulden nicht bezahlen kann… Ich muss bis zum bitteren Ende mitmachen und dann meinen Lohn einstreichen – sonst bin ich ein toter Mann.*

Und wenn Nigel nicht aufpasst und beim Umfüllen der Proben schlampt, sterbe ich noch früher.

Die Arme unter die Sterilbank gesteckt, füllte Nigel den Inhalt aller Probenfläschchen in die Parfümflasche um und schraubte den Zerstäuber wieder auf. Die Außenseite der Flasche war jetzt zweifellos kontaminiert – doch das schien irgendjemand auch Nigel klar gemacht zu haben, denn er steckte die Flasche in das mit Dekontaminierungsflüssigkeit gefüllte Durchreichegefäß und holte sie dann auf der anderen Seite wieder heraus. Er trocknete sie ab, nahm zwei verschließbare Plastiktüten aus der Aktenmappe, steckte die Flasche in die eine Tüte, verschloss sie und stülpte die zweite Tüte darüber. Schließlich deponierte er die doppelt verpackte Flasche wieder in der Aktenmappe und ließ das Schnappschloss einrasten.

»Fertig«, sagte er.

Nigel trug die Mappe, als sie das Labor verließen. Sie gingen durch die Dekontaminierungsdusche, ohne sie zu benutzen – dazu blieb keine Zeit. Im anschließenden Raum stiegen sie aus den klobigen Schutzanzügen und zogen ihre Schuhe wieder an. Kit hielt gebührenden Abstand von Nigels Schutzanzug, denn zumindest die Handschuhe waren garantiert mit den Spuren des Virus kontaminiert.

Auch den normalen Duschraum durchquerten sie, ohne ihn zu benutzen. Im Flur vor dem Umkleideraum saßen die vier Werkschutzleute gefesselt an die Wand gelehnt.

Kit warf einen Blick auf seine Uhr. Dreißig Minuten waren vergangen, seit er Toni Gallos Telefongespräch mit Steve belauscht hatte. »Ich hoffe, Toni ist noch nicht angekommen.«

»Und wenn schon, dann müssen wir sie eben neutralisieren.«

»Die war mal bei der Polizei – mit der habt ihr's nicht so leicht wie mit den Wachen hier. Außerdem könnte sie mich erkennen, trotz der Verkleidung.«

Er drückte auf den grünen Knopf, und die Tür öffnete sich. Sie rannten den Korridor hinunter in die Große Halle. Zu Kits unendlicher Erleichterung war sie leer: Toni Gallo war noch nicht eingetroffen. Geschafft, dachte er, jedenfalls vorerst. Aber sie kann jeden Augenblick hier sein …

Der Lieferwagen stand mit laufendem Motor vor dem Haupteingang. Elton saß am Steuer, Daisy hinten beim Werkzeug. Nigel sprang hinein, Kit hinterher. »Los!«, rief er. »Raus hier, so schnell wie möglich!«

Elton gab Gas, noch bevor Kit die Tür hinter sich schließen konnte.

Der Schnee lag hoch. Das Fahrzeug geriet sofort ins Rutschen und zog zur Seite, doch Elton bekam es gleich wieder in Griff. Am Tor hielten sie an.

Willie Crawford beugte sich heraus. »Alles erledigt?«, fragte er.

Elton rollte das Seitenfenster herunter. »Noch nicht ganz«, sagte er. »Wir brauchen ein paar Ersatzteile. Wir kommen noch mal zurück.«

»Das wird wohl eine Weile dauern bei dem Wetter«, sagte der Werkschutzmann, der offenbar zu einem Schwätzchen aufgelegt war.

Kit unterdrückte ein ungeduldiges Grummeln. Vom Rücksitz her fragte Daisy leise: »Soll ich den Kerl umnieten?«

Elton sagte ruhig: »Wir machen so schnell, wie ’s eben geht.« Dann drehte er die Scheibe wieder hoch.

Sekunden später hob sich die Schranke, und sie fuhren hindurch.

Im Süden leuchteten Scheinwerfer auf. Kurz darauf erkannte Kit, dass es sich um einen hellen Jaguar Saloon handelte.

Elton bog nach Norden ab und gab Gas. Nur weg vom Kreml!

Im Rückspiegel sah Kit, wie die Scheinwerfer des Jaguars von der Hauptstraße abbogen und vor dem Werktor hielten.

Toni Gallo, dachte Kit. Eine Minute zu spät.

Carl Osborne hielt neben dem Pförtnerhäuschen. Neben ihm auf dem Beifahrersitz saß Toni Gallo, hinter ihr im Fond ihre Mutter.

Toni gab Carl ihren Firmenausweis sowie den Rentnerausweis ihrer Mutter. »Gib die Papiere dem Wachmann«, sagte sie. »Und zeig ihm auch deinen Presseausweis.« Alle Besucher von Oxenford Medical mussten sich ausweisen.

Carl ließ das Seitenfenster herunter und händigte die Papiere aus.

Toni, die an ihm vorbeisah, erblickte Hamish McKinnon. »Hi, Hamish, ich bin's!«, rief sie. »Ich hab zwei Besucher mitgebracht.«

»Hallo, Ms. Gallo«, erwiderte der Wachmann. »Hat die Dame da hinten etwa einen Hund auf dem Schoß?«

»Keine Fragen, bitte«, sagte Toni.

Hamish schrieb sich die Namen auf und gab Presse- und Rentenausweis zurück. »Steve ist an der Rezeption.«

»Funktioniert das Telefon wieder?«

»Noch nicht. Die Telecom-Leute sind gerade weggefahren, um ein Ersatzteil zu holen.« Hamish ließ die Schranke hoch, und Carl fuhr durch.

Toni unterdrückte den Ärger auf die Leute der Hibernian Telecom, der in ihr aufsteigen wollte. In einer Nacht wie dieser sollten sie eigentlich auf alle Eventualitäten gefasst sein und die erforderlichen Ersatzteile dabeihaben, dachte sie. Das Wetter wurde immer schlechter, und man musste damit rechnen, dass die Straßen in Kürze völlig unpassierbar waren. Toni war sich ziemlich sicher: Vor morgen Vormittag kamen die Techniker bestimmt nicht zurück.

Damit stand fest, dass der kleine Plan, den sie sich ausgedacht hatte, nicht in die Tat umgesetzt werden konnte. Sie hatte gehofft, am Morgen Stanley anrufen und ihm von einem kleinen Problem im Kreml berichten zu können, das sie aber in der Nacht bereits gelöst habe. Danach wollte sie mit ihm über die geplante Verabredung sprechen. Aber wie es jetzt aussah, waren die Nachrichten, die sie ihm zu überbringen hatte, weniger erfreulich.

Carl hielt vor dem Haupteingang. »Warte hier!«, sagte Toni und sprang aus dem Wagen, bevor er widersprechen konnte. Wenn es sich irgendwie vermeiden ließ, wollte sie ihn nicht im Gebäude haben. Sie lief die Stufen zwischen den Steinlöwen hinauf und stieß die Eingangstür auf. Zu ihrer Verblüffung war die Rezeption unbesetzt.

Sie zögerte. Einer der Wachleute war vielleicht auf Patrouille – doch beide zusammen? Das war eigentlich nicht vorgesehen. Während sie sich sonst wo im Gebäude aufhalten konnten, blieb der Eingang unbewacht.

Toni ging zum Kontrollraum. Die Monitore würden ihr zeigen, wo sich die Werkschutzleute aufhielten.

Doch auch der Kontrollraum war menschenleer.

Ihr wurde eiskalt ums Herz. Da stimmte etwas nicht. Vier verschwundene Wachleute – das war keine zufällige Abweichung von der Norm. Da war etwas faul, sehr faul.

Sie studierte die Monitore. Jeder einzelne zeigte leere Räume. Wenn sich tatsächlich vier Wachleute im Haus befanden, musste zumindest eine Person binnen Sekunden auf einem der Bildschirme erscheinen. Doch nirgends rührte sich etwas.

Dann fiel ihr etwas ins Auge, und sie sah sich den Text zu den Bildern aus dem BSL-4-Labor genauer an.

Als Datum erschien der 24. Dezember. Toni sah auf ihre Armbanduhr. Es war nach ein Uhr morgens, also bereits der 25. Dezember, Weihnachten. Die Bilder auf den Monitoren stammten vom Vortag. Irgendjemand hatte das Überwachungssystem manipuliert.

Sie setzte sich ans Terminal und loggte sich ins Programm ein. Binnen drei Minuten war ihr klar, dass alle Bildschirme, die das BSL-4-Labor überwachten, Material vom vergangenen Tag zeigten.

Sie stellte den Normalzustand wieder her und betrachtete die Bilder von neuem.

Auf dem Flur vor den Umkleideräumen saßen vier Personen auf dem Fußboden. Entsetzt starrte Toni auf den Monitor. Bitte, lieber Gott, dachte sie, lass sie nicht tot sein...

Da bewegte sich einer der vier.

Toni sah genauer hin. Das waren Leute vom Werkschutz. Sie trugen alle dunkle Uniformen und hatten die Hände auf dem Rücken, als habe man sie gefesselt.

»Nein, nein!«, stöhnte Toni laut.

Es blieb nur eine Schlussfolgerung: Der Kreml war überfallen worden.

Sie sah ihre Felle davonschwimmen. Erst Michael Ross, und nun dies. Was habe ich falsch gemacht, dachte sie. Ich habe doch nach menschlichem Ermessen alles getan, um die Firma vor Ereignissen wie diesem zu schützen – und dennoch total versagt! Ich habe Stanley verraten und verkauft...

Wäre sie ihrem ersten Impuls gefolgt, so wäre sie sofort zum Labor gerannt und hätte die Gefesselten befreit. Doch dann setzte sich die Vernunft der geschulten Polizistin durch. Ruhe bewahren, die Lage einschätzen, dann erst die Reaktion planen. Die Verantwortlichen für den Überfall konnten sich noch immer im Gebäude aufhalten – auch wenn Toni vermutete, dass sie in dem Lieferwagen der Hibernian Telecom saßen, der gerade erst weggefahren war. Was war daher als Erstes zu tun? Sie musste sicherstellen, dass sie nicht die Einzige war, die Bescheid wusste.

Sie nahm den Hörer vom Telefonapparat auf dem Tisch. Natürlich – die Leitung war tot. Der Ausfall der Telefonanlage passte ins Bild. Sie zog ihr Handy aus der Tasche und rief die Polizei an. »Hier Toni Gallo, Sicherheitsbeauftragte bei Oxenford Medical. Hier hat es einen Zwischenfall gegeben. Vier unserer Werkschutzleute sind überfallen worden.«

»Sind die Täter noch auf dem Gelände?«

»Ich glaube nicht, aber hundertprozentig sicher kann ich es nicht sagen.«

»Wurde jemand verletzt?«

»Ich weiß es noch nicht. Gleich nach diesem Gespräch sehe ich nach. Ich wollte nur sofort die Polizei informieren.«

»Wir schicken Ihnen einen Streifenwagen – das heißt, wir versuchen es jedenfalls. Die Straßen sind allerdings in einem schlimmen Zustand.« Der Mann am Telefon klang nach einem jungen, unsicheren Constable.

Toni versuchte ihm klar zu machen, dass es sich um eine dringende Angelegenheit handelte. »Es ist möglich, dass wir es mit einem biologischen Störfall zu tun haben. Gestern ist ein junger Mann an einem Virus aus unserer Firma gestorben.«

»Wir tun unser Möglichstes.«

»Ich glaube, heute Nacht hat Frank Hackett Dienst. Ist er im Haus?«

»Er hat Bereitschaft.«

»Ich rate Ihnen dringend, Frank zu Hause anzurufen und ihn über die Ereignisse in Kenntnis zu setzen.«

»Ich habe mir Ihren Vorschlag notiert.«

»Im Übrigen ist hier die Telefonanlage ausgefallen, wofür vermutlich die Einbrecher verantwortlich sind. Ich gebe Ihnen daher meine Handynummer.« Sie diktierte sie dem jungen Mann. »Sagen Sie Frank, er soll mich sofort zurückrufen.«

»Verstanden.«

»Und Ihr Name ist?«

»Constable David Reid.«

»Vielen Dank, Constable Reid. Wir warten auf Ihre Kollegen.« Toni beendete das Gespräch. Der hat garantiert nicht begriffen, wie brisant der Fall ist, dachte sie, war sich aber sicher, dass er die Informationen an einen Vorgesetzten weitergeben würde. Ihr blieb ohnehin keine Zeit für längere Auseinandersetzungen.

Sie rannte auf schnellstem Wege zum BSL-4-Labor, schob ihre Chipkarte durch das Lesegerät, hielt ihre Fingerspitze auf den Scanner und betrat den Raum.

Da waren sie: Steve, Susan, Don und Stu, alle vier nebeneinander mit gefesselten Händen und Füßen an der Wand lehnend. Susan sah aus, als wäre sie gegen einen Baum gerannt: Ihre Nase war dick angeschwollen, Blutflecken bedeckten Kinn und Brust. Don hatte eine üble Schürfwunde an der Stirn.

Toni kniete nieder und begann, die vier loszubinden.

»Was ist hier passiert?«, fragte sie.

Der Lieferwagen der Hibernian Telecom pflügte durch dreißig Zentimeter hohen Schnee. Elton fuhr höchstens zwanzig Stundenkilometer, allerdings untertourig, um die Schleudergefahr zu verringern. Dicke Schneeflocken trieben in Schwaden gegen die Windschutzscheibe und sammelten sich an deren unterem Rand in zwei rasch wachsenden, keilförmigen Flächen, sodass der Bogen, den die Scheibenwischer freihielten, immer kleiner wurde. Schließlich konnte Elton fast nichts mehr sehen und musste anhalten, um den Schnee zu entfernen.

Kit war zutiefst verzweifelt. Er hatte sich vorgestellt, an einem raffinierten Diebstahl beteiligt zu sein, bei dem niemand wirklich zu Schaden kam. Oxenford Medical hätte dabei zwar Geld verloren, doch andererseits hätte er, Kit, seine Schulden bei Harry Mac bezahlen können – eine Summe, für deren Begleichung eigentlich ohnehin sein Vater zuständig gewesen wäre, sodass im Grunde nicht einmal echtes Unrecht geschah. Aber die Wahrheit sah ganz anders aus. Wer *Madoba-2*-Viren kaufte, konnte nur einen einzigen Grund haben: Er wollte viele, viele Menschen umbringen. Dass er einmal eine solche Schuld auf sich laden könne, hätte Kit sich nie träumen lassen.

Er fragte sich, wer Nigels Kunde war oder wem er zuarbeitete: japanischen Fanatikern, muslimischen Fundamentalisten, einer Splittergruppe der IRA, palästinensischen Selbstmordattentätern oder einer Gruppe von paranoiden Amerikanern mit Schnellfeuerwaffen, die irgendwo in den Bergen Montanas in abgelegenen Blockhäusern hausten? Die Antwort war im Grunde gleichgültig: Wer immer die Viren kaufte, würde sie auch freisetzen, und unzählige Menschen würden elend krepieren, während ihnen das Blut aus den Augenhöhlen lief. Aber was kann ich tun, fragte sich Kit. Wenn ich versuche, das Geschehene ungeschehen zu machen und die Proben wieder ins Labor zurückzubringen, wird Nigel mich töten – oder es Daisy überlassen. Kit erwog, aus dem fahrenden Wagen zu springen. Langsam genug fuhr er ja. Vielleicht kann ich in diesem Schneesturm tatsächlich entkommen, ohne dass sie mich finden. Aber die Viren haben sie trotzdem, und die viertel Million Schulden bei Harry werde ich auch nicht los ...

Nein, es blieb ihm nichts anderes übrig: Er musste die Sache bis zum bitteren Ende durchstehen. Vielleicht kann ich ja, wenn alles vorbei ist, Nigel und Daisy anonym anzeigen. Dann besteht vielleicht noch die Hoffnung, dass das Virus aufgespürt wird, bevor es Schaden anrichten kann ... Oder ist es klüger, bei meinem ursprünglichen Plan zu bleiben und einfach abzuhauen? Kein Mensch wird auf die Idee kommen, ausgerechnet Lucca zum Ursprungsort einer todbringenden Seuche zu wählen.

Vielleicht, dachte er fatalistisch, werden die Viren ja in dem Flugzeug freigesetzt, mit dem ich nach Italien fliege ... Dann müsste ich selber als einer der Ersten dran glauben – das wäre dann wahre Gerechtigkeit ...

Vor ihnen am Straßenrand schimmerte ein beleuchtetes Reklameschild mit der Aufschrift »Dew Drop Motel« aus dem Schneesturm. Elton bog von der Straße ab. Über der Eingangstür brannte Licht, und auf dem Parkplatz standen acht oder neun Autos. Das Motel hatte geöffnet. Kit fragte sich, wer Weihnachten in einem Motel verbringen mochte. Hindus vielleicht oder Vertreter, die es nicht mehr nach Hause geschafft hatten. Oder Liebespaare, die ihr Verhältnis geheim halten mussten.

Elton hielt direkt neben einem Vauxhall Astra Kombi. »Wir halten uns an unseren Plan und lassen das Telecom-Fahrzeug hier«, sagte er. »Es ist zu leicht zu erkennen. Eigentlich soll uns dieser Astra hier zum Flugfeld bringen. Die Frage ist nur, ob er und wir das schaffen.«

Vom Rücksitz her fragte Daisy: »Wieso hast du keinen Landrover genommen, du blödes Arschloch?«

»Weil der Vauxhall Astra einer der am weitesten verbreiteten und am wenigsten auffälligen Wagen in Großbritannien ist und weil es in der Wettervorhersage hieß, kein Schnee, du potthässliche Kuh.«

»Hört auf, ihr zwei«, sagte Nigel ruhig. Er zog sich die Perücke vom Kopf und die Brille von der Nase. »Zieht eure Verkleidungen aus. Wir wissen nicht, wie bald diese Aufpasser der Polizei Beschreibungen von uns liefern.«

Die anderen folgten seinem Beispiel.

»Wir könnten hier bleiben, uns Zimmer nehmen und warten, bis der Schneesturm vorüber ist«, schlug Elton vor.

»Zu gefährlich«, antwortete Nigel. »Wir sind bloß ein paar Kilometer vom Labor entfernt.«

»Wenn wir im Schnee festsitzen, kommen die Bullen auch nicht durch. Und sobald das Wetter halbwegs erträglich ist, machen wir uns davon.«

»Wir haben einen Termin mit unserem Kunden.«

»Bei diesem Dreckswetter fliegt der seinen Helikopter bestimmt nicht.«

»Richtig.«

Kits Handy klingelte. Er sah auf seinem Laptop nach. Es war ein normaler Anruf, kein umgeleiteter aus der Telefonanlage des Kreml. Er meldete sich. »Ja?«

»Ich bin's.« Kit erkannte die Stimme von Hamish McKinnon. »Ich ruf übers Handy an. Muss mich beeilen, Willie ist nur kurz zur Toilette.«

»Was ist los?«

»Kaum wart ihr fort, tauchte sie hier auf.«

»Ich hab das Auto gesehen.«

»Sie hat die Kollegen gefunden und die Polizei gerufen.«

»Kommt die denn bei diesem Wetter durch?«

»Sie wollen's jedenfalls versuchen. Die Gallo ist gerade hier bei uns im Pförtnerhaus gewesen und hat uns die Bullen angekündigt. Wenn sie hier ankommen … Tut mir Leid, ich muss aufhören.« Hamish beendete das Gespräch.

Kit steckte sein Handy wieder in die Tasche. »Toni Gallo hat die Werkschutztypen gefunden«, verkündete er. »Sie hat die Polizei gerufen, und die ist jetzt unterwegs.«

»Damit ist alles klar«, sagte Nigel. »Wir steigen in den Astra um.«

Craig schob gerade seine Hand unter den Saum von Sophies Pullover, als er Schritte hörte. Er löste die Umarmung und drehte sich um.

Seine Schwester stieg im Nachthemd die Leiter vom Heuboden herunter. »Mir ist so komisch«, sagte sie und ging ins Bad.

Frustriert wandte Craig seine Aufmerksamkeit wieder dem Fernsehfilm zu. Die alte Hexe, nunmehr in ein schönes Mädchen verwandelt, verführte gerade einen gut aussehenden Ritter.

Da tauchte Caroline wieder auf und sagte: »Im Bad stinkt's nach Kotze.« Sie stieg die Leiter hinauf und ging wieder ins Bett.

»Hier bleiben wir nie ungestört«, sagte Sophie leise.

»Genauso gut könnten wir's in Glasgow am Hauptbahnhof treiben«, erwiderte Craig und küsste sie trotzdem noch einmal. Diesmal öffnete sie den Mund, und ihre Zunge kam seiner entgegen. Lustvoll stöhnte Craig auf.

Er schob seine Hand wieder unter Sophies Sweater, bis er ihre Brust spürte. Sie war klein und warm und von einem BH aus dünner Baumwolle bedeckt. Craig drückte sie sachte, und nun war es Sophie, die unwillkürlich aufstöhnte.

Da piepste Tom: »Hört auf, hier rumzugrunzen, ich kann nicht pennen!«

Das gab Craig den Rest. Er zog seine Hand unter Sophies Pullover hervor und hätte am liebsten vor Frustration laut gebrüllt. »Tut mir Leid«, murmelte er.

»Wieso gehen wir nicht woanders hin?«, fragte Sophie.

»Wohin denn?«

»Wie wär's mit dem Dachboden, den du mir heute gezeigt hast?«

Craig war begeistert. Dort wären sie vollkommen allein, und niemand würde sie stören. »Tolle Idee!«, sagte er und stand auf.

Sie zogen sich Mäntel und Stiefel an, und Sophie setzte eine pinkfarbene Wollmütze mit einem Bommel auf, die sie ebenso niedlich wie unschuldig aussehen ließ. »Ein richtiger Wonneproppen«, kommentierte Craig.

»Wer?«

»Du.«

Sie lächelte. Noch vor ein paar Stunden hätte sie eine derartige Bemerkung »end-öde« genannt. Inzwischen aber hatte sich ihr Verhältnis gewandelt. Vielleicht lag es am Wodka, doch Craig hatte eher das Gefühl, die Szene im Badezimmer, als sie sich gemeinsam um Tom gekümmert hatten, sei der Wendepunkt gewesen. Die Hilflosigkeit des Kindes hatte sie beide dazu gezwungen, sich wie Erwachsene zu verhalten. Danach war es schwer, wieder in die Rolle des stets coolen, sich immer leicht angeödet gebenden Halbwüchsigen zurückzufallen.

Allerdings wäre Craig nie auf die Idee gekommen, dass man das Herz eines Mädchens gewinnen könnte, indem man sie Erbrochenes aufwischen ließ.

Er öffnete die Scheunentür. Ein kalter Wind blies Schneeflocken über sie wie Konfetti. Craig trat entschlossen hinaus, hielt Sophie die Tür auf und schloss sie wieder hinter ihr.

Steepfall sah unbeschreiblich romantisch aus. Schnee bedeckte das hohe, steile Dach, bildete große weiße Hügel auf den Fensterbrettern und lag im Hof schon gut und gerne dreißig Zentimeter hoch. Die Lampen an den Hauswänden ringsum waren von goldenen Lichthöfen umgeben, in denen die Schneeflocken tanzten. Schnee überzog eine Schubkarre, einen Stapel Feuerholz und einen Gartenschlauch, sodass sie alle aussahen wie Eisskulpturen.

Sophie machte große Augen. »Wie auf einer Weihnachtskarte«, sagte sie.

Craig nahm ihre Hand. Wie Watvögel staksten sie über den Hof und um eine Hausecke herum. Vor der Hintertür wischte Craig den

Schnee vom Deckel eines Mülleimers, kletterte hinauf und zog sich auf das niedrige Dach der Stiefelkammer.

Als er sich umdrehte, sah er, dass Sophie zögerte. »Hier!«, zischte er und streckte ihr seine Hand entgegen.

Sie griff danach und zog sich auf den Mülleimer. Um nicht abzurutschen, hielt sich Craig mit der anderen Hand an der Kante des Hauptdachs fest und half Sophie herauf. Einen Moment lang lagen sie Seite an Seite im Schnee wie Liebende im Bett. Dann stand Craig auf, trat auf den Sims, der unterhalb der Dachbodentür vorbeiführte, schob mit dem Fuß, soweit es ging, den Schnee weg, öffnete die große Tür und kehrte zu Sophie zurück.

Sie drehte sich auf den Bauch und stützte sich auf Hände und Knie, doch als sie versuchte aufzustehen, rutschten ihre Gummistiefel ab, und sie fiel hin. Sie hatte offensichtlich große Angst.

»Halt dich an mir fest«, sagte Craig und zog sie auf die Füße. Besonders gefährlich war diese Klettertour nicht, und Sophie machte ein größeres Theater, als nötig gewesen wäre, aber das störte ihn nicht weiter. Im Gegenteil – was war das für eine Chance, sich als starker Mann und Beschützer zu profilieren!

Sophie immer noch an der Hand, betrat er den Sims. Sie trat neben ihn und fasste ihn Halt suchend um die Taille. Nur allzu gerne wäre er so noch eine Weile stehen geblieben und hätte es genossen, wie sie sich an ihn klammerte; doch er ging weiter, Schritt für Schritt seitwärts über den Sims bis zur offenen Dachbodentür, dann half er Sophie hinein.

Er schloss die Tür und drehte das Licht an. Einfach perfekt, dachte er aufgeregt. Es war mitten in der Nacht, und sie waren ganz allein. Kein Mensch würde sie hier stören. Sie konnten tun und lassen, was sie wollten.

Er legte sich auf den Boden und spähte durch das Loch im Boden in die darunter liegende Küche. Über der Tür zur Stiefelkammer brannte ein einsames Licht. Mit erhobenem Kopf und gespitzten Ohren lag Nellie vor dem Herd und lauschte: Sie wusste genau, wer sich über ihr herumtrieb. »Schlaf schön weiter«, murmelte Craig. Ob sie ihn nun gehört hatte oder nicht – die Hündin ließ den Kopf wieder sinken und schloss die Augen.

Sophie saß zitternd auf der alten Couch. »Meine Füße sind eiskalt.«

»Du hast Schnee in die Stiefel bekommen.« Craig kniete vor ihr nieder und zog ihr die Gummistiefel und die völlig durchnässten Socken aus. Ihre kleinen weißen Füße fühlten sich an, als kämen sie direkt aus dem Eisfach. Craig versuchte sie mit seinen Händen warm zu reiben. Doch dann kam ihm eine Idee. Er knöpfte seinen Mantel auf, zog seinen Sweater hoch und drückte Sophies Fußsohlen an seine nackte Brust.

Sie sagte: »O Gott, das fühlt sich vielleicht gut an!«

In meiner Fantasie hat sie diesen Satz schon oft zu mir gesagt, dachte Craig, wenn auch niemals unter solchen Umständen …

Toni saß im Kontrollraum und starrte auf die Monitore.

Von Steve und den anderen Werkschutzleuten war sie inzwischen über die Ereignisse informiert worden. Sie wusste genau, was geschehen war von jenem Moment an, da die »Reparaturcrew« die große Eingangshalle betreten hatte, bis hin zu dem Augenblick, da zwei der Gangster aus dem BSL-4-Labor gekommen und verschwunden waren, der eine von ihnen mit einer schmalen burgunderfarbenen Aktentasche in der Hand. Don hatte, während Steve ihm erste Hilfe leistete, berichtet, dass einer der Männer seine Kumpane vor zu brutaler Gewaltanwendung gewarnt hatte. Seine Worte brannten sich in Tonis Gehirn ein: *Wenn du so weitermachst, stehen wir um zehn mit leeren Händen vor unserem Kunden.*

Es war ganz klar: Diese Leute waren gekommen, um etwas aus dem Laboratorium zu stehlen, und das hatten sie in der Ledermappe mitgenommen. Toni schwante Schreckliches: Sie glaubte zu wissen, worum es sich dabei handelte.

Sie ließ die Bilder aus den Überwachungskameras im BSL-4-Labor von 0.55 Uhr bis 1.15 Uhr durchlaufen. Obwohl die Monitore zu dieser Zeit andere Bilder gezeigt hatten, waren die aktuellen Aufnahmen vom Computer gespeichert worden. Toni konnte jetzt zwei Männer in Schutzanzügen erkennen, die sich im Labor zu schaffen machten.

Sie hielt unwillkürlich die Luft an, als sie sah, wie einer der Männer die Tür zu dem kleinen Raum mit dem Safe öffnete. Er tippte die Nummern auf der Benutzeroberfläche ein – er kannte also den Code! –

und öffnete die Kühlschranktür. Dann begann der andere Mann, bestimmte Proben zu entnehmen.

Toni hielt das Bild an.

Die Kamera befand sich über der Tür und blickte dem Mann sozusagen über die Schulter in den Kühlschrank. Er hatte beide Hände voll mit kleinen weißen Schachteln. Toni ließ ihre Finger über die Tasten gleiten, und das Schwarzweißbild auf dem Monitor wurde vergrößert. Jetzt konnte Toni das internationale Symbol für Biogefährdung auf den Schachteln erkennen. Der Kerl stahl Virusproben! Toni zoomte das Bild noch näher heran und ließ es vergrößern. Langsam wurde die Aufschrift auf einer der Schachteln lesbar: »*Madoba-2*«.

Obwohl sie es längst befürchtet hatte, wurde sie von der Bestätigung kalt erwischt wie von einem Todeshauch. Geradezu gelähmt vor Schrecken saß sie da, glotzte auf den Bildschirm, und das Herz in ihrer Brust schlug wie eine Sterbeglocke.

Madoba-2 war das gefährlichste Virus, das man sich überhaupt vorstellen konnte, und so ansteckend, dass es durch eine Vielzahl von Sicherheitsvorkehrungen bewacht werden musste. Der Umgang damit war nur bestens geschultem Personal in Schutzkleidung gestattet. Doch jetzt befand es sich in den Händen einer Diebesbande, die es in einer lächerlichen Aktenmappe spazieren trug!

Diese Typen konnten einen Autounfall haben; sie konnten in Panik geraten und die Aktenmappe einfach wegwerfen; das Virus konnte Leuten in die Hände fallen, die keine Ahnung von seiner Gefährlichkeit hatten – die Risiken waren unermesslich! Und selbst wenn die Gangster das Virus nicht durch Nachlässigkeit oder bei einem Unfall freisetzten – ihr »Kunde« würde es garantiert und mit voller Absicht tun. Irgendjemand wollte mit dem Virus Hunderte, wenn nicht Tausende von Menschen töten, ja womöglich eine Epidemie in Gang setzen, der ganze Völker zum Opfer fallen konnten.

Und sie, Toni Gallo, hatte den Massenmördern die Tatwaffe überlassen!

In ihrer Verzweiflung ließ sie die Video-Aufzeichnung weiterlaufen und beobachtete voller Entsetzen, wie einer der Einbrecher den Inhalt der Fläschchen in einen Parfümzerstäuber mit der Aufschrift

»Diablerie« umfüllte. Auf diese Art und Weise sollte das Virus also freigesetzt werden! Die harmlos wirkende Parfümflasche wurde zu einer Massenvernichtungswaffe umfunktioniert. Toni beobachtete, wie der Dieb den Flakon sorgfältig in zwei Tüten verpackte und in der Aktenmappe verstaute. Sie erkannte sogar das vorbereitete Bett aus Styropor-Verpackungschips.

Toni hatte genug gesehen. Sie wusste nun, was zu tun war. Die Polizei musste so schnell wie möglich eine Großfahndung einleiten. Bei raschem Handeln konnten die Diebe vielleicht noch abgefangen werden, bevor das Virus dem »Kunden« übergeben wurde.

Sie ließ die manipulierten Monitore weiterlaufen und verließ den Kontrollraum.

Die Leute vom Werkschutz saßen in der Großen Halle auf den Sofas, die normalerweise Besuchern vorbehalten waren, und tranken Tee in dem Glauben, das Schlimmste sei nun vorbei. Toni entschied, dass es an der Zeit war, das Heft wieder in die Hand zu nehmen. »Wir haben wichtige Dinge zu tun«, erklärte sie knapp. »Stu, Sie gehen bitte in den Kontrollraum und nehmen Ihre Arbeit wieder auf. Steve, Sie kehren an die Rezeption zurück. Sie, Don, bleiben, wo Sie sind.« Don trug einen notdürftigen Verband über seiner Stirnwunde.

Susan Mackintosh, der man einen Totschläger über den Kopf gezogen hatte, lag ausgestreckt auf einem Sofa. Das Blut hatte man ihr aus dem Gesicht gewaschen, doch sie schien ernsthaft verletzt zu sein. Toni kniete sich neben das Sofa und küsste Susan auf die Stirn. »Sie Arme«, sagte sie. »Wie fühlen Sie sich?«

»Ziemlich belämmert.«

»Es tut mir furchtbar Leid.«

Susan brachte ein schwaches Lächeln zustande. »Der Kuss war's wert.«

Toni tätschelte ihr die Schulter. »Ich sehe, es geht Ihnen schon wieder besser.«

Tonis Mutter saß neben Don. »Dieser nette Junge namens Steven hat mir eine Tasse Tee gemacht«, sagte sie. Der Welpe saß ihr zu Füßen auf ausgebreitetem Zeitungspapier, und sie fütterte ihn mit Keksen.

»Danke, Steve«, sagte Toni.

»Wäre ein netter Freund für dich«, erklärte ihre Mutter.

»Er ist verheiratet«, gab Toni zurück.

»Das scheint heutzutage niemanden mehr zu stören.«

»Mich schon.« Toni wandte sich an Steve. »Wo ist Carl Osborne?«

»Auf der Toilette.«

Toni nickte und zog ihr Handy hervor. Die Polizei musste benachrichtigt werden.

Sie erinnerte sich, was Steve Tremlett ihr über das Dienst habende Personal in der Polizeiwache von Inverburn berichtet hatte: ein Inspector, zwei Sergeants und sechs Constables, dazu ein Superintendent in Bereitschaft. Das reichte für einen Fall von dieser Größenordnung nicht einmal annähernd aus. Toni wusste, was sie tun würde, wenn sie das Sagen hätte: Sie würde zwanzig bis dreißig Ermittler alarmieren, Schneepflüge einsetzen, Straßensperren errichten lassen und für die Festnahme der Täter eine bewaffnete Einsatzgruppe bereithalten. Vor allem aber würde sie *schnell* handeln.

Sie fühlte sich jetzt wieder gestärkt. Das Entsetzen, das sie angesichts der Bilder aus dem Labor befallen hatte, wich allmählich der Konzentration auf die anstehenden Aufgaben. Konkretes Handeln richtete sie stets wieder auf – und die Polizeiarbeit lag ihr ohnehin am besten.

Auch diesmal meldete sich David Reid am Telefon. Als Toni ihren Namen nannte, sagte er: »Wir haben einen Streifenwagen zu Ihnen geschickt, aber die Kollegen sind wieder umgekehrt. Das Wetter ...«

Toni fühlte sich wie vor den Kopf geschlagen. Sie hatte fest mit dem baldigen Eintreffen der Polizei gerechnet. »Meinen Sie das im Ernst?«, fragte sie mit erhobener Stimme.

»Haben Sie sich die Straßen mal angesehen? Überall sind Fahrzeuge liegen geblieben. Es muss ja nicht auch noch unsere Streife im Schnee stecken bleiben.«

»Herrgott! Was für Waschlappen stellt ihr denn heutzutage ein?«

»Diese Bemerkung war jetzt fehl am Platz, Madam.«

Toni riss sich am Riemen. »Ja, Sie haben Recht, ich bitte um Entschuldigung.« Sie erinnerte sich an ihre eigene Ausbildung: Misslungene Polizeieinsätze in Krisenfällen waren oft auf die Fehleinschätzung des Falles in den ersten Minuten nach der Meldung zurückzuführen, und dazu kam es vor allem, wenn unerfahrene Beamte wie P. C. Reid diese Meldung entgegennahmen. Ihre wichtigste Aufgabe bestand daher jetzt darin, dem Mann Schlüsselinformationen zur Weiterleitung an seine Vorgesetzten zu geben. »Die Lage ist folgende«, sagte sie. »Erstens: Die Diebe haben eine erhebliche Menge des tödlichen Virus *Madoba-2* gestohlen, das heißt, wir haben es mit einem biologischen Störfall und einer Biogefährdung zu tun.«

»Biologischer Störfall … Biogefährdung«, wiederholte Reid, und es klang, als notiere er sich die Worte.

»Zweitens: Bei den Tätern handelt es sich um drei Männer – zwei weiß, einer schwarz – und eine weiße Frau. Sie fahren einen Lieferwagen mit dem Emblem der *Hibernian Telecom* sowie dem dazugehörigen Schriftzug.«

»Können Sie mir eine genauere Beschreibung der Täter geben?«

»Unser Werkschutzleiter wird Sie gleich anrufen und das tun – er hat die Leute gesehen, ich nicht. Drittens: Wir haben hier zwei Verwundete. Eine Mitarbeiterin wurde mit einem Totschläger traktiert, der andere Kollege mit Tritten an den Kopf misshandelt.«

»Wie schwer sind die Verletzungen nach Ihrer Einschätzung?«

Das habe ich ihm doch bereits gesagt, dachte Toni, der junge Mann liest seine Fragen offenbar von einer Liste ab … »Die Mitarbeiterin, die mit dem Totschläger verletzt wurde, braucht einen Arzt.«

»Verstanden.«

»Viertens: Die Täter waren bewaffnet.«

»Um welche Art von Waffen handelt es sich?«

Toni wandte sich an Steve, der ein Waffenfan war. »Haben Sie die Pistolen identifizieren können?«

Steve nickte. »Alle drei hatten eine automatische Pistole vom Typ Browning neun Millimeter – die mit einem Dreizehner-Magazin. Für mich sah das nach alten Armeebeständen aus.« Toni gab die Beschreibung an den Polizisten weiter.

»Bewaffneter Raubüberfall also«, erwiderte er.

»Richtig – aber das Wichtigste ist, dass sie noch nicht weit gekommen sein können und dass das Fluchtfahrzeug leicht zu identifizieren ist. Wenn wir uns beeilen, können wir sie vielleicht noch erwischen.«

»Heute Nacht kann sich niemand beeilen.«

»Sie brauchen doch nur Schneepflüge!«

»Die Polizei hat keine Schneepflüge.«

»Es muss hier doch welche geben! Wir brauchen sie doch fast jeden Winter.«

»Die Straßen von Schnee freizuhalten fällt nicht in die Zuständigkeit der Polizei, sondern obliegt den Gemeindeverwaltungen.«

Toni hätte schreien können vor Frustration, doch stattdessen biss sie sich auf die Zunge. »Ist Frank Hackett da?«

»Superintendent Hackett ist nicht verfügbar.«

Sie wusste von Steve, dass Frank Bereitschaftsdienst hatte. »Wenn Sie ihn nicht wecken wollen, dann tu ich 's«, sagte sie, brach das Gespräch ab und wählte Franks Privatnummer. Als gewissenhafter Polizist, der er war, schlief er bestimmt neben dem Telefon.

Er meldete sich. »Hackett.«

»Toni. Bei Oxenford Medical ist eingebrochen worden. Die Täter haben eine erhebliche Menge von *Madoba-2* mitgenommen. Das ist das Virus, an dem Michael Ross gestorben ist.«

»Sag mal, wie konnte dir denn das passieren?«

Genau diese Frage stellte sich Toni selbst schon die ganze Zeit, doch nun, da sie von Frank kam, tat es weh. »Wenn du so supergescheit bist«, gab sie zurück, »dann überleg dir schnellstens, wie wir die Diebe fassen können, bevor sie über alle Berge sind.«

»Haben wir nicht schon vor einer Stunde einen Streifenwagen zu euch geschickt?«

»Der ist nie hier angekommen. Deine mutigen Ordnungshüter haben den Schnee gesehen und hatten die Hosen voll.«

»Na ja, wenn wir im Schnee stecken bleiben, dann kommen die Täter auch nicht weit.«

»Wer sagt denn, dass du im Schnee stecken bleiben musst, Frank? Du kannst doch mit einem Schneepflug herkommen.«

»Ich habe keinen Schneepflug.«

»Die Gemeinde hat mehrere – ruf sie an.«

Nach einer längeren Denkpause erwiderte Frank: »Nein, das tu ich besser nicht.«

Toni hätte ihn erwürgen können. Frank machte es Spaß, seine Autorität negativ geltend zu machen, das heißt, Wünsche und Bitten abschlägig zu bescheiden. Er genoss das Gefühl der Macht. Und besonders gern zeigte er ihr, Toni, die Grenzen ihres Einflusses – sie war ihm schon immer zu bestimmend gewesen. Wie konnte ich nur mit diesem Kerl so lange zusammenleben, dachte sie, verkniff sich aber eine scharfe Replik, die ihr bereits auf der Zunge lag, und fragte stattdessen: »Was überlegst du, Frank?«

»Ich kann eine bewaffnete Bande nicht von unbewaffneten Polizisten jagen lassen. Wir müssen eine Sondereinsatztruppe aus qualifizierten Leuten zusammenstellen, sie zur Waffenkammer bringen und sie mit kugelsicheren Westen, mit Waffen und Munition ausstatten. So etwas dauert etwa zwei Stunden.«

»Inzwischen entkommen die Diebe mit einem Virus, das Tausende von Menschen das Leben kosten kann!«

»Ich schreibe das Fluchtfahrzeug zur Fahndung aus.«

»Wahrscheinlich wechseln sie den Wagen. Wahrscheinlich steht schon irgendwo ein Jeep mit Vierradantrieb bereit.«

»Auch damit kommen sie nicht weit.«

»Und wenn sie einen Hubschrauber haben?«

»Toni, halt deine Fantasie im Zaum! In Schottland gibt es keine Diebe mit Hubschraubern.«

Diese Diebe sind keine ortsüblichen Ganoven, die einen Juwelier oder eine Bank beraubt haben, dachte Toni, aber Frank hat bis heute nicht richtig begriffen, was bei einer Biogefährdung auf dem Spiel steht… »Frank, bemühe jetzt mal *deine* Fantasie!«, sagte sie. »Diese Leute wollen eine Epidemie auslösen, vergleichbar mit der Pest!«

»Erzähl du mir nicht, wie ich meine Arbeit zu tun habe. Du bist nicht mehr bei der Polizei.«

»Frank…« Toni schwieg abrupt. Frank hatte das Gespräch einfach abgebrochen. »Frank, du bist ein blöder Hund«, sagte sie in die tote Leitung.

War Frank wirklich schon immer so ein mieser Zeitgenosse, dachte sie. Ich glaube, er war vernünftiger, als wir noch zusammen waren. Vielleicht hatte ich einen guten Einfluss auf ihn – auf jeden Fall hat er damals gerne von mir gelernt…

Sie erinnerte sich an den Fall Buchan. Dick Buchan war ein mehrfacher Vergewaltiger und Mörder, der sich trotz stundenlanger lautstarker Verhöre mit Einschüchterungen und Demütigungen aller Art bis hin zur Androhung von Gewalt geweigert hatte, Frank zu sagen, wo die Leichen versteckt waren. Toni hatte sich mit dem Mann in aller Ruhe über seine Mutter unterhalten, und nach zwanzig Minuten war sein Widerstand gebrochen. Nach dieser Erfahrung hatte Frank stets ihren Rat gesucht, wenn eine größere Vernehmung bevorstand. Doch seit ihrer Trennung schien er wieder mehr und mehr in die alten Untugenden zu verfallen.

Stirnrunzelnd betrachtete Toni ihr Telefon und grübelte darüber nach, wie sie Frank doch noch Feuer unterm Hintern machen konnte. Sicher, sie hatte etwas gegen ihn in der Hand – die Geschichte mit Farmer Johnny Kirk, mit der sie ihn, wenn es zum Äußersten kommen sollte, erpressen konnte. Vorher aber wollte sie noch jemand anders anrufen und ihr Glück dort probieren. Sie scrollte durch das Verzeichnis ihres Handys und fand die Privatnummer von Odette Cressy, ihrer Freundin bei Scotland Yard.

Es dauerte eine kleine Ewigkeit, bis sich Odette meldete.

»Hier ist Toni. Tut mir Leid, dass ich dich aufwecke.«

Odette sagte: »Sorry, Liebling, was Dienstliches.« Offenbar sprach sie mit jemand anders.

Toni war überrascht. »Oh, tut mir Leid, ich wusste nicht, dass du Gesellschaft hast.«

»Ach, das ist nur der Weihnachtsmann. Was gibt's?«

Toni sagte es ihr.

»O Gott!«, erwiderte Odette. »Das ist genau der Fall, den wir immer befürchtet haben.«

»Mir ist nach wie vor völlig schleierhaft, wie das passieren konnte.«

»Gibt es irgendeinen Hinweis darauf, wann und auf welche Weise dieses Teufelszeug eingesetzt werden soll?«

»Zwei Tipps kann ich dir geben«, sagte Toni. »Zum einen haben sie die Flüssigkeit nicht einfach gestohlen, sondern sie noch im Labor in ein Parfümflakon mit Zerstäuber umgefüllt. Sie ist also jederzeit einsatzbereit. Das Virus kann jederzeit freigesetzt werden, und das wird voraussichtlich an einem Ort geschehen, wo viele Menschen zusammen sind – in einem Kino zum Beispiel, in einem Flugzeug, bei Harrods oder in einem anderen Kaufhaus. Kein Mensch würde davon etwas mitbekommen.«

»Es ist in einem Parfümzerstäuber?«

»*Diablerie.*«

»Gut gemacht – wenigstens wissen wir jetzt, wonach wir suchen. Und zweitens?«

»Ein Kollege vom Werkschutz hat gehört, wie sie davon sprachen, dass sie ihren Kunden um zehn Uhr treffen wollen.«

»Um zehn. Die sind aber schnell.«

»Genau. Wenn sie das Zeug schon heute Vormittag um zehn ihrem Kunden aushändigen, dann kann es bereits am Abend in London sein. Das Virus könnte also ohne weiteres morgen früh in der Albert Hall freigesetzt werden.«

»Gute Arbeit, Toni. Mein Gott, ich wünschte, du wärst noch bei der Polizei.«

Toni fühlte sich allmählich wieder wohler. »Danke.«

»Noch was?«

»Sie sind Richtung Norden gefahren, als sie von hier aufbrachen – ich hab das Fahrzeug noch gesehen. Aber wir haben hier gerade einen Schneesturm, sodass die Straßen kaum noch passierbar sind. Wahrscheinlich sind sie noch nicht weit gekommen.«

»Das heißt, es besteht die Chance, dass wir sie erwischen, bevor sie ihre Ware abliefern können.«

»Richtig – nur ist es mir bisher leider nicht gelungen, die hiesige Polizei von der Dringlichkeit der Sache zu überzeugen.«

»Das überlass mal mir. Denen mach ich Feuer unterm Arsch, darauf kannst du Gift nehmen. Terrorismus fällt ins Ressort der Regierung. Deine Provinzbullen werden demnächst einen Anruf aus Downing Street 10 kriegen. Was brauchst du – Hubschrauber? Vom

Flugzeugträger HMS Gannet ist es per Helikopter etwa eine Stunde bis zu euch.«

»Sag ihnen, sie sollen sich in Bereitschaft halten. Aber in diesem Blizzard kann wahrscheinlich kein Helikopter starten – und selbst wenn: Die Besatzung kann ja gar nicht sehen, was auf dem Boden vor sich geht. Nein, was ich brauche, ist ein Schneepflug. Der soll die Straße von Inverburn hierher frei räumen, dann kann die Polizei die Fahndung von hier aus koordinieren.«

»Verlass dich auf mich – und halt mich auf dem Laufenden, ja?«

»Mach ich. Danke, Odette.« Toni steckte ihr Handy wieder ein und drehte sich um.

Direkt hinter ihr stand Carl Osborne und machte sich Notizen.

Elton saß am Steuer des Vauxhall Astra. Er fuhr sehr langsam. Der Wagen pflügte sich durch über dreißig Zentimeter hohen, weichen Neuschnee. Neben Elton saß Nigel und umklammerte die burgunderfarbene Aktenmappe mit ihrem tödlichen Inhalt. Kit saß mit Daisy auf dem Rücksitz. Er starrte über Nigels Schulter auf die Tasche und malte sich ein Horrorszenario aus: Es kam zu einem Verkehrsunfall, die Tasche wurde zerquetscht, das Parfümfläschchen zerbrach, die Tod bringende Flüssigkeit sprühte in die Luft wie vergifteter Champagner – und wer immer in die Nähe der Unfallstelle kam, musste sterben.

Sie fuhren jetzt noch ungefähr so schnell wie ein Fahrrad, und die Schleicherei trieb ihn fast zum Wahnsinn. Kit wollte so schnell wie möglich diesen Flugplatz erreichen und die Aktentasche an einem Platz deponieren, wo ihr nichts passieren konnte. Die Gefahr wuchs mit jeder weiteren Minute, die sie auf offener Straße verbrachten.

Er zweifelte inzwischen ernsthaft daran, ob sie es überhaupt zum Flugplatz schaffen würden. Nach ihrem Aufbruch vom Parkplatz des Dew Drop Motels war ihnen kein anderes fahrendes Auto mehr begegnet. Alle ein, zwei Kilometer kamen sie an einem stecken gebliebenen Pkw oder Lkw vorbei. Manche waren am Straßenrand abgestellt, andere standen mitten auf der Fahrbahn. Ein Range Rover der Polizei war sogar umgekippt und lag auf der Seite.

Plötzlich trat ein Mann ins Scheinwerferlicht und fuchtelte heftig mit den Armen. Er trug einen Geschäftsanzug mit Krawatte, aber weder Mantel noch Hut. Elton warf Nigel einen Blick zu, und der murmelte: »Unter gar keinen Umständen anhalten.« Elton fuhr direkt auf den Mann zu, der im letzten Moment zur Seite sprang. Beim Vorbeifahren sah Kit eine Frau im Cocktailkleid, die sich einen dünnen Schal um die Schultern gezogen hatte. Sie stand neben einem großen Bentley und war offenbar völlig verzweifelt.

Die Abzweigung nach Steepfall löste in Kit heftige Sehnsucht aus: Wie gerne wäre er jetzt wieder ein kleiner Junge in seinem kuscheligen Bett unter dem Dach des Vaterhauses, unbelastet vom Wissen um Viren, Computer und die Gewinnchancen beim Blackjack.

Der Schnee fiel so dicht, dass durch die Windschutzscheibe kaum noch etwas zu sehen war – nichts als Weiß. Elton fuhr nahezu blind und steuerte den Wagen auf gut Glück, indem er den Verlauf der Straße erriet oder aus dem Seitenfenster sah. Die Geschwindigkeit sank weiter, erst auf die eines Läufers, dann auf die eines flotten Spaziergängers. Hätten wir doch bloß einen besseren Wagen, dachte Kit. In Vaters Toyota Land Cruiser Amazon, der nur drei Kilometer von hier in der Garage auf Steepfall steht, sähen unsere Chancen anders aus …

An einer Steigung begannen die Räder im Schnee durchzudrehen. Der Wagen verlor seinen Schwung, blieb schließlich stehen und begann zu Kits Entsetzen sogar zurückzurutschen. Elton versuchte zu bremsen, was den Vorgang nur noch beschleunigte. Er kurbelte am Steuerrad. Das Heck brach nach links aus, Elton steuerte gegen, und der Wagen blieb schließlich schräg zur Fahrbahn stehen.

Nigel fluchte.

Daisy lehnte sich nach vorn und sagte zu Elton: »Warum hast du das gemacht, du Vollidiot?«

Elton erwiderte: »Steig aus und schieb, Daisy.«

»Leck mich.«

»Das ist mein Ernst«, sagte er. »Bis zur Kuppe sind's nur ein paar Meter. Ich könnte es schaffen, wenn jemand die Karre anschiebt.«

»Wir schieben alle«, sagte Nigel.

Sie stiegen aus – Nigel, Daisy und Kit. Es war bitterkalt, und der treibende Schnee stach Kit in die Augen. Sie traten hinter das Auto und stemmten sich dagegen. Daisy war die Einzige, die Handschuhe trug. Das Metall unter Kits Hand war beißend kalt. Elton ließ die

Kupplung langsam los, und das volle Gewicht lastete auf ihnen. Binnen weniger Sekunden waren Kits Füße klatschnass. Aber die Reifen griffen. Elton gab ein wenig Gas und schaffte es ohne weitere Hilfe bis zur Kuppe.

Die drei kämpften sich hinter ihm den Abhang hinauf, wobei sie immer wieder ausrutschten, vor Anstrengung schnauften und vor Kälte zitterten. Sollte das bei jeder Steigung auf den nächsten fünfzehn Kilometern so weitergehen?

Nigels Überlegungen gingen offenbar in die gleiche Richtung. Als sie alle wieder eingestiegen waren, fragte er Elton: »Werden wir 's mit diesem Wagen schaffen?«

»Auf dieser Straße hier höchstwahrscheinlich«, sagte Elton. »Aber auf dem Weg zu diesem Flugplatz steht uns noch eine sechs, sieben Kilometer lange Nebenstraße bevor.«

Kit kam zu einem Entschluss. »Ich weiß, wo wir einen Toyota Land Cruiser mit Vierradantrieb kriegen können.«

»Mit dem kann man auch stecken bleiben«, wandte Daisy ein. »Denkt an den Range Rover von den Bullen, an dem wir vorbeigekommen sind.«

»Besser als der Astra wäre er auf jeden Fall. Wo steht der Toyota?«

»Bei meinem Vater. Genauer gesagt: in seiner Garage, und das Garagentor kann man vom Haus aus nicht sehen.«

»Wie weit ist es bis dahin?«

»Auf dieser Straße eineinhalb Kilometer zurück, dann noch mal anderthalb Kilometer über eine Seitenstraße.«

»Was schlägst du vor?«

»Wir parken im Wald unweit vom Haus, leihen uns den Land Cruiser und fahren zum Flugplatz. Danach bringt Elton den Land Cruiser zurück und nimmt den Astra wieder mit.«

»Bis dahin ist es längst hell. Was ist, wenn ihn jemand sieht, wie er den Wagen wieder in der Garage abstellt?«

»Keine Ahnung. Da werde ich mir was einfallen lassen müssen. Aber alles ist besser, als hier stecken zu bleiben.«

»Hat irgendwer eine bessere Idee?«, fragte Nigel in die Runde.

Niemand meldete sich.

Elton wendete den Wagen und fuhr im ersten Gang den Hügel wieder hinunter. Nach ein paar Minuten sagte Kit: »Bieg hier ab.«

Elton hielt an. »Unmöglich«, sagte er. »Der Schnee auf dieser Straße liegt mindestens einen halben Meter hoch, und hier ist seit Stunden keiner mehr langgefahren. Wir kommen keine fünfzig Meter weit.«

Ein Anflug von Panik überkam Kit; es erinnerte an das Gefühl, das sich seiner bemächtigte, wenn er beim Blackjack verlor und glaubte, dass ihm eine höhere Macht ständig schlechte Karten gab.

»Wie weit ist es noch bis zum Haus deines Vaters?«, fragte Nigel.

»Nicht ganz…«, Kit schluckte. »Knapp anderthalb Kilometer.«

»Ganz schön weit bei diesem Scheißwetter«, bemerkte Daisy.

»Wir könnten hier warten, bis ein anderer Wagen vorbeikommt, und ihn dann kapern«, schlug Nigel vor. »Das wäre eine Alternative.«

»Da können wir lange warten«, erwiderte Elton. »Seit wir dieses Labor verlassen haben, ist uns kein einziger Wagen begegnet, der noch gefahren wäre.«

Kit meinte: »Ihr drei könnt ja hier warten, während ich losmarschiere und den Land Cruiser hole.«

Nigel schüttelte den Kopf. »Zu unsicher. Dir könnte was passieren. Du könntest im Schnee stecken bleiben, und wir würden dich nie finden. Wir bleiben besser zusammen.«

Es gibt noch einen weiteren Grund, dachte Kit: Nigel traut mir nicht über den Weg. Wahrscheinlich hat er Angst, dass ich abspringe und die Polizei informiere… Zwar gab es nichts, das ihm ferner lag, aber dafür hatte Nigel keine Gewähr.

Eine Zeit lang sagte keiner von ihnen ein Wort. Sie saßen einfach still, nicht willens, die Wärme, die aus der Autoheizung strömte, zu verlassen. Schließlich drehte Elton den Zündschlüssel, der Motor verstummte, und sie stiegen alle aus.

Nigel hielt eisern die Aktenmappe fest – ihr Inhalt war der Grund dafür, dass sie sich diesen Horrortrip zumuteten. Kit nahm seinen Laptop mit; es konnte nach wie vor notwendig sein, den Telefonverkehr vom und zum Kreml zu überwachen und umzuleiten. Elton fand eine Taschenlampe im Handschuhfach und reichte sie Kit. »Du gehst voraus«, sagte er.

Ohne weitere Diskussion marschierte Kit los und stapfte durch den kniehohen Schnee. Er hörte die anderen hinter sich murren und verhalten fluchen, drehte sich aber nicht um. Sie würden mit ihm Schritt halten oder zurückbleiben müssen.

Es war grässlich kalt, und weil alle vier davon ausgegangen waren, dass sie sich nur in Fahrzeugen und geschlossenen Räumen aufhalten würden, war keiner von ihnen dem Wetter entsprechend angezogen. Nigel trug einen Blazer, Elton einen Regenmantel und Daisy eine Lederjacke. Kit war mit seinem Anorak noch am wärmsten gekleidet. Er trug Timberlands und Daisy Motorradstiefel, doch Nigel und Elton hatten ganz normale Straßenschuhe an. Und Handschuhe hatte nur Daisy.

Es dauerte nicht lange, und Kit begann vor Kälte zu zittern. Die Hände taten ihm weh, obwohl er versuchte, sie in den Jackentaschen zu behalten. Der Schnee durchnässte seine Jeans bis zu den Knien und tropfte dann in seine Stiefel. Ohren und Nase schienen zugefroren zu sein.

Der vertraute Weg, den er in seiner Kindheit tausend Mal zu Fuß oder per Fahrrad zurückgelegt hatte, lag unsichtbar unter dem Schnee begraben, und bald hätte Kit nicht mehr genau sagen können, wo sie sich befanden. Hier im schottischen Moorland markierten weder Zäune noch Steinmauern den Straßenrand wie in anderen Teilen Großbritanniens. Das Land war nicht bebaut, weshalb sich nie jemand veranlasst gesehen hatte, es einzuzäunen.

Kit hatte das Gefühl, vom Weg abgekommen zu sein. Er blieb stehen, bückte sich und grub mit seinen bloßen Händen im Schnee.

»Was soll das?«, blaffte Nigel wütend.

»Moment!« Kit war auf gefrorenen Torf gestoßen. Das hieß, dass sie sich nicht mehr auf der ausgebauten Straße befanden. Aber wo waren sie dann? Er hauchte in seine eiskalten Hände, um sie ein bisschen zu wärmen. Zu seiner Rechten schien der Boden anzusteigen – vermutlich lag also in dieser Richtung auch die Straße. Er stapfte ein paar

Meter weiter und grub erneut im Schnee. Diesmal stieß er auf Asphalt. »Hier lang«, sagte er mit übertriebener Zuversicht.

Nach einer Weile begann der Schnee, der in geschmolzenem Zustand seine Jeans und seine Socken durchnässt hatte, wieder zu gefrieren, sodass er nun Eis auf der bloßen Haut trug. Sie waren jetzt eine halbe Stunde lang unterwegs, und Kit hatte das Gefühl, er ginge im Kreis. Sein Orientierungssinn versagte vollkommen. In einer normalen Nacht hätte er schon von weitem die Lichter des Hauses erkennen können, doch in dieser Nacht schimmerte nichts durch den dicht fallenden Schnee, das ihm hätte als Leuchtfeuer dienen können. Es herrschte absolute Stille, und nicht einmal das Meer war zu riechen – es hätte Dutzende von Kilometern entfernt sein können. Kit wurde klar, dass sie alle erfrieren würden, wenn er sich verirrte. Er bekam es mit der Angst zu tun.

Die anderen folgten ihm in erschöpftem Schweigen. Sogar Daisy hatte ihre Gehässigkeiten eingestellt. Sie waren kurzatmig, schlotterten und hatten nicht einmal mehr die Energie, gegen Kit und seine orientierungslose Führung aufzubegehren.

Endlich hatte Kit das Gefühl, die Dunkelheit um ihn herum würde dichter und der Schnee fiele nicht mehr ganz so heftig. Fast wäre er gegen einen großen Baum gestoßen. Sie hatten demnach den Wald unweit des Hauses erreicht. Kit fühlte sich so erleichtert, dass er am liebsten niedergekniet wäre und ein Dankgebet gesprochen hätte. Er kannte sich wieder aus!

Während er dem Pfad folgte, der sich durch die Bäume schlängelte, hörte er jemanden so laut mit den Zähnen klappern, dass es wie ein Trommelwirbel klang. Hoffentlich ist es Daisy, dachte er.

Er hatte jetzt jegliches Gefühl in den Fingern und in den Zehen verloren, doch seine Beine konnte er noch bewegen. Hier, im Schutz der Bäume, lag der Schnee nicht ganz so hoch, deshalb ging es auch etwas schneller voran. Ein schwacher Schimmer deutete die Lichter des Hauses an. Sie hatten den Wald durchquert. Kit hielt direkt auf die Lichtquelle zu und erreichte die Garage.

Die großen Tore waren geschlossen, aber es gab eine Seitentür, die immer offen blieb. Kit öffnete sie und ging hinein, die anderen drei folgten ihm. »Gott sei Dank«, sagte Elton erbittert. »Ich dachte schon, ich würde in diesem dämlichen Schottland verrecken.«

Kit knipste die Taschenlampe an. Vaters blauer Ferrari mit seinen üppigen Kurven stand sehr dicht an der Wand, daneben Lukes schmutziger weißer Ford Mondeo. Das war eine Überraschung, denn normalerweise fuhr Luke abends mit Lori nach Hause. Waren sie über Nacht geblieben oder …?

Kit ließ den Strahl der Taschenlampe bis zum anderen Ende der Garage wandern, wo sonst immer der Toyota Land Cruiser Amazon stand.

Der Platz war leer.

Kit hätte heulen können.

Ihm war sofort klar, was passiert sein musste. Luke und Lori lebten in einem Häuschen am Ende eines Feldwegs, fast zwei Kilometer von der Farm entfernt. Stanley hatte ihnen wegen des schlechten Wetters erlaubt, den Wagen mit Vierradantrieb zu nehmen – und der Ford, der in diesem Schnee auch nicht mehr taugte als der Astra, blieb logischerweise in der Garage.

»O verdammt«, sagte Kit.

»Wo ist der Toyota?«, fragte Nigel.

»Nicht hier«, erwiderte Kit. »Verdammt, jetzt stecken wir ganz gewaltig im Schlamassel.«

Carl Osborne sprach in sein Handy: »Ist schon jemand im Nachrichtenbüro? Gut – stellen Sie mich durch.«

Toni kam durch die Große Halle auf seinen Sitzplatz zu. »Moment, bitte.«

Er bedeckte die Sprechmuschel mit der Hand. »Was willst du?«

»Bitte leg auf, und hör mir zu. Es dauert nur eine Minute.«

Carl sprach wieder ins Telefon: »Macht euch bereit für eine Voice-Aufnahme – ich ruf euch in ein paar Minuten wieder an.« Er drückte den Gesprächsende-Knopf und sah Toni erwartungsvoll an.

Sie stand am Rande der Verzweiflung. Mit einem reißerischen Artikel, der alle Welt in Panik versetzen würde, konnte der Reporter unermesslichen Schaden anrichten. Toni hasste es, ihm gegenüber als Bittstellerin aufzutreten, aber sie musste ihm auf irgendeine Weise Einhalt gebieten.

»Das wäre mein Ende«, sagte sie. »Ich konnte nicht verhindern, dass Michael Ross dieses Kaninchen gestohlen hat – und jetzt haben Gangster Proben von genau diesem Virus geklaut.«

»Tut mir Leid, Toni, aber die Welt ist nun mal hart und ungerecht.«

Toni ließ nicht locker. »Unter Umständen kann der Fall die Firma in den Ruin treiben«, sagte sie und gab damit mehr preis, als ihr lieb war, aber es ließ sich nicht vermeiden. »Schlechte Publicity könnte unsere ... Investoren verschrecken.«

Carl hakte sofort nach. »Die Amerikaner, meinst du?«

»Egal wen. Der springende Punkt ist der, dass das der Firma den

Rest geben könnte.« Und Stanley auch, dachte sie, sprach es aber nicht aus. Obwohl sie sich um einen vernünftigen, emotionsfreien Ton bemühte, versagte ihr fast die Stimme. »Das ... das haben sie nicht verdient.«

»Wer sind ›sie‹? Die Firma und dein geliebter Professor Oxenford, wie?«

»Herrgott, er versucht doch nur, Krankheiten zu heilen!«

»Und damit einen Haufen Geld zu verdienen.«

»Genauso wie du, wenn du im schottischen Fernsehen ausplauderst, was hier los ist.«

Osborne starrte sie an, unschlüssig, ob sie es ernst meinte oder sarkastisch. Dann schüttelte er den Kopf. »Story ist Story. Es kommt sowieso raus. Wenn ich diesen Aufmacher nicht bringe, bringt ihn jemand anders.«

»Ich weiß.« Toni warf einen Blick aus dem Fenster. Nichts deutete auf eine baldige Änderung des Wetters hin. Damit war günstigstenfalls bei Tagesanbruch zu rechnen. »Gib mir wenigstens drei Stunden«, bat sie. »Um sieben kannst du deinen Bericht abliefern.«

»Und was ändert sich dadurch?«

Vermutlich gar nichts, dachte Toni, aber Zeitgewinn ist meine einzige Chance. »Vielleicht können wir bis dahin schon melden, dass die Polizei die Gangster erwischt hat oder ihnen zumindest so dicht auf den Fersen ist, dass ihre Festnahme unmittelbar bevorsteht.« Würde die Gefahr schnell gebannt werden, konnte die Firma – und damit auch Stanley – diese Krise vielleicht überstehen.

»Darauf lass ich mich nicht ein«, sagte Carl. »In der Zwischenzeit könnte die Konkurrenz Wind von der Geschichte bekommen. Sobald die Polizei Bescheid weiß, pfeifen es die Spatzen von allen Dächern. Das kann ich nicht riskieren.« Er wählte eine Nummer auf seinem Handy.

Toni starrte ihn an. Die Wahrheit an sich war schon schlimm genug – doch wenn dieser skrupellose Sensationsreporter sie jetzt auch noch verdrehte und aufbauschte, war die Katastrophe nicht mehr aufzuhalten.

»Nehmt das auf«, sagte Osborne in sein Handy, »und bringt dazu ein Standfoto von mir, eines, auf dem ich ein Telefon in der Hand halte. Seid ihr so weit?«

Toni hätte ihn umbringen können.

»Ich befinde mich auf dem Gelände der Firma Oxenford Medical, einer schottischen Pharmafabrik, die nun schon zum zweiten Mal innerhalb von zwei Tagen Schauplatz eines schweren biologischen Störfalls ist.«

Wie kann ich den Kerl noch aufhalten, fragte sich Toni. Ich muss es doch zumindest versuchen... Steve saß an der Rezeption. Susan lag, noch immer ganz bleich, auf dem Sofa, doch Don hielt sich aufrecht. Tonis Mutter war eingeschlafen, und der Welpe auch. Zwei Männer also, auf deren Hilfe sie zählen konnte.

»Entschuldigung«, sagte sie zu Osborne.

Er versuchte, sie zu ignorieren. »Proben von einem tödlichen Virus mit dem Namen *Madoba-2*...«

Toni legte die Hand über seine Sprechmuschel. »Tut mir Leid, du kannst das hier nicht benutzen.«

Osborne drehte sich um und versuchte, mit seinem Bericht fortzufahren. »Proben von einem tödlichen...«

Toni rückte ihm auf die Pelle und legte erneut ihre Hand auf die Sprechmuschel. »Steve! Don! Kommen Sie bitte her, sofort!«

Osborne sagte in sein Gerät: »Man versucht gerade, mich an der Fortsetzung meiner Reportage zu hindern... Habt ihr das?«

Toni sprach nun so laut, dass es am anderen Ende der Leitung zu hören sein musste: »Mobiltelefone können die empfindlichen elektronischen Geräte in unseren Labors stören. Sie dürfen hier daher nicht benutzt werden.« Das stimmte zwar nicht, war aber immerhin ein halbwegs plausibles Argument. »Bitte stell dein Handy ab!«

Osborne hielt das Gerät außerhalb ihrer Reichweite und sagte laut: »Lass mich los!«

Toni nickte Steve zu. Der riss Osborne das Handy aus der Hand und stellte es ab.

»Das darfst du nicht!«, protestierte Osborne, an Toni gewandt.

»Selbstverständlich darf ich das. Du bist hier Besucher, und ich bin für die Sicherheit der Firma zuständig.«

»Dummes Zeug – das hat doch mit Sicherheit überhaupt nichts zu tun.«

»Du kannst sagen, was du willst – die Regeln hier bestimme ich.«

»Dann gehe ich eben nach draußen.«

»Da erfrierst du.«

»Du bist nicht befugt, mich am Verlassen des Firmengeländes zu hindern.«

Toni zuckte die Schultern. »Das stimmt. Aber dein Handy bleibt hier.«

»Das ist Diebstahl!«

»Es ist aus Sicherheitsgründen vorübergehend konfisziert worden. Wir schicken es dir per Post zu.«

»Dann gehe ich eben in eine Telefonzelle.«

»Viel Glück.« Bis zur nächsten Telefonzelle waren es fast zehn Kilometer.

Osborne zog seinen Mantel an und ging hinaus. Toni und Steve beobachteten ihn durch die Fensterscheiben. Er setzte sich in seinen Wagen und ließ den Motor an. Dann stieg er wieder aus und kratzte etliche Zentimeter Neuschnee von der Windschutzscheibe, bis die Scheibenwischer funktionierten. Schließlich stieg er wieder ein und fuhr davon.

»Er hat den Hund hier gelassen«, sagte Steve.

Der Schnee fiel nun nicht mehr ganz so dicht. Toni fluchte verhalten. Das Wetter würde sich doch nicht ausgerechnet jetzt bessern – genau zum falschen Zeitpunkt?

Der Schnee türmte sich vor dem Jaguar, der nur mühsam den Anstieg zur Ausfahrt bewältigte, zu hohen Wechten auf. Hundert Meter vor dem Tor hielt er an.

Steve grinste. »Hab ich mir doch gedacht, dass er nicht weit kommen wird.«

Die Innenbeleuchtung des Jaguars ging an. Toni runzelte besorgt die Stirn.

»Sauer, wie er ist, bleibt er vielleicht da draußen sitzen, lässt seinen Motor laufen und dreht die Heizung voll auf, bis er keinen Sprit mehr hat«, meinte Steve.

Toni starrte angestrengt durch den treibenden Schnee und versuchte, Genaueres zu erkennen.

»Was tut er da eigentlich?«, fragte Steve. »Sieht aus, als würde er mit sich selber reden.«

Schlagartig realisierte Toni, was geschah, und ihre letzten Hoffnungen schwanden.

»O verdammt«, sagte sie. »Ja, er spricht – aber keineswegs mit sich selber.«

»Was?«

»Er hat ein Autotelefon! Der Mann ist Reporter und hat natürlich einen entsprechend ausgerüsteten Wagen. Verflucht, dass ich daran nicht gedacht habe!«

»Soll ich rauslaufen und verhindern, dass er weiterquatscht?«

»Schon zu spät. Bis Sie dort sind, hat er alles Wesentliche ausgeplaudert. Verdammt, verdammt, verdammt!« Alles ging schief. Am liebsten hätte Toni aufgegeben, sich irgendwo in einem dunklen Zimmer auf ein Bett geworfen und die Augen geschlossen. Aber sie riss sich zusammen. »Wenn er wieder reinkommt, schleichen Sie raus und schauen nach, ob er seinen Schlüssel hat stecken lassen. Wenn ja, sperren Sie den Wagen ab und stecken den Schlüssel ein. Auf diese Weise verhindern wir wenigstens weitere Telefonate.«

»Mach ich.«

Tonis Handy klingelte, und sie meldete sich. »Toni Gallo.«

»Odette hier.« Sie klang ziemlich erschüttert.

»Was ist los?«

»Jüngste Erkenntnisse. Eine terroristische Vereinigung, die sich ›Scimitar‹ nennt, versucht im Untergrund an *Madoba-2* zu gelangen.«

»Scimitar? Sind das Araber?«

»Klingt so, aber wir sind uns noch nicht ganz sicher – der Name könnte auch bewusst irreführend gewählt sein. Jedenfalls glauben wir, dass eure Diebe da oben in deren Auftrag handeln.«

»Meine Güte! Weißt du Genaueres?«

»Sie wollen das Virus schon morgen freisetzen, irgendwo an einem öffentlichen, viel frequentierten Ort in Großbritannien.«

Toni stockte der Atem. Obwohl sie und Odette bereits über ein solches Szenario diskutiert hatten, kam die Bestätigung nun wie ein Schock. Am Ersten Weihnachtstag blieben die Leute normalerweise zu Hause, doch am zweiten Feiertag, am Boxing Day, war das anders. Überall im Land gingen die Familien zu Fußballspielen, Pferderennen, ins Kino, ins Theater, zum Kegeln. Viele flogen zum Skilaufen in die Berge, viele zu einem Kurzurlaub an die Strände der Karibik. Es gab unzählige Möglichkeiten. »Aber wo genau?«, fragte Toni. »Bei welcher Veranstaltung?«

»Wissen wir nicht! Wir müssen daher unbedingt diese Diebe erwischen. Eure Polizei hat sich inzwischen einen Schneepflug organisiert und ist unterwegs zu euch.«

»Oh, gut!«

Toni fasste neuen Mut. Wenn wir die Kerle fangen können, sieht alles gleich ganz anders aus, dachte sie. Wir haben dann das Virus wieder unter Kontrolle, und die Gefahr ist gebannt; die Firma würde in der Presse gar nicht einmal so schlecht wegkommen – und Stanley wäre gerettet.

»Außerdem«, fuhr Odette fort, »hab ich die Polizeibehörden in den Nachbarbezirken sowie in Glasgow alarmiert, wenngleich die Musik wohl hauptsächlich in Inverburn spielen wird. Der Bursche, bei dem dort die Fäden zusammenlaufen, heißt Frank Hackett. Kommt mir irgendwie bekannt vor – das ist doch nicht dein Ex, oder?«

»Doch. Und er ist ein Teil meines Problems. Er sagt nämlich sehr gerne Nein zu mir.«

»Nun, der Mann ist geläutert, du wirst es sehen. Der Chancellor of the Duchy of Lancaster hat ihn nämlich angerufen. Komischer Titel, nicht wahr? Aber dem Mann untersteht der Cabinet Office Briefing Room, der bei uns nur COBRA heißt. Mit anderen Worten: Er ist unser Top-Mann in der Terroristenfahndung. Dein Ex muss bei dem Anruf aus dem Bett gefahren sein, als hätte die Matratze Feuer gefangen.«

»Mitleid ist da fehl am Platze, er hat's nicht anders verdient.«

»Und danach hat mein Chef sich ihn telefonisch zur Brust genommen; auch das ist eine Erfahrung fürs Leben, kann ich dir sagen. Der arme Tropf ist jetzt ebenfalls auf dem Weg zu dir. In einem Schneepflug.«

»Der Schneepflug ohne Frank wäre mir lieber.«

»Sie haben ihn hart rangenommen, sei nett zu ihm.«

»Schon gut, schon gut«, sagte Toni.

Daisy zitterte so heftig, dass sie kaum die Leiter halten konnte. Mit eisiger Hand eine Heckenschere umklammernd, kletterte Elton die Sprossen hinauf. Das Licht der Hofbeleuchtung wurde von einem dichten Vorhang fallender Schneeflocken gefiltert. Kit sah mit klappernden Zähnen vom Garagentor aus zu, während Nigel, die Arme um die Aktenmappe aus burgunderfarbenem Leder geschlungen, in der Garage geblieben war.

Die Leiter lehnte an der Mauer des Hauptgebäudes von Steepfall, am Eck, wo die Telefonleitung das Haus verließ und sich annähernd auf Dachhöhe zur Garage hinüberspannte. Dort war, wie Kit wusste, die Verbindung zu jenem Kabel, das unterirdisch bis zur Hauptstraße führte. Wer also an dieser Stelle die Leitung kappte, schnitt das gesamte Grundstück vom Telefonnetz ab. Nigel hatte auf dieser Vorsichtsmaßnahme bestanden, obwohl ihnen allen klar war, dass sich mehrere einsatzbereite Handys im Haus befanden. Die Leiter und die Heckenschere hatte Kit in der Garage gefunden.

Kit kam sich vor wie in einem nicht enden wollenden Albtraum. Gewiss, er hatte vorher gewusst, dass der geplante Coup nicht ungefährlich war, doch die Vorstellung, er könne weit nach Mitternacht vor seinem Vaterhaus stehen und tatenlos zusehen, wie ein Gangster die Telefonleitung durchschnitt und ein anderer eine Aktentasche mit einem Virus umklammerte, das sie alle töten konnte, überstieg bei weitem das, was er sich in den schlimmsten Augenblicken ausgemalt hatte.

Elton nahm die linke Hand von der Leiter und balancierte noch einmal vorsichtig seinen Stand aus. Dann packte er die Schere mit beiden Händen und brachte ein Kabel zwischen die Scherenblätter. Doch als er entschlossen die Griffe zusammendrücken wollte, entglitt ihm das Werkzeug und landete mit der Spitze nach unten im Schnee, nur eine Handbreit neben Daisy, die vor Schreck aufschrie.

»Psst!«, raunte Kit ihr zu.

»Der hätte mich fast umgebracht!«, protestierte Daisy.

»Halt's Maul, du weckst das ganze Haus auf!«

Elton stieg von der Leiter, hob die Schere auf und kletterte die Leiter wieder hinauf.

Sie mussten sich zu Luke und Lori durchschlagen und dort den Toyota Land Cruiser entwenden. Kit wusste allerdings, dass sie sich nicht sofort auf den Weg machen konnten. Sie waren fix und fertig vor Erschöpfung. Schlimmer noch: Kit war sich keineswegs sicher, dass er in diesem Wetter Lukes Häuschen finden würde – schließlich war er schon auf dem Weg nach Steepfall in die Irre gelaufen. Das Schneetreiben ging unablässig weiter. Wenn wir jetzt sofort aufbrechen, verirren wir uns oder erfrieren, dachte er – wahrscheinlich erst das eine und dann das andere. Wir müssen abwarten, bis der Schneesturm nachlässt oder zumindest bis zum Beginn der Morgendämmerung, weil dann die Chancen steigen, dass ich den richtigen Weg finde. Und die Telefonleitung schnitten sie durch, damit sie absolut sicher sein konnten, dass niemand etwas von ihrer Anwesenheit erfuhr.

Beim zweiten Versuch gelang es Elton, das Kabel zu durchtrennen. Als er wieder herunterstieg, nahm Kit die abgeschnittenen Enden, band sie zusammen auf und hängte sie an die Garagenwand, wo sie nicht so sehr auffielen.

Elton trug die Leiter in die Garage und ließ sie dort fallen. Sie schepperte laut auf dem Betonboden. »Geht's nicht ein bisschen leiser?«, fragte Kit gereizt.

Nigel ließ seinen Blick über die nackten Steinmauern des umgebauten Stalls schweifen. »Hier können wir nicht bleiben.«

»Besser hier drin als draußen«, erwiderte Kit.

»Wir sind durchgefroren und durchnässt, und hier drin gibt's keine Heizung. Wir holen uns hier den Tod.«

»Richtig!«, bekräftigte Elton.

»Wir lassen die Automotoren laufen«, sagte Kit. »Dann wird's warm hier drin.«

»Blödsinn!«, gab Elton zurück. »Bevor uns davon warm wird, haben uns die Abgase längst umgebracht!«

»Wir könnten den Ford rausfahren und uns reinsetzen.«

»So 'n Scheiß!«, sagte Daisy. »Ich will 'ne Tasse Tee, was Heißes zu essen und 'nen Schnaps. Ich geh jetzt ins Haus.«

»Nein!« Allein schon die Vorstellung erfüllte Kit mit Entsetzen. Diese drei in meinem Elternhaus! Unmöglich! Da hätte ich ebenso gut drei tollwütige Hunde anschleppen können... Und dazu noch die Aktentasche! Wollen die etwa diese teuflischen Viren mit in unsere Küche nehmen?

Elton sagte: »Hast Recht, Daisy. Gehen wir ins Haus.«

Hätte ich denen bloß nicht den Tipp mit dem Telefonkabel gegeben, dachte Kit. »Wie soll ich denn meinen Leuten erklären, was ihr bei uns im Haus zu suchen habt?«

»Die schlafen doch alle.«

»Und wenn sie morgens aufstehen, und es schneit immer noch?«

»Sag ihnen doch, du kennst uns nicht näher«, warf Nigel ein. »Du hast uns auf der Straße getroffen. Unser Wagen ist ein paar Kilometer von hier in einer Schneewehe stecken geblieben. Du hattest Mitleid mit uns und hast uns mit heimgenommen.«

»Die sollen doch gar nicht wissen, dass ich das Haus verlassen habe!«

»Sag ihnen, du bist abends noch auf einen Drink raus.«

»Oder du warst bei 'nem Mädchen«, schlug Elton vor.

»Mann, wie alt bist du eigentlich?«, ätzte Daisy. »Musst du erst Papi fragen, wenn du abends ausgehen willst?«

Die Arroganz, mit der ihn diese verkommene, brutale Schlägerin behandelte, trieb Kit schier zur Weißglut. »Es geht darum, ob sie mir diese Story abnehmen, du hirnverbrannte Keule! Wer ist denn schon so bescheuert, nur wegen eines Drinks meilenweit durch einen Schneesturm zu fahren, noch dazu, wenn zu Hause der Schnaps flaschenweise herumsteht?«

Sie konterte postwendend: »Nur einer, der so bescheuert ist, dass er beim Blackjack eine viertel Million verliert.«

»Dir wird schon eine glaubhafte Geschichte einfallen, Kit«, sagte Nigel. »Aber jetzt lass uns erst mal reingehen, bevor uns in dieser beschissenen Kälte noch die Füße abfrieren.«

»Ihr habt eure Verkleidungen im Van gelassen. Meine Familie wird eure Gesichter sehen.«

»Macht doch nichts. Wir sind doch bloß ganz gewöhnliche Mitbürger, die das Pech hatten, im Schnee stecken zu bleiben. Von dieser Sorte gibt's heute Nacht bestimmt Hunderte, das wird sicher auch in den Nachrichten kommen. Kein Mensch in deiner Familie wird uns mit den Burschen in Verbindung bringen, die in das Labor eingebrochen sind.«

»Die Sache gefällt mir nicht«, sagte Kit. Er hatte Angst davor, sich diesen drei Verbrechern zu widersetzen, war aber verzweifelt genug, es dennoch zu tun. »Ich will euch nicht im Haus haben.«

»Wir bitten dich nicht um Erlaubnis«, gab Nigel verächtlich zurück. »Wenn du uns nicht reinbittest, verschaffen wir uns den Zugang selbst.«

Es ist wirklich zum Abgewöhnen, dachte Kit. Diese Typen kapieren einfach nicht, dass meine Familie viel zu intelligent ist, um sich von ihnen täuschen zu lassen. »Ihr seht einfach nicht aus wie ganz gewöhnliche Leute, die mit dem Auto im Schnee stecken geblieben sind!«

»Was willst du damit sagen?«, fragte Nigel.

»Ihr geht doch nicht als eine x-beliebige schottische Durchschnittsfamilie durch«, erklärte Kit. »Du, Nigel, kommst aus London, das merkt man, sobald du den Mund aufmachst. Elton ist schwarz, und Daisy ist eine grauenhafte Psychopathin. Das fällt meinen Schwestern garantiert auf.«

»Wir benehmen uns einfach höflich und reden nicht viel.«

»Am besten wär's, ihr hieltet das Maul total. Ein falscher Ton, und das Spiel ist aus.«

»Klar. Die sollen uns schließlich für harmlose Zeitgenossen halten.«

»Vor allem Daisy.« Kit drehte sich zu ihr um. »Halt dich bloß zurück.«

Nigel unterstützte ihn. »Ganz recht, Daisy, pass bloß auf, dass du uns nicht verrätst. Benimm dich ausnahmsweise mal wie ein braves Mädchen, nur für ein paar Stunden, okay?«

»Ja, ja, ja!«, sagte Daisy und wandte sich ab.

Erst jetzt wurde Kit bewusst, dass er an irgendeinem Punkt der Diskussion offenbar nachgegeben hatte. »Verdammt«, sagte er. »Vergesst bloß nicht, dass ihr mich noch braucht, damit ich euch zeigen kann, wo der Land Cruiser steht. Wenn meiner Familie was zustößt, könnt ihr das vergessen.«

Mit dem fatalistischen Gefühl, dass er blind in die Katastrophe rannte und absolut nichts tun konnte, womit sich das Verhängnis noch aufhalten ließ, führte Kit die drei ums Haus herum zur Hintertür, die wie immer unverschlossen war. Als er sie öffnete, sagte er: »Alles klar, Nellie, ich bin's«, damit der Hund nicht bellte.

Er betrat die Stiefelkammer, und warme Luft hüllte ihn ein – es war die reinste Wohltat. Hinter sich hörte er Elton sagen: »O Gott, das ist schon besser.«

Kit drehte sich um und zischte: »Leise bitte, ja!« Er fühlte sich wie ein Schullehrer in einem Museum, der versucht, eine Horde übermütiger Kinder zum Schweigen zu bringen. »Je länger die Leute hier pennen, desto leichter wird es für uns, kapiert ihr das nicht?« Er führte sie durch den Flur in die Küche. »Sei brav, Nellie«, sagte er ruhig zu der Hündin. »Das sind Freunde.«

Nigel tätschelte dem Tier den Kopf, und Nellie wedelte mit dem Schwanz. Dann zogen alle ihre nassen Jacken und Mäntel aus. Nigel stellte die Aktentasche auf den Küchentisch und sagte: »Setz Wasser auf, Kit.«

Kit legte seinen Laptop ab und stellte das kleine Fernsehgerät an, das auf dem Küchentresen stand. Er suchte einen Nachrichtenkanal, dann füllte er den Wasserkessel.

Eine hübsche Nachrichtensprecherin sagte: »Da überraschenderweise der Wind umschlug, wurden große Teile Schottlands von einem Schneesturm heimgesucht, der selbst für Experten völlig unerwartet kam.«

»Das kannst du laut sagen«, kommentierte Daisy.

Die Stimme der Nachrichtensprecherin klang so verführerisch, als wolle sie die Zuschauer auf einen abendlichen Drink in ihre Wohnung einladen. »In manchen Teilen des Landes sind innerhalb von zwölf Stunden an die vierzig Zentimeter Schnee gefallen.«

»Die vierzig Zentimeter kannst du dir in den Hintern schieben«, sagte Elton.

Kit stellte beklommen fest, dass sich die drei zusehends entspannten. Sein eigener Stress war schlimmer denn je.

Die Sprecherin berichtete von Autounfällen, unbefahrbaren Straßen und aufgegebenen Fahrzeugen. »Zum Teufel damit«, sagte er wütend. »Ich will wissen, wann 's endlich aufhört!«

»Mach Tee, Kit«, sagte Nigel.

Kit stellte Becher, eine Zuckerdose und ein Milchkännchen auf den Tisch. Nigel, Daisy und Elton setzten sich um den Kiefernholztisch, als wären sie hier zu Hause. Bald kochte das Wasser, und Kit goss sowohl Tee als auch Kaffee auf.

Im Fernseher erschien ein Meteorologe vor einer Wetterkarte. Der Schneesturm, so sagte er, werde ebenso schnell enden, wie er begonnen habe.

»Na, also!«, sagte Nigel triumphierend.

»Schon am Vormittag wird Tauwetter einsetzen.«

»Genauer bitte!«, sagte Nigel aufgeregt. »Um wie viel Uhr?«

»Wir können es immer noch schaffen«, sagte Elton. Er schenkte sich Tee ein und nahm sich Milch und Zucker.

Kit teilte seinen Optimismus. »Wir sollten gleich im ersten Tageslicht aufbrechen«, sagte er und dachte: Licht am Ende des Tunnels! Seine alte Zuversicht kehrte zurück.

»Hoffentlich klappt das«, meinte Nigel.

Elton nippte an seinem Tee. »Mein Gott, jetzt geht's mir schon besser! So muss sich Lazarus gefühlt haben, als er von den Toten auferweckt wurde.«

Daisy stand auf. Sie öffnete die Tür zum Esszimmer und spähte in die Dunkelheit. »Was ist das da drüben für ein Zimmer?«

»Wo willst du hin?«, fragte Kit.

»Ich brauch 'nen ordentlichen Schuss in diesen Tee.« Sie knipste das Licht an und betrat das Zimmer. Gleich darauf stieß sie einen triumphierenden Schrei aus, und Kit hörte, wie sie die Hausbar öffnete.

Im selben Augenblick betrat Kits Vater die Küche. Er trug einen grauen Pyjama und einen schwarzen Morgenmantel aus Kaschmir. »Guten Morgen«, sagte er. »Was ist denn hier los?«

»Morgen, Daddy«, sagte Kit. »Du, ich muss dir was erklären...«

Daisy kam aus dem Esszimmer, in ihrer behandschuhten Hand eine volle Flasche Glenmorangie.

Stanley sah sie an und zog eine Augenbraue hoch. »Möchten Sie ein Glas Whisky?«, fragte er.

»Nein, danke«, antwortete sie. »Ich hab schon eine ganze Flasche.«

Als sie endlich einen Moment Zeit fand, rief Toni bei Stanley an. Obwohl es kaum etwas gab, was er hätte unternehmen können, musste sie ihn auf dem Laufenden halten. Zudem wollte sie unter allen Umständen vermeiden, dass er von dem Einbruch aus den Nachrichten erfuhr.

Sie fürchtete sich vor dem Gespräch, in dem sie ihm mitteilen musste, dass sie für eine Katastrophe verantwortlich war, die sein Leben ruinieren konnte. Was wird er danach von mir denken, fragte sie sich ängstlich.

Sie wählte seine Privatnummer, bekam jedoch nur eine Auskunft vom Band: »Dieser Anschluss ist vorübergehend nicht erreichbar.« Anscheinend war das Telefon gestört; vielleicht hatte der Schnee die Leitung lahm gelegt. Toni war irgendwie erleichtert, dass ihr die Überbringung der Schreckensnachricht vorerst erspart blieb.

Ein Handy trug Stanley nie bei sich, doch in seinem Ferrari war ein Autotelefon installiert. Toni wählte es an und hinterließ eine Nachricht: »Stanley, hier Toni. Schlechte Nachrichten – ein Einbruch im Labor. Rufen Sie mich bitte so bald wie möglich auf meinem Handy zurück.« Wahrscheinlich war es viel zu spät, wenn er die Mitteilung erhielt – aber sie hatte es immerhin versucht.

Voller Ungeduld spähte sie durch die Fenster der Großen Halle hinaus. Wo blieb nur die Polizei mit ihrem Schneepflug? Sie würde von Süden kommen, auf der Hauptstraße von Inverburn. Toni nahm an, dass der Schneepflug kaum schneller als mit 25 km/h vorankam, je nachdem, wie hoch der Schnee lag, den er beiseite räumen musste. In diesem Fall betrug die Fahrtzeit zwanzig bis dreißig Minuten, und dies wiederum hieß, die Polizei hätte eigentlich schon da sein müssen. Beeilt euch, dachte sie voller Ungeduld. Beeilt euch!

Toni hoffte, die Polizisten würden sich nicht lange aufhalten, sondern sich so schnell wie möglich auf die Fährte des Vans der Hibernian Telecom setzen, der in Richtung Norden verschwunden war. Mit dem unverkennbaren weißen Schriftzug auf dunklem Hintergrund war das Fahrzeug leicht zu identifizieren. Aber darauf, dachte sie, sind die Diebe wohl selber gekommen... Ich an ihrer Stelle hätte irgendwo an einem Supermarkt oder auf einem Bahnhofsparkplatz einen unauffälligen Pkw bereitgestellt, einen Ford Fiesta vielleicht, den man mit einem Dutzend anderer Modelle verwechseln kann... Wahrscheinlich saßen die Kerle schon ein paar Minuten nach ihrer Flucht vom Tatort in einem ganz anderen Wagen.

Der Gedanke war bestürzend. Die Polizei würde Straßensperren errichten und praktisch jedes Fahrzeug daraufhin überprüfen müssen, ob drei Männer und eine Frau darin saßen. Noch schlimmer wäre es, wenn die Bandenmitglieder inzwischen in zwei oder mehr Fluchtfahrzeugen unterwegs waren.

Tonis innere Unruhe wuchs. Kann ich denn überhaupt nichts unternehmen, um den Fortgang der Dinge ein wenig zu beschleunigen, fragte sie sich. Angenommen, die Bande hat tatsächlich hier in der Nähe das Fahrzeug gewechselt – welche Möglichkeiten bieten sich denn da? Die Gangster brauchen einen Platz, auf dem ein Fahrzeug stundenlang stehen kann, ohne Aufmerksamkeit zu erregen. Bahnhöfe und Supermärkte gibt es in der näheren Umgebung keine. Was käme sonst infrage? Toni ging zur Rezeption, holte sich einen Notizblock und einen Kugelschreiber und erstellte eine Liste:

- *Golfklub Inverburn*
- *Dew Drop Motel*
- *Schnellimbiss Happy Eater*
- *Greenfingers Gartencenter*
- *Schottische Räucherfisch GmbH*
- *Druck- und Verlagshaus Williams*

Sie wollte nicht, dass Carl Osborne erfuhr, was sie im Sinn hatte. Der Reporter hatte seinen Wagen verlassen und trieb sich wieder in der warmen Eingangshalle herum, neugierig und aufdringlich wie eh und je. Er wusste zwar noch nicht, dass er vom Autotelefon keine Gespräche mehr führen konnte – Steve war heimlich hinausgeschlichen und hatte den Schlüssel aus der Zündung gezogen –, doch Toni wollte kein Risiko eingehen.

Flüsternd unterhielt sie sich mit Steve. »Wir müssen ein bisschen Polizeiarbeit machen.« Sie riss ihren Zettel in der Mitte durch und gab dem Werkschutzmann die eine Hälfte. »Rufen Sie da überall an. Natürlich ist alles geschlossen, aber es kann ja sein, dass Sie irgendwelche Hausmeister oder Nachtwächter an die Strippe bekommen. Sagen Sie den Leuten, bei uns sei eingebrochen worden, erwähnen Sie aber nicht, was gestohlen wurde. Sagen Sie ihnen, das Fluchtfahrzeug könne möglicherweise auf ihrem Gelände abgestellt worden sein. Und fragen Sie dann konkret nach einem Van der Hibernian Telecom, der vielleicht irgendwo vor dem Haus steht.«

Steve nickte. »Gute Idee. Vielleicht können wir der Polizei gleich einen heißen Tipp geben.«

»Genau. Aber telefonieren Sie nicht von der Rezeption aus – ich möchte nicht, dass Osborne mithört. Benutzen Sie das Handy, das Sie ihm abgenommen haben, und führen Sie die Gespräche von einer Stelle aus, an der er Sie nicht belauschen kann.«

Toni entfernte sich ebenfalls aus Osbornes Blickfeld, rief die Auskunft an und erfragte die Nummer des Golfklubs. Dann wählte sie und wartete. Das Telefon klingelte über eine Minute lang, dann meldete sich eine verschlafene Stimme: »Ja? Golfklub. Wer ist da?«

Toni stellte sich vor und berichtete, worum es ging. »Ich suche in diesem Zusammenhang einen Lieferwagen der Hibernian Telecom. Steht ein solches Fahrzeug vielleicht bei Ihnen auf dem Parkplatz?«

»Oh, ich verstehe, das Fluchtauto, ja…«

Toni stockte das Herz. »Es steht bei Ihnen?«

»Nein, zumindest war es nicht da, als ich meinen Dienst angetreten habe. Hier stehen mehrere Wagen herum, wissen Sie, die wurden von den Herren stehen gelassen, die gestern nach dem Lunch nicht mehr fahren wollten, Sie verstehen, was ich meine?«

»Wann hat Ihr Dienst denn begonnen?«

»Um sieben Uhr abends.«

»Könnte seither ein Fahrzeug bei Ihnen abgestellt worden sein? So gegen zwei Uhr nachts vielleicht?«

»Nun ja, das wär schon möglich … Ich habe keine Ahnung.«

»Könnten Sie eventuell mal nachsehen?«

»In der Tat, das könnte ich!« Der Mann klang so, als habe ihn die Originalität dieses Gedankens völlig überrumpelt. »Bleiben Sie dran, ich bin gleich wieder da.« Mit einem hörbaren Bums wurde der Hörer niedergelegt.

Toni wartete. Schritte gingen und kamen wieder.

»Nein, ich glaube nicht, dass da draußen ein Lieferwagen steht.«

»Okay.«

»Die Wagen sind alle voller Schnee, wissen Sie, deshalb kann man sie nicht so genau erkennen. Ich kann nicht einmal mit Sicherheit sagen, welcher davon meiner ist!«

»Ja, ich danke Ihnen.«

»Aber ein Van, wissen Sie, der wäre doch höher als ein Pkw, nicht wahr? Daran müsste man ihn doch erkennen, nicht wahr? Nein, da draußen steht kein Lieferwagen.«

»Sie waren mir eine große Hilfe, vielen Dank.«

»Was ist denn gestohlen worden?«

Toni tat, als hätte sie die Frage nicht mehr gehört, und beendete das Gespräch. Steve sprach noch; auch er war noch nicht auf eine heiße Spur gestoßen. Toni wählte die Nummer des Dew Drop Motels.

Ein munterer junger Mann hob ab. »Vincent hier, was kann ich für Sie tun?«

Klingt wie einer dieser Hotelangestellten, die immer so furchtbar freundlich und diensteifrig wirken, bis man sie tatsächlich um etwas bittet, dachte Toni und wiederholte ihre Geschichte.

»Unser Parkplatz ist ziemlich voll – wir haben über Weihnachten geöffnet«, erwiderte Vincent. »Ich sehe gerade auf den Überwachungsbildern nach, aber ich kann keinen Lieferwagen erkennen. Allerdings überwacht die Kamera nicht den gesamten Parkplatz.«

»Könnten Sie dann bitte mal einen Blick aus dem Fenster werfen und nachsehen? Es ist wirklich sehr wichtig.«

»Ich bin im Moment sehr beschäftigt.«

Mitten in der Nacht? Toni sprach den Gedanken nicht aus, sondern sagte in übertrieben rücksichtsvollem Ton: »Die Polizei könnte sich gegebenenfalls den Weg zu Ihnen und eine eingehende Befragung ersparen.«

Das zog. Der junge Mann hatte keine Lust, sich seine ruhige Nachtschicht durch Streifenwagen und Kripobeamte stören zu lassen. »Bleiben Sie dran.«

Er entfernte sich und kam kurz darauf wieder ans Telefon.

»Ja, er steht hier«, sagte er.

»Wirklich?« Toni konnte es kaum glauben. Wie lang war es her, dass sie das letzte Mal ein bisschen Glück gehabt hatte?

»Blauer Ford Transit mit ›Hibernian Telecom‹ in weißen Buchstaben auf der Seite. Er kann noch nicht lange da sein, weil noch nicht so viel Schnee drauffliegt wie auf den anderen Wagen – deshalb konnte ich auch die Aufschrift noch erkennen.«

»Das hilft mir ein gutes Stück weiter, vielen Dank! Ob ein anderer Wagen fehlt, können Sie mir wahrscheinlich nicht sagen, oder? Ich meine das Fahrzeug, mit dem die Gangster vermutlich ihre Flucht fortgesetzt haben?«

»Nein, tut mir Leid.«

»Okay – und nochmals vielen Dank!« Toni beendete das Gespräch und sah zu Steve hinüber. »Ich habe das Fluchtauto gefunden!«

Steve nickte mit dem Kopf Richtung Fenster. »Und da kommt der Schneepflug.«

Daisy leerte ihre Teetasse und füllte sie wieder – mit Whisky.

Kit konnte die Anspannung kaum noch ertragen. Nigel und Elton fanden sich in der Rolle der zufällig in ein Unwetter geratenen Autoreisenden offenbar ganz gut zurecht, aber bei Daisy war Hopfen und Malz verloren. Sie sah aus wie eine Ganovin und benahm sich wie ein Hooligan.

Als sie den Whisky auf den Küchentisch stellte, nahm Stanley die Flasche an sich, verkorkte sie wieder und sagte mit sanfter Stimme: »Passen Sie auf, dass Sie sich nicht betrinken, junge Frau.«

Dass ihr jemand sagte, was sie zu tun oder zu lassen hatte, war Daisy nicht gewöhnt. Die meisten Menschen, die sie kannten, hatten ohnehin zu viel Angst vor ihr. Sie sah Stanley an, als wäre sie drauf und dran, ihm den Hals umzudrehen. In seinem grauen Pyjama und dem schwarzen Morgenmantel wirkte er sehr elegant, aber auch sehr verletzlich. Kit rechnete jeden Moment damit, dass Daisy explodierte.

»Ein bisschen Whisky möbelt einen auf, zu viel Whisky macht einen kränker, als man ist«, fuhr Stanley fort und stellte die Flasche in den Küchenschrank. »Das sagte mein Vater immer, und der war ein ausgesprochener Whiskyfreund.«

Nur mit Mühe konnte Daisy ihren Jähzorn im Zaum halten. Kit sah ihr an, wie schwer es ihr fiel. Was passiert, wenn sie die Beherrschung verliert, dachte er voller Angst. Doch in diesem Augenblick betrat seine Schwester Miranda in einem pinkfarbenen Nachthemd mit Blumenmuster die Küche und sorgte mit ihrem Auftritt für eine gewisse Entspannung.

»Hallo, meine Liebe, du bist aber früh auf«, begrüßte Stanley seine Tochter.

»Ich konnte lange nicht einschlafen. Irgendwann bin ich dann zu Kit ins Zimmer und hab mich auf den alten Schlafsessel gelegt. Fragt mich bloß nicht nach den Gründen dafür!« Neugierig musterte sie die Gäste. »Ist es nicht noch ein bisschen früh für Weihnachtsbesucher?«

»Das ist meine Tochter Miranda«, sagte Stanley. »Mandy, das sind Nigel, Elton und Daisy.«

Erst vor wenigen Minuten hatte Kit die drei seinem Vater vorgestellt und ihm dabei, bevor er merkte, dass es ein Fehler war, die richtigen Namen genannt.

Miranda nickte ihnen zu. »Hat euch der Weihnachtsmann gebracht?«, fragte sie fröhlich.

»Ihr Wagen hat oben an der Hauptstraße den Geist aufgegeben«, erklärte Kit. »Ich hab sie mitgenommen. Dann kamen wir auch mit meinem Wagen nicht mehr weiter und mussten den Rest des Weges zu Fuß gehen.« Er hatte keine Ahnung, ob Miranda ihm die Geschichte abnehmen würde. Und was sollte er sagen, wenn sie sich danach erkundigen sollte, was es mit der burgunderfarbenen Aktentasche auf sich hatte, die wie eine tickende Zeitbombe auf dem Küchentisch stand?

Seine Schwester wunderte sich über einen ganz anderen Aspekt der Geschichte. »Ich wusste gar nicht, dass du unterwegs warst! Mitten in der Nacht und bei diesem Wetter! Wo warst du denn nur, um alles in der Welt?«

»Ach, weißt du…«, Kit grinste dämlich und legte eine Kunstpause ein. Er hatte sich schon überlegt, wie er seinen nächtlichen Ausflug erklären wollte. »Ich konnte auch nicht einschlafen. Hab mich einsam gefühlt und bin dann irgendwann los, um eine alte Freundin in Inverburn zu besuchen.«

»Welche? Die meisten jungen Frauen in Inverburn sind alte Freundinnen von dir.«

»Ich glaube nicht, dass du sie kennst.« Kit ließ sich schnell einen Namen einfallen. »Lisa Freemont.« Im nächsten Augenblick hätte er sich am liebsten auf die Zunge gebissen. Der Name stammte aus einem Hitchcock-Film.

Doch Miranda schien der Name nichts zu sagen. »Hat sie sich über deinen Besuch gefreut?«

»Sie war gar nicht zu Hause.«

Miranda wandte sich ab und griff nach der Kaffeekanne.

Kit fragte sich, ob sie ihm die Geschichte abnahm. Besonders gut war sie nicht. Wie dem auch sein mochte – aus welchem Grunde er log, konnte Miranda sicher nicht erraten. Wahrscheinlich würde sie glauben, dass er in eine Affäre verwickelt war, von der niemand erfahren sollte – vermutlich deshalb, weil die betreffende Frau verheiratet war.

Während Miranda sich Kaffee einschenkte, wandte sich Stanley an Nigel. »Wo kommen Sie denn her? Vom Akzent her sind Sie kein Schotte.« Es klang wie banaler Smalltalk, doch Kit war klar, dass sein Vater Genaueres wissen wollte.

Nigel antwortete im gleichen gelassenen Tonfall: »Ich wohne in Surrey, arbeite aber in London. Mein Büro ist in der Canary Wharf.«

»Sie sind also in der Finanzwelt tätig.«

»Ich vermittle High-Tech-Systeme in Drittweltländer, vor allem in den Nahen Osten. Ein junger Ölscheich will seine eigene Diskothek haben und weiß nicht, wo er die Geräte dazu kaufen soll – er kommt also zu mir, und ich löse das Problem für ihn.« Es klang absolut glaubwürdig.

Miranda trat mit ihrem Kaffeebecher an den Tisch und setzte sich Daisy gegenüber. »Was für hübsche Handschuhe«, sagte sie. Daisy trug teuer aussehende, hellbraune Wildlederhandschuhe, die allerdings total durchnässt waren. »Warum lassen Sie sie nicht trocknen?«

Kit war sofort wieder auf der Hut. Jedes Gespräch mit Daisy war brandgefährlich.

Daisy bedachte Miranda mit einem bösen Blick, doch Miranda bemerkte das nicht und sparte nicht mit guten Ratschlägen. »Sie müssen sie ausstopfen, damit sie nicht die Form verlieren«, sagte sie, stand auf und holte eine Rolle Haushaltspapier von der Anrichte. »Hier, nehmen Sie das.«

»Ich brauch nix!«, brummte Daisy gereizt.

Miranda zog verblüfft eine Augenbraue hoch. »Oh, ich bin Ihnen doch hoffentlich nicht zu nahe getreten …?«

O Gott, dachte Kit, gleich ist es so weit …

Da ergriff Nigel das Wort: »Komm schon, Daisy, sei nicht blöd, du willst dir doch nicht deine schönen Handschuhe ruinieren.« Der Unterton in seiner Stimme ließ keinen Widerspruch zu: Es war ein Befehl, kein Vorschlag. Nigel teilte offenbar Kits Besorgnis. »Tu, was die Dame sagt, sie meint es doch nur gut.«

Die erwartete Explosion blieb aus. Zu Kits Erstaunen zog Daisy ihre Handschuhe tatsächlich aus, und noch überraschter war er, als er ihre Hände sah: Sie waren schmal und hübsch. Alles andere an ihr war roh und gemein: ihr schwarzes Augen-Make-up, die gebrochene Nase, die Reißverschlussjacke, die Stiefel. Aber ihre Hände waren schön, und offenkundig war sich Daisy dessen auch bewusst, denn sie pflegte sie sogar: Die blassrosa lackierten Nägel waren blitzsauber. Kit konnte sich keinen Reim darauf machen. Irgendwo in diesem Ungeheuer steckt anscheinend ein ganz normales Mädchen, dachte er. Was war diesem Kind nur zugestoßen? Er beantwortete sich die Frage gleich selbst: Harry Mac hat sie großgezogen, das war ihr Pech …

Miranda half ihr, die Handschuhe mit Küchenpapier auszustopfen. »Wie gehören Sie drei denn zusammen?«, fragte sie Daisy. Der harmlose Tonfall einer Dinnerparty-Konversation kaschierte, wie Kit wusste, ihre Neugier. Und ebenso wie ihr Vater hatte Miranda keine Ahnung, in welche Gefahr sie sich damit begab.

Daisy schwieg, doch ihre Miene zeigte einen Anflug von Panik. Kit erinnerte sie an ein Schulmädchen, das seine Hausaufgaben nicht gemacht hat und dabei erwischt worden ist. Das Schweigen wurde peinlich, und Kit wollte Daisy schon beispringen, obwohl es sehr merkwürdig gewirkt hätte, wenn er für sie geantwortet hätte. Wieder war es Nigel, der die Situation rettete. »Daisys Vater ist ein alter Freund von mir«, sagte er.

Klingt gut, dachte Kit, obwohl sich Miranda natürlich fragen wird, warum Daisy das nicht selber sagen kann …

»Und Elton arbeitet für mich«, ergänzte Nigel.

Miranda lächelte Elton an. »Seine rechte Hand?«

»Sein Fahrer«, erwiderte Elton kurz angebunden.

Ein Glück, dass Nigel weiß, wie man sich benimmt, dachte Kit. Sein Charme ist so bezwingend, dass er für alle drei reicht…

»Schade, dass Ihnen das Wetter Ihren Weihnachtsaufenthalt in Schottland verdirbt«, sagte Stanley.

Nigel lächelte. »Hätte ich mich in die Sonne legen wollen, wäre ich nach Barbados geflogen.«

»Sie und Daisys Vater müssen sehr gute Freunde sein, dass Sie Weihnachten zusammen verbringen.«

Nigel nickte. »Wir sind schon seit Ewigkeiten befreundet.«

Der lügt doch wie gedruckt, dachte Kit, das sieht man ihm an. Oder fällt das nur mir auf, weil ich die Wahrheit kenne? Ob Stanley und Miranda ihm wirklich auf den Leim gehen…? Er hielt es nicht länger auf seinem Stuhl aus, die Anspannung war nicht mehr zu ertragen. »Ich hab Hunger«, sagte er und sprang auf. »Ist es dir Recht, Dad, wenn ich ein paar Eier für uns alle in die Pfanne haue?«

»Selbstverständlich.«

»Ich helfe dir«, sagte Miranda und steckte Weißbrotscheiben in den Toaster.

»Nun, ich hoffe, das Wetter bessert sich bald«, sagte Stanley. »Wann wollten Sie denn nach London zurückfahren?«

Kit nahm eine Packung Frühstücksspeck aus dem Kühlschrank. Hatte Vater Lunte gerochen – oder war er nur neugierig?

»Morgen«, erwiderte Nigel.

»Ein kurzer Weihnachtsurlaub«, bemerkte Stanley, noch immer nicht ganz vom Wahrheitsgehalt der Geschichte überzeugt.

Nigel zuckte mit den Schultern. »Wir haben viel zu tun, wissen Sie…«

»Sie müssen Ihren Aufenthalt womöglich doch etwas verlängern, fürchte ich. Ich kann mir nicht vorstellen, dass die Straßen bis morgen schon frei sind.«

Die Vorstellung, länger bleiben zu müssen als unbedingt nötig, schien Nigel Kopfzerbrechen zu bereiten. Er schob den Ärmel seines pinkfarbenen Pullovers ein Stückchen hoch und sah auf seine Armbanduhr.

Ich muss irgendwie beweisen, dass ich mit Nigel und den anderen nichts zu tun habe, dachte Kit, während er am Herd herumhantierte. Ich darf diese »Fremden« weder verteidigen noch in Schutz nehmen, dachte er, sondern muss so tun, als kämen mir Nigels Geschichten auch nicht ganz koscher vor. Am besten stelle ich ihm auch die eine oder andere skeptische Frage... Wenn ich so tue, als hätte ich auch gewisse Vorbehalte gegen die drei, kann ich den Verdacht gegen mich vielleicht ablenken.

Ehe Kit jedoch seine Absichten in die Praxis umsetzen konnte, wurde unvermittelt Elton gesprächig. »Was ist mit Ihnen, Professor?«, fragte er. Kit hatte seinen Vater als Professor Oxenford vorgestellt. »Sieht so aus, als hätten Sie zu Weihnachten die ganze Familie um sich versammelt. Sie haben zwei Kinder?«

»Drei.«

»Mit den jeweiligen Ehepartnern natürlich.«

»Nur meine Töchter haben Partner, Kit ist unverheiratet.«

»Aber Sie haben Enkel?«

»Ja.«

»Wie viele? Ich hoffe, meine Fragerei ist Ihnen nicht zu aufdringlich.«

»Nein, nein, keineswegs. Ich habe vier Enkel.«

»Und die sind alle hier?«

»Ja.«

»Das ist sicher sehr schön für Sie und Ihre Frau.«

»Meine Frau ist leider vor achtzehn Monaten gestorben.«

»Oh, das tut mir aufrichtig Leid für Sie.«

»Danke.«

Was soll denn dieses Verhör, fragte sich Kit. Elton hatte sich vorgebeugt und lächelte, als frage er nur aus freundlicher Neugier. Kit durchschaute ihn jedoch. Der führt etwas im Schilde, dachte er und fragte sich besorgt, ob sein Vater das auch erkannte.

Elton war noch nicht fertig. »Das muss hier ja ein großes Haus sein, wenn hier... wie viele sind Sie jetzt? Zehn?... wenn die alle hier übernachten können.«

»Wir haben noch ein paar Nebengebäude.«

»Oh, wie praktisch.« Elton warf einen Blick aus dem Fenster, obwohl man durch den dichten Schneefall kaum etwas erkennen konnte. »Gästehäuser wahrscheinlich.«

»Ein Gästehaus und eine umgebaute Scheune.«

»Sehr nützlich. Und dann gewiss auch noch eine Unterkunft fürs Personal, nicht wahr?«

»Unser Personal hat ein kleines Häuschen etwa anderthalb Kilometer von hier. Ich fürchte nur, dass wir die beiden heute nicht zu Gesicht bekommen werden.«

»Wie schade.« Elton schwieg wieder – nachdem er erfahren hatte, wie viele Personen sich derzeit auf dem Grundstück aufhielten.

Und wieder fragte sich Kit, ob das außer ihm selbst noch jemandem aufgefallen war.

Der Schneepflug war ein Mercedes-Laster mit einem Vorbauschneepflug am Frontschild. An der Seite trug er die Aufschrift »Baumaschinenverleih Inverburn«, und auf dem Dach blinkte eine orangefarbene Warnlampe, doch Toni kam er vor wie ein geflügelter Himmelswagen.

Die Schaufel war so angebracht, dass sie den Schnee an den Straßenrand schob. Es dauerte nicht lang, bis die Auffahrt vom Pförtnerhaus bis zum Haupteingang des Kremls geräumt war, wobei sich die Schaufel an den Betonschwellen, die zur Geschwindigkeitsreduzierung dienten, automatisch hob. Als das schwere Gefährt vor dem Eingang hielt, hatte Toni bereits ihren Mantel an und war abmarschbereit. Vier Stunden war es jetzt her, dass sich die Diebe mit ihrer Beute davongemacht hatten – doch wenn sie im Schnee stecken geblieben waren, konnten sie immer noch eingeholt werden.

Dem Schneepflug folgten drei Streifenwagen der Polizei und ein Krankenwagen. Die Sanitäter kamen als Erste ins Haus. Sie legten Susan auf eine Bahre und trugen sie hinaus, obwohl sie sagte, sie könne selber gehen. Don weigerte sich mitzugehen. »Wenn ein Schotte jedes Mal, wenn ihm einer was vor den Latz knallt, ins Krankenhaus rennen wollte, kämen die Ärzte ja gar nicht mehr nach«, sagte er.

Frank Hackett betrat die Große Halle im dunklen Anzug mit Hemd und Krawatte. Er hatte sogar Zeit gefunden, sich zu rasieren, vermutlich im Auto. Toni schwante Schlimmes: An seiner finsteren Miene erkannte sie sofort, dass er auf einen Streit aus war. Dass er von höchster Stelle gezwungen worden war, nach Tonis Pfeife zu tanzen, musste ihn furchtbar aufregen. Toni nahm sich vor, geduldig zu sein und jede Konfrontation zu meiden.

Ihre Mutter, die den jungen Hund gestreichelt hatte, blickte auf und sagte: »Hallo, Frank! Das ist ja eine Überraschung! Wollt ihr es noch einmal miteinander versuchen, ihr zwei?«

»Heute nicht«, murmelte er.

»Schade.«

Hinter Frank kamen zwei Kriminalbeamte mit großen Taschen herein, die Tatortkommission, wie Toni annahm. Frank nickte Toni zu und schüttelte Carl Osborne die Hand, sprach jedoch mit Steve. »Sie sind der Werkschutzleiter?«

»*Aye*. Steve Tremlett. Sie sind Frank Hackett, wir kennen uns.«

»Nach meinen Informationen wurden vier Leute aus Ihrer Schicht überfallen.«

»Richtig, ich und noch drei andere.«

»Fanden die Überfälle alle am gleichen Ort statt?«

Was soll die Fragerei, fragte sich Toni ungeduldig. Was verspricht er sich davon? Es kommt doch darauf an, dass wir so schnell wie möglich die Fahndung nach den flüchtigen Tätern aufnehmen.

»Susan wurde im Korridor niedergeschlagen«, antwortete Steve. »Mir haben sie ungefähr an der gleichen Stelle ein Bein gestellt. Don und Stu wurden im Kontrollraum mit vorgehaltener Waffe in Schach gehalten und gefesselt.«

»Zeigen Sie mir bitte die Schauplätze.«

Toni verstand die Welt nicht mehr. »Wir müssen diese Gangster verfolgen, Frank! Wieso überlässt du diese Nebensächlichkeiten nicht deinen Leuten?«

»Spar dir deine Ratschläge«, gab er zurück, »ich weiß selbst, was ich zu tun habe.« Er schien ihr richtig dankbar für die Gelegenheit, sie herunterzuputzen. Es ist zum Verrücktwerden, dachte sie. Das ist jetzt bestimmt nicht der richtige Zeitpunkt, um schmutzige Wäsche zu waschen und unsere Eheprobleme wiederzukäuen! Frank wandte sich wieder an Steve und forderte ihn auf: »Gehen Sie voran!«

Toni unterdrückte einen Fluch und ging mit. Carl Osborne schloss sich ihnen an.

Mit Klebeband markierten die Kriminalbeamten die Stelle im Flur, wo die Gangster Steve ein Bein gestellt und Susan mit dem Totschläger überfallen hatten. Danach zog die kleine Gruppe zum Kontrollraum weiter, wo Stu vor den Monitoren saß. Frank markierte den Eingang.

»Wir wurden alle vier gefesselt und ins BSL-4 geschleift«, sagte Steve. »Genauer gesagt, nicht ins eigentliche Labor, sondern nur in den Vorraum.«

»Wo ich sie dann gefunden habe«, ergänzte Toni. »Aber das ist schon vier Stunden her, und mit jeder Minute, die verstreicht, wächst der Vorsprung der Bande!«

»Wir sehen uns erst den Schauplatz an.«

»Nein, das kommt nicht infrage«, sagte Toni. »Das ist ein Hochsicherheitslabor, der Zutritt ist streng reglementiert. Du kannst dir deinen Schauplatz auf Monitor 19 ansehen.«

»Im Vorraum besteht sicher keine akute Gefahr.«

Das stimmte sogar, doch Toni hatte nicht die Absicht, ihn noch mehr Zeit verschwenden zu lassen. »Ohne spezielle Schulung darf niemand durch diese Tür, das ist Vorschrift.«

»Deine Vorschrift kannst du dir an den Hut stecken. *Ich* leite hier die Ermittlungen.«

Toni begriff, dass sie unabsichtlich genau das getan hatte, was sie unbedingt hatte vermeiden wollen: Sie steuerte auf eine direkte Konfrontation mit Frank zu. Sie versuchte das Thema zu entschärfen. »Ich bringe dich zur Tür.«

Vor dem Eingang zum BSL-4-Labor warf Frank einen Blick auf das Kartenlesegerät und sagte zu Steve: »Geben Sie mir Ihre Chipkarte. Das ist ein Befehl.«

Steve antwortete: »Ich habe keine Chipkarte dafür. Der Werkschutz darf hier nicht rein.«

Frank wandte sich Toni zu. »Hast du eine?«

»Ich verfüge über die entsprechende Ausbildung.«

»Dann her mit dem Ding.«

Sie gab ihm die Karte. Frank fuhr damit über den Scanner und drückte gegen die Tür. Sie blieb verschlossen. Er deutete auf den kleinen Bildschirm in der Wand. »Was ist das?«

»Ein Lesegerät für Fingerabdrücke. Die Chipkarte funktioniert nur zusammen mit dem richtigen Fingerabdruck. Wir haben dieses System entwickelt, um zu verhindern, dass sich irgendwelche Idioten mit gestohlenen Karten einschleichen können.«

»Die Diebe heute Nacht sind trotzdem ungestört reinmarschiert, oder?« Das saß. Frank hatte das letzte Wort behalten und machte auf dem Absatz kehrt.

Toni folgte ihm. In der Großen Halle standen zwei Männer in grellgelben Sicherheitsjacken und Gummistiefeln und rauchten. Toni hielt sie zuerst für die Schneepflugbesatzung, doch als Frank anfing, ihnen Aufgaben zuzuweisen, wurde ihr klar, dass es sich um Polizisten handelte. »Sie überprüfen jedes Fahrzeug, an dem Sie vorbeikommen«, sagte er. »Geben Sie die Zulassungsnummer durch, damit wir feststellen können, ob es gestohlen oder gemietet wurde. Teilen Sie uns mit, ob sich irgendwelche Personen in den Fahrzeugen befinden. Sie wissen ja, wonach wir suchen: nach einer Gruppe aus drei Männern und einer Frau. Vermeiden Sie jeden direkten Kontakt zu den Insassen. Diese Kerle sind bewaffnet und Sie nicht, deshalb beschränken Sie sich strikt auf die reine Aufklärungsarbeit. Ein bewaffnetes Einsatzkommando ist unterwegs und wird aktiv, sobald wir den Aufenthaltsort der Täter ausfindig gemacht haben. Ist das klar?«

Die beiden Männer nickten.

»Sie fahren nach Norden und biegen dann an der ersten Kreuzung nach Osten ab. Ich denke, dass die Täter diesen Fluchtweg genommen haben.«

Frank irrte sich, und Toni wusste es. Ungern fuhr sie Frank erneut in die Parade, doch sie konnte nicht zulassen, dass er die Fahnder in die falsche Richtung schickte. Sie wusste, dass ihr Widerspruch ihn wieder bis aufs Blut reizen würde, konnte aber darauf keine Rücksicht nehmen. »Die Diebe sind nicht nach Osten gefahren«, sagte sie.

Frank reagierte nicht darauf. »Sie kommen dort auf die Hauptstraße nach Glasgow«, fuhr er fort.

Toni wiederholte ihren Einwand: »Die Gangster haben eine andere Route genommen.«

Die beiden Polizisten verfolgten die Auseinandersetzung mit Interesse. Sie wandten die Köpfe von Frank zu Toni und wieder zurück, wie Zuschauer bei einem Tennisspiel.

Franks Gesicht lief rot an. »Niemand hat dich nach deiner Meinung gefragt, Toni!«

»Sie sind eine andere Strecke gefahren«, behauptete sie beharrlich. »Die Kerle sind geradeaus gefahren, weiter nach Norden.«

»Wahrscheinlich sagt dir das deine weibliche Intuition, wie?«

Einer der Polizisten lachte.

Wieso musst du unbedingt mit dem Kopf durch die Wand, dachte Toni und sagte ruhig: »Der Fluchtwagen steht auf dem Parkplatz des Dew Drop Motels, etwa acht Kilometer nördlich von hier.«

Dass Toni etwas wusste, wovon er keine Ahnung hatte, war Frank furchtbar peinlich. Sein Gesicht war jetzt dunkelrot. »Und woher weißt du das?«

»Ich habe meine eigenen Ermittlungen angestellt.« Ich war ein besserer Bulle als du und bin es immer noch, dachte sie, hütete sich aber, es auszusprechen. »Ich habe ein bisschen herumtelefoniert. Das ist besser als jede Intuition.« Du hast es nicht anders verdient, du Mistkerl, dachte sie.

Wieder lachte einer der beiden Polizisten, hörte aber sofort auf, als Franks finsterer Blick ihn traf.

»Es ist möglich, dass sich die Diebe noch in dem Motel aufhalten«, sagte Toni, »aber ich glaube eher, dass sie dort nur den Wagen gewechselt haben und weitergefahren sind.«

Frank schluckte seinen Zorn hinunter. »Fahren Sie zu diesem Motel«, befahl er den beiden Polizisten. »Sie erhalten weitere Anweisungen, wenn Sie unterwegs sind. Und nun los!«

Die beiden eilten hinaus. Endlich, dachte Toni.

Frank beorderte einen Kriminalbeamten in Zivil zu sich und befahl ihm, dem Schneepflug bis zum Motel zu folgen, den Van der Hibernian Telecom zu überprüfen und herauszufinden, ob es irgendwelche brauchbaren Zeugenaussagen gab.

Toni dachte über den nächsten Schritt nach. Sie wollte den Fahndern möglichst auf den Fersen bleiben, aber sie hatte kein Auto. Und außerdem war ihre Mutter noch immer hier.

Sie sah, wie sich Carl Osborne leise mit Frank Hackett unterhielt. Osborne deutete auf seinen Jaguar, der immer noch auf halbem Wege zum Pförtnerhaus feststeckte. Frank nickte und wandte sich an einen uniformierten Kollegen, der daraufhin hinausging und mit dem Fahrer des Schneepflugs sprach. Es ging offenbar darum, Osbornes Wagen freizuschaufeln.

»Du willst also dem Schneepflug folgen?«, fragte sie Carl.

»Wir leben in einem freien Land«, erwiderte Osborne blasiert.

»Vergiss nicht, den Hund mitzunehmen.«

»Den wollte ich eigentlich hier lassen.«

»Ich fahre mit.«

»Bist du wahnsinnig?«

»Ich muss nach Steepfall zu Stanley Oxenford. Das liegt auf der Strecke, keine zehn Kilometer hinter dem Dew Drop Motel. Du kannst mich und meine Mutter dort absetzen.« Wenn ich Stanley informiert habe, kann ich Mutter in Steepfall lassen, mir dort einen Wagen borgen und dann selber hinter dem Schneepflug herfahren.

»Du willst, dass ich dich *und* deine Mutter mitnehme?«, fragte Osborne ungläubig.

»Richtig.«

»Kommt gar nicht infrage.«

Toni nickte. »Okay, aber sag mir Bescheid, wenn du deine Meinung ändern solltest.«

Osborne runzelte die Stirn. Dass Toni die Ablehnung so schnell akzeptierte, machte ihn misstrauisch. Aber er verlor kein weiteres Wort und zog seinen Mantel an.

Steve Tremlett wollte etwas sagen, doch Toni bedeutete ihm mit einer Geste, die Osborne nicht mitbekam, den Mund zu halten.

Osborne ging zur Tür.

»Vergiss den Hund nicht«, sagte Toni.

Osborne nahm den Welpen tatsächlich mit und ging hinaus zu seinem Wagen.

Durchs Fenster sah Toni, wie der Konvoi sich in Bewegung setzte. Der Schneepflug räumte den Schneehaufen vor dem Jaguar beiseite und kroch die Steigung zum Pförtnerhaus hinauf. Einer der Streifenwagen folgte ihm. Osborne setzte sich ans Steuer seines Jaguars, stieg aber gleich darauf wieder aus und kehrte in die große Eingangshalle zurück.

»Wo ist mein Autoschlüssel?«, fragte er verärgert.

Toni lächelte freundlich. »Hast du deine Meinung geändert? Dürfen wir vielleicht doch mitfahren?«

Steve klimperte mit dem Schlüsselbund in seiner Hosentasche.

Osborne zog ein langes Gesicht. »Steigt ein, verdammt noch mal!«

Miranda hatte kein gutes Gefühl, was das seltsame Trio Nigel, Elton und Daisy betraf. Waren sie wirklich das, was sie zu sein vorgaben? Sie hatten etwas an sich, das in Miranda den heimlichen Wunsch weckte, sie hätte mehr als nur ihr Nachthemd an.

Sie hatte eine furchtbare Nacht hinter sich. In dem unbequemen Sessel in Kits ehemaligem Arbeitszimmer hatte sie kaum schlafen können; nur ab und zu war sie kurz eingedämmert und hatte dann ausgerechnet von ihrer törichten, beschämenden Affäre mit Hugo geträumt. Als sie aufwachte, war sie böse auf Ned gewesen, weil er sie wieder einmal nicht in Schutz genommen hatte. Anstatt dass er seinen Zorn gegen Kit richtete, weil der das Geheimnis ausgeplaudert hatte, war ihm lediglich der Kommentar eingefallen, dass Geheimnisse früher oder später immer ans Licht kämen. Sie hatten den Streit, den sie tags zuvor im Auto gehabt hatten, praktisch noch einmal wiederholt. Miranda, die ursprünglich gehofft hatte, die Feiertage böten eine gute Gelegenheit für ihre Familie, Ned besser kennen zu lernen und zu akzeptieren, war inzwischen schon fast so weit, dass sie hier und heute mit ihm Schluss machen wollte. Ned war einfach zu schwach.

Als von unten Stimmen zu hören waren, hatte sie nur Erleichterung empfunden: Endlich konnte sie aufstehen. Inzwischen wusste sie jedoch nicht mehr, was sie denken sollte. Hatte dieser Nigel keine Frau, keine Familie, keine Freundin, die das Weihnachtsfest mit ihm verbringen wollten? Und was war mit diesem Elton? Miranda war sich ziemlich sicher, dass er und Nigel kein schwules Pärchen waren: Nigel hatte ihr Nachthemd mit dem forschenden Blick eines Mannes betrachtet, der auch gerne einen Blick darunter geworfen hätte.

Diese Daisy hätte in jeder Umgebung deplatziert gewirkt. Vom Alter her hätte sie zwar Eltons Freundin sein können, doch die beiden schienen nicht viel voneinander zu halten. Warum war sie also mit Nigel und seinem Fahrer unterwegs?

Dass Nigel ein Freund von Daisys Familie war, hielt Miranda für ausgeschlossen. Es war keine Vertrautheit zwischen ihnen. Sie verhielten sich eher wie Leute, die notgedrungen zusammenarbeiten mussten, obwohl sie nicht gut miteinander auskamen. Doch wenn sie wirklich Kollegen waren – warum hatten sie sich dann ein Lügenmärchen ausgedacht?

Auch Vater wirkte angespannt. Miranda fragte sich, ob er ebenfalls einen Verdacht hegte.

Die Küche wurde allmählich von köstlichen Düften erfüllt: Es roch nach gebratenem Speck, frisch gebrühtem Kaffee und Toast. Kochen konnte Kit schon immer gut, dachte Miranda, und er weiß auch, wie man ein Gericht appetitlich präsentiert. Er schafft es, dass ein Teller voll Spaghetti aussieht wie ein königliches Mahl. Eigentlich typisch für ihn: Auf Äußerlichkeiten legt er immer großen Wert. Er hält es in keinem Beruf lange aus und schafft es nie, sein Bankkonto im Plus zu halten, aber seine Kleidung ist stets tadellos, und er fährt immer einen schicken Wagen, auch wenn er noch so knapp bei Kasse ist. In den Augen ihres Vaters verbanden sich in ihm zweideutige Leistungen mit eindeutiger Charakterschwäche. Das einzige Mal, dass Stanley wirklich stolz auf Kit gewesen war, war damals, als er an den Olympischen Winterspielen teilgenommen hatte.

Jetzt reichte Kit jedem einen Teller mit knusprigem Speck, frischen Tomatenscheiben und Rührei, das mit frisch gehackten Kräutern bestreut war; dazu in Dreiecke geschnittenen und mit Butter bestrichenen heißen Toast. Die angespannte Atmosphäre in der Küche beruhigte sich ein wenig. Vielleicht wollte Kit das mit seiner Kocherei erreichen, dachte Miranda. Obwohl sie kaum Hunger hatte, aß sie eine Gabel voll Rührei. Er hatte es mit ein wenig Parmesan gewürzt, sodass es herrlich herb schmeckte.

Kit versuchte, das Gespräch in Gang zu halten. »Was machen Sie denn beruflich, Daisy?«, sagte er und schenkte der Angesprochenen ein gewinnendes Lächeln. Miranda wusste, dass es reine Höflichkeit war. Kit mochte hübsche Mädchen, doch Daisy war alles andere als das.

Sie nahm sich lange Zeit für ihre Antwort. »Ich arbeite für meinen Vater«, sagte sie dann.

»Und was ist sein Metier?«

»Sein ... was?«

»Ich meine, auf welchem Gebiet ist er beruflich tätig?«

Die Frage schien Daisy zu überfordern.

Nigel lachte und sagte: »Mein alter Freund Harry hat seine Finger überall drin. Es ist echt schwer, ihn auf ein einziges Gebiet festzulegen.«

Zu Mirandas Erstaunen gab sich Kit damit nicht zufrieden. In herausforderndem Ton sagte er zu Daisy: »Na gut, dann nennen Sie uns doch einmal ein Beispiel für seine vielfältigen Tätigkeiten!«

Daisys Miene hellte sich auf. Wie aus einer plötzlichen Eingebung heraus sagte sie: »Er macht in Grundstücken.« Miranda hatte den Eindruck, sie plappere einfach einen Satz nach, den sie irgendwann einmal gehört hatte.

»Dann hat er wohl viele Häuser?«

»Er ist Häusermakler.«

»Was ist das eigentlich genau – ›Häuser makeln‹? Ich hab das nie richtig begriffen.«

Die aggressive Fragerei passt gar nicht zu Kit, dachte Miranda. Vielleicht fällt es ja auch ihm schwer, die Geschichten dieser Leute zu glauben ... Irgendwie war sie erleichtert. Damit war klar, dass er sie nicht kannte. Insgeheim hatte Miranda befürchtet, Kit könne mit den seltsamen Gästen in irgendwelche unsauberen Geschäfte verwickelt sein. Bei Kit konnte man nie wissen ...

Nigels Stimme verriet Ungeduld, als er jetzt erklärte: »Harry kauft beispielsweise ein altes Tabaklagerhaus, besorgt sich die Erlaubnis, es in Luxuswohnungen umzuwandeln, und verkauft den Schuppen dann mit Gewinn an eine Baufirma.«

Schon wieder hat dieser Nigel für Daisy geantwortet, dachte Miranda. Auch Kit schien sich darüber zu wundern, denn er fragte: »Und worin genau besteht *Ihre* Tätigkeit im Geschäft Ihres Vaters, Daisy? Ich kann mir vorstellen, dass Sie eine gute Verkäuferin sind.«

Daisy sah eher so aus, als habe sie sich auf handgreifliche Zwangsräumungen spezialisiert.

Sie starrte Kit feindselig an und sagte: »Ich tue mal dies und mal das.« Ihr Kinn straffte sich; es wirkte wie eine Warnung davor, an ihrer Antwort zu zweifeln oder weitere Fragen zu stellen.

»Und dies gewiss mit Charme und Effizienz«, erwiderte Kit.

Viel zu dick aufgetragen, dachte Miranda besorgt. Das ist doch reiner Sarkasmus! Daisy ist sicher nicht die Hellste, aber wenn man sie beleidigt, merkt sie es bestimmt...

Die gespannte Atmosphäre verdarb Miranda das Frühstück. Sie musste unbedingt mit ihrem Vater über die Situation reden. Sie schluckte, hustete und tat so, als hätte sie sich verschluckt. Sie stand auf, würgte ein »'tschuldigung« hervor und simulierte den nächsten Hustenanfall.

Ihr Vater ergriff ein Glas und füllte es mit Wasser aus der Leitung.

Noch immer hustend verließ Miranda die Küche. Dass Stanley ihr auf den Flur hinaus folgte, entsprach genau ihrer Absicht. Sie schloss die Küchentür und bedeutete ihm mit einer Geste, ins Arbeitszimmer zu gehen. Um glaubhaft zu wirken, hustete sie noch einmal heftig, bevor sie ihm folgte.

Er wollte ihr das Glas reichen, aber sie lehnte es ab. »Ich hab bloß so getan als ob«, sagte sie. »Ich wollte mit dir sprechen. Was hältst du von diesen ›Gästen‹?«

Stanley stellte das Glas auf die grüne Lederunterlage auf seinem Schreibtisch. »Das sind ziemlich schräge Vögel«, sagte er. »Ich dachte schon fast, die stammen aus Kits zwielichtigem Bekanntenkreis, doch als er dann anfing, das Mädchen auszufragen...«

»Mir ging's genauso. Aber die lügen uns was vor.«

»Aber warum? Wenn sie gekommen sind, um uns auszurauben, müssten sie allmählich mal in die Gänge kommen...«

»Ich weiß nicht, was sie vorhaben, aber ich habe ein ungutes Gefühl.«

»Soll ich die Polizei rufen?«

»Das wäre vielleicht übertrieben. Aber vielleicht wär's gut, wenn *irgendjemand* Bescheid wüsste, dass sich diese Leute bei uns im Haus aufhalten.«

»Dann lass uns mal überlegen – wer käme denn dafür infrage?«

»Wie wär's mit Onkel Norman?« Der Bruder ihres Vaters war Bibliothekar an der Universität und lebte in Edinburgh. Die Brüder mochten einander durchaus, wahrten aber Distanz. Es genügte ihnen, wenn sie sich einmal im Jahr sahen.

»Gute Idee. Norman wird es verstehen. Ich erzähle ihm, was hier los ist, und bitte ihn, mich in einer Stunde anzurufen, um festzustellen, ob bei uns alles in Ordnung ist.«

»Einverstanden.«

Stanley nahm den Telefonhörer ab und hielt ihn ans Ohr. Dann runzelte er die Stirn, legte wieder auf und wiederholte den Vorgang. »Kein Freizeichen«, sagte er.

Nun bekam es Miranda tatsächlich mit der Angst zu tun. »Jetzt wäre es mir doch sehr lieb, wenn wir mit jemandem reden könnten.«

Stanley tippte bereits auf dem Keyboard seines Computers herum. »Die E-Mail funktioniert auch nicht. Wahrscheinlich liegt's am Wetter. Bei so heftigem Schneefall kommt es schon mal vor, dass Leitungen beschädigt werden.«

»Trotzdem ...«

»Wo ist denn dein Handy?«

»Im Gästehaus. Hast du keines?«

»Nur das Autotelefon in meinem Wagen.«

»Olga hat auch eines.«

»Kein Grund, sie zu wecken.« Stanley blickte zum Fenster hinaus. »Ich werfe mir einen Mantel über und gehe zur Garage.«

»Wo sind denn die Autoschlüssel?«

»Im Schlüsselschränkchen.«

Das Schlüsselschränkchen hing in der Stiefelkammer an der Wand. »Ich hol sie dir.«

Sie traten in den Korridor hinaus. Stanley ging zur Haustür und schlüpfte dort in seine Stiefel. Miranda legte die Hand auf den Knauf der Küchentür, hielt dann aber inne. Olgas Stimme war zu hören. Seit Kit, dieser Verräter, am Vorabend das Geheimnis ausgeplaudert hatte, hatte Miranda nicht mehr mit ihrer Schwester gesprochen. Was sollte sie jetzt zu Olga sagen? Und was würde Olga zu ihr sagen?

Miranda öffnete die Tür. In einem schwarzseidenen Morgenmantel, der ihre Schwester an eine Anwaltsrobe erinnerte, lehnte Olga an der Anrichte. Nigel, Elton und Daisy saßen am Tisch wie auf einem Tafelbild. Kit stand hinter ihnen, hochgradig nervös und ängstlich. Olga hatte sich in Fahrt geredet und verhörte die Fremden quer über den Tisch, als befände sie sich im Gerichtssaal. Eben fragte sie Nigel: »Was in aller Welt hatten Sie denn so spät in der Nacht da draußen zu suchen?« Nigel musste sich vorkommen wie ein straffällig gewordener Jugendlicher.

Miranda bemerkte eine rechteckige Ausbeulung in der Tasche des seidenen Morgenmantels: Olga ging nirgendwohin ohne ihr Mobiltelefon. Miranda wollte sich umdrehen und ihrem Vater sagen, dass er seine Stiefel wieder ausziehen könne, doch dann zog Olgas Vorstellung sie in ihren Bann.

Nigel runzelte missbilligend die Stirn, aber er beantwortete die Frage trotzdem. »Wir waren auf dem Weg nach Glasgow.«

»Wo waren Sie denn vorher? Hier im Norden gibt's ja nicht viele Möglichkeiten.«

»In einem großen Landhaus.«

»Wahrscheinlich kennen wir die Besitzer. Wie heißen sie denn?«

»Robinson.«

Miranda, die auf eine Chance wartete, sich unauffällig Olgas Handy auszuleihen, sah der Szene fasziniert zu.

»Robinson? Wüsste nicht, wer das sein sollte. Aber der Name ist ja so häufig wie Smith und Brown. Was war denn der Anlass zu dieser Einladung?«

»Eine Party.«

Olga hob ihre dunklen Augenbrauen. »Sie kommen nach Schottland, um Weihnachten mit ihrem alten Freund zu verbringen, und dann fahren Sie mit seiner Tochter zu einer Party und lassen den armen Mann allein?«

»Er hat sich nicht wohl gefühlt.«

Olga nahm sich jetzt Daisy vor. »Was sind Sie denn für eine Tochter? Lassen Ihren kranken Vater am Heiligabend einfach allein?«

Daisy schwieg verstockt und sah Olga nur finster an. Miranda bekam es mit der Angst zu tun. Diese Daisy sah aus, als könne sie jeden Augenblick gewalttätig werden.

Kit hatte offenbar ganz ähnliche Befürchtungen, denn er versuchte, seine ältere Schwester zu bremsen: »Nun mach mal halblang, Olga«, sagte er.

Olga ignorierte ihn. »Nun?«, fragte sie Daisy. »Haben Sie nichts zu Ihrer Entlastung vorzubringen?«

Daisy nahm ihre Handschuhe auf, was Miranda aus irgendeinem Grunde wie ein böses Omen vorkam. Daisy zog die Handschuhe an und sagte dann: »Ich brauche Ihre Fragen nicht zu beantworten.«

»Da bin ich aber ganz anderer Meinung.« Olga nahm wieder Nigel ins Visier. »Drei Fremde sitzen in meines Vaters Küche, schlagen sich den Bauch voll und tischen uns eine völlig unglaubwürdige Geschichte auf. Ich denke schon, dass Sie uns noch einige Auskünfte schuldig sind.«

»Olga, ist das denn wirklich nötig?«, wandte Kit nervös ein. »Das sind drei ganz normale Mitbürger, die im Schnee stecken geblieben sind ...«

»Bist du dir da sicher?«, gab sie zurück, ohne Nigel aus den Augen zu lassen, der bisher ganz locker gewirkt hatte, aber allmählich die Geduld zu verlieren schien.

Sichtlich verärgert sagte er jetzt: »Dieses Verhör gefällt mir nicht.«

»Wenn es Ihnen nicht gefällt, können Sie ja gehen«, sagte Olga. »Doch wenn Sie hier in meinem Elternhaus bleiben wollen, lassen Sie sich gefälligst was Besseres einfallen als das Blabla, das Sie uns bisher geboten haben.«

»Wir können nicht gehen«, sagte Elton empört. »Schauen Sie doch mal zum Fenster raus, dieser beschissene Schneesturm ist noch immer nicht vorbei.«

»Bitte enthalten Sie sich dieser Fäkalsprache in unserem Haus. Meine Mutter hat diese Ausdrucksweise nie geduldet, und wenn, dann allenfalls in fremden Sprachen. Wir halten uns auch nach ihrem Tod noch an ihr Gebot.« Olga griff nach der Kaffeekanne und deutete auf die burgunderfarbene Aktentasche auf dem Tisch. »Was ist das denn?«

»Meine Aktentasche«, sagte Nigel.

»Nun, bei uns stellt man sein Gepäck nicht auf den Esstisch.« Sie streckte die Hand aus und nahm die Mappe vom Tisch. »Ist ja nicht schwer – aua!« Nigel hatte sie am Arm gepackt. »Das tut weh!«, schrie sie.

Die joviale Maske war von Nigel abgefallen. Leise, aber unmissverständlich, sagte er: »Stellen Sie die Tasche wieder hin. Sofort.«

In Mantel, Handschuhen und Stiefeln stand plötzlich Stanley neben Miranda. »Was fällt Ihnen ein?«, fuhr er Nigel an. »Lassen Sie sofort meine Tochter los!«

Nellie bellte laut. Rasch griff Elton nach unten und packte die Hündin am Halsband.

Eigensinnig hielt Olga die Mappe fest.

»Stell die Tasche wieder hin, Olga«, sagte Kit.

Daisy grabschte nach der Tasche. Olga versuchte, sie festzuhalten – und plötzlich ging sie auf. Verpackungschips aus Styropor fielen heraus und verteilten sich auf dem Küchentisch. Kit stieß einen Angstschrei aus, und Miranda wunderte sich: Wovor fürchtet er sich denn? Eine Parfümflasche in einem durchsichtigen Plastikbeutel kullerte aus der Mappe.

Olga gab Nigel mit der freien Hand eine Ohrfeige.

Nigel schlug sofort zurück, und plötzlich brüllte alles durcheinander. Stanley gab einen Laut der Empörung von sich, schob sich an Miranda vorbei und ging auf Nigel los. Miranda rief: »Nein!«

Daisy stellte sich Stanley in den Weg. Er versuchte sie beiseite zu schieben. Es kam zu einem kurzen Gerangel, und plötzlich schrie Stanley auf und taumelte zurück.

Aus seinem Mund lief Blut.

Und mit einem Male hielten Nigel und Daisy Pistolen in den Händen.

Alle schwiegen bis auf Nellie, die wie verrückt bellte. Elton drehte ihr mit dem Halsband die Luft ab, bis sie still war. Danach herrschte absolute Stille in der Küche.

Olga fragte: »Wer, zum Teufel, sind sie eigentlich?«

Stanley betrachtete sorgenvoll den Parfümzerstäuber auf dem Tisch und fragte: »Warum ist diese Flasche doppelt verpackt?«

Miranda stahl sich heimlich davon.

Entsetzt starrte Kit auf das *Diablerie*-Flakon auf dem Küchentisch. Aber das Glas war nicht zerbrochen, der Verschluss hatte sich nicht gelöst, und auch die beiden Tüten waren unversehrt. Die tödliche Flüssigkeit blieb sicher verwahrt in ihrem zerbrechlichen Behälter.

Nachdem Nigel und Daisy ihre Waffen gezogen hatten, konnten die drei unerwünschten Gäste ihre Maskerade als unschuldige Schneesturmopfer nicht länger aufrechterhalten. Sobald die Nachricht von dem Überfall auf das Labor bekannt wurde, waren sie automatisch die Hauptverdächtigen.

Doch während Nigel, Daisy und Elton vielleicht entkommen konnten, befand sich Kit in einer anderen Situation. Seine Identität stand fest – und das bedeutete, dass er selbst dann, wenn er sich vielleicht vorerst noch der Verhaftung entziehen konnte, den Rest seines Lebens auf der Flucht vor dem Gesetz würde verbringen müssen.

Fieberhaft suchte er nach einem Ausweg aus der verfahrenen Lage.

Dann, als alle wie festgefroren dastanden und auf die bösartigen, kleinen dunkelgrauen Pistolen starrten, bewegte Nigel seine Waffe um Zentimeterbruchteile zur Seite und bedrohte auf einmal voller Misstrauen auch Kit – und Kit hatte eine Idee.

Meine Familie, rief er sich ins Bewusstsein, hat bis jetzt keinen Grund, mich zu verdächtigen. Die drei Ganoven können mir auf ihrer Flucht was vorgemacht haben. Ich kenne sie nicht, jedenfalls nach außen hin, und keiner kann mir das Gegenteil beweisen …

Die Frage ist nur: Wie verhalte ich mich, damit mir das auch weiterhin geglaubt wird?

Langsam hob er die Hände – die traditionelle Geste der Kapitulation.

Alle starrten ihn an. Kit glaubte einen Augenblick lang, die Bande selbst würde ihn verraten. Nigel runzelte die Stirn, Elton war völlig überrascht, und Daisy gab einen grunzenden Laut von sich.

»Dad, es tut mir so Leid, dass ich diese Leute ins Haus gebracht habe«, sagte Kit. »Ich hatte ja keine Ahnung...«

Sein Vater sah ihn an, lange und nachdenklich. Dann nickte er. »Du kannst nichts dafür«, sagte er. »In einem Schneesturm weist man niemanden ab. Woher hättest du denn wissen sollen...«, er drehte sich um und bedachte Nigel mit einem Blick voll glühender Verachtung, »*wen* du da aufgegabelt hast.«

Nigel begriff sofort, wie der Hase lief, und sprang Kit bei seinem Täuschungsmanöver zur Seite. »Es tut mir aufrichtig Leid, dass ich Ihre Gastfreundschaft so missbrauche..., Kit, nicht wahr? Ja, es stimmt: Sie haben uns da draußen im Schnee das Leben gerettet, und nun bedrohen wir Sie mit Pistolen. Aber auf der guten alten Erde hat es noch nie Gerechtigkeit gegeben.«

Nun erkannte auch Elton, was gespielt wurde, und der Ausdruck grenzenloser Verblüffung schwand aus seiner Miene.

»Hätte Ihre aggressive Schwester nicht ihre Nase in unsere Angelegenheiten gesteckt«, fuhr Nigel fort, »dann wären wir ganz friedlich wieder gegangen, und Sie hätten nie erfahren, was für Schlitzohren wir sind. Aber sie hat es ja geradezu darauf ankommen lassen.«

Endlich kapierte auch Daisy, was los war.

Ein furchtbarer Gedanke schoss Kit durch den Kopf: Die sind durchaus imstande, uns alle umzubringen. Sie stehlen ein Virus, das Tausende von Menschen töten kann – warum also sollten sie zögern, eine Familie niederzuknallen? Gewiss, es war nicht ganz dasselbe: Die Vorstellung, Tausende von Menschen mit einem Virus zu töten, war ein wenig abstrakt – das kaltblütige Erschießen von Erwachsenen und Kindern mochte selbst Schwerverbrechern nicht so leicht von der Hand gehen. Dennoch – wenn sie keinen anderen Ausweg mehr sahen, war den dreien eine solche Tat ohne weiteres zuzutrauen...

Ein Schauer lief Kit über den Rücken, als er sich klar machte, dass auch er selbst auf der Abschussliste stehen konnte. Ein Glück, dass sie mich noch brauchen, versuchte er sich zu beruhigen. Nur ich kenne den Weg zu Lukes Häuschen und damit zu dem Toyota Land Cruiser. Ohne mich finden sie ihn nie... Hoffentlich vergisst Nigel das nicht. Ich muss ihn bei nächster Gelegenheit daran erinnern!

»Der Inhalt dieser Flasche ist sehr viel Geld wert«, sagte Nigel abschließend.

Und Kit fragte, um die Illusion aufrechtzuerhalten: »Was ist denn da drin?«

»Das geht Sie nichts an!«, erwiderte Nigel.

In diesem Moment klingelte Kits Handy.

Er wusste nicht, was er tun sollte. Der Anrufer war vermutlich Hamish, der ihm berichten wollte, was sich in der Zwischenzeit im Kreml zugetragen hatte. Aber wie sollte er mit Hamish sprechen, ohne sich vor seiner Familie zu verraten? Wie gelähmt stand er da, während alle Anwesenden dem Klingelton lauschten, der eine Tonfolge aus Beethovens neunter Sinfonie wiedergab.

Nigel löste das Problem, indem er sagte: »Geben Sie mir den Apparat.«

Kit reichte ihm das Handy, und Nigel nahm den Anruf entgegen. »Ja, Kit hier«, sagte er, und der schottische Tonfall war nicht einmal schlecht.

Der Anrufer am anderen Ende ging ihm offenbar auf den Leim, denn Nigel hörte ihm schweigend zu.

»Verstanden«, sagte er schließlich. »Danke.« Er beendete das Gespräch und steckte das Gerät in seine Tasche. »Da wollte Sie jemand vor drei gefährlichen Desperados warnen, die sich hier in der Nähe herumtreiben«, sagte er. »Offenbar werden sie von der Polizei mit einem Schneepflug gejagt.«

Craig wurde einfach nicht schlau aus Sophie. In der einen Minute war sie unglaublich verschämt und schüchtern – und in der nächsten wiederum draufgängerisch bis zur Peinlichkeit. Sie wehrte sich nicht, als er seine Hände unter ihren Pulli schob, und als er ungeschickt an den Haken herumfummelte, öffnete sie sogar selber ihren BH. Craig verging schier vor Wonne, als er ihre Brüste unter seinen Händen spürte – doch dann verwehrte sie ihm deren Anblick im Kerzenschein. Noch aufregender war es, als Sophie mit einer Selbstverständlichkeit, die von jahrelanger Routine zu zeugen schien, seine Jeans aufknöpfte, dann aber offenbar nicht wusste, was sie als Nächstes tun sollte. Craig fragte sich, ob es eine Art Verhaltenskodex gab, von dem er nichts wusste. Oder war Sophie einfach genauso unerfahren wie er selber? Beim Küssen jedenfalls stellte sie sich immer besser an. Zu Anfang hatte sie noch gezögert, als wisse sie nicht genau, ob sie das wirklich wollte; doch nach ein paar Stunden Übung war sie jetzt ganz begeistert bei der Sache.

Craig fühlte sich wie ein Seemann in einem Sturm. Die ganze Nacht lang war er von den Wogen der Hoffnung und der Verzweiflung, des Verlangens und der Enttäuschung, der Angst und des Entzückens hin und her geworfen worden. Einmal hatte Sophie geflüstert: »Du bist so nett. Ich bin gar nicht nett. Ich bin gemein.« Und dann, als er sie wieder geküsst hatte, war ihr Gesicht nass von Tränen gewesen. Wie soll man sich denn verhalten, fragte er sich, wenn ein Mädchen anfängt zu weinen, während du deine Hand in ihrem Höschen hast? Er hatte seine Hand zurückziehen wollen, weil es ihr offenbar nicht recht war, was er da tat, doch da hatte sie nach seinem Handgelenk gegriffen und ihn festgehalten. »Ich finde dich so lieb«, hatte er gesagt, doch das klang ziemlich schwach, und so hatte er hinzugefügt: »Ich finde dich wundervoll.«

Obwohl er reichlich durcheinander war, fühlte er sich ungemein glücklich. Noch nie hatte er sich einem Mädchen so nahe gefühlt. Er barst schier vor Liebe, Zärtlichkeit und Lust. Als plötzlich unten in der Küche Geräusche zu hören waren, besprachen sie gerade, wie weit sie gehen wollten.

Sophie hatte gesagt: »Willst du alles?«

»Willst du 's?«

»Wenn du es willst.«

Craig nickte. »Ja, unbedingt!«

»Hast du Kondome bei dir?«

»Ja.« Aus der Tasche seiner Jeans zog er eine kleine, zerknitterte Schachtel heraus.

»Du hast das also geplant?«

»Nein, hab ich nicht.« Das stimmte nur zur Hälfte: Er hatte keinen konkreten Plan gehabt. »Aber ich hab es irgendwie gehofft. Seit wir uns damals kennen gelernt haben, musste ich immer wieder dran denken, wie das wäre mit dir... also, dich wiederzusehen und so. Und heute auch den ganzen Tag...«

»Du warst ganz schön hartnäckig.«

»Ich wollte einfach mit dir zusammen sein, so... so wie jetzt.«

Er kam sich nicht besonders überzeugend vor, hatte aber wohl die Worte gefunden, die Sophie hören wollte. »Okay«, sagte sie, »dann lass es uns tun.«

»Bist du dir auch ganz sicher?«

»Ja. Nun mach schon!«

»Okay.«

»O mein Gott, was war das denn?«

Craig hatte bereits mitbekommen, dass sich in der Küche jemand aufhielt. Er hatte Stimmengemurmel gehört, dann hatte jemand mit einem Topf geklappert, und später war ihm der Duft von gebratenem Speck in die Nase gestiegen. Er hatte zwar keine Ahnung, wie viel Uhr es war, doch fürs Frühstück war es sicherlich noch viel zu früh. Im Prinzip hatte er sich für die Aktivitäten in der Küche nicht weiter interessiert, weil er davon ausging, dass sie für ihn und Sophie in ihrem Schlupfwinkel unter dem Dach keine Gefahr darstellten.

Doch nun ließen sich die Geräusche nicht mehr überhören. Zuerst hörte er seinen Großvater schreien – was an und für sich schon ein völlig ungewöhnliches Ereignis war. Dann fing Nellie wie verrückt zu bellen an; und nun hörte Craig sogar einen Schrei, der so klang, als käme er von seiner Mutter, und gleich drauf schrien mehrere Männerstimmen durcheinander.

Sophie flüsterte ängstlich: »Ist das noch normal bei euch?«

»Nein«, erwiderte er. »Sie diskutieren und streiten manchmal recht heftig, aber sie brüllen sich nicht gegenseitig an.«

»Was ist denn da unten los?«

Craig zögerte. Ein Teil von ihm wollte den Lärm einfach verdrängen und so tun, als wären Sophie und er hier auf dem Sofa unter ihren

Mänteln in ihrem eigenen, abgeschlossenen Universum. Wenn er sich auf Sophies weiche Haut, ihren heißen Atem und ihre feuchten Lippen konzentrierte, hätte ihn selbst ein mittelschweres Erdbeben kaum erschüttern können. Doch da war auch noch eine andere Empfindung, die ihm sagte, dass die Unterbrechung gar nicht so ungelegen kam. Sie hatten beinahe alles getan – nur nicht das Eine. Wenn man jetzt darauf verzichtete, es noch ein bisschen hinausschob, blieb die Vorfreude noch eine Zeit lang erhalten und versprach weitere Genüsse.

In der Küche wurde es schlagartig still – genauso schnell, wie es vorher laut geworden war.

»Seltsam«, sagte Craig.

»Ich finde das unheimlich«, sagte Sophie.

Ihre Angst machte Craig die Entscheidung leicht. Er küsste sie noch einmal auf die Lippen, dann stand er auf, zog seine Jeans hoch, schlich zu dem Loch in den Dielenbrettern und spähte hindurch.

Er sah seine Mutter. Sie stand mit offenem Mund da und wirkte schockiert und verängstigt. Großvater wischte sich Blut vom Kinn, und Onkel Kit hielt die Hände über den Kopf. Auch drei Fremde befanden sich in der Küche. Zuerst hielt Craig sie für drei Männer, doch dann erkannte er, dass auch ein hässliches Mädchen mit kahl rasiertem Schädel dabei war. Der junge Schwarze hielt Nellie am Halsband fest und würgte sie damit. Der ältere der beiden Männer und das Mädchen hielten Pistolen in den Händen.

»Au verdammt, was ist denn da unten los?«, murmelte Craig.

Sophie legte sich neben ihn. Kurz darauf blieb ihr fast die Luft weg. »Sind das Pistolen?«, flüsterte sie.

»Ja.«

»O Gott, jetzt sitzen wir aber in der Tinte.«

Craig dachte nach. »Wir müssen die Polizei rufen. Wo hast du dein Handy?«

»Das hab ich in der Scheune gelassen.«

»Verflixt.«

»Was können wir bloß tun?«

»Denken. Nachdenken. Ein Telefon. Wir brauchen ein Telefon.« Craig zögerte.

Er hatte Angst. Am liebsten wäre er still liegen geblieben und hätte die Augen geschlossen – und vielleicht hätte er es sogar getan, wäre da nur nicht dieses Mädchen neben ihm gewesen. Auch wenn er noch nicht alle Verhaltensregeln kannte, wusste er, dass von einem Mann Mut erwartet wurde, wenn ein Mädchen Angst hatte, und dies um so mehr, wenn sie seine Geliebte war – oder fast. Folglich blieb ihm gar nichts anderes übrig: Zwar fühlte er sich nicht mutig, aber er musste so tun als ob.

Wo war das nächste Telefon? »An Großvaters Bett ist ein Nebenanschluss.«

Sophie sagte: »Ich kann gar nichts tun. Ich habe viel zu viel Angst!«

»Du bleibst am besten hier.«

»Okay.«

Craig stand auf, knöpfte seine Jeans zu, schloss den Gürtel und ging zu der niedrigen Tür, die in Großvaters Privaträume führte. Er holte tief Luft, öffnete sie, kroch in den Schrank mit Großvaters Anzügen, stieß dessen Tür auf und stand im Ankleideraum.

Das Licht brannte. Großpapas dunkelbraune, mit eingestanzten Löchern verzierte Schuhe standen auf dem Teppich, und das blaue Hemd, das er am Tag zuvor getragen hatte, lag zuoberst im Wäschekorb. Craig ging ins Schlafzimmer. Das Bett war ungemacht, als wäre Großpapa eben erst aufgestanden. Auf dem Nachttisch neben dem Bett lag aufgeschlagen eine Ausgabe von *Scientific American* – und daneben stand das Telefon.

Craig hatte noch nie in seinem Leben den Notruf 999 gewählt. Was sollte er sagen? Nur im Fernsehen hatte er gesehen, wie man es anstellte. Ich muss meinen Namen und meine Adresse angeben, dachte er. Und dann? »In unserer Küche sind Männer mit Pistolen.« Das klang reichlich melodramatisch – aber vermutlich waren alle Notrufe mehr oder minder dramatisch.

Er hob den Hörer ab. Es kam kein Freizeichen.

Er drückte mehrmals auf die Gabel, dann horchte er wieder. Nichts.

Er legte den Hörer wieder auf. Warum funktionierte das Telefon nicht? War es einfach nur gestört – oder hatten die Fremden die Leitung durchgeschnitten?

Besaß Großvater ein Handy? Craig zog die Nachttischschublade auf. Eine Taschenlampe und ein Buch lagen darin, aber kein Handy. Dann fiel es ihm wieder ein: Großvater hatte ein Autotelefon, aber kein Handy.

Craig hörte ein Geräusch im Ankleidezimmer. Sophie streckte ihren Kopf aus dem Kleiderschrank. Ihre Miene war völlig verängstigt. »Da kommt jemand!«, zischte sie, und gleich darauf hörte Craig schwere Schritte auf dem Treppenabsatz.

Craig huschte zurück ins Ankleidezimmer, während Sophie bereits wieder auf den Dachboden zurückkroch. Er ließ sich auf die Knie fallen und krabbelte im selben Moment, da er hörte, wie die Schlafzimmertür geöffnet wurde, durch den Schrank, wand sich durch die niedrige Tür, drehte sich sofort wieder um und schloss sie leise hinter sich. Die Schranktür hatte er in der Eile nicht mehr schließen können.

Sophie flüsterte: »Der Ältere hat dem Mädchen gesagt, sie soll das Haus durchsuchen. Er hat sie Daisy genannt.«

»Ich habe ihre Stiefel auf der Treppe gehört.«

»Hast du die Polizei erreicht?«

Er schüttelte den Kopf. »Das Telefon ist gestört.«

»O nein!«

Er hörte Daisys schwere Schritte im Ankleidezimmer. Die offene Schranktür musste ihr auffallen. Aber ob sie auch die kleine Tür hinter den Anzügen entdecken würde? Da musste sie schon sehr genau hinsehen.

Craig lauschte. Starrte Daisy gerade in den offenen Schrank? Er spürte, dass er zitterte. Daisy war nicht groß – ein paar Zentimeter kleiner als er selbst –, aber sie sah absolut furchterregend aus.

Die Stille zog sich in die Länge. Schließlich glaubte Craig zu hören, dass Daisy ins Badezimmer ging. Kurz darauf stampften ihre Stiefel wieder durchs Ankleidezimmer, dann wurden ihre Schritte leiser, und endlich fiel die Tür zum Schlafzimmer krachend ins Schloss.

»O Gott, ich hab solche Angst!«, sagte Sophie.

»Ich auch«, sagte Craig.

Miranda stand plötzlich mit Hugo in Olgas Schlafzimmer.

Als sie aus der Küche geschlüpft war, hatte sie nicht gewusst, wohin sie sich wenden sollte. Nach draußen konnte sie nicht gehen – sie war im Nachthemd und barfuß. Also war sie die Treppe hinaufgerannt, um sich im Badezimmer einzuschließen, hatte jedoch sofort eingesehen, dass das im Ernstfall völlig sinnlos wäre. Oben blieb sie zaudernd stehen; ihr war übel vor Angst, sodass sie sich am liebsten übergeben hätte. Sie musste die Polizei rufen, das war jetzt das Allerwichtigste.

Olgas Handy befand sich in der Tasche ihres Morgenmantels – aber Hugo besaß vermutlich ein eigenes.

Trotz ihrer Angst zögerte Miranda einen Augenblick, bevor sie das Gästezimmer betrat. Allein sein mit Hugo in einem Schlafzimmer – das war so ungefähr das Letzte, was sie sich wünschte. Da hörte sie, wie unten jemand aus der Küche auf den Flur trat. Rasch öffnete sie die Tür, schlüpfte hinein und schloss die Tür leise hinter sich zu.

Hugo stand am Fenster und guckte hinaus. Er war nackt und stand mit dem Rücken zur Tür. »Schau dir nur dieses beschissene Wetter an«, sagte er, offenbar in der Meinung, seine Frau sei zurückgekommen.

Sein beiläufiger Ton irritierte Miranda. Anscheinend hatten Olga und Hugo ihren Streit beigelegt, nachdem sie sich die halbe Nacht lang angeschrien hatten. Hat Olga ihm bereits verziehen, dass er mit mir geschlafen hat, dachte Miranda. Das wäre eine schnelle Versöhnung ... Aber vielleicht gibt es solche Auseinandersetzungen bei ihnen öfter. Miranda hatte sich oft gefragt, ob es zwischen Olga und ihrem keinem Flirt aus dem Wege gehenden Ehemann eine Vereinbarung gab und wie diese aussah, doch Olga hatte nie darüber gesprochen. Vielleicht folgten sie immer demselben Drehbuch: Untreue, Entdeckung, Streit, Versöhnung – und wieder von vorn: Untreue ...

»Ich bin's«, sagte Miranda.

Hugo fuhr herum. Im ersten Moment war er überrascht, dann grinste er. »Und auch noch *déshabillé* – was für eine hübsche Überraschung! Komm ins Bett, aber schnell!«

Sie hörte schwere Schritte auf der Treppe und merkte gleichzeitig, dass Hugos Bauch viel dicker war als damals, als sie mit ihm geschlafen hatte – er sah aus wie ein kleiner runder Gnom, und Miranda fragte sich, wie sie ihn jemals hatte attraktiv finden können. »Ruf sofort die Polizei an«, sagte sie. »Wo ist dein Handy?«

»Hier«, sagte er und deutete auf den Nachttisch. »Was ist denn los?«

»In der Küche sind Leute mit Pistolen – ruf 999 an, schnell!«

»Was für Leute?«

»Das ist doch egal!« Die schweren Schritte kamen näher. Miranda war wie gelähmt und rechnete jeden Augenblick damit, dass die Tür aufgerissen würde, doch da entfernten sich die Schritte wieder. Ihre Stimme klang jetzt wie ein leiser Schrei. »Nun mach schon, die suchen *mich*!«

Endlich überwand Hugo seinen Schock. Er schnappte sich sein Telefon, ließ es auf den Boden fallen, hob es wieder auf und stellte es an. »Das verdammte Ding braucht ewig!«, schimpfte er frustriert. »Hast du wirklich *Pistolen* gesagt?«

»Ja!«

»Wie sind die denn reingekommen?«

»Sie haben behauptet, sie wären im Schnee stecken geblieben – was ist mit dem Telefon?«

»Es sucht noch«, sagte er. »Na los, Beeilung!«

Die Schritte kamen wieder näher. Diesmal aber war Miranda bereit. Sekundenbruchteile bevor die Tür aufflog, warf sie sich auf den Boden und schlüpfte seitwärts unter das große Doppelbett.

Sie schloss die Augen und versuchte sich ganz klein zu machen. Dann kam ihr das idiotisch vor, und sie schlug die Augen wieder auf. Sie sah Hugos nackte Füße mit haarigen Knöcheln und ein Paar schwarze Motorradstiefel mit Stahlkappen. Sie hörte, wie Hugo sagte: »Hallo, schöne Frau, wer sind denn Sie?«

Bei Daisy verfing sein Charme nicht. »Her mit dem Telefon!«, herrschte sie ihn an.

»Ich will bloß …«

»Nein, du fetter Sack.«

»Hier, nehmen Sie 's.«

»Und Sie kommen auch mit.«

»Ich muss mir erst was anziehen.«

»Keine Angst, ich beiß dir dein Schwänzchen nicht ab.«

Miranda sah, wie sich Hugos Füße von Daisy wegbewegten. Die Stiefel setzten ihm sofort nach, dann klang es wie ein Schlag, Hugo stieß einen Schrei aus, und beide Fußpaare gingen auf die Tür zu und verschwanden aus Mirandas Blickfeld. Gleich darauf hörte sie, wie zwei Personen die Treppe hinuntergingen.

»O mein Gott«, sagte Miranda zu sich selber. »Was mach ich denn jetzt bloß?«

Craig und Sophie lagen Seite an Seite auf den Bodenbrettern des Dachbodens und spähten durch das Loch hinunter, als Craigs Vater nackt von Daisy in die Küche gezerrt wurde.

Craig war gleichermaßen entsetzt wie verstört. Das war eine Szene wie aus einem Albtraum und erinnerte an ein altes Gemälde, auf dem dargestellt wird, wie die Sünder in die Hölle gezerrt wurden. Dass diese gedemütigte, hilflose Gestalt *sein Vater* sein sollte, der einzige Mensch, der seiner dominanten Mutter die Stirn zu bieten wagte, der Mann, der die ganzen fünfzehn Jahre seines bisherigen Lebens sein Orientierungspunkt gewesen war? Craig konnte es kaum fassen. Er fühlte sich desorientiert und gewichtslos, als habe man die Schwerkraft außer Kraft gesetzt und ihm den Sinn für oben und unten genommen.

Sophie begann leise zu weinen. »Das ist so furchtbar« flüsterte sie. »Die bringen uns bestimmt alle um.«

Dass er sie trösten musste, verlieh ihm neue Kraft. Craig legte seinen Arm um ihre schmalen Schultern. Sophie zitterte. »Es ist schrecklich, ja, aber noch sind wir nicht tot«, sagte er. »Wir können Hilfe holen.«

»Wie denn?«

»Wo genau ist dein Handy?«

»Ich hab's in der Scheune gelassen, auf dem Heuboden oben, neben dem Bett. Ich glaube, ich hab es beim Umziehen in den Koffer fallen lassen.«

»Wir müssen es holen und die Polizei anrufen.«

»Und wenn uns diese schrecklichen Leute sehen?«

»Wir müssen uns von den Küchenfenstern fern halten.«

»Das geht doch gar nicht – die Scheunentür liegt direkt gegenüber!«

Craig wusste, dass sie Recht hatte, aber ihm war genauso klar, dass ihnen keine andere Wahl blieb. Sie mussten das Risiko eingehen. »Die werden doch nicht dauernd zum Fenster rausschauen.«

»Und wenn sie 's doch tun?«

»Bei diesem Schneetreiben kann man doch kaum was sehen.«

»Die entdecken uns bestimmt!«

Craig wusste nicht mehr, was er noch sagen sollte. »Es kommt ganz einfach auf einen Versuch an.«

»Ich trau mich nicht. Lass uns hier bleiben!«

Das war kein Versuch, sondern eine Versuchung. Doch Craig wusste ganz genau: Wenn er sich jetzt nur versteckte und nichts tat, um seiner Familie zu helfen, würde er sich bis in alle Ewigkeit dafür schämen. »Wenn du willst, kannst du ja hier bleiben. Ich gehe rüber.«

»Nein – lass mich nicht allein!«

Mit dieser Reaktion hatte er gerechnet. »Dann wirst du mitkommen müssen.«

»Aber ich will nicht.«

Er drückte ihre Schulter und küsste Sophie auf die Wange. »Komm schon, sei tapfer.«

Sie wischte sich die Nase an ihrem Ärmel ab. »Ich versuch's.«

Craig stand auf und zog Jacke und Stiefel an. Sophie saß reglos da und sah ihm beim Kerzenschein zu. Um ja nicht in der Küche unten gehört zu werden, trat Craig ganz leise auf, als er ihre Gummistiefel holte. Er kniete nieder und zog sie ihr über die schmalen Füße. Sophie war noch immer wie gelähmt vor Schock und half ihm allenfalls passiv. Vorsichtig zog er sie hoch, half ihr in den Anorak, zog den Reißverschluss hoch und stülpte die Kapuze über ihren Kopf. Dann strich er ihre Haare mit der Hand zurück. Mit der Kapuze sah sie aus wie ein kleiner Junge, und wieder schoss ihm der Gedanke durch den Kopf, wie hübsch sie doch war.

Craig öffnete die große Speichertür. Ein eiskalter Wind blies eine Schneewolke in den Raum. Ein halbkreisförmiger Lichtschein umgab die Lampe über der Hintertür, sodass man erkennen konnte, dass der Schnee auf dem Boden höher lag denn je. Der Deckel des Mülleimers sah aus wie Ali Babas Turban.

An dieser Hausecke gab es zwei Fenster. Das eine gehörte zur Speise-, das andere zur Stiefelkammer. Die unheimlichen Fremden befanden sich in der Küche. Wenn wir Pech haben, dachte Craig, betritt genau im falschen Moment einer von denen die Speisekammer oder die Stiefelkammer und sieht uns – aber die Wahrscheinlichkeit ist wohl eher gering.

»Komm«, sagte er zu Sophie.

Sie stand neben ihm und sah hinunter in den Schnee. »Du zuerst.«

Er beugte sich hinaus. In der Stiefelkammer brannte Licht, in der Speisekammer nicht. Ob das gut gehen würde? Wäre er allein gewesen, wäre er vor Entsetzen vermutlich wie gelähmt gewesen, doch Sophies Angst verlieh ihm Tapferkeit. Er fegte den Schnee mit der Hand vom Sims und ging Schritt für Schritt hinüber zum Pultdach über der Stiefelkammer. Dort befreite er einen kleinen Abschnitt des Daches vom Schnee, richtete sich auf und streckte Sophie die Hand entgegen. Während sie Zentimeter um Zentimeter über den Sims balancierte, hielt er ihre Hand. »Gut machst du das«, sagte er leise. Es war nicht besonders schwierig – der Sims war breit genug für einen Fuß –, doch Sophie zitterte vor Angst und Aufregung. Schließlich hatte sie es geschafft und trat neben ihn auf das Dach. »Bravo!«, lobte Craig.

Im selben Moment rutschte sie aus.

Ihre Füße glitten einfach unter ihr weg. Craig hielt sie zwar noch bei der Hand, doch er konnte sie nicht aufrecht halten, und so landete sie mit einem Krachen, das im Haus unten widerhallen musste, auf ihrem Po. Sie kam so ungeschickt auf, dass sie hintenüberkippte und auf den vereisten Schindeln abwärts schlitterte.

Craig griff nach ihr, erwischte aber nur eine Hand voll Anorak. Er packte fest zu, um Sophie aufzuhalten, doch da er auf demselben glatten Dach stand wie sie, wurde er stattdessen selbst hinuntergezogen. Hinter ihr her glitt er die Dachschräge hinunter, verzweifelt darum bemüht, ihre Talfahrt zu bremsen, ohne selber das Gleichgewicht zu verlieren.

Erst als ihre Füße in der Dachrinne hängen blieben, kam sie zu einem Halt. Der Schwung war jedoch so stark, dass ihr Unterkörper seitwärts über die Dachkante ragte und gleichsam in der Luft hing. Craig zerrte an ihrem Anorak und schaffte es, sie langsam an sich heranzuziehen. Sophie war schon fast in Sicherheit, als er erneut ausrutschte. Er ließ ihre Jacke los und ruderte mit den Armen, um auf den Beinen zu bleiben.

Sophie stieß einen Schrei aus und stürzte vom Dach.

Sie fiel drei Meter tief und landete im weichen Neuschnee hinter dem Mülleimer.

Craig beugte sich über die Dachkante. In die dunkle Ecke drang kaum Licht, sodass er fast nichts sehen konnte. »Bist du verletzt?«, fragte er. Es kam keine Antwort. War sie bewusstlos? »Sophie!«

»Nix passiert«, piepste sie, klang aber sehr mitgenommen.

Die Hintertür ging auf.

Craig ging sofort in die Hocke.

Ein Mann trat heraus. Craig sah nur einen Kopf mit kurz geschnittenem dunklem Haar. Er spähte über die Dachkante. Im Licht, das durch die Türöffnung fiel, war Sophie deutlich zu sehen. Das helle Rosa ihres Anoraks verschmolz mit dem Schnee, doch ihre dunklen Jeans waren dafür umso sichtbarer. Sie rührte sich nicht. Ihr Gesicht konnte Craig nicht sehen.

Von drinnen rief eine Stimme: »Ist da draußen jemand, Elton?«

Elton leuchtete mit seiner Taschenlampe in die Dunkelheit, doch wohin der Lichtstrahl auch fiel – er beleuchtete nichts als Schneeflocken. Craig streckte sich flach auf dem Dach aus.

Elton wandte sich nach rechts, fort von Sophie, und ging ein paar Schritte in den Sturm hinaus. Das Licht der Taschenlampe erhellte den Weg unmittelbar vor ihm.

Craig presste sich dicht ans Dach und hoffte, dass dieser Elton keinen Blick nach oben warf. Dann fiel ihm ein, dass die große Speichertür noch offen stand. Wenn Elton das merkte, würde er misstrauisch werden und weitere Erkundigungen anstellen – und damit war die Katastrophe vorprogrammiert. Auf allen vieren und mit großer Vorsicht krabbelte Craig das Pultdach hinauf und versetzte der Unterkante der Speichertür, sobald er sie mit der ausgestreckten Hand erreichen konnte, einen sanften Stoß. Langsam beschrieb sie einen Halbkreis und schwang zu. Craig gab ihr einen letzten Schubs und legte sich sofort wieder flach aufs Dach. Die Tür schloss sich mit einem hörbaren Klicken.

Elton drehte sich um. Craig rührte sich nicht. Er sah den Lichtstrahl der Taschenlampe über die Giebelseite des Hauses und über die Speichertür gleiten.

Wieder meldete sich eine Stimme aus dem Haus: »Elton?«

Der Lichtstrahl entfernte sich. »Ich kann hier nichts sehen«, rief der Angesprochene gereizt zurück.

Craig hob den Kopf und riskierte einen Blick. Elton ging jetzt in die andere Richtung, auf Sophie zu. Vor dem Mülleimer blieb er stehen. Falls er auf die Idee kam, an der Stiefelkammer um die Hausecke zu lugen und den Winkel hinter der Mülltonne auszuleuchten, musste er Sophie zwangsläufig entdecken. Wenn das passiert, dachte Craig, rutsche ich das Dach runter und springe dem Kerl auf den Kopf. Der schlägt mich dann zwar wahrscheinlich zusammen, aber vielleicht bekommt Sophie eine Chance zur Flucht...

Die Zeit schien stehen zu bleiben, bis Elton sich endlich abwandte. »Hier draußen ist nichts, bloß alles voll Schnee!«, rief er, stapfte wieder ins Haus und knallte die Tür hinter sich zu.

Craig stöhnte auf vor Erleichterung und merkte, dass er am ganzen Körper zitterte. Er versuchte sich zu beruhigen. Der Gedanke an Sophie half. Er sprang vom Dach und landete direkt neben ihr. »Hast du dich verletzt?«, fragte er, während er sich zu ihr hinabbeugte.

Sie setzte sich auf. »Nein, aber ich hab fürchterliche Angst.«

»Schon gut. Kannst du aufstehen?«

»Ist er auch bestimmt weg?«

»Ich hab gesehen, wie er reingegangen ist und die Tür zugeschlagen hat. Die haben da drinnen wahrscheinlich gehört, wie du geschrien hast, vielleicht auch das Gepolter, als du auf dem Dach ausgerutscht bist – aber bei diesem Sturm glauben sie möglicherweise, dass sie sich verhört haben.«

»Hoffentlich!« Sophie rappelte sich mühsam auf.

Craig runzelte die Stirn und überlegte. Die Bande ist jetzt alarmiert, dachte er. Wenn wir quer über den Hof zur Scheune gehen, muss bloß einer von denen aus dem Küchenfenster schauen – und schon haben sie uns. Also machen wir am besten einen Umweg durch den Garten, schleichen uns ums Gästehaus herum und nähern uns dann der Scheune von der Rückseite. Beim Hineingehen können wir zwar immer noch beobachtet werden, doch wenn wir den Umweg nehmen, ist das Risiko erheblich geringer … »Hier lang«, sagte er, nahm Sophie bei der Hand, und sie ging, ohne sich weiter zu sträuben, mit.

Als sie den Schutz der Gebäude verließen, traf sie der Sturm, der vom Meer her landeinwärts blies, mit ungebrochener Kraft. Das waren keine wirbelnden Flocken mehr, sondern harte, schnurgerade Schneestreifen, die in schrägem Winkel vom Himmel fegten. Wie Nadeln stachen sie ihnen ins Gesicht und brannten in den Augen.

Kaum war das Haus außer Sicht, bog Craig nach rechts ab. Jetzt kamen sie nur noch langsam voran. Die Schneehöhe betrug inzwischen schon mehr als sechzig Zentimeter und machte das Gehen zur Qual. Das Gästehaus war nicht zu erkennen. Craig schritt eine Strecke ab, die seiner Meinung nach ungefähr der Breite des Hofs entsprach. Er konnte nun überhaupt nichts mehr sehen. Als sie sich seiner Schätzung nach auf Höhe der Scheune befanden, bog er erneut ab und zählte seine Schritte. Er rechnete jeden Augenblick damit, auf die Bretterwand an der Rückseite der Scheune zu stoßen.

Doch da kam nichts.

Ich werde mich doch nicht verirrt haben, dachte er. Ich habe mir doch alles ganz genau überlegt und mich streng an die Vorgaben gehalten … Er ging noch fünf Schritte weiter – nichts. Er bekam es mit der Angst zu tun, wollte aber nicht, dass Sophie davon etwas mitbekam. Er kämpfte die aufsteigende Panik nieder und bog noch einmal ab – nach seiner Berechnung näherten sie sich jetzt wieder dem Haupthaus. Plötzlich war er froh darüber, dass es so finster war, bedeutete dies doch, dass Sophie sein Gesicht nicht sehen und von daher auch nicht erkennen konnte, wie sehr er sich fürchtete.

Obwohl sie sich noch keine fünf Minuten im Freien aufhielten, schmerzten Craigs Hände und Füße schon vor Kälte. Schlagartig wurde ihm klar, dass sie sich in Lebensgefahr befanden. Wenn sie nicht bald einen Unterschlupf fanden, würden sie erfrieren.

Auch Sophie schien sich keine Illusionen zu machen. »Wo sind wir?«, fragte sie.

Mit größerer Zuversicht in der Stimme, als gerechtfertigt gewesen wäre, erwiderte Craig: »Wir sind gleich da. Nur noch ein paar Schritte.«

Sein Versprechen entpuppte sich als voreilig. Nach weiteren zehn Schritten standen sie immer noch in vollkommener Dunkelheit.

Wir müssen uns weiter von der Farm entfernt haben, als ich dachte, sagte er sich. Also dauert es jetzt auch länger, bis wir wieder zurück sind. Wieder änderte er die Richtung, einmal mehr nach rechts. Inzwischen war er so oft vom geraden Weg abgebogen, dass er nicht mehr sicher war, ob er alles richtig behalten hatte. Nach zehn weiteren Schritten durch den Schnee blieb er stehen.

»Haben wir uns verirrt?«, fragte Sophie mit dünnem Stimmchen.

»Wir müssen in unmittelbarer Nähe der Scheune sein!«, gab Craig verärgert zurück. »Wir sind doch nur ein paar Schritte durch den Garten gegangen.«

Sophie legte ihre Arme um ihn und drückte ihn fest. »Du kannst doch nichts dafür.«

Doch, das konnte er – dennoch war er Sophie dankbar.

»Wenn wir laut rufen«, schlug sie vor, »hören uns vielleicht Caroline und Tom und melden sich.«

»Oder diese Kerle in der Küche hören uns.«

»Selbst das wäre besser, als hier draußen zu erfrieren.«

Sophie hatte Recht, nur wollte Craig das nicht zugeben. Wie kann man auf ein paar Quadratmetern dermaßen in die Irre gehen, dachte er. Das ist doch einfach unfassbar.

Er nahm Sophie in die Arme, fühlte sich jedoch der Verzweiflung nahe. Weil ihre Angst größer gewesen war als die seine, hatte er sich ihr überlegen gefühlt, vorübergehend sogar wie ein erwachsener Mann, der seine Freundin vor allem beschützt. Doch nun hatte er sie beide in die Irre geführt. Toller Mann, dachte er, toller Beschützer! Sophies Freund, dieser Jurastudent, hätte es bestimmt besser gemacht – vorausgesetzt, es gab ihn tatsächlich.

Am Rande seines Blickfelds blitzte ein Licht auf.

Er drehte den Kopf in die entsprechende Richtung, konnte aber in der Schwärze der Nacht nichts mehr sehen.

Sophie spürte seine Anspannung. »Was ist los?«

»Ich dachte, ich hätte ein Licht gesehen.« Als er sich Sophie zuwandte, schien das Licht am äußersten Rande seines Blickwinkels wieder aufzutauchen – nur um sogleich wieder zu verschwinden, als er es wieder genauer ins Auge fassen wollte.

Vage erinnerte er sich an seinen Biologieunterricht. Gab es da nicht so etwas wie periphere Wahrnehmung, mit der sich Dinge erkennen ließen, die unsichtbar blieben, wenn man sie direkt ansah? Der Grund für dieses Phänomen hing mit dem blinden Fleck auf der Netzhaut zusammen. Noch einmal wandte Craig seinen Kopf Sophie zu – und wieder tauchte das Licht auf. Diesmal versuchte er nicht, frontal nach der Lichtquelle zu schauen, sondern konzentrierte sich auf das, was er ohne Bewegung von Kopf und Pupillen wahrnahm. Das Licht flackerte, doch es war da.

Er drehte den Kopf um, und das Licht verschwand, aber Craig wusste nun, woher es kam. »Hier lang!«

Sie stapften wieder durch den Schnee. Das Licht zeigte sich jetzt nicht mehr, und Craig fragte sich schon, ob er einer Halluzination erlegen war, vergleichbar einer Fata Morgana in der Wüste. Doch dann schimmerte es vor ihnen durch die Nacht – und war sofort wieder verschwunden.

»Ich hab es gesehen!«, rief Sophie, und sie trotteten weiter. Sekunden später war das Licht wieder da, und diesmal blieb es. Eine ungeheure Erleichterung überkam Craig. Noch vor wenigen Augenblicken hatte er tatsächlich geglaubt, er müsse sterben und werde Sophie mit sich in den Tod reißen.

Als sie näher kamen, erkannten sie die Lampe über der Hintertür. Sie waren im Kreis gegangen und wieder am Ausgangspunkt angekommen.

Miranda blieb lange Zeit reglos unter dem Bett liegen. Die Angst vor einer möglichen Rückkehr Daisys lähmte sie. Vor ihrem geistigen Auge sah sie sie in ihren Motorradstiefeln ins Zimmer stampfen, sich auf den Boden knien und unters Bett schauen. Sie glaubte Daisys grauenerregende Brutalo-Fratze zu sehen, den kahl rasierten Schädel, die gebrochene Nase und die schwarzen Augen, die, vom dunklen Eyeliner umschattet, wie blau geschlagen wirkten. Allein diese Vision war so schrecklich, dass Miranda von Zeit zu Zeit die Augen zukniff, bis auf der Innenseite ihrer Lider ein Feuerwerk zu sprühen begann.

Der Gedanke an Tom, ihren elfjährigen Sohn, war es schließlich, der ihre Lebensgeister neu belebte. Sie musste ihn beschützen – die Frage war nur, wie. Allein konnte sie gar nichts ausrichten. Sie wäre bereit gewesen, sich als Schutzschild zwischen die Kinder und die Eindringlinge zu stellen – nur, was hätte das für einen Sinn? Die packen mich einfach und werfen mich beiseite wie einen Sack Kartoffeln, dachte sie. Kultivierte Menschen wie wir verstehen sich nicht auf Gewalttätigkeiten – das ist es ja, was sie kultiviert macht...

Die Antwort war die gleiche wie zuvor: Miranda musste unbedingt ein Telefon auftreiben und Hilfe herbeirufen. Und das bedeutete, dass sie ungesehen ins Gästehaus kommen musste. Sie musste unter dem Bett hervorkriechen, das Schlafzimmer verlassen, die Treppe hinunterschleichen – und konnte nur hoffen und beten, dass die Gangster in der Küche sie nicht hörten und keiner von ihnen zufällig auf den Flur herauskam und sie ertappte. Sie musste sich einen Mantel und Stiefel schnappen – barfuß, wie sie war, und mit nichts auf dem Leib außer ihrem Baumwollnachthemd käme sie in einem Blizzard bei über einem halben Meter Neuschnee auf dem Hof keine drei Meter weit. Sie würde ums Haus herumstapfen und sich dabei von allen Fenstern fern halten, unbemerkt ins Gästehaus schlüpfen und ihr Handy holen müssen. Immerhin wusste sie genau, wo es war: Es steckte in ihrer Handtasche, und die stand gleich neben der Tür auf dem Fußboden.

Sie versuchte sich zu beruhigen. Wovor habe ich eigentlich Angst, fragte sie sich. Es ist die Anspannung, dachte sie, dieser grässliche, lähmende Stress. Dabei wird es gar nicht lange dauern: In einer halben Minute bin ich unten, Stiefel und Mantel anziehen dauert vielleicht eine Minute, und selbst durch den Schnee brauche ich zum Gästehaus allenfalls zwei oder drei Minuten. In knapp fünf Minuten bin ich am Ziel...

Eigentlich ist es empörend, dachte sie. Was nehmen sich diese Leute heraus, mich so in Angst und Schrecken zu versetzen, dass ich mich nicht einmal mehr traue, um mein eigenes Elternhaus herumzugehen...? Sie war jetzt wütend, und die Empörung verlieh ihr neuen Mut.

Zitternd schlüpfte sie unter dem Bett hervor. Die Schlafzimmertür stand offen. Miranda spähte hinaus, sah, dass die Luft rein war, und trat auf den Treppenabsatz hinaus. In der Küche waren Stimmen zu hören. Sie sah hinunter.

Am Fuß der Treppe gab es einen Garderobenständer. Die Mäntel und Stiefel waren größtenteils in einem Schrank in der Stiefelkammer vor der Hintertür verstaut. Nur Vater ließ seine Sachen immer im Flur – sein alter blauer Anorak war folglich auch das einzige Kleidungsstück am Garderobenständer. Darunter standen die mit Leder eingefassten Gummistiefel, die Stanleys Füße warm hielten, wenn er mit Nellie spazieren ging.

Das müsste eigentlich reichen, damit ich auf dem Weg ins Gästehaus nicht erfriere, dachte Miranda. Den Anorak überzuwerfen, in die Stiefel zu schlüpfen und durch die Hintertür hinauslaufen – das kostet mich nicht mehr als ein paar Sekunden...

Wenn ich den Mut dazu aufbringe.

Auf Zehenspitzen ging sie die Treppe hinunter.

Die Stimmen, die aus der Küche drangen, wurden lauter. Man stritt sich. Miranda erkannte Nigels Stimme: »Dann such eben noch mal, zum Teufel!« Sollte das heißen, dass jemand das Haus von oben bis unten durchkämmen würde? Miranda machte kehrt und lief die Treppe wieder hinauf, jeweils zwei Stufen auf einmal nehmend. Kaum war sie oben, hörte sie unten im Flur schwere Stiefelschritte – Daisy.

Zurück unters Bett konnte sie nicht, das war unmöglich. Beim zweiten Mal sah Daisy bestimmt überall gründlicher nach. Miranda verschwand im Schlafzimmer ihres Vaters. Es gab noch ein Versteck – den Dachboden. Mit zehn Jahren hatte sie sich dort einen Schlupfwinkel eingerichtet. Alle Geschwister hatten das irgendwann einmal getan – wenn auch zu jeweils unterschiedlichen Zeiten.

Die Schranktür im Ankleideraum stand offen.

Miranda hörte Daisys Tritte auf dem Treppenabsatz.

Sie ließ sich auf die Knie fallen, kroch in den Schrank, öffnete die kleine Tür, die auf den Dachboden führte, drehte sich um, schloss die Schranktür hinter sich, schob sich in gebückter Haltung rückwärts durch die niedrige Tür und machte sie wieder zu, als sie das Versteck erreicht hatte.

Im gleichen Augenblick ging ihr siedend heiß auf, dass sie einen möglicherweise fatalen Fehler gemacht hatte. Erst vor einer Viertelstunde hatte Daisy das Haus durchsucht. Dabei musste ihr aufgefallen sein, dass die Tür zu dem Schrank mit Vaters Anzügen offen stand. Würde sie sich jetzt daran erinnern und daraus folgern, dass irgendjemand die Tür geschlossen haben musste? Und war sie intelligent genug, der Sache auf den Grund zu gehen?

Im Ankleidezimmer waren nun Schritte zu hören. Miranda hielt den Atem an. Daisy trampelte ins Bad und kam wieder zurück. Schranktüren wurden aufgerissen. Miranda biss sich auf den Daumen, um nicht vor Angst zu schreien. Es gab ein schleifendes Geräusch, als Daisy in den Anzügen und Hemden herumstöberte. Die niedrige Tür war kaum zu sehen – es sei denn, man ging in die Knie und sah unter den herabhängenden Kleidungsstücken nach. Ob Daisy wohl so gründlich war?

Sekundenlang herrschte absolute Stille.

Dann entfernten sich Daisys Schritte durch das Schlafzimmer.

Miranda hätte vor Erleichterung am liebsten geweint. Dann riss sie sich zusammen: Du musst tapfer sein, sagte sie sich. Was war in der Küche los? Das Loch in den Dielenbrettern fiel ihr ein. Sie kroch hinüber und beugte sich darüber.

Hugo bot ein so erbarmungsvolles Bild, dass Kit beinahe Mitleid mit ihm empfand. Er war ein kleiner Mann und ziemlich schwammig. Er hatte regelrechte Brüste mit haarigen Nippeln und einen Bauch, der über seine Genitalien hing. Die dünnen Beine unter dem runden Rumpf ließen ihn wie eine misslungene Puppe erscheinen. Noch jämmerlicher wirkte er, wenn man wusste, wie er normalerweise auftrat: Nach außen hin stets selbstsicher und gelassen, trug er gern schicke Anzüge, die seiner Figur schmeichelten, und flirtete mit dem Selbstvertrauen eines Filmstars. Jetzt aber wirkte er gedemütigt und verschreckt.

Die Familie saß zusammengedrängt an einem Ende des Tisches, und zwar direkt neben der Speisekammer, fernab von den Ausgängen: Kit selbst, seine Schwester Olga in ihrem schwarzseidenen Morgenmantel, Vater Stanley, dessen Lippen nach Daisys brutalem Faustschlag geschwollen waren, und Olgas Ehemann, der nackte Hugo. Stanley saß auf einem Stuhl und hielt Nellie fest. Er streichelte die Hündin unablässig, um sie zu beruhigen, denn er befürchtete, sie könnte die Gangster angreifen und dann von ihnen erschossen werden. Nigel und Elton standen auf der anderen Seite des Tisches, und Daisy durchsuchte das obere Stockwerk.

Hugo stand auf und trat einen Schritt vor. »In der Wäschekammer sind Handtücher und dergleichen«, sagte er. Die Wäschekammer schloss sich auf der gleichen Seite wie das Esszimmer an die Küche an. »Kann ich mir kurz was holen? Ich möchte mir gerne was umlegen.«

Daisy, die gerade von ihrer Durchsuchung zurückkam, hörte ihn und ergriff ein Geschirrtuch. »Wie wär's denn damit?«, sagte sie und schlug damit nach seinem Schritt. Kit erinnerte sich noch von den Balgereien in den Duschräumen seiner Schule, wie weh so etwas tun konnte. Hugo jaulte unwillkürlich auf und drehte sich um. Daisy schlug noch einmal nach ihm und erwischte ihn dieses Mal an der Kehrseite. Hugo verdrückte sich in die Ecke, und Daisy lachte schallend. Es war eine absolute Beschämung für Hugo. Der Anblick war so unangenehm, dass Kit davon leicht übel wurde.

»Hör mit dem Zirkus auf!«, befahl Nigel wütend. »Ich will jetzt wissen, wo diese zweite Schwester ist, diese Miranda. Sie hat sich verkrümelt. Wo ist sie hin?«

Daisy antwortete: »Ich hab das ganze Haus zwei Mal abgesucht, hier drin ist sie nicht mehr.«

»Vielleicht versteckt sie sich irgendwo.«

»Vielleicht kann sich die Fotze unsichtbar machen – ich finde sie jedenfalls nicht.«

Kit wusste, wo sich Miranda aufhielt. Vor ein paar Minuten hatte er beobachtet, wie Nellie plötzlich den Kopf hob und ein Ohr aufstellte. Irgendjemand war auf den Dachboden gegangen – wer anders als Miranda sollte das sein? Kit fragte sich, ob Nellies Reaktion auch seinem Vater aufgefallen war. Ohne Telefon und nur im Nachthemd war Miranda da oben keine große Bedrohung. Dennoch überlegte Kit, ob er Nigel nicht vor ihr warnen konnte.

»Vielleicht ist sie rausgegangen«, sagte Elton. »Der Lärm vorhin kam dann wahrscheinlich von ihr.«

Nigels Antwort verriet, dass er langsam die Geduld verlor. »Und warum hast du sie nicht gefunden, als du rausgegangen bist?«

»Weil's zappenduster ist da draußen!« Nigels herrischer Ton regte Elton allmählich auf.

Kit glaubte eher, dass eines der Kinder für den Lärm verantwortlich gewesen war. Wahrscheinlich hatte es irgendwelchen Unfug da draußen getrieben. Dem lauten Poltern war ein dumpfer Plumps gefolgt und unmittelbar danach ein Schrei. Es hatte geklungen, als ob ein Mensch oder ein Tier gegen die Hintertür gestoßen wäre. Sicher, auch ein verirrtes Reh konnte die Tür gerammt haben – nur pflegten Rehe nicht zu schreien, sondern gaben eher muhende Laute von sich wie Kühe. Der Sturm konnte aber auch einen großen Vogel gegen die Tür geworfen haben, dessen Schreckensschrei eher wie der eines Menschen klang. Für den wahrscheinlichsten Übeltäter hielt Kit den kleinen Tom,

Mirandas Sohn. Er war elf – genau das Alter, im dem man nachts umherschleicht und Indianer spielt.

Angenommen, Tom hätte durchs Fenster gelinst und die Pistolen gesehen – was hätte er unternehmen können? Zuerst hätte er wohl seine Mutter gesucht, aber die war nicht zu finden. Dann hätte er wohl seine Schwester oder Ned aufgeweckt. Wie auch immer, Nigel hatte keine Zeit mehr zu verschwenden. Er musste die gesamte Familie festsetzen, bevor jemand über ein Handy Hilfe holte. Kit selbst waren jedoch die Hände gebunden: Jeder Tipp, den er Nigel gab, hätte ihn als Komplizen entlarvt. Er blieb daher sitzen, wo er war, und hielt weiterhin den Mund.

»Sie hatte doch bloß ein Nachthemd an«, sagte Nigel. »Weit gekommen ist sie damit bestimmt nicht.«

»Na schön«, sagte Elton, »ich seh mich mal in den anderen Gebäuden um.«

»Moment noch!« Nigel runzelte die Stirn und dachte nach. »In diesem Haus hier wurde jedes Zimmer durchsucht, stimmt's?«

»Das hab ich dir doch gesagt«, erwiderte Daisy.

»Wir haben jetzt drei Mobiltelefone kassiert – von Kit, von dem nackten Giftzwerg und von der Schwester, die das Maul nicht halten kann. Steht damit fest, dass kein unentdecktes Handy mehr im Haus ist?«

»Kein einziges.« Daisy hatte bei ihrer Hausdurchsuchung speziell auch nach Handys Ausschau gehalten.

»Okay, dann durchsuchen wir jetzt am besten die anderen Gebäude.«

»Genau«, sagte Elton. »Es gibt ein Gästehaus, eine Scheune und eine Garage, hat der Alte erzählt.«

»Dann seht zuerst in der Garage nach – in den Fahrzeugen sind bestimmt Telefone. Danach durchsucht das Gästehaus und zum Schluss die Scheune. Treibt den Rest der Familie zusammen, und bringt die Leute hierher. Vor allem aber passt auf, dass euch kein Handy entgeht. Wir halten die Herrschaften noch ein, zwei Stunden in Schach und machen dann die Fliege.«

Kein schlechter Plan, dachte Kit. Wenn die ganze Familie an einem Fleck versammelt ist und kein Telefon hat, kann niemand was unternehmen. Und am Morgen des Ersten Weihnachtstags klopft garantiert niemand an die Tür – kein Milchmann, kein Briefträger, kein Weinhändler. Es besteht also nicht die Gefahr, dass Außenstehende Verdacht schöpfen könnten. Das Trio kann einfach hier sitzen bleiben und warten, bis es hell wird.

Elton zog seinen Regenmantel an und sah hinaus in den Schnee. Kit, der seinem Blick folgte, registrierte, dass das Gästehaus und die Scheune, die nur der Hof vom Haupthaus trennte, trotz der brennenden Außenlampen kaum zu erkennen waren. Es schneite noch immer, und es sah nicht so aus, als würde sich daran in absehbarer Zeit etwas ändern.

»Wenn Elton zum Gästehaus geht, knöpf ich mir die Garage vor«, sagte Daisy.

»Ja, und zwar schnell jetzt«, drängte Elton. »Wer weiß, ob nicht schon gerade wer die Bullen ruft!«

Daisy steckte ihre Waffe ein und zog den Reißverschluss ihrer Lederjacke hoch.

»Bevor ihr geht«, sagte Nigel, »schließen wir diese Gesellschaft hier am besten irgendwo ein, wo sie keinen Schaden anrichten kann.«

In diesem Augenblick sprang Hugo Nigel an.

Die Attacke überraschte ausnahmslos alle. Auch Kit hatte Hugo bereits abgeschrieben – doch nun sprang er mit furioser Energie vor und schlug Nigel wieder und wieder mit beiden Fäusten ins Gesicht. Er hatte den Zeitpunkt für seinen Angriff gut gewählt, denn Daisy hatte ihre Waffe eingesteckt und Elton die seine nie gezogen. Der einzige Gangster mit einer Pistole in der Hand war daher Nigel, und der war so sehr damit beschäftigt, Hugos Schlägen auszuweichen, dass er sie im Augenblick gar nicht benutzen konnte.

Er taumelte rückwärts und stieß gegen die Anrichte. Hugo setzte ihm nach wie der Leibhaftige persönlich, trommelte auf sein Gesicht und seinen Körper ein und gab dabei unverständliche Laute von sich. Innerhalb weniger Sekunden landete er zahllose Treffer – aber Nigel ließ die Pistole nicht fallen.

Elton reagierte als Erster. Er griff nach Hugo und versuchte ihn zurückzuziehen, doch Hugo war nackt und daher schwer zu packen. Mehrmals rutschten Eltons Hände von Hugos rotierenden Schultern ab.

Stanley ließ Nellie los. Sie bellte wild, stürzte sich sofort auf Elton und biss ihn in die Beine. Obwohl sie schon alt war und ein entsprechend weiches Maul hatte, war sie eine Ablenkung.

Daisy wollte ihre Pistole ziehen, doch der Lauf schien sich im Innenfutter ihrer Jackentasche verfangen zu haben. Olga ergriff einen Teller und schleuderte ihn quer durch die Küche auf sie. Daisy wich aus, und der Teller traf sie nur an der Schulter.

Kit trat einen Schritt vor und wollte seinerseits Hugo packen, überlegte es sich dann aber doch anders. Eines stand für ihn fest: Dass die Bande von seiner Familie überwältigt wurde, war das Letzte, was er wollte. Auch wenn ihn die wahren Absichten, die hinter dem von ihm organisierten Diebstahl standen, schockiert hatten – sein eigenes Überleben hatte für ihn höchste Priorität. Es war noch keine vierundzwanzig Stunden her, da hatte Daisy ihn in diesem Schwimmbad fast umgebracht, und er wusste genau: Wenn er ihrem Vater die Schulden nicht zurückzahlte, stand ihm ein bitteres Ende bevor, ein Tod, der um keinen Deut weniger schmerzhaft wäre als das qualvolle Leiden, welches das Virus aus der Parfümflasche verbreitete. Wenn es keinen anderen Ausweg mehr gab, musste er also auf Nigels Seite in den Kampf eingreifen und gegen seine eigene Familie vorgehen. Blieb die Frage: War das jetzt schon nötig? Nach wie vor wollte er die Fiktion aufrechterhalten, dass er Nigel und die anderen beiden vor diesem Abend noch nie gesehen hatte. Von gegensätzlichen Gefühlen hin- und hergerissen, blieb er einfach stehen und sah dem Spektakel hilflos zu.

Endlich gelang es Elton, wie ein Bär beide Arme um Hugo zu legen und ihn festzuhalten. Hugo wehrte sich zwar tapfer, doch er war kleiner als Elton und weniger fit, sodass es ihm nicht gelang, ihn abzuschütteln. Elton hob ihn einfach hoch, trat zurück und zog ihn auf diese Weise von Nigel fort.

Daisy trat Nellie mit einem ihrer schweren Stiefel gezielt in die Rippen. Der Hund jaulte auf und verkroch sich in eine Zimmerecke.

Nigel blutete aus Nase und Mund. Sein Gesicht glühte vor Wut, vor allem um die Augen herum. Er starrte Hugo heimtückisch an und hob seine Rechte, die noch immer die Pistole umklammerte.

Olga trat vor und schrie: »Nein!«

Postwendend richtete Nigel die Waffe auf sie.

Stanley packte seine Tochter am Arm, hielt sie zurück und sagte im gleichen Atemzug: »Nicht schießen! Bitte schießen Sie nicht!«

Nigel behielt Olga im Visier und fragte: »Daisy, hast du deinen Prügel noch?« Mit hochzufriedener Miene zog Daisy ihren Totschläger aus der Tasche, und Nigel wies mit dem Kopf auf Hugo. »Zeig's dem Scheißkerl.«

Hugo sah, was auf ihn zukam. Verzweifelt versuchte er sich aus der Umklammerung zu befreien, doch Elton verstärkte seinen Griff und hielt ihn fest.

Daisy holte aus und stieß Hugo den Totschläger ins Gesicht. Der Schlag traf den Wangenknochen und war von einem Übelkeit erregenden Knirschen begleitet. Hugo gab einen Ton von sich, der irgendwo zwischen Rufen und Schreien angesiedelt war, als Daisy zum zweiten Mal zuschlug. Jetzt lief Blut aus Hugos Mund und tropfte über seine nackte Brust. Hämisch grinsend glotzte Daisy nun Hugos empfindlichste Teile an und trat ihm im nächsten Augenblick mit äußerster Brutalität in den Schritt. Dann ließ sie den Totschläger auf den Kopf ihres Opfers krachen, worauf Hugo bewusstlos zusammensackte. Doch selbst jetzt ließ die Furie noch nicht von ihm ab. Erst zerschlug sie Hugo die Nase, dann trat sie noch einmal zu.

Von namenlosem Kummer und Zorn überwältigt, heulte Olga auf, riss sich von ihrem Vater los und stürzte sich auf Daisy. Die holte aus, um Olga mit dem Totschläger zu erwischen, doch Olga war ihr zu nahe, sodass der Schlag hinter ihrem Kopf vorbeiging.

Elton ließ Hugo fallen, der auf den Fliesen zusammenbrach, und versuchte, Olga zu packen.

Olga erwischte Daisys Gesicht und zog ihr die Fingernägel durch die Visage.

Nigel versuchte, die Pistole auf Olga zu richten, wagte es aber nicht, abzudrücken, weil er befürchten musste, Elton oder Daisy zu treffen, die beide mit Olga rangen.

Stanley drehte sich zum Herd um und griff sich die schwere Bratpfanne, in der Kit zuvor ein Dutzend Eier zu Rührei verarbeitet hatte. Er hob sie hoch und ließ sie auf Nigel herabsausen. Im letzten Moment erkannte Nigel die Gefahr und schaffte es noch, mit dem Kopf auszuweichen. Die Pfanne traf ihn jedoch an der rechten Schulter. Nigel schrie vor Schmerz auf, und die Pistole flog ihm aus der Hand.

Stanley versuchte sie aufzufangen, verfehlte sie aber. Sie landete einen Fingerbreit neben der Parfümflasche auf dem Küchentisch, rutschte auf die Sitzfläche eines Stuhls, schlitterte über deren Rand hinaus und fiel auf den Boden, direkt vor Kits Füße.

Kit bückte sich und hob sie auf.

Nigel und Stanley starrten ihn an. Olga, Daisy und Elton spürten die dramatische Veränderung. Sie brachen ihr Gerangel ab, drehten sich um und sahen Kit mit der Pistole in der Hand.

Kit zögerte. Der Entscheidungsdruck zerriss ihn fast.

Aller Blicke waren auf ihn gerichtet, und niemand sprach ein Wort.

Da drehte Kit die Pistole um, fasste sie am Lauf und gab sie Nigel zurück.

Craig und Sophie hatten die Scheune endlich gefunden.

Unschlüssig hatten sie ein paar Minuten vor der Hintertür gestanden, bis ihnen klar wurde, dass sie erfrieren würden, wenn sie dort noch lange blieben. Sie hatten ihren ganzen Mut zusammengenommen und waren auf direktem Weg quer über den Hof zur Scheune gegangen, mit gesenkten Köpfen und insgeheim darum betend, dass niemand in der Küche aus den Fenstern sehen würde.

Die Zeit, die sie in dem hohen Schnee für die zwanzig Schritte von der einen Hofseite zur anderen brauchten, kam ihnen wie eine Ewigkeit vor. Noch immer voll im Blickfeld potenzieller Beobachter aus der Küche waren sie dann an der Vorderfront der Scheune entlanggeschlichen.

Craig wagte es nicht, einen Blick hinüberzuwerfen, ganz einfach, weil er viel zu viel Angst vor dem hatte, was dort vielleicht zu sehen war. Erst als sie endlich die Scheunentür erreicht hatten, riskierte er einen raschen Blick. Das Haus selbst war in der Dunkelheit gar nicht zu sehen, nur die erleuchteten Fenster. Das dichte Schneetreiben erschwerte die Sicht zusätzlich, sodass er nur vage Umrisse von Gestalten erkennen konnte, die sich in der Küche hin und her bewegten. Nichts deutete darauf hin, dass irgendwer im falschen Moment aus dem Fenster geblickt hatte.

Craig zog die große Tür auf und schloss sie dankbar wieder, nachdem Sophie und er hineingeschlüpft waren. Warme Luft umfing sie. Er selbst zitterte vor Kälte, und Sophies Zähne klapperten wie Kastagnetten. Sie warf ihren schneebedeckten Anorak beiseite und setzte sich auf einen der großen Heizkörper, die aussahen wie die in einem Krankenhaus. Auch Craig hätte sich gerne ein wenig aufgewärmt, doch dafür fehlte die Zeit – er musste schnellstens Hilfe holen.

Der Raum wurde schwach erhellt von einer Nachttischlampe neben Toms Feldbett. Craig betrachtete den Jungen und überlegte, ob er ihn wecken sollte. Er schien sich von Sophies Wodka wieder erholt zu haben und schlief nun friedlich in seinem Spiderman-Schlafanzug.

Auf dem Boden neben dem Kopfkissen lag eine Fotografie. Craig hob sie auf und hielt sie ins Licht. Sie war offensichtlich auf der Geburtstagsfeier seiner Mutter entstanden und zeigte Sophie und Tom. Sophie hatte Tom einen Arm um die Schultern gelegt. Craig schmunzelte. Da bin ich also nicht der Einzige, der sich damals in sie verknallt hat, dachte er und legte das Foto wieder zurück. Sophie gegenüber erwähnte er seine Beobachtung nicht.

Es hat keinen Sinn, Tom aufzuwecken, entschied er. Der Junge kann absolut nichts tun und hätte bloß entsetzliche Angst. Ich lasse ihn besser schlafen.

Schnell stieg er die Leiter hoch, die zu dem Schlafzimmer auf dem Heuboden führte. Auf einem der schmalen Betten türmten sich die Decken, unter denen seine Schwester Caroline lag. Auch sie schien fest zu schlafen. Gut so, fand Craig, wenn sie aufwacht und herausfindet, was los ist, wird sie bloß hysterisch. Ich darf nur keinen Lärm machen...

Das zweite Bett war unberührt. Auf dem Boden daneben waren im Halbdunkel die Umrisse eines aufgeklappten Koffers zu erkennen. Sophie hatte gesagt, das Handy liege höchstwahrscheinlich oben auf ihren Klamotten. Vorsichtig tastete Craig sich durch den Raum. Als er sich bückte, vernahm er ganz in der Nähe ein leises, sehr lebendiges Rascheln und Quieken. Er erschrak, fluchte verhalten, und sein Herz hämmerte wie wild in seiner Brust. Dann fiel ihm ein, dass er nur Carolines verdammte Ratten in ihrem Käfig aufgescheucht hatte. Er schob den Käfig beiseite und begann mit der Durchsuchung von Sophies Koffer.

Da er nichts sah, konnte er sich nur auf seinen Tastsinn verlassen.

Obenauf lag eine Einkaufstüte aus Plastik, die ein in Geschenkpapier eingewickeltes Päckchen enthielt. Ansonsten bestand der Inhalt des Koffers im Wesentlichen aus bemerkenswert sorgfältig zusammengelegten Textilien – da muss ihr jemand geholfen haben, dachte Craig, von sich aus ist sie bestimmt nicht so ordentlich… Ein seidener Büstenhalter lenkte ihn kurzzeitig ab, dann schloss sich seine Hand um das längliche Gehäuse eines Mobiltelefons. Er klappte es auf, doch das Display blieb dunkel, und bei den herrschenden Lichtverhältnissen konnte er den Knopf zum An- und Ausstellen nicht finden.

Mit dem Telefon in der Hand eilte er die Leiter wieder hinunter. Am Bücherregal gab es eine Stehlampe. Er knipste sie an und hielt Sophies Handy ins Licht, fand den »Power«-Knopf und drückte ihn.

Nichts geschah. Er hätte heulen können vor Wut und Enttäuschung.

»Ich krieg das blöde Ding nicht an!«, flüsterte er.

Sophie, die noch immer auf der Heizung saß, streckte die Hand aus, und Craig reichte ihr den Apparat. Sie drückte auf denselben Knopf, runzelte die Stirn, drückte noch einmal, dann mehrmals rasch hintereinander. Schließlich sagte sie: »Der Akku ist leer.«

»Mist! Wo ist das Aufladegerät?«

»Weiß ich nicht.«

»In deinem Koffer?«

»Nein, ich glaub nicht.«

Craig ging allmählich die Geduld aus. »Wie ist das möglich, dass du überhaupt keine Ahnung hast, wo dein Ladegerät ist?«

»Ich glaube«, sagte Sophie noch leiser als zuvor, »ich hab's zu Hause liegen lassen.«

»Mein Gott!« Craig beherrschte sich nur noch mit Mühe. Am liebsten hätte er sie angebrüllt und eine dumme Gans geschimpft, aber das hätte ihnen jetzt auch nicht weitergeholfen. Also hielt er den Mund – und musste plötzlich daran denken, wie es war, als er sie geküsst hatte. Nein, er konnte ihr nicht böse sein. Sein Zorn verflog, und er nahm sie in die Arme. »Schon gut«, sagte er. »Ist ja nicht so schlimm.«

Sie legte den Kopf an seine Brust. »Es tut mir so Leid.«

»Lass uns mal überlegen, was wir noch tun können.«

»Es müssen doch noch mehr Handys da sein – oder wenigstens ein Aufladegerät, das zu meinem Handy passt.«

Craig schüttelte den Kopf. »Caroline und ich haben kein Handy – Mutter erlaubt es uns nicht. Sie selber würde ohne ihr Handy nicht mal zur Toilette gehen, aber uns sagt sie, wir brauchten keines.«

»Tom hat auch keines. Miranda sagt, er ist noch zu jung dafür.«

»Mist!«

»Moment mal!« Sophie löste sich aus der Umarmung. »War da nicht ein Telefon im Wagen von deinem Großvater?«

Craig schnippte mit den Fingern. »Im Ferrari, richtig! Und die Schlüssel hab ich stecken lassen! Wir brauchen bloß zur Garage zu gehen und können von dort die Polizei anrufen.«

»Soll das heißen, dass wir noch mal da rausmüssen?«

»Du kannst ja hier bleiben.«

»Nein. Ich komme lieber mit.«

»Du wärst ja nicht allein – Tom und Caroline sind auch hier.«

»Ich möchte aber bei dir sein.«

Craig versuchte sich seine Freude über diese Antwort nicht anmerken zu lassen. »Dann zieh dir am besten deinen Anorak wieder an.«

Sophie sprang von der Heizung. Craig hob ihren Anorak auf und half ihr hinein. Sie sah ihn an, und er versuchte, ihr aufmunternd zuzulächeln. »Fertig?«

Eine Spur ihres alten Abenteurergeistes zeigte sich. »Klar doch. Was kann uns schon passieren? Wir können höchstens ermordet werden, das ist alles. Also, los!«

Es war noch immer stockfinstere Nacht, als sie ins Freie traten, und die Schneeflocken umtaumelten sie nicht wie Schmetterlinge, sondern rauschten in einer Flut aus dichten, stechenden, graupelartigen Körnern auf sie herab. Nervös sah Craig zum Hauptgebäude hinüber, konnte jedoch ebenso wenig erkennen wie zuvor, und das bedeutete, dass auch die Fremden in der Küche kaum erkennen konnten, was auf dieser Seite des Hofs geschah. Er nahm Sophie an der Hand. Geleitet von den Hoflampen, führte er sie zum Ende der Scheune und von dort aus quer über den Hof zur Garage.

Der Seiteneingang war wie üblich nicht abgeschlossen. Drinnen war es genauso kalt wie draußen. Da die Garage keine Fenster besaß, riskierte es Craig, das Licht anzuknipsen.

Der Ferrari seines Großvaters stand dort, wo Craig ihn geparkt hatte, dicht an der Wand, um die Delle zu verbergen. Plötzlich erinnerte er sich wieder an die Scham und die Angst, die er vor zwölf Stunden empfunden hatte, nachdem er mit dem Wagen an den Baum gefahren war. Jetzt konnte er kaum noch begreifen, wie eine läppische Delle ihn so hatte in Panik versetzen können. Was hatte er nicht alles getan, um Sophie zu beeindrucken und ihre Gunst zu gewinnen! Obwohl es noch gar nicht lange her war, kam es ihm inzwischen wie ein Erlebnis aus längst vergangenen Zeiten vor.

Lukes Ford Mondeo stand auch in der Garage. Dafür fehlte der Toyota Land Cruiser. Den musste Luke sich am Abend für die Heimfahrt ausgeborgt haben.

Craig ging zum Ferrari und zog am Türgriff. Die Tür ging nicht auf. Er versuchte es noch einmal, doch die Tür war abgeschlossen. »Scheiße«, sagte er mit viel Gefühl.

»Was ist los?«, fragte Sophie.

»Der Wagen ist abgesperrt.«

»O nein!«

Craig spähte ins Fahrzeuginnere. »Und die Schlüssel sind auch weg.«

»Wie ist das passiert?«

Frustriert schlug Craig mit der Faust aufs Wagendach. »Luke muss gestern Abend, als er heimfahren wollte, gesehen habe, dass der Wagen nicht abgesperrt war. Er hat dann den Schlüssel aus der Zündung gezogen, den Wagen abgeschlossen und die Schlüssel ins Haus gebracht.«

»Was ist mit dem anderen Wagen?«

Craig öffnete die Tür des Mondeo. »Kein Telefon!«

»Kommen wir irgendwie an die Ferrari-Schlüssel ran?«

Craig verzog das Gesicht. »Möglich ist alles.«

»Wo werden sie denn aufbewahrt?«

»Im Schlüsselkasten, und der hängt in der Stiefelkammer an der Wand.«

»Gleich hinter der Küche?«

Craig nickte mit grimmiger Miene. »Keine zwei Meter entfernt von diesen Kerlen mit ihren Schießeisen.«

Es war immer noch dunkel, und der Schneepflug kam auf der zweispurigen Landstraße nur sehr langsam voran. Carl Osbornes Jaguar folgte dichtauf. Am Steuer saß Toni, die stur geradeaus sah, während die Scheibenwischer alle Mühe hatten, mit dem dicht fallenden Schnee fertig zu werden. Die Szenerie blieb immer die gleiche: Dicht vor ihnen blinkten die großen Warnlampen des Schneepflugs, am nahen linken Straßenrand wölbte sich ein Streifen frisch geräumten Schnees, während die Gegenfahrbahn und die angrenzende Heide- und Moorlandschaft, so weit die Scheinwerferkegel reichten, unter einer dicken weißen Decke unberührten Neuschnees lagen.

Tonis Mutter saß mit dem Welpen auf dem Schoß auf dem Rücksitz und schlief. Auch Carl Osborne auf dem Beifahrersitz verhielt sich still – entweder döste er vor sich hin, oder er war beleidigt. Obwohl er Toni gesagt hatte, dass er es hasse, andere Leute ans Steuer seines Wagens zu lassen, hatte er, als sie darauf bestand, selbst zu fahren, nachgeben müssen, denn sie hatte die Schlüssel.

»Dass du mal klein beigibst, kommt wohl nie vor, oder?«, hatte er gemault, bevor er in dumpfes Schweigen versunken war.

»Deshalb war ich eine so gute Polizistin«, hatte sie erwidert.

»Deshalb hast du keinen Ehemann«, hatte Mutter von hinten eingeworfen.

Seitdem war schon über eine Stunde vergangen, und inzwischen fiel es Toni schwer, wach zu bleiben. Das hypnotische Hin und Her der Scheibenwischer, die Wärme der Heizung und der eintönige Ausblick wirkten wie ein Schlafmittel. Fast bereute sie es, dass sie Osborne nicht hatte fahren lassen – aber sie musste unbedingt das Heft in der Hand behalten.

Beim Dew Drop Motel hatten sie den Fluchtwagen gefunden. Perücken, falsche Schnurrbärte und Brillen mit Fensterglas hatten die Gangster darin zurückgelassen, aber es fehlte jeder Hinweis darauf, in welche Richtung sie sich abgesetzt hatten. Der Streifenwagen war dort geblieben, und Vincent, der junge Angestellte, mit dem Toni telefoniert hatte, wurde von den Beamten vernommen. Der Schneepflug fuhr auf Frank Hacketts Anweisung weiter Richtung Norden.

In diesem Punkt waren sich Toni und Frank ausnahmsweise einmal einig gewesen. Es lag in der Natur der Dinge, dass die Bande das Auto an einem Ort gewechselt hatte, der ohnehin auf ihrem Weg lag. Ein Umweg hätte ihre Flucht nur überflüssig verzögert. Gewiss, es bestand natürlich auch die Möglichkeit, dass sie die Gedanken der Polizei vorausahnten und von daher absichtlich einen Ort wählten, der ihre Verfolger in die Irre führte. Doch nach Tonis Erfahrung dachten Verbrecher nicht so kompliziert. Hatten sie erst einmal ihre Beute in der Hand, dann galt bei ihnen nur noch die Devise: Nichts wie weg.

Der Schneepflug hielt nicht an, wenn er an parkenden oder liegen gebliebenen Fahrzeugen vorbeikam. In der Fahrerkabine saßen zwei Polizeibeamte, die, da sie im Gegensatz zu den Gangstern nicht bewaffnet waren, die strikte Anweisung hatten, ausschließlich zu beobachten. Manche Autos waren von ihren Fahrern stehen gelassen worden, in anderen saßen ein oder zwei Passagiere. Drei Männer und eine Frau waren aber bisher nirgends gesichtet worden. Die meisten Fahrer waren heilfroh darüber, dass ein Schneepflug vorbeikam. Sie starteten sofort und fuhren ihm auf der geräumten Strecke hinterher. Inzwischen zog der Jaguar bereits einen kleinen Konvoi hinter sich her.

Tonis anfänglicher Optimismus war verschwunden. Sie hatte gehofft, bald eine heiße Spur der Bande zu finden – schließlich waren die Straßen zu dem Zeitpunkt, da die Gangster den Parkplatz vor dem Dew Drop Motel verlassen hatten, schon nahezu unpassierbar gewesen. Wie weit konnten sie noch gekommen sein?

Oder hatten sie irgendwo im näheren Umkreis ein Versteck? Möglich wäre es, aber doch eher unwahrscheinlich, dachte Toni. Normalerweise gehen Verbrecher nicht so nahe am Tatort vor Anker – ganz im Gegenteil. Während der Konvoi Kilometer um Kilometer weiter nach Norden kroch, wuchs in Toni die Befürchtung, dass sie sich geirrt hatte und dass die Gangster in Wirklichkeit doch in Richtung Süden unterwegs waren.

In ihrem Blickfeld tauchte der vertraute Wegweiser mit der Aufschrift »Zum Strand« auf und verriet, dass sie sich in der Nähe von Steepfall befanden. Nun galt es, den zweiten Teil ihres Plans in die Tat umzusetzen: Sie musste zu Stanley fahren und ihn über die Ereignisse der vergangenen Stunden informieren.

Sie fürchtete sich vor der Begegnung. Ihr Job bestand darin, genau das zu verhindern, was geschehen war. In einigen Punkten hatte sie sich richtig verhalten: Dank ihrer Wachsamkeit war der Diebstahl rasch entdeckt worden. Auch hatte sie die Polizei gezwungen, das Risiko einer schweren Biogefährdung ernst zu nehmen und die Fahndung nach den Dieben einzuleiten. Außerdem würde es Stanley beeindrucken, wie sie sich mitten in diesem Schneesturm zu ihm durchgeschlagen hatte. So weit, so gut – nur hätte sie ihm allzu gerne auch berichtet, dass die Bande bereits hinter Schloss und Riegel sitze und die Gefahr einer großen Katastrophe vorüber sei. Da dem nicht so war, blieb ihr nur das Eingeständnis des eigenen Versagens – und das war alles andere als das freudige Wiedersehen, von dem sie geträumt hatte ...

Frank war im Kreml geblieben. Toni benutzte Osbornes Autotelefon und wählte seine Handynummer.

Aus dem Lautsprecher der Freisprechanlage war Franks Stimme zu vernehmen: »Superintendent Hackett.«

»Hier Toni. Der Schneepflug ist jetzt bald an der Abzweigung nach Steepfall, wo Stanley Oxenford wohnt. Ich würde ihn gern von den Geschehnissen in Kenntnis setzen.«

»Dazu brauchst du doch keine Erlaubnis von mir.«

»Ich kann ihn telefonisch nicht erreichen, aber das Haus liegt nur etwa anderthalb Kilometer von der Hauptstraße entfernt ...«

»Dann vergiss es. Ich habe jetzt eine Spezialeinheit hier. Die Leute sind bis an die Zähne bewaffnet und platzen schier vor Tatendrang. Ich werde nichts tun, was die Suche nach der Bande verzögert.«

»Es dauert allenfalls fünf oder sechs Minuten, bis die Zufahrt zum Haus geräumt ist – und danach bist du mich los. Und meine Mutter auch.«

»Klingt sehr verführerisch. Aber ich habe nicht die geringste Absicht, die Fahndung auch nur fünf Minuten lang aufzuhalten.«

»Stanley könnte uns vielleicht sogar behilflich sein. Immerhin ist er der Geschädigte.«

»Es bleibt dabei: Kommt überhaupt nicht infrage«, sagte Frank und beendete das Gespräch.

Osborne hatte jedes Wort mithören können. »Das ist mein Wagen«, sagte er, »und ich will nicht nach Steepfall – ich will hinter dem Schneepflug bleiben, damit mir nichts entgeht.«

»Du kannst doch hinter ihm bleiben! Lass uns einfach in Steepfall aussteigen, und fahre zurück zur Hauptstraße, immer hinter dem Schneepflug her! Sobald Stanley Bescheid weiß, leihe ich mir ein Auto von ihm und komme nach.«

»Da hast du eben die Rechnung ohne den Wirt gemacht – ohne Frank, wollte ich sagen.«

»Ich hab noch einen Trumpf im Ärmel.« Erneut wählte sie Franks Nummer.

»Was 'n noch?«, fragte er ungeduldig.

»Erinnere dich an Farmer Johnny.«

»Fahr zur Hölle!«

»Ich benutze eine Freisprechanlage. Carl Osborne sitzt neben mir, er kann also uns beide hören. Erzähl mir doch bitte noch mal, wohin ich fahren soll.«

»Nimm den verdammten Hörer in die Hand!«

Toni nahm den Hörer aus der Ablage und hielt ihn ans Ohr, sodass Osborne Frank nicht mehr hören konnte. »Sei so gut, Frank, und ruf den Fahrer des Schneepflugs an.«

»Du Hexe! Immer wieder drohst du mir mit Farmer Johnny! Dabei weißt du genau, dass er schuldig war.«

»Das weiß jeder. Aber nur du und ich wissen, wie es zu der Verurteilung kam.«

»Aber das würdest du Carl nicht erzählen.«

»Er hört jedes Wort, das ich sage.«

»Ich nehme an, es hat keinen Zweck, an deine Loyalität zu appellieren«, sagte Frank in einem Ton scheinheiliger Rechtschaffenheit.

»Nicht seit du Carl vom Hamster Fluffy erzählt hast.«

Das saß. Frank schien den Rückzug anzutreten. »Carl würde die Story von Farmer Johnny nie bringen. Er ist ein Freund von mir.«

»Dein Vertrauen in ihn ist geradezu rührend – und das, obwohl er Journalist ist …«

Am anderen Ende blieb es eine ganze Weile still.

»Entschließe dich, Frank«, sagte Toni. »Wir sind kurz vor der Abzweigung. Entweder biegt der Schneepflug ab, oder ich verbringe die nächste Stunde damit, Carl eine heiße Story über Farmer Johnny zu erzählen.«

Ein Klicken war zu hören, dann ein Summen. Frank hatte aufgelegt.

Toni legte den Hörer wieder auf.

»Um was ging's denn?«, fragte Osborne.

»Wenn wir an der nächsten Abzweigung nicht links abbiegen, erzähl ich 's dir.«

Wenige Augenblicke später bog der Schneepflug in die Nebenstraße ein, die nach Steepfall führte.

Hugo lag blutend auf den Küchenfliesen. Er war bewusstlos, doch er atmete noch.

Olga weinte. Ihre Brust hob und senkte sich im Rhythmus schwerer, unbeherrschbarer Schluchzer. Man musste jederzeit damit rechnen, dass sie in Hysterie verfiel.

Stanley Oxenfords Gesicht war grau vor Entsetzen. Er sah aus wie ein Mann, dem soeben mitgeteilt worden ist, dass er sterben muss. Mit einer Mischung aus Verzweiflung, Verwirrung und unterdrückter Wut in seiner Miene starrte er seinen Sohn an. Die Frage *Wie kannst du uns das antun?* stand unausgesprochen in seinem Gesicht. Kit wich seinem Blick aus, so gut es ging.

Er selbst platzte schier vor Wut. Alles ging schief. Jetzt war es heraus: Seine Familie wusste, dass er mit den Verbrechern unter einer Decke steckte, und da keiner von ihnen um seinetwillen lügen würde, stand fest, dass über kurz oder lang auch die Polizei Bescheid wissen würde. Er, Kit, war damit zu lebenslanger Flucht vor dem Gesetz verdammt. Er konnte seine Wut kaum noch bezähmen.

Hinzu kam die nackte Angst. Die Virusprobe in der Parfümflasche lag, lediglich von zwei durchsichtigen Plastiktüten geschützt, offen auf dem Küchentisch herum. Kits Furcht beflügelte seinen Zorn.

Mit vorgehaltener Pistole zwang Nigel Stanley und Olga, sich mit dem Gesicht nach unten neben Hugo auf den Boden zu legen. Die Prügel, die er von Hugo hatte einstecken müssen, hatten ihn so wütend gemacht, dass er wahrscheinlich nur auf einen Vorwand wartete, um abzudrücken. Und Kit hätte nicht versucht, ihn daran zu hindern.

In seinem gegenwärtigen Zustand hätte er selber jemanden ermorden können.

Elton suchte und fand Behelfsfesseln – ein Kabel, ein Stück Wäscheleine und ein Knäuel Paketschnur.

Daisy fesselte Olga, den bewusstlosen Hugo sowie Stanley, indem sie ihnen Hände und Füße auf dem Rücken zusammenband. Sie zog die Fesseln sehr fest, sodass sie den Betroffenen ins Fleisch schnitten, und zerrte probehalber an jedem Knoten, um sicherzustellen, dass keiner zu locker saß. Ihre Miene zeigte dabei unentwegt jenes hässliche sadistische Grinsen, das für sie typisch war, wenn sie andere Menschen quälen konnte.

»Ich brauche mein Telefon«, sagte Kit zu Nigel.

»Warum?«

»Für den Fall, dass jemand im Kreml anruft und ich das Gespräch unterbrechen oder umleiten muss.«

Nigel zögerte.

»Herrgott noch mal«, sagte Kit, »ich hab dir doch sogar dein Schießeisen zurückgegeben!«

Nigel zuckte mit den Schultern und erfüllte Kits Wunsch.

»Wie kannst du das nur tun, Kit?«, sagte Olga, während Daisy auf dem Rücken ihres Vaters kniete. »Wie kannst du dabei zusehen, wie deine eigene Familie so misshandelt wird?«

»Das ist nicht meine Schuld!«, erwiderte er zornig. »Wenn ihr euch mir gegenüber anständig verhalten hättet, wäre das alles nicht passiert.«

»Es ist nicht deine Schuld?«, fragte sein Vater verwirrt.

»Erst hast du mich entlassen und dann dich geweigert, mir finanziell zu helfen – also stand ich mit meinen Schulden bei diesen Gangstern allein da.«

»Ich hab dich entlassen, weil du als Dieb entlarvt worden warst!«

»Ich bin dein Sohn – du hättest mir verzeihen müssen!«

»Ich *habe* dir verziehen!«

»Aber viel zu spät.«

»Herr im Himmel!«

»Man hat mich gezwungen, bei dieser Sache mitzumachen!«

»Kein Mensch«, sagte Stanley, und in seiner Stimme klang jene autoritäre Geringschätzung mit, die Kit von Kindesbeinen an vertraut war, »kein Mensch muss sich zu so etwas zwingen lassen!«

Kit hasste diesen Ton, der seit jeher bedeutete, dass sein Vater ihn mal wieder bei einer besonderen Dummheit ertappt hatte. »Du verstehst das nicht.«

»Ich fürchte, ich verstehe das nur allzu gut.«

Das ist mal wieder typisch, dachte Kit. Ständig bildet er sich ein, dass er alles besser weiß ... Aber jetzt, mit Daisy auf seinem Rücken und mit gefesselten Händen, schaut er ziemlich dumm aus der Wäsche ...

»Was bezweckt ihr eigentlich mit dieser Sache?«, fragte Stanley.

»Halt die Schnauze!«, fuhr Daisy ihn an.

Stanley ignorierte sie. »Was, in Gottes Namen, habt ihr vor, Kit, du und deine ... diese Leute? Was ist in der Parfümflasche?«

»Schnauze, hab ich gesagt!« Daisy trat Stanley ins Gesicht.

Er stöhnte auf vor Schmerz, und aus seinem Mund sickerte Blut.

Geschieht dir recht, dachte Kit, erfüllt von einer wilden, perversen Befriedigung.

»Stell die Glotze an, Kit!«, sagte Nigel. »Ich will wissen, ob diese beschissene Schneierei endlich aufhört.«

Im Fernsehen kam Werbung zum bevorstehenden Winterschlussverkauf, für den Sommerurlaub, für billige Kredite. Elton nahm Nellie am Halsband und schloss sie im Esszimmer ein. Hugo bewegte sich und schien zu sich zu kommen, und Olga sprach leise auf ihn ein. Auf dem Bildschirm erschien ein Nachrichtensprecher mit einer roten Zipfelmütze wie ein Weihnachtsmann. Andere Familien stehen jetzt allmählich auf und feiern ganz normal Weihnachten, dachte Kit verbittert. »Ein außergewöhnlicher Schneesturm fegt seit gestern Abend über Schottland«, verkündete der Nachrichtensprecher, »und beschert dem größten Teil des Landes heute Morgen eine weiße Weihnacht.«

»Scheiße«, sagte Nigel, und es kam von Herzen. »Wie lange sitzen wir hier noch fest?«

»Der Blizzard, der im Laufe der Nacht Dutzende von Autofahrern dazu zwang, ihre liegen gebliebenen Fahrzeuge zu verlassen, soll bei Tagesanbruch abflauen. Noch im Laufe des Vormittags wird dann Tauwetter einsetzen.«

Gott sei Dank, dachte Kit. Vielleicht schaffen wir es ja noch, zur vereinbarten Zeit am Treffpunkt zu sein.

Nigel hatte offenbar den gleichen Gedanken. »Wie weit ist es bis zu dem Geländewagen, Kit?«

»Anderthalb Kilometer etwa.«

»Dann brechen wir im Morgengrauen auf. Habt ihr hier die Zeitung von gestern?«

»Die muss irgendwo rumliegen – wieso?«

»Sieh mal nach, wann die Sonne aufgeht.«

Kit ging ins Arbeitszimmer seines Vaters. *The Scotsman* vom Vortag steckte in einem Zeitungsständer. Er brachte das Blatt mit in die Küche und sagte: »Vier Minuten nach acht.«

Nigel warf einen Blick auf seine Armbanduhr. »Keine Stunde mehr.« Er war besorgt. »Anderthalb Kilometer zu Fuß durch diesen Schnee, und dann noch fünfzehn Kilometer mit dem Wagen. Das wird verdammt knapp.« Er zog ein Handy aus seiner Tasche, begann zu wählen und hielt dann inne. »Kein Saft mehr«, sagte er. »Rück deins raus, Elton.« Elton reichte es ihm, und Nigel wählte. »Ja, ich bin's«, sagte er kurz darauf. »Wie sieht's aus bei diesem Wetter?« Kit nahm an, dass er mit dem Piloten seines Kunden sprach. »Richtig, soll ungefähr in einer Stunde oder so nachlassen... Ich kann's noch schaffen, aber schaffen Sie 's auch?« Nigel spielte den Zuversichtlichen. Sobald es zu schneien aufhörte, konnte ein Hubschrauber aufsteigen und praktisch überallhin fliegen. Für die Gang, die auf die Straßen angewiesen war, sah das anders aus. »Okay. Dann bleibt es also beim vereinbarten Zeitpunkt.« Nigel steckte das Handy in seine Hosentasche.

Der Nachrichtensprecher sagte: »Auf dem Höhepunkt des Schneesturms brachen Diebe ins Laboratorium der Firma Oxenford Medical in der Nähe von Inverburn ein.«

Schlagartig herrschte absolute Stille in der Küche. Das war's, dachte Kit. Jetzt kommt alles raus.

»Sie entkamen mit Proben eines lebensgefährlichen Virus.«

»Das ist also in der Parfümflasche.« Stanley sprach undeutlich; seine Lippen waren aufgeplatzt. »Ja, seid ihr denn vollkommen verrückt geworden?«

»Carl Osborne berichtet vom Tatort.«

Auf dem Bildschirm erschien ein Standfoto von Osborne, auf dem er einen Telefonhörer ans Ohr hielt, und seine Stimme kam über eine Telefonleitung. »Das tödliche Virus, das gestern den Tod des Labortechnikers Michael Ross verursachte, befindet sich nun in den Händen von Gangstern.«

»Aber was soll das bloß?«, fragte Stanley ungläubig. »Bilden Sie sich etwa ein, Sie könnten das Zeug verkaufen?«

»Ich weiß, dass ich es kann«, sagte Nigel.

Osborne fuhr fort: »Bei einem genauestens geplanten Weihnachtscoup überwanden drei Männer und eine Frau die hochmoderne Sicherheitstechnik und drangen in ein Hochsicherheitslabor ein, wo die Firma in einem tresorartigen Kühlschrank Proben von äußerst gefährlichen ansteckenden Viren aufbewahrt, gegen die es keine Gegenmittel gibt.«

»Kit«, sagte Stanley, »*dabei* hast du ihnen doch bestimmt nicht geholfen, oder?«

»Selbstverständlich hat er denen geholfen«, sagte Olga angewidert.

»Mit Waffengewalt überfiel die Bande den Werkschutz, wobei zwei Personen verletzt wurden, eine davon schwer. Sollte jedoch das Virus *Madoba-2* freigesetzt werden, muss mit sehr vielen Toten gerechnet werden.«

Stanley nahm seine ganze Kraft zusammen, rollte sich herum und setzte sich auf. Sein Gesicht war übersät mit blauen Flecken, ein Auge beinahe zugeschwollen und seine Pyjamajacke blutverschmiert. Dennoch schien er der Einzige im Raum zu sein, der wahre Autorität ausstrahlte.

»Hört euch das ganz genau an«, sagte er.

Daisy wollte wieder auf ihn losgehen, doch Nigel gebot ihr mit erhobener Hand Einhalt.

»Sie bringen sich selber um, meine Herrschaften«, sagte Stanley. »Wenn in der Flasche auf dem Tisch wirklich *Madoba-2* ist, gibt es kein Gegenmittel. Wenn Sie die Flasche fallen lassen und die Flüssigkeit läuft aus, dann sind Sie tot. Und wenn Sie das Zeug verkaufen und Ihre… Ihre ›Kunden‹ setzen das Virus frei, müssen Sie mit dem Schlimmsten rechnen. Diese Krankheit verbreitet sich rasend schnell. Sie können sich jederzeit anstecken und daran sterben.«

Im Fernsehen sagte Carl Osborne: »*Madoba-2* wird für noch gefährlicher gehalten als der schwarze Tod, der Großbritannien im… in alten Zeiten heimsuchte.«

Stanley hob die Stimme, damit sie den Fernseher übertönte. »Er hat Recht, auch wenn er nicht weiß, von welchem Jahrhundert er spricht. Im vierzehnten Jahrhundert starb ein Drittel der Bevölkerung Großbritanniens an der Pest. Die Folgen einer *Madoba-2*-Epidemie könnten noch verheerender sein. Ein solches Risiko ist mit Geld nicht aufzuwiegen, egal wie hoch die Summe ist, oder?«

»Ich bin nicht mehr im Lande, wenn das Zeug freigesetzt wird«, sagte Nigel.

Kit war entsetzt. Das hatte Nigel bisher noch nie erwähnt. Würde sich auch Elton rechtzeitig absetzen? Und was war mit Daisy und Mac? Er selber wollte ja so schnell wie möglich nach Italien verschwinden, doch so, wie es aussah, musste man bezweifeln, dass das weit genug war.

Stanley wandte sich an seinen Sohn. »Das ist doch völlig aberwitzig, Kit, das musst du doch zugeben.«

Er hat Recht, dachte Kit, die Sache grenzt an Wahnsinn. Aber im Grunde ist ja die ganze Welt verrückt.

»Wenn ich meine Schulden nicht zahlen kann«, sagte er, »bin ich ohnehin ein toter Mann.«

»Ach, komm, die werden dich doch nicht wegen ein paar Schulden umbringen.«

»Und ob wir das tun werden«, warf Daisy ein.

»Wie hoch ist denn die Summe?«

»Eine viertel Million Pfund.«

»Ach du meine Güte!«

»Ich hab dir schon vor drei Monaten gesagt, dass ich nicht mehr ein noch aus weiß, aber das hat dich ja nicht interessiert.«

»Wie, zum Teufel, kann man Schulden in dieser Höhe ...« Stanley brach mitten im Satz ab. »Vergiss es«, sagte er resigniert. »Vergiss, dass ich dich danach gefragt habe.«

»Ich hab auf Kredit gespielt. Mein System ist gut – ich hatte nur eine ziemlich lange Pechsträhne.«

»Eine Pechsträhne?«, mischte sich Olga ein. »Mensch, Kit, wo lebst du eigentlich? Diese Kerle haben dich übers Ohr gehauen! Erst leihen sie dir Geld, dann sorgen sie dafür, dass du verlierst ... Die wollten von Anfang an in das Labor rein, und dazu brauchten sie dich!«

Kit glaubte ihr nicht. In verächtlichem Ton sagte er: »Was verstehst du denn schon davon?«

»Als Anwältin kenne ich diese Kanaillen, und wenn sie geschnappt werden, muss ich mir ihre erbärmlichen Ausreden anhören. Ich verstehe mehr von diesen Dingen, als mir lieb sein kann.«

»Jetzt hör mir mal gut zu, Kit«, sagte Stanley. »Ich bin mir absolut sicher, dass wir das Problem lösen können, ohne dass unschuldige Menschen dafür sterben müssen.«

»Dazu ist es jetzt leider zu spät. Ich habe meine Entscheidung getroffen und muss die Sache jetzt durchziehen.«

»Aber denk doch mal nach, mein Junge! Willst du den Tod von Dutzenden von Menschen auf dein Gewissen laden? Von Tausenden? Oder gar Millionen?«

»Ich sehe nur, dass du nichts dagegen hast, wenn ich umgebracht werde. Du willst Tausenden von fremden Leuten das Leben retten, aber die Rettung deines eigenen Sohns ist dir nichts wert!«

Stanley stöhnte auf. »Gott weiß, wie sehr ich dich liebe! Ich will nicht, dass du stirbst, Kit – aber ich wüsste gerne, ob du wirklich bereit bist, dein eigenes Leben um diesen Preis zu retten!«

Kit setzte gerade zu einer Antwort an, als sein Handy klingelte.

Er zog es aus der Tasche und fragte sich, ob Nigel ihm noch so weit vertraute, dass er ihn das Gespräch auch entgegennehmen ließ. Als niemand Einspruch erhob, hielt er den Hörer ans Ohr.

Hamish McKinnon war am Apparat. »Toni Gallo fährt hinter dem Schneepflug her und hat den Fahrer überredet, einen Abstecher nach Steepfall zu machen. Sie kann jede Minute bei euch sein. In dem Laster hocken auch zwei Polizisten.«

Kit beendete das Gespräch und wandte sich an Nigel. »Die Polizei ist auf dem Weg hierher. Sie wird gleich da sein.«

Craig öffnete die Seitentür der Garage und spähte hinaus. In der Giebelwand des Haupthauses waren drei Fenster erleuchtet, doch da die Vorhänge zugezogen waren, bestand nicht die Gefahr, dass man ihn zufällig sehen konnte.

Er sah sich nach Sophie um. Zwar hatte er das Licht in der Garage ausgeknipst, doch wusste er, dass Sophie in Lukes Ford auf dem Beifahrersitz saß und sich zum Schutz gegen die Kälte in ihren rosa Anorak kuschelte. Craig winkte ihr zu, dann trat er hinaus ins Freie.

So schnell er konnte, stakste er hochbeinig durch den tiefen Schnee an der fensterlosen Garagenwand entlang, bis er sich auf gleicher Höhe mit der Vorderseite des Hauses befand.

Er wollte die Ferrarischlüssel holen – und das bedeutete, dass er sich in den Vorraum hinter der Küche schleichen musste, wo der Schlüsselkasten hing. Sophie hatte mitgehen wollen, aber er hatte sie überzeugt, dass es für zwei Personen noch riskanter war als für eine.

Ohne Sophie hatte er mehr Angst, als wenn sie bei ihm war und er ihr zuliebe den Mutigen spielen musste und dadurch tatsächlich auch mutiger wurde. Jetzt aber drohten ihn seine Nerven im Stich zu lassen. Unschlüssig stand er an der Hausecke. Seine Hände zitterten, und in seinen Beinen mit den schlotternden Knien verbreitete sich ein eigenartiges Schwächegefühl. Wie soll ich mich verhalten, wenn diese Fremden mich erwischen, dachte er. Er war noch nie in eine echte Schlägerei verwickelt gewesen, jedenfalls nicht mehr seit seinem achten Lebensjahr. Natürlich kannte er Jungs in seinem Alter, die sich prügelten – meistens am Samstagabend vor den Kneipen –, aber die waren ausnahmslos strohdumm. Obwohl keiner der drei Fremden in der Küche viel größer war als er, hatte Craig Angst vor ihnen. Die wussten genau, wie man sich in einer Schlägerei verhielt, während er selbst keine Ahnung hatte – zumindest war das sein Eindruck von ihnen. Auf jeden Fall waren sie bewaffnet. Sie konnten ihn erschießen. Wie weh das wohl tat?

Sein Weg führte ihn am Wohnzimmer- und am Esszimmerfenster vorbei, wo die Vorhänge nicht zugezogen waren. Der Schneefall hatte ein wenig nachgelassen. Wer zufällig aus dem Fenster sieht, entdeckt mich sofort, dachte Craig.

Er gab sich einen Ruck und marschierte los.

Beim ersten Fenster blieb er stehen und sah hinein. Am Christbaum im Wohnzimmer blinkten bunte Lichter und ließen schwach die Umrisse der vertrauten Sofas und Tische erkennen, den Fernseher und – auf dem Boden vor dem Kamin – vier überdimensionale Kinderstrümpfe, die mit Schachteln und Päckchen voll gestopft waren.

Menschen waren keine zu sehen.

Craig ging weiter. Der Schnee lag hier noch höher als anderswo; der vom Meer her blasende Wind hatte ihn zu Wehen getürmt. Craig wunderte sich, wie mühsam es war, sich voranzuarbeiten. Bald war er so erschöpft, dass er sich am liebsten hingelegt hätte. Erst jetzt ging ihm auf, dass er seit vierundzwanzig Stunden nicht mehr geschlafen hatte. Er schüttelte sich und stapfte weiter. Vor der Haustür war er darauf gefasst, dass sie jeden Moment auffliegen konnte. Schon glaubte er, dass dieser Kerl aus London mit dem rosa Pullover herausspringen und ihn packen würde... Doch nichts geschah.

Als er das Esszimmerfenster erreichte, hörte er leises Gebell und erschrak so sehr, dass er fürchtete, sein Herz könne versagen, doch dann wurde ihm klar, dass es nur Nellie war. Die Fremden mussten sie ins Esszimmer gesperrt haben. Sie hatte Craig an seinem Geruch erkannt und bettelte nun darum, herausgelassen zu werden. »Um Gottes willen, Nellie, sei still«, murmelte Craig. Er bezweifelte, dass die Hündin ihn hören konnte, aber Nellie war sofort mucksmäuschenstill.

Er kam zu den Autos, die vor dem Haus parkten: Mirandas Toyota Previa und Hugos Mercedes-Kombi. Dächer und Seiten waren rundum mit Schnee bedeckt und vollkommen weiß, weshalb die Wagen aussahen, als bestünden sie ganz und gar aus Schnee – Schneeautos für Schneemänner. Craig bog um die Hausecke und sah, dass in der Stiefelkammer Licht brannte. Am Fensterrahmen vorbei riskierte er einen Blick ins Innere. Er konnte den großen Schrank mit den Anoraks und Stiefeln sehen und ein Aquarellbild von Steepfall, das Tante Miranda gemalt haben musste. Ferner fiel ihm ein in einer Ecke lehnender Reisigbesen auf – und der stählerne Schlüsselkasten, der an die Wand geschraubt war.

Die Tür zwischen Stiefelkammer und Küche war geschlossen. Was für ein Glück!

Craig lauschte, doch im Haus herrschte absolute Stille.

Was passiert, wenn du einem einen Boxhieb versetzt, dachte er. Im Kino fallen die Leute einfach um… Aber Craig war sich ziemlich sicher, dass es im wahren Leben nicht so ablief. Mehr noch interessierte ihn die Frage, was passierte, wenn man selber geschlagen wurde. Wie schlimm tat das weh? Und was war, wenn man eine ganze Menge Schläge einstecken musste? Und wie war es, wenn man eine Schusswunde erhielt? Irgendwo hatte er mal gehört, dass es nichts Schmerzhafteres gab als einen Bauchschuss. Obwohl er vor Angst und Entsetzen fast durchdrehte, riss er sich zusammen und versuchte, seinen Plan in die Tat umzusetzen.

Er stand jetzt vor der Hintertür, griff nach dem Knauf, drehte ihn, so vorsichtig er konnte, und drückte dagegen. Die Tür ging auf, und Craig trat ein.

Die Kammer war nur ein kleiner Vorraum, kaum zwei Meter lang und durch den massiven alten Backsteinkamin und den großen Schrank zusätzlich verengt. Der Schlüsselkasten hing an der Kaminwand. Craig streckte den Arm aus und öffnete ihn.

Der Kasten enthielt zwanzig nummerierte Haken; an manchen hingen nur Einzelschlüssel, an anderen ganze Bunde. Craig erkannte die Ferrarischlüssel sofort. Er griff danach und hob sie an, doch der Schlüsselanhänger verhakte sich und ließ sich nicht sofort lösen. Craig fummelte hektisch daran herum und versuchte die Panik, die ihn zu überkommen drohte, abzuwehren. Im gleichen Augenblick wurde die Klinke der Küchentür heruntergedrückt.

Craig schlug das Herz bis zum Hals. Irgendjemand versuchte, die Tür zwischen Küche und Stiefelkammer zu öffnen. Wer immer es war – die Person kannte sich nicht aus im Haus, denn anstatt die Tür von innen aufzuziehen, drückte er oder sie dagegen. Diese Verzögerung nutzte Craig aus: Er verschwand zwischen den Mänteln und Anoraks im großen Schrank und zog die Tür hinter sich zu.

Es war ohne Nachdenken geschehen, wie im Reflex: Die Ferrari-Schlüssel hingen nach wie vor im Kasten. Craig hatte den Schrank kaum betreten, als ihm auch schon klar wurde, dass er ebenso schnell zur Hintertür hinaus in den Garten hätte schlüpfen können. Er wusste nicht mehr genau, ob er die Hintertür geschlossen hatte – wahrscheinlich nicht. Und war von seinen Stiefeln frischer Schnee auf den Boden gefallen? Das wäre ein verräterisches Zeichen dafür, dass erst vor wenigen Minuten jemand von draußen hereingekommen war, denn sonst wäre der Schnee in der Wärme ja bereits geschmolzen. Außerdem hatte Craig auch noch den Schlüsselkasten offen gelassen.

Jedem aufmerksamen Beobachter mussten diese Veränderungen auffallen – und den Rest würde er sich denken können.

Craig hielt die Luft an und lauschte.

Nigel rüttelte an der Klinke, bis ihm klar wurde, dass sich die Tür nicht nach außen, sondern nach innen öffnete. Er zog sie sperrangelweit auf und warf einen Blick in die Stiefelkammer.

»Nein, das taugt nichts«, sagte er. »Eine Tür und ein Fenster.« Er durchquerte die Küche und riss die Tür zur Speisekammer auf. »Hier, das ist schon besser! Keine weitere Tür und nur ein Fenster, das auf den Hof rausgeht. Steck sie hier rein, Elton.«

»Da drin ist es kalt«, protestierte Olga. Die Speisekammer enthielt eine Klimaanlage.

»Ach, mir kommen gleich die Tränen«, erwiderte Nigel sarkastisch.

»Wir brauchen einen Arzt für meinen Mann.«

»Nachdem er mich ins Gesicht geschlagen hat, kann er von Glück reden, dass er keinen Totengräber braucht!« Nigel wandte sich an Elton. »Stopf denen irgendwas in die Mäuler, damit sie keinen Lärm machen können. Und beeil dich, wir haben nicht mehr viel Zeit!«

In einer Schublade fand Elton saubere Geschirrtücher, mit denen er Stanley, Olga und Hugo knebelte. Letzterer hatte das Bewusstsein wiedererlangt, war aber noch immer benommen. Zum Schluss zerrte Elton die gefesselten Gefangenen auf die Füße und stieß sie in die Speisekammer.

»Jetzt zu dir«, sagte Nigel zu Kit. »Hör mir gut zu!« Oberflächlich gesehen, wirkte Nigel ruhig; er plante voraus und traf die entsprechenden Anordnungen. Sein schmales, zynisches Gesicht war jedoch leichenblass, und seine Miene verriet eine verbissene Entschlossenheit. Kit erkannte, dass Nigels Nerven unter der scheinbar gelassenen Fassade so straff gespannt waren wie Gitarrensaiten. »Wenn die Bullen kommen, empfängst du sie an der Tür«, fuhr Nigel fort. »Sei freundlich zu ihnen, und spiel den gelassenen, gesetzestreuen Bürger. Sag ihnen, dass hier alles in Ordnung ist und dass alle anderen im Haus noch schlafen.«

Kit hatte keine Ahnung, wie er den Gelassenen spielen sollte, obwohl er das Gefühl hatte, er stünde vor einem Erschießungskommando. Er umklammerte die Rückenlehne eines Küchenstuhls, damit das lästige Zittern endlich aufhörte. »Was ist, wenn sie reinkommen wollen?«

»Red's ihnen aus. Wenn sie drauf bestehen, führ sie in die Küche. Wir verschwinden so lange in dem kleinen Vorraum.« Er deutete auf die Stiefelkammer. »Sieh einfach zu, dass du sie schnellstens wieder los wirst.«

»Mit den Bullen kommt auch Toni Gallo«, sagte Kit. »Das ist die Sicherheitschefin der Firma.«

»Na und? Schick sie einfach wieder weg.«

»Sie wird meinen Vater sprechen wollen.«

»Sag ihr, das geht nicht.«

»Ich glaube nicht, dass sie sich damit abwimmeln lässt...«

Nigel hob die Stimme. »Himmelarschundzwirn – was kann sie

denn schon tun? Dich k.o. schlagen und über deinen bewusstlosen Körper hinweg ins Haus marschieren? Sag ihr einfach, sie soll sich verpissen!«

»Okay«, sagte Kit. »Aber wir müssen dafür sorgen, dass auch meine Schwester Miranda den Mund hält. Sie versteckt sich auf dem Dachboden.«

»Auf dem Dachboden? Wo?«

»Direkt über uns. Schaut in den ersten Kleiderschrank im Ankleidezimmer. Hinter den Anzügen ist eine niedrige, kleine Tür, die auf den Dachboden führt.«

Nigel sparte sich die Frage, woher Kit wusste, dass sich Miranda dort aufhielt, sondern wandte sich sofort an Daisy: »Kümmere dich drum!«

Miranda sah ihren Bruder mit Nigel sprechen und hörte, wie er ihr Versteck preisgab.

Im Nu lief sie zur Dachbodentür und kroch durch den Schrank ins Ankleidezimmer ihres Vaters. Sie atmete schwer, ihr Herz raste, und sie hatte das Gefühl, dass ihr Gesicht puterrot angelaufen war, aber sie wusste, was sie tat, und war nicht in Panik geraten, noch nicht.

Auch Kits Ankündigung, dass die Polizei unterwegs sei, hatte sie mitbekommen und schon gehofft, der böse Spuk werde bald vorüber sein. Ich muss nichts weiter tun, als mich still verhalten und abwarten, bis die Männer in blauen Uniformen die Gangster festnehmen, hatte sie gedacht. Als Nigel dann aber aus dem Stegreif heraus einen Gegenplan entwickelte, war ihr klar, dass sie sich zu früh gefreut hatte. Ihre Alternative für den Fall, dass die Polizei Anstalten traf, unverrichteter Dinge wieder zu gehen und die Bande unbehelligt zu lassen, bestand darin, ein Schlafzimmerfenster aufzureißen und laut um Hilfe zu schreien. Aber jetzt hatte Kit auch diesen Plan zunichte gemacht.

Der Gedanke an eine neuerliche Begegnung mit Daisy erfüllte Miranda mit Entsetzen, aber noch konnte sie sich auf ihren gesunden Menschenverstand verlassen.

Während Daisy den Dachboden durchsuchte, würde sie sich gegenüber in Kits Schlafzimmer verstecken.

Sie rannte durch Stanleys Schlafzimmer und wollte gerade die Tür nach draußen öffnen, als sie die schweren Stiefel auf der Treppe hörte. Es war zu spät.

Die Tür flog auf, und Miranda versteckte sich dahinter. Ohne sich umzusehen, stürmte Daisy durchs Schlaf- ins Ankleidezimmer.

Miranda schlüpfte zur Tür hinaus, schlich in Kits Zimmer, ging zum Fenster und zog die Vorhänge zurück. Doch ihre Hoffnung wurde enttäuscht: Weit und breit waren keine Streifenwagen mit blinkenden Lichtern zu sehen.

Sie starrte in Richtung Straße. Es wurde allmählich hell, und sie konnte erkennen, dass die Bäume am Waldrand voller Schnee waren. Von irgendwelchen Fahrzeugen war nichts zu sehen. Miranda war am Verzweifeln. Daisy würde sehr schnell spitzkriegen, dass auf dem Dachboden niemand war, und dann die anderen Räume im Obergeschoss durchsuchen. Ich brauche Zeit, dachte Miranda. Wann wird die Polizei endlich eintreffen?

Ich kann Daisy auf dem Dachboden einschließen! Vielleicht ist das eine realistische Alternative.

Sie verschwendete keinen Gedanken auf die möglichen Risiken, sondern rannte wieder in ihres Vaters Zimmer. Die Schranktür stand offen – Daisy war offenbar in der Dachkammer und suchte mit ihren dunkel umrandeten Augen, die aussahen wie von Fausthieben getroffen, nach einem Versteck, das groß genug für eine erwachsene, leicht übergewichtige Frau war.

Ohne über die Konsequenzen nachzudenken, klappte Miranda die Schranktür zu.

Die Tür hatte kein Schloss, war jedoch aus solidem Holz. Wenn ich sie irgendwie verkeilen kann, dachte Miranda, wird Daisy Mühe haben, sie aufzubrechen, vor allem, weil sie sich in dem Schrank ja kaum rühren kann.

Unten an der Tür klaffte ein schmaler Spalt. Dort musste der Keil rein, und die Tür würde festklemmen, zumindest einige Sekunden lang. Was eignete sich dazu? Sie brauchte ein Stück Holz, eine feste Pappe oder wenigstens einen Stoß Papier. Miranda zog die Schublade an ihres Vaters Nachttisch auf und fand einen Band mit Werken von Marcel Proust.

Sie nahm das Buch heraus und begann, Seiten herauszureißen.

Kit hörte nebenan den Hund.

Es war ein lautes, aggressives Gebell von der Art, wie Nellie es nur anstimmte, wenn sich Fremde dem Haus näherten. Es kam also jemand. Kit schob sich durch die Schwingtür, die ins Esszimmer führte. Die Hündin stand auf den Hinterbeinen und hatte die Vorderpfoten aufs Fensterbrett gelegt.

Kit trat ans Fenster. Der Schneesturm hatte sich gelegt; es taumelten nur noch einige Flocken vom Himmel. Er blickte zum Wald hinüber. Zwischen den Bäumen tauchte ein großer Lastwagen auf. Er schob eine große Räumschaufel vor sich her, und auf dem Dach blinkte ein orangefarbenes Licht.

»Sie sind da!«, rief Kit.

Nigel kam herein. Der Hund knurrte, und Kit sagte: »Sei still!« Nellie verkroch sich wieder in eine Ecke. Nigel drückte sich flach an die Wand neben dem Fenster und spähte vorsichtig hinaus.

Der Schneepflug räumte eine Spur von annähernd drei Metern Breite frei. Er fuhr an der Haustür vorbei und so nahe wie möglich an die geparkten Wagen heran. Im letzten Moment wendete er und schob dabei den Schnee vor Hugos Mercedes und Mirandas Previa weg. Dann fuhr er rückwärts zur Garage und räumte auf dem betonierten Vorplatz zwei Streifen vor den Toren frei.

Unterdessen fuhr auf der vom Schnee befreiten Straße ein heller Jaguar S vorbei und hielt unmittelbar vor der Haustür. Eine große, schlanke Frau mit Bubikopffrisur in einer mit Schaffell gesäumten ledernen Fliegerjacke stieg aus. Im Scheinwerferlicht erkannte Kit Toni Gallo.

»Sieh zu, dass du sie so schnell wie möglich wieder loswirst!«, sagte Nigel.

»Was ist mit Daisy? Sie braucht ziemlich lange …«

»Sie wird sich wohl um deine Schwester kümmern.«

»Hoffentlich.«

»Ich traue Daisy mehr als dir. Geh jetzt an die Tür.«

Nigel zog sich zu Elton in die Stiefelkammer zurück.

Kit ging zur Vordertür und öffnete sie.

Toni half gerade jemandem, der auf dem Rücksitz gesessen hatte, beim Aussteigen. Kit runzelte die Stirn. Es war eine alte Dame in einem langen Wollmantel und mit einer Pelzmütze auf dem Kopf. »Was, zum Teufel…« Kit wusste nicht, was er davon halten sollte.

Toni nahm die alte Dame am Arm, und beide drehten sich um. Tonis Miene verdüsterte sich, als sie erkannte, wer ihnen die Tür geöffnet hatte. »Hallo, Kit«, sagte sie und führte die alte Frau zum Haus.

»Was wollen Sie denn hier?«, fragte Kit.

»Ich muss Ihren Vater sprechen. Es gibt einen Störfall im Labor.«

»Daddy schläft noch.«

»Für das, was ich ihm mitzuteilen habe, steht er garantiert auf.«

»Wer ist die alte Frau?«

»Diese *Dame* ist meine Mutter, Mrs. Kathleen Gallo.«

»Von wegen alte Frau«, sagte die alte Frau. »Ich bin einundsiebzig und fit wie ein Fleischerhund, also achten Sie auf Ihre Manieren, junger Mann.«

»Schon gut, Mutter, er hat es nicht so gemeint.«

Kit überhörte das. »Was will sie hier?«

»Das werde ich Ihrem Vater erklären.«

Der Schneepflug hatte vor der Garage gewendet und fuhr nun auf der Straße, die er freigeräumt hatte, wieder zurück. Der Jaguar folgte ihm.

Kit bekam es mit der Angst zu tun. Die Fahrzeuge waren fort – und Toni immer noch da.

Plötzlich hielt der Jaguar an und fuhr im Rückwärtsgang wieder auf das Haus zu. Hoffentlich ist dem Fahrer nichts Verdächtiges aufgefallen, dachte Kit. Der Wagen hielt, die Fahrertür ging auf, und ein kleines Bündel fiel in den Schnee. Das sieht ja aus wie ein junger Hund, dachte Kit.

Die Tür wurde zugeknallt, und der Jaguar entfernte sich wieder.

Toni hob das Bündel auf. Es war tatsächlich ein Welpe, ein schwarzweißer, ungefähr acht Wochen alter Englischer Schäferhund.

Kit verstand überhaupt nichts mehr, verzichtete jedoch darauf, Fragen zu stellen. »Sie können nicht reinkommen«, sagte er zu Toni.

»Stellen Sie sich nicht so an«, erwiderte sie. »Das Haus gehört nicht Ihnen, sondern Ihrem Vater. Ich muss mit ihm reden, und er wird mich mit absoluter Sicherheit empfangen.« Mit ihrer Mutter an einem Arm und dem jungen Hund auf dem anderen kam sie langsam näher.

Kit war mit seinem Latein am Ende. Er hatte natürlich damit gerechnet, dass Toni im eigenen Wagen unterwegs war, und ihr sagen wollen, sie solle später wiederkommen. Im ersten Moment erwog er, hinter dem Jaguar herzurennen und den Fahrer zur Umkehr zu bewegen. Aber wie wollte er das begründen – ganz abgesehen davon, dass die Polizisten im Schneepflug misstrauisch werden konnten, wenn der Wagen ihnen nicht, wie offenbar vereinbart, folgte. Das Risiko war zu groß, und deshalb blieb Kit untätig.

Toni stand nun direkt vor ihm, und er verstellte ihr den Weg ins Haus. »Stimmt was nicht?«, fragte sie.

Kit sah ein, dass er mit seiner sturen Verweigerungstaktik nicht weiterkam. Nigels Anweisungen waren nicht zu erfüllen. Es bestand sogar die Gefahr, dass die Polizisten wieder zurückkamen. Mit Toni allein konnte man eher fertig werden. »Dann kommen Sie halt rein«, sagte er.

»Danke. Der Welpe heißt übrigens Osborne.« Toni und ihre Mutter traten in die Diele. »Mutter, du musst sicher auf die Toilette, nicht wahr?«, sagte Toni. »Sie ist gleich hier.«

Kit sah, wie die Lichter des Schneepflugs und des Jaguars im Wald verschwanden, und entspannte sich ein wenig. Okay, dachte er, jetzt haben wir zwar Toni auf dem Hals, aber wenigstens sind wir die Polizei losgeworden. Er schloss die Haustür.

Im Obergeschoss ertönte ein lautes Klopfen. Es klang, als schlüge jemand mit einem Hammer gegen die Wand.

»Was war das denn?«, fragte Toni.

Miranda hatte einen Packen Seiten aus dem Buch gerissen und ihn, zu einem Keil gefaltet, in den Spalt unter der Schranktür geklemmt. Lange wird das Daisy nicht aufhalten, dachte sie. Ich brauche was Solideres ... Neben dem Bett stand eine alte Truhe, die als Ablage benutzt wurde. Unter Aufbietung all ihrer Kräfte schleifte sie das schwere Mahagonimöbel über den Teppich, richtete es im 45-Grad-Winkel auf und rammte es gegen die Schranktür. Im nächsten Moment stieß Daisy von der anderen Seite dagegen, und als sie merkte, dass das Stoßen nichts half, fing sie an, heftig dagegen zu hämmern.

Miranda nahm an, dass Daisy, den Kopf im Dachboden und die Füße im Schrank, auf dem Boden lag und mit den Sohlen ihrer schweren Stiefel gegen die Tür trampelte. Diese wurde davon zwar erschüttert, ging jedoch nicht auf. Aber Daisy war ein zähes Luder und würde sich über kurz oder lang doch befreien können.

Immerhin, dachte Miranda – ein paar kostbare Sekunden habe ich gewonnen.

Sie huschte zum Fenster. Zu ihrer Bestürzung sah sie zwei Fahrzeuge – einen Lkw und einen Pkw – vom Haus wegfahren. »O nein!«, sagte sie laut. Beide Wagen waren schon zu weit entfernt, als dass die Insassen ihre Schreie noch hätten hören können. Bin ich zu spät gekommen, dachte sie und rannte aus dem Schlafzimmer.

An der Treppe hielt sie abrupt inne. Unten in der Diele ging eine alte Frau, die sie noch nie gesehen hatte, gerade ins Badezimmer.

Was war da los?

Dann sah sie Toni Gallo. Sie zog sich eine Fliegerjacke aus und hängte sie an den Garderobenständer.

Auf dem Boden schnüffelte ein kleiner, schwarzweißer Welpe an den Regenschirmen.

Während unten Kit in ihr Blickfeld trat, krachte es wieder im Ankleidezimmer. Kit sagte zu Toni: »Anscheinend sind die Kinder aufgewacht.«

Miranda war völlig durcheinander. Da soll noch jemand schlau draus werden... Wieso tut Kit so, als wäre alles in schönster Ordnung?

Dann wurde ihr klar, dass er Toni was vorspielte. Stanleys Mitarbeiterin sollte glauben, im Haus sei alles in bester Ordnung. Und dann würde sie entweder von sich aus wieder gehen, oder aber die Bande würde sie überwältigen und fesseln, genauso wie die anderen.

Und inzwischen fuhr die Polizei immer weiter fort.

Toni schloss hinter ihrer Mutter die Tür zum Badezimmer. Bis jetzt hatte noch niemand Miranda bemerkt.

Kit sagte zu Toni: »Kommen Sie doch mit in die Küche.«

Dort wird sie dann überfallen, dachte Miranda. Nigel und Elton liegen bereits auf der Lauer und werden sie überraschen.

Ein lautes Krachen kam aus dem Schlafzimmer: Daisy war aus dem Schrank ausgebrochen.

Miranda reagierte spontan. »Toni!«, kreischte sie.

Toni blickte nach oben und sah Miranda am Geländer stehen.

»Verdammte Scheiße ...«, fluchte Kit.

»Die Diebe!«, schrie Miranda. »Sie sind hier im Haus. Sie haben Daddy gefesselt. Sie sind bewaffnet ...«

Daisy stürmte aus dem Schlafzimmer und rannte Miranda um, die kopfüber die Treppe hinunterstürzte.

Sekundenlang stand Toni da wie festgefroren.

Kit stand neben ihr und sah die Treppe hinauf; sein Gesicht war wutverzerrt. »Schnapp sie dir, Daisy!«, sagte er mit verkniffenem Mund.

Miranda fiel die Treppe herunter. Ihr rosafarbenes Nachthemd bauschte sich auf und enthüllte mollige weiße Oberschenkel.

Hinter ihr her stürmte eine hässliche junge Frau, ganz in Leder gekleidet, mit kahl rasiertem Schädel und grausigem Augen-Make-up im Gothic-Stil.

Und Mutter war auf der Toilette!

Schlagartig begriff Toni, was hier vor sich ging. Bewaffnete Diebe, hatte Miranda gesagt. Unwahrscheinlich, dass in dieser abgelegenen Gegend in ein und derselben Nacht zwei verschiedene Banden am Werk waren … Es mussten also die Leute sein, die den Einbruch im Kreml verübt hatten. Die glatzköpfige Frau auf der Treppe war demnach die Blonde, die Toni auf der Videoaufzeichnung des Werkschutzes gesehen hatte. Ihre Perücke war in dem Van auf dem Parkplatz des Dew Drop Motels gefunden worden. Die Gedanken in Tonis Kopf überstürzten sich: Kit schien mit den Gangstern unter einer Decke zu stecken – und wenn dem so war, erklärte sich auch, wie die Bande es geschafft hatte, sämtliche Sicherheitsvorkehrungen zu umgehen oder zu überwinden.

Toni hatte keine Zeit, über die Konsequenzen nachzudenken, denn in diesem Augenblick schlang Kit ihr einen Arm um den Hals und versuchte, sie mit einem Ruck von den Füßen zu hebeln. Gleichzeitig schrie er: »Nigel!«

Aber Toni wehrte sich. Sie versetzte ihm einen heftigen Ellbogenstoß in die Rippen und registrierte befriedigt, wie er vor Schmerzen aufstöhnte. Der Griff um ihren Hals lockerte sich. Es gelang ihr, sich umzudrehen und ihm mit der linken Faust in die Magengegend zu schlagen. Kit versuchte zurückzuschlagen, doch Toni wich ihm mühelos aus.

Just als sie mit der Rechten ausholte, um Kit endgültig außer Gefecht zu setzen, landete Miranda am Fuß der Treppe und krachte von hinten in Tonis Beine. Da Toni sich für den Schlag leicht zurückgebeugt hatte, verlor sie das Gleichgewicht und kippte nach hinten. Einen Sekundenbruchteil später stolperte die Frau in Leder über Miranda und Toni und prallte auf Kit, sodass alle vier auf dem Fliesenboden übereinander fielen.

Toni sah sofort ein, dass sie diesen Kampf nicht gewinnen konnte. Schon jetzt hatte sie mit Kit und dieser Frau namens Daisy zwei Gegner, und wahrscheinlich kamen gleich noch weitere hinzu. Am besten verdrücke ich mich, sehe zu, dass ich wieder zu Atem komme, und lasse mir dann in Ruhe was einfallen, dachte sie.

Sie wand sich aus dem Menschenknäuel heraus und drehte sich um.

Kit war flach auf dem Rücken gelandet, Miranda hatte sich zu einer Kugel zusammengerollt. Sie wirkte angeschlagen, aber nicht ernsthaft verletzt. Da stemmte sich Daisy auf die Knie und schlug, anscheinend in blinder Wut, auf Mirandas Arm ein. Seltsamerweise steckten ihre Fäuste in eleganten hellbraunen Wildlederhandschuhen.

Toni kam auf die Füße, sprang über Kit hinweg zur Haustür und riss sie auf. Kit erwischte sie noch mit einer Hand am Knöchel und versuchte sie festzuhalten. Toni trat mit dem freien Fuß nach seinem Arm und traf ihn so am Ellbogen, dass Kit vor Schmerz aufschrie und seinen Griff löste. Toni stürmte zur Tür hinaus und warf sie hinter sich ins Schloss.

Sie wandte sich nach rechts und lief auf der vom Schneepflug geräumten Spur davon. Hinter ihr knallte ein Schuss, und ganz in ihrer Nähe zersplitterte eine Scheibe. Irgendjemand hatte aus dem Haus auf sie geschossen. Aber die Kugel hatte sie verfehlt.

Toni lief zur Garage und bog auf die ebenfalls geräumte Betonfläche vor den Toren ab. Nun lag das Garagengebäude zwischen ihr und dem Schützen.

Der Schneepflug mit den beiden Polizisten in der Fahrerkabine war längst unterwegs zur Hauptstraße. Da die Zufahrt nach Steepfall schon schneefrei war, konnte er mit angehobener Schaufel und normaler Geschwindigkeit fahren – und das bedeutete, dass sein Vorsprung mittlerweile viel zu groß war und Toni ihn zu Fuß nie hätte einholen können. Jetzt war guter Rat teuer. Solange sie auf der geräumten Strecke blieb, konnte jeder aus dem Haus, der es darauf anlegte, sie verfolgen. Natürlich konnte sie sich verstecken – aber wo? Im Wald gab es Deckung in Hülle und Fülle, aber ihr fehlte ein Mantel. Ihre Fliegerjacke hatte sie ausgezogen, kurz bevor Miranda sich bemerkbar gemacht und sie gewarnt hatte. Toni war klar, dass sie es nicht lange im Freien aushalten würde, und sie konnte sich denken, dass es in der Garage auch nicht viel wärmer war.

Sie lief zum anderen Ende des Gebäudes und spähte um die Ecke. Die Scheunentür befand sich nur wenige Meter entfernt. Konnte sie es wagen, den Hof zu überqueren, obwohl man sie vom Haus aus sehen konnte?

Mir bleibt keine andere Wahl, dachte sie und wollte sich gerade auf den Weg machen, als gegenüber die Tür aufging.

Unschlüssig blieb sie stehen und wartete ab.

Ein kleiner Junge tauchte auf. Er trug einen offenen Mantel über seinem Spiderman-Pyjama und an den Füßen Gummistiefel, die ihm viel zu groß waren. Das ist Tom, dachte Toni, Mirandas Sohn. Der Junge sah sich nicht weiter um, sondern wandte sich sofort nach links und stapfte durch den tiefen Schnee. Wahrscheinlich will er ins Haus, dachte Toni und fragte sich, ob sie ihn nicht aufhalten sollte. Doch dann erkannte sie, dass sie sich geirrt hatte. Statt quer über den Hof zum Hauptgebäude ging Tom zum Gästehaus. Mach schnell, Junge, beeil dich, dachte Toni, damit du aus dem Weg bist, bevor hier die Hölle losbricht... Er sucht vermutlich seine Mutter und will sie fragen, ob er seine Geschenke aufmachen darf... O Gott, er weiß nicht, dass seine Mutter im Hauptgebäude gerade von einer Gangsterbraut mit

Wildlederhandschuhen zusammengeschlagen worden ist. Aber vielleicht ist ja sein künftiger Stiefvater noch im Gästehaus…? Toni hielt es für das Beste, den Jungen sich selbst zu überlassen. Die Tür zum Gästehaus war jedenfalls nicht versperrt, und Tom verschwand darin.

Toni zögerte immer noch. Vielleicht stand jemand im Hauptgebäude mit einer 9-Millimeter-Browning Automatik im Anschlag hinter einem Fenster und wartete schon auf sie…?

Sie gab sich einen Ruck und sprintete los. Doch kaum geriet sie in den Tiefschnee, rutschte sie aus und fiel der Länge nach hin. Eine Sekunde lang lag sie da und wartete auf den Schuss. Aber der blieb aus; nichts rührte sich. Toni rappelte sich mühsam wieder auf. Sie spürte, wie die Kälte des Schnees durch Jeans und Pullover drang, ließ sich aber davon nicht beirren, sondern ging weiter, diesmal vorsichtiger und langsamer als zuvor. Das Herz schlug ihr bis zum Hals. Besorgt behielt sie das Hauptgebäude im Auge, konnte aber an keinem Fenster eine menschliche Gestalt erkennen.

Obwohl es kaum länger als eine Minute dauerte, den Hof zu überqueren, kam ihr jeder Schritt unendlich lang vor. Doch dann hatte sie es geschafft. Sie erreichte die Scheune, trat ein und zog das Tor hinter sich zu. Ich lebe noch, dachte sie und zitterte vor Erleichterung am ganzen Leib.

Eine kleine Lampe erhellte einen Billardtisch, ein paar alte Sofas, einen Fernseher mit Großbildschirm sowie zwei Feldbetten, die beide leer waren. Der Raum schien menschenleer zu sein, doch führte eine Leiter zu einer Art Heuboden. Toni brachte das Zittern unter Kontrolle und kletterte hinauf. Auf halbem Weg nach oben konnte sie den Heuboden bereits überblicken. Mehrere Paare kleiner roter Augen starrten ihr entgegen und erschreckten sie: Carolines Ratten. Sie kletterte ganz hinauf. Zwei weitere Lager waren hier eingerichtet. Die friedlich schlummernde Gestalt in dem einen Bett war Caroline, das andere Bett war unberührt.

Die Bande wird bald ausschwärmen und mich suchen, dachte Toni. Höchste Zeit, dass ich Hilfe hole. Sie griff nach ihrem Handy.

Erst jetzt merkte sie, dass sie es nicht bei sich hatte.

Vor lauter Frustration schüttelte sie die geballten Fäuste gegen die

Decke. Das Handy steckte natürlich in der Tasche ihrer Fliegerjacke, und die hatte sie an den Garderobenständer gehängt – unten im Flur des Hauptgebäudes.

Und was tue ich jetzt, dachte sie.

»Wir müssen ihr hinterher«, sagte Nigel. »Wahrscheinlich hängt sie schon am Telefon und holt die Bullen.«

»Moment«, sagte Kit und ging zum Garderobenständer. Er rieb sich den Ellbogen, dem Toni einen Tritt versetzt hatte, hörte dann aber damit auf, um ihre Jacke zu durchsuchen. Triumphierend zog er das Handy aus der Tasche. »Die Bullen müssen warten. Sie kann sie nicht anrufen.«

»Gott sei Dank.« Nigel sah sich im Flur um. Daisy hielt Miranda mit dem Gesicht nach unten auf dem Fußboden fest; einen Arm hatte sie ihr auf den Rücken gebogen. Elton stand im Durchgang zur Küche. »Hol uns noch 'ne Strippe oder 'n Kabel, damit Daisy die fette Kuh hier fesseln kann.« Dann wandte er sich an Kit. »Deine Schwestern sind ein verdammt lästiges Pärchen«, sagte er.

»Das ist völlig nebensächlich«, sagte Kit. »Wir können jetzt doch abhauen, oder? Wir brauchen nicht mehr zu warten, bis es hell ist, und auf den Geländewagen können wir auch verzichten. Wir können jetzt mit jedem Wagen fahren. Die Straße ist ja geräumt.«

»Dein Typ in der Firma sagte, in diesem Schneepflug säßen zwei Bullen.«

»An einer Stelle suchen sie bestimmt nicht – nämlich direkt hinter sich.«

Nigel nickte. »Gute Idee. Aber der Schneepflug fährt wahrscheinlich nicht bis nach ... bis dahin, wo wir hinmüssen. Was tun wir, wenn er von unserer Route abweicht?«

Kit bezähmte seine Ungeduld. Wir müssen schleunigst fort von Steepfall, und zwar um jeden Preis, dachte er. Wieso begreift Nigel das nicht? »Schau zum Fenster raus!«, sagte er. »Es hat aufgehört zu schneien. Und bald fängt's an zu tauen, hieß es doch in der Vorhersage.«

»Wir könnten immer noch stecken bleiben.«

»Aber nachdem die Straße nun frei ist, wächst die Gefahr, dass hier wer auftaucht. Toni Gallo bleibt möglicherweise nicht die Einzige.«

Elton kam mit einem Kabel in der Hand. »Kit hat Recht«, sagte er. »Wenn wir jetzt losfahren, sollten wir es locker bis zehn schaffen.« Er gab das Kabel Daisy, die damit Miranda die Hände auf dem Rücken fesselte.

»Na gut«, sagte Nigel. »Aber zuerst müssen wir alle Leute hier auf der Farm zusammentreiben, auch die Kinder. Niemand darf in den nächsten Stunden in der Lage sein, Hilfe zu holen.«

Daisy zerrte Miranda durch die Küche und wuchtete sie in die Speisekammer.

»Mirandas Handy müsste im Gästehaus sein, sonst hätte sie es längst benutzt«, sagte Kit. »Dort ist auch ihr Freund Ned.«

»Elton, du kümmerst dich um dieses Gästehaus«, sagte Nigel.

»Außerdem befindet sich ein Telefon in Daddys Ferrari«, fuhr Kit fort. »Ich schlage vor, Daisy geht in die Garage und sorgt dafür, dass es keinen Schaden anrichtet.«

»Was ist mit der Scheune?«

»Die können wir uns bis zuletzt aufheben. Caroline, Craig und Tom haben kein Handy. Bei Sophie weiß ich es nicht genau, aber sie ist erst vierzehn.«

»Alles klar«, sagte Nigel. »Jeder weiß, was er zu tun hat. An die Arbeit – und beeilt euch!«

In diesem Augenblick ging die Tür zum Badezimmer auf, und Toni Gallos Mutter kam heraus. Sie trug noch ihren Hut.

Kit und Nigel starrten sie verdutzt an. Kit hatte völlig vergessen, dass sich die alte Dame dort aufhielt.

»Steckt sie in die Speisekammer zu den anderen«, sagte Nigel, der als Erster seine Fassung wiederfand.

»O nein«, sagte die alte Frau, »ich setze mich lieber neben den Christbaum.« Sie durchquerte den Flur und verschwand im Wohnzimmer.

Kit sah Nigel fragend an, doch der zuckte bloß mit der Schulter.

Craig öffnete die Tür des Stiefelschranks einen Spalt weit und lugte hinaus. Die Luft schien rein zu sein. Doch als er sich gerade entschlossen hatte, sein Versteck zu verlassen, kam einer der Banditen, dieser Elton, aus der Küche. Craig zog die Tür wieder zu und hielt die Luft an.

So ging das nun schon seit einer Viertelstunde.

Einer von den Kerlen war immer in der Nähe. Im Schrank roch es muffig nach feuchten Anoraks und alten Stiefeln. Und Craig machte sich Sorgen um Sophie, die in Lukes Ford in der Garage saß und bestimmt erbärmlich fror. Aber ich darf jetzt nicht ungeduldig werden, dachte er. Ich muss warten. Über kurz oder lang bekomme ich sicher eine Chance …

Vor einigen Minuten hatte Nellie gebellt – offenbar war jemand gekommen. Craigs Herz schlug höher vor Hoffnung, doch nur wenige Zentimeter entfernt von ihm hatten Nigel und Elton gestanden und miteinander geflüstert. Leider hatte er nicht verstehen können, worum es ging. Bestimmt verstecken die sich vor dem Besucher, dachte Craig. Er selber wäre am liebsten aus dem Schrank gestürmt und um Hilfe schreiend zur Tür gerast – aber ihm war kristallklar, dass man ihn, sobald er sein Versteck verließ, sofort packen und zum Schweigen bringen würde. Es war zum Verrücktwerden.

Von oben ertönte plötzlich ein wüster Lärm. Es klang, als versuche dort jemand, eine Tür aufzubrechen. Dann polterte es im Treppenhaus, man hörte Geschrei und hastige Schritte, und kurz darauf knallte es wie ein Silvesterböller – oder aber wie ein Pistolenschuss –, und Glas zersplitterte. Craig erschrak und hatte furchtbare Angst: Bisher hatte die Bande mit ihren Waffen nur gedroht. Jetzt aber fingen die Gangster an, um sich zu schießen … Wo sollte das alles noch enden?

Nach dem Schuss gingen Nigel und Elton in die Küche, ließen jedoch die Tür zur Stiefelkammer offen. Craig konnte Elton sehen: Er stand am gegenüberliegenden Ende der Küche und redete auf jemanden im Flur ein. Nach einer Weile kam er zurück, ging durch die Hintertür hinaus und ließ deren Tür sperrangelweit offen.

Endlich konnte Craig sich ungesehen bewegen. Die anderen waren draußen im Flur – seine Chance war gekommen. Er schlüpfte aus seinem Versteck und schnappte sich die Ferrarischlüssel aus dem Schränkchen. Diesmal klappte alles problemlos.

Mit zwei großen Sätzen war er auch schon zur Tür hinaus.

Es hatte aufgehört zu schneien. Irgendwo hinter den Wolken brach allmählich der Tag an, sodass bereits alle Konturen in Schwarzweiß sichtbar waren. Links von Craig stapfte Elton durch den Schnee zum Gästehaus. Craig hoffte, dass er sich nicht umdrehte, wandte sich nach rechts und bog gleich darauf um die Ecke – nur um dort entsetzt innezuhalten.

Nur wenige Meter vor sich hatte er Daisy erblickt.

Glücklicherweise wandte auch sie ihm den Rücken zu. Offenbar hatte sie das Haus durch die Vordertür verlassen. Der Weg, auf dem sie ging, war geräumt – hier muss ein Schneepflug gefahren sein, während ich im Stiefelschrank hockte, dachte Craig. Daisy marschierte auf die Garage zu – und damit auch auf Sophie.

Craig duckte sich hinter den Mercedes seines Vaters und spähte um einen Kotflügel herum. Er sah, wie Daisy das Ende des Gebäudes erreichte, den geräumten Weg verließ, um die Hausecke herumging und damit aus seinem Blickfeld verschwand.

Er folgte ihr. So schnell es ging, stapfte er an der Vorderfront des Hauses entlang, am Esszimmer vorbei, wo Nellie mit den Vorderpfoten auf der Fensterbank stand, dann an der geschlossenen Haustür – und schließlich am Wohnzimmer mit dem funkelnden Christbaum, vor dem zu seiner Verwunderung eine alte Frau mit einem jungen Hund auf dem Schoß saß. Obwohl er sich fragte, wer das sein mochte, setzte er seinen Weg ohne Unterbrechung fort.

Erst an der nächsten Ecke hielt er inne und beobachtete, wie Daisy auf die Seitentür der Garage zuhielt. Wenn sie reingeht, findet sie garantiert Sophie in Lukes Ford, dachte er.

Daisy schob die rechte Hand in die Tasche ihrer schwarzen Lederjacke und zog ihre Pistole heraus.

Hilflos sah Craig zu, wie sie die Tür öffnete.

In der Speisekammer war es kalt.

Der Weihnachtstruthahn, der für den Kühlschrank in der Küche zu groß war, lag in einem Bräter auf einer marmornen Anrichte; Olga hatte ihn bereits bratfertig gefüllt und gewürzt. Zutiefst deprimiert fragte sich Miranda, ob sie das Festtagsmahl überhaupt noch erleben würde.

Gemeinsam mit ihrem Vater, ihrer Schwester und Hugo stand sie zusammengepfercht in einem Raum von nicht einmal einem Quadratmeter, umgeben von Gestellen voller Frischgemüse, einem Bord mit Pasta-Gläsern, Cornflakes-Schachteln, Dosen mit Thunfisch und Eiertomaten sowie gebackenen Bohnen.

Am schlechtesten ging es Hugo, der anscheinend nur zeitweise bei Bewusstsein war. Er lehnte an der Wand, und Olga drückte sich in dem Bemühen, ihn warm zu halten, an seinen nackten Körper. Stanleys Gesicht sah aus, als wäre es von einem Lastwagen gerammt worden, aber er stand aufrecht und seine Miene verriet Wachsamkeit.

Miranda fühlte sich elend und hilflos. Sie konnte es kaum ertragen, einen so starken Charakter wie ihren Vater verwundet und gefesselt sehen zu müssen. Und Hugo war zwar ein Lump, aber so etwas hatte er kaum verdient: So, wie er aussah, war zu befürchten, dass er dauerhafte Schäden abbekommen hatte. Olga war eine Heldin: Sie ließ nichts unversucht, ihrem Ehemann beizustehen, obwohl sie erst seit kurzem wusste, dass er sie mit ihrer Schwester betrogen hatte.

Während Hugo, Stanley und Olga mit Geschirrtüchern geknebelt waren, hatte sich Daisy bei Miranda die Mühe erspart – vermutlich in der Annahme, nun, da die Polizei wieder fort war, sei es ohnehin sinnlos zu schreien. Ein kleiner Hoffnungsschimmer zeigte sich für Miranda, als sie erkannte, dass sie die anderen vielleicht von ihren Knebeln befreien konnte. »Beug dich zu mir runter, Daddy«, sagte sie, und folgsam neigte er sich über sie. Das Ende des Knebels hing aus seinem Mund, und sie hob den Kopf wie zum Kuss. Es gelang ihr, eine Ecke des Geschirrtuchs mit den Zähnen zu erwischen. Miranda zog, und ein Teil des Knebels fiel aus seinem Mund, doch dann entglitt ihr das Ende des Tuchs.

Sie fluchte leise, doch ihr Vater beugte sich wieder herunter und ermutigte sie zu einem weiteren Versuch. Diesmal kam der ganze Knebel heraus und fiel auf den Fußboden.

»Danke«, sagte Stanley. »Mein Gott, war das grässlich.«

Miranda wiederholte die Prozedur bei Olga, die sagte: »Mir war dauernd kotzübel, aber ich hatte Angst, wenn ich speie, ersticke ich noch daran.«

Sie befreite Hugo auf die gleiche Weise von seinem Knebel. »Versuch, wach zu bleiben, Hugo«, beschwor sie ihn. »Komm schon, halt die Augen offen!«

Stanley fragte Miranda: »Was geht da draußen vor?«

»Toni Gallo kam mit einem Schneepflug und ein paar Polizisten«, erklärte sie. »Kit hat die Tür geöffnet und so getan, als wäre alles in bester Ordnung. Die Polizisten sind dann wieder abgefahren, aber Toni hat darauf bestanden, zu bleiben.«

»Diese Frau ist unglaublich.«

»Ich hatte mich auf dem Dachboden versteckt und hab es noch geschafft, Toni zu warnen.«

»Gut gemacht!«

»Diese entsetzliche Daisy hat mich dann die Treppe hinuntergestoßen, aber Toni ist ihnen entkommen. Ich weiß nicht, wo sie sich jetzt aufhält.«

»Sie kann die Polizei anrufen.«

Miranda schüttelte den Kopf. »Sie hat ihr Handy in ihrer Jackentasche gelassen, und Kit hat es gefunden.«

»Toni wird sich was anderes überlegen – sie ist eine bemerkenswert einfallsreiche Frau. Auf jeden Fall ist sie unsere einzige Hoffnung, denn sonst ist niemand mehr frei, abgesehen natürlich von Ned und den Kindern.«

»Ned wird uns, fürchte ich, keine große Hilfe sein«, sagte Miranda entmutigt. »In so einer Lage ist ein Shakespeare-Experte das Letzte, was man brauchen kann.« Sie musste wieder daran denken, wie schwächlich Ned am Vortag reagiert hatte, als sie von seiner Exfrau Jennifer praktisch aus dem Haus geworfen worden war. Nein, darauf, dass ein solcher Mann gegen drei Gewaltverbrecher etwas ausrichten konnte, durfte man sicher nicht hoffen.

Sie warf einen Blick zum Fenster hinaus. Die Morgendämmerung hatte eingesetzt, und es schneite nicht mehr, sodass sie das Gästehaus sehen konnte, in dem Ned schlief, und die Scheune, in der die Kinder übernachteten. In diesem Augenblick sah sie Elton über den Hof gehen und erschrak zutiefst. »O mein Gott!«, sagte sie. »Der geht zum Gästehaus.«

Ihr Vater folgte ihrem Blick. »Sie treiben uns alle zusammen und werden alle fesseln, bevor sie abhauen«, sagte er. »Wir können nicht zulassen, dass sie mit diesem Virus verschwinden – nur: Wie sollen wir sie daran hindern?«

Elton betrat das Gästehaus.

»Ich hoffe, Ned steht's durch.« Plötzlich war Miranda froh, dass Ned *kein* kämpferischer Typ war. Elton war hart, brutal und bewaffnet. Neds einzige Chance bestand darin, sich widerstandslos zu ergeben.

»Ned hat noch Glück im Unglück«, sagte Stanley. »Dieser Kerl ist ein Gangster, aber kein Psychopath wie die Frau.«

»Sie macht Fehler, weil sie nicht richtig im Kopf ist«, bestätigte Miranda. »Vorhin im Flur hat sie, anstatt Toni außer Gefecht zu setzen, lieber auf mich eingedroschen. Nur deshalb konnte Toni entkommen.«

»Wieso war sie so wild darauf, dich zu schlagen?«

»Weil ich sie auf dem Dachboden eingesperrt hatte.«

»Du hast sie auf dem Dachboden eingesperrt?«

»Sie hat mich dort gesucht, aber ich war schon wieder draußen. Ich hab die Schranktür hinter ihr zugemacht und verkeilt. Deshalb war Daisy so wütend auf mich.«

Ihr Vater schluckte. »Tapferes Mädchen«, flüsterte er.

»Ich bin gar nicht tapfer«, widersprach Miranda und dachte: Auf was für absurde Ideen er kommt! »Ich hatte so schreckliche Angst, dass ich praktisch alles getan hätte.«

»Für mich bist du tapfer.« Tränen traten Stanley in die Augen, und er wandte den Kopf ab.

Ned verließ das Gästehaus, unmittelbar gefolgt von Elton, der ihm eine Pistole an den Hinterkopf hielt. Mit der linken Hand umklammerte er Toms Arm.

Miranda hielt vor Schreck die Luft an. Sie hatte ihren Sohn in der Scheune vermutet, doch der Junge musste aufgewacht sein und nach ihr gesucht haben. Er trug noch seinen Spiderman-Schlafanzug. Miranda musste mit den Tränen kämpfen.

Die drei kamen aufs Hauptgebäude zu, doch plötzlich ertönte ein Schrei, und sie blieben stehen. Einen Augenblick später kam Daisy in Sicht. Sie zog Sophie an den Haaren hinter sich her. Sophie taumelte gebeugt durch den Schnee und weinte vor Schmerzen.

Daisy sagte irgendetwas zu Elton, was Miranda nicht hören konnte. Dann schrie Tom Daisy an: »Lass sie los! Du tust ihr weh!« Seine helle Knabenstimme klang vor Angst und Wut noch höher als sonst.

Miranda fiel wieder ein, dass Tom eine vorpubertäre Leidenschaft für Sophie empfand. »Still, Tommy, sei still«, murmelte sie angstvoll, obwohl er sie nicht hören konnte. »Es ist nicht so schlimm, wenn man sie an den Haaren zieht.«

Elton lachte. Daisy grinste und riss noch brutaler an Sophies Haaren.

Wahrscheinlich war es das Gefühl, ausgelacht zu werden, das bei Tom endgültig die Sicherungen durchbrennen ließ. Urplötzlich wurde er zum Berserker. Mit einem Ruck befreite er seinen Arm aus Eltons Griff und warf sich auf Daisy.

»Nein!«, schrie Miranda.

Daisy war so überrascht von der Attacke, dass sie tatsächlich Sophies Haare losließ, das Gleichgewicht verlor und auf dem Hintern im Schnee landete. In der nächsten Sekunde war Tom über ihr und trommelte mit seinen kleinen Fäusten auf sie ein.

»Hör auf! Hör auf!«, schrie Miranda vergeblich.

Daisy stieß Tom von sich und kam wieder auf die Füße. Tom sprang auf, doch Daisy traf ihn mit der Faust an der Schläfe, und er fiel wieder in den Schnee. Da hob sie ihn hoch, hielt ihn mit der Linken aufrecht und schlug mit der Rechten wie eine Furie auf seinen Kopf und seinen Körper ein.

Miranda kreischte auf.

Urplötzlich kam Bewegung in Ned.

Ohne Rücksicht auf die Pistole, die Elton ihm an den Kopf hielt, trat er zwischen Daisy und Tom. Er sagte etwas, das Miranda nicht hören konnte, und legte in einer beschwichtigenden Geste eine Hand auf Daisys Arm.

Miranda staunte: Ned, der schwache Ned, leistete diesen Ganoven Widerstand!

Ohne Tom loszulassen, boxte Daisy Ned in die Magengrube.

Er krümmte sich zusammen, und sein Gesicht verzerrte sich vor Schmerz. Doch als Daisy erneut auf Tom losgehen wollte, richtete sich Ned auf und stellte sich ihr in den Weg. Im letzten Moment änderte sie ihre Meinung und schlug nicht Tom, sondern Ned. Sie traf seinen Mund. Ned schrie auf und hob die Hände vors Gesicht, aber er rührte sich nicht von der Stelle.

Miranda rechnete es Ned hoch an, dass er Daisy von Tom abgelenkt hatte – doch wie lange konnte er selbst diese Tortur aushalten?

Unerschütterlich blieb er vor Daisy stehen. Als er die Hände vom Gesicht nahm, sah Miranda, dass ihm Blut aus dem Mund lief. Da schlug Daisy ein drittes Mal zu.

Miranda konnte es nicht fassen. Ned stand wie eine Mauer, stand einfach da und steckte die Schläge ein – und dies nicht einmal für sein eigenes Kind, sondern für Tom. Miranda schämte sich, dass sie ihn für einen Schwächling gehalten hatte.

Neds eigenes Kind, Sophie, nutzte die allgemeine Verwirrung aus. Hatte sie bis eben wie vom Schreck gelähmt dagestanden und zugesehen, so drehte sie sich jetzt um und ergriff die Flucht.

Elton wollte sie festhalten, doch Sophie entschlüpfte ihm. Während er stolperte und vorübergehend die Balance verlor, fing Sophie an zu laufen und kam im tiefen Schnee mit ballettartigen Sprüngen überraschend schnell voran.

Als Elton sich hastig wieder aufgerichtet hatte, war Sophie bereits verschwunden. Elton packte Tom und schrie Daisy an: »Lass das Mädchen nicht entkommen!« Und als Daisy ihn ansah, als wollte sie ihm widersprechen, brüllte er noch lauter als zuvor: »Ich kümmere mich um die beiden hier. Und jetzt hau ab! Los!«

Daisy warf noch einen gehässigen Blick auf Ned und Tom, dann nahm sie Sophies Spur auf.

Craig drehte den Schlüssel im Zündschloss des Ferraris. Hinter ihm erwachte der riesige V-12-Heckmotor zum Leben – und erstarb wieder.

Craig schloss die Augen. »Nicht jetzt!«, sagte er laut. »Lass mich nicht ausgerechnet jetzt im Stich!«

Wieder drehte er den Schlüssel im Schloss. Der Motor zündete, stotterte – und brüllte dann auf wie ein wütender Stier. Craig drückte aufs Gas, um ganz sicherzugehen, und das Brüllen verwandelte sich in ein dröhnendes Heulen.

Er sah aufs Telefon. Das Display sagte: »Suche…« Er drückte aufs Nummernfeld und wählte 999, obwohl er wusste, dass es nutzlos war, bevor sich das Gerät eine Verbindung gesucht hatte. »Nun mach schon«, drängte er. »Ich hab nicht viel Zeit…«

Die Seitentür der Garage flog auf, und Sophie taumelte herein.

Craig war vollkommen perplex. Nach allem, was er wusste, befand sich Sophie in der Gewalt der grässlichen Daisy – schließlich hatte er beobachtet, wie Daisy sie aus der Garage zerrte. Nur zu gern hätte er Sophie befreit, doch musste er sich eingestehen, dass seine Chancen, Daisy im Kampf zu überwältigen, gleich null waren, und das selbst dann, wenn sie unbewaffnet gewesen wäre. Trotzdem hatte es ihn Überwindung gekostet, an sich zu halten, als er sah, mit welcher Brutalität Daisy Sophie an den Haaren zerrte. Ich muss aufpassen, hatte er gedacht, dass ich mich selber nicht erwischen lasse, und die Polizei anrufen – das ist das Beste, was ich für Sophie tun kann…

Aber jetzt schien sie sich ohne Hilfe befreit zu haben. Sie schluchzte und war in Panik, was darauf hindeutete, dass Daisy hinter ihr her war.

Der Wagen stand so dicht an der Wand, dass sich die Beifahrertür nicht öffnen ließ. Craig stieß daher die Fahrertür weit auf und rief Sophie zu: »Schnell, rein mit dir – steig über mich drüber!«

Sie stolperte auf den Wagen zu und fiel praktisch hinein.

Craig riss die Tür zu. Wie sie sich von innen verschließen ließ, wusste er nicht, und im Moment fehlte ihm auch die Muße dazu, es herauszufinden. Daisy kann jede Sekunde hier auftauchen, dachte er, als Sophie über ihn hinweg auf den Beifahrersitz krabbelte. Es blieb keine Zeit zum Telefonieren – erst mussten sie hier raus, und zwar so schnell wie möglich. Als Sophie sich in ihren Sitz fallen ließ, tastete Craig unter dem Armaturenbrett nach der Fernbedienung für das Garagentor, drückte darauf und hörte hinter sich das Quietschen von ungeöltem Metall. Ein Blick in den Rückspiegel verriet ihm, dass sich das Tor langsam nach oben zu schieben begann.

Da kam Daisy herein.

Ihr Gesicht war rot vor Anstrengung, die Augen weit aufgerissen vor Wut. In den Falten ihrer schwarzen Lederkleidung hatte sich Schnee festgesetzt. Daisy blieb in der Tür stehen und kniff die Augen zusammen, um in der düsteren Garage besser sehen zu können. Endlich blieb ihr starrer Blick an Craig am Steuer des Ferraris hängen.

Craig drückte die Kupplung und schob den Schalthebel in den Rückwärtsgang, was bei dem Sechs-Gang-Getriebe immer ein bisschen schwierig war. Der Hebel widersetzte sich dem Druck, und irgendwelche Zahnräder knirschten; doch dann rastete etwas ein.

Daisy lief vor den Wagen und kam zur Fahrerseite herum. Ihr hellbrauner Handschuh schloss sich um den Türgriff.

Das Garagentor war noch nicht ganz offen, doch Craig konnte nicht länger warten. Im selben Moment, als Daisy die Tür öffnete, ließ er die Kupplung los und trat aufs Gaspedal.

Der Wagen machte einen Satz nach hinten, als habe man ihn von einem Katapult abgeschossen. Das Dach stieß gegen das Aluminium der Garagentür, und es tat einen hellen Schlag. Sophie kreischte auf vor Furcht.

Der Wagen schoss aus der Garage wie der Korken aus einer Champagnerflasche. Craig trat auf die Bremse. Der Schneepflug hatte die dichte Schneedecke, die über Nacht gefallen war, beiseite geräumt, doch inzwischen war wieder etwas Neuschnee gefallen. Entsprechend glatt war der Vorplatz. Die Reifen griffen jedenfalls nicht, und der Ferrari rutschte mit einem heftigen Ruck in eine Schneewehe.

Vor der Garagentür erschien Daisy. Craig konnte sie im grauen Morgenlicht deutlich sehen. Sie schien zu zögern.

Da sprach plötzlich eine weibliche Stimme aus dem Lautsprecher des Autotelefons: »Sie haben eine neue Nachricht.«

Craig schaltete und konnte nur hoffen, dass er auch tatsächlich den ersten Gang erwischt hatte. Er ließ die Kupplung los, und zu seiner großen Erleichterung griffen die Reifen wieder. Der Wagen bewegte sich vorwärts. Craig drehte das Steuerrad in Richtung Straße. Wenn er es bis zur Zufahrt schaffte, konnte er mit Sophie fliehen und Hilfe holen.

Daisy musste sich etwas Ähnliches gedacht haben, denn sie fummelte in ihrer Jackentasche herum und zog eine Pistole heraus.

»Runter mit dir!«, schrie Craig Sophie zu. »Die schießt gleich!«

Als Daisy die Waffe hob, trat er aufs Gaspedal und drehte gleichzeitig am Lenkrad. Nichts wie weg, nichts wie weg … Das war alles, was er noch denken konnte.

Der Wagen fing erneut an zu schlittern und rutschte über den eisigen Beton. Trotz seiner Panik hatte Craig ein Gefühl des Déjà-vu: Erst gestern war er an derselben Stelle mit demselben Wagen ins Schleudern geraten – und doch schien es schon eine Ewigkeit her zu sein. Wieder kämpfte er darum, die Herrschaft über den Wagen zu behalten, aber nachdem es die ganze Nacht über geschneit und gefroren hatte, war der vereiste Boden glatter denn je.

Er versuchte es mit Gegensteuern, und einen Moment lang griffen die Reifen erneut, doch dann überzog er, und der Wagen schlitterte in die entgegengesetzte Richtung und beschrieb einen Halbkreis. Sophie wurde von einer Seite auf die andere geschleudert. Craig rechnete jeden Moment mit einem ohrenbetäubenden Schuss, doch bis jetzt war er ausgeblieben. Das einzig Gute an der Sache ist, sagte Craig eine Stimme in seinem Kopf, dass diese Daisy auf ein Auto, das derart unkontrolliert gefahren wird, nicht richtig zielen kann.

Sie hatten unheimliches Glück: Der Wagen blieb schließlich mitten auf der Auffahrt stehen, und die Front zeigte genau in die richtige Richtung, also vom Haus weg und zur Straße hin. Und die Straße vor ihnen war offenkundig vom Schneepflug geräumt worden. Craig hatte freie Fahrt in die Freiheit.

Er drückte aufs Gaspedal, doch nichts passierte. Der Motor war ausgegangen.

Aus dem Augenwinkel sah er, wie Daisy die Pistole hob und sorgfältig auf ihn zielte.

Er drehte den Schlüssel im Lenkradschloss, und der Wagen machte einen Satz nach vorn: Craig hatte vergessen, den Gang herauszunehmen. Dieser Fehler rettete ihm das Leben, denn im gleichen Moment fiel der Schuss. Der Knall wurde nur unwesentlich gedämpft vom alles bedeckenden Schnee. Das Seitenfenster zerbarst, und Sophie kreischte auf.

Craig schaltete in den Leerlauf und drehte erneut den Schlüssel. Das heisere Gebrüll des Motors dröhnte in seinen Ohren. Als er die Kupplung trat und in den ersten Gang schaltete, sah er, dass Daisy ihn schon wieder im Visier hatte. Der Wagen fuhr an, und Craig duckte sich unwillkürlich – und hatte ein weiteres Mal Glück, denn diesmal zerschlug die Kugel das Fenster auf seiner Seite und gleich darauf sogar die Windschutzscheibe. Dort hinterließ sie ein kleines rundes Loch und drum herum ein undurchsichtiges Gewirr von großen und kleinen Rissen, das sich in Sekundenbruchteilen über die gesamte Scheibe ausbreitete. Nun konnte Craig nur noch verschwommene Silhouetten aus Dunkel und Hell erkennen. Trotzdem behielt er den Fuß auf dem Gaspedal und hielt sich, so gut er konnte, auf dem Fahrweg, denn er wusste, wenn er Daisy und ihrer Pistole nicht entkam, war er so gut wie tot. Neben ihm auf dem Beifahrersitz hatte sich Sophie zu einer Kugel zusammengerollt und bedeckte ihren Kopf mit den Händen.

Im Rückspiegel sah Craig, dass Daisy hinter dem Ferrari herrannte. Ein weiterer Schuss knallte. Das Telefon sagte: »Stanley, hier Toni. Schlechte Nachrichten – ein Einbruch im Labor. Rufen Sie mich bitte so bald wie möglich auf meinem Handy zurück.«

Craig nahm an, dass die Gangster, die Steepfall überfallen hatten, irgendetwas mit dem Einbruch zu tun haben mussten, aber er hatte keine Zeit, weiter darüber nachzudenken. Durch das zertrümmerte Seitenfenster glaubte er noch etwas sehen zu können und versuchte so, den Wagen zu steuern. Aber das erwies sich als Fehler: Schon nach wenigen Sekunden kam der Wagen von der geräumten Piste ab und wurde so scharf abgebremst, dass es Craig unwillkürlich nach vorn riss. Die Silhouette eines Baumes tauchte vor dem Labyrinth der Windschutzscheibe auf. Craig trat die Bremse bis zum Anschlag durch, doch es war schon zu spät. Mit einem entsetzlichen Krachen fuhr der Ferrari gegen den Baum.

Craig wurde nach vorn geschleudert. Sein Kopf flog in die Scheibe und schlug dabei Scherben hinaus, die ihm die Haut an der Stirn zerschnitten. Mit der Brust prallte er gegen das Steuerrad. Sophie wurde gegen das Armaturenbrett geschleudert und landete mit dem Hinterteil auf dem Boden und den Füßen auf dem Sitz, doch als er sie fluchen hörte und sah, wie sie sich wieder aufzurappeln versuchte, war ihm klar, dass ihr nichts Ernsthaftes passiert sein konnte.

Wieder war der Motor ausgegangen.

Craig warf einen Blick in den Rückspiegel. Daisy war vielleicht noch zehn Meter hinter ihnen. Sie stapfte durch den Schnee und kam, die Pistole in der Hand, Schritt für Schritt näher. Craig erkannte instinktiv, dass sie nur eines im Sinn hatte: Sie wollte Sophie und ihn töten und kam nur deshalb näher, um keinen weiteren Fehlschuss zu riskieren.

Ihm blieb nur eine einzige Chance: Er musste sie selber töten.

Wieder drehte er den Zündschlüssel, und der Ferrari sprang an. Daisy war jetzt nur noch fünf Meter entfernt und stand direkt hinter dem Wagen. Sie hob den Arm mit der Pistole. Craig schaltete in den Rückwärtsgang und schloss die Augen.

Im selben Moment, als er die Kupplung losließ und aufs Gaspedal trat, hörte er einen Knall. Die Heckscheibe zerbarst. Der Wagen schoss zurück. Es gab einen schweren Schlag, als hätte jemand einen Sack Kartoffeln auf den Kofferraumdeckel fallen lassen.

Craig nahm den Fuß vom Gas, und der Wagen rollte aus. Wo war

Daisy? Er stieß zerbrochenes Glas aus der Windschutzscheibe und entdeckte sie. Daisy war durch den Zusammenprall zur Seite geschleudert worden und lag auf dem Boden, ein Bein stand in einem merkwürdigen Winkel ab. Craig starrte sie an, entsetzt über seine Tat.

Da bewegte sie sich.

»O nein!«, schrie er. »Warum verreckst du nicht endlich?«

Daisy streckte den rechten Arm aus und hob ihre Waffe auf, die unweit von ihr im Schnee lag.

Craig legte den ersten Gang ein.

Das Autotelefon sagte: »Wenn Sie diese Nachricht löschen wollen, drücken Sie die Drei.«

Daisy sah Craig in die Augen und zielte mit der Pistole auf ihn.

Er ließ die Kupplung los und trat das Gaspedal bis zum Anschlag durch.

Der Schuss übertönte das Brüllen des Ferrarimotors. Craig ließ seinen Fuß dort, wo er war: auf dem Gaspedal. Daisy versuchte, sich aus der Gefahrenzone zu schleppen, aber Craig schlug leicht ein und steuerte mit voller Absicht direkt auf sie zu. Im Sekundenbruchteil vor dem Aufprall sah er ihr Gesicht: den zu einem unhörbaren Schrei aufgerissenen Mund, das blanke Entsetzen in ihrer Miene. Ein hässlicher, dumpfer Schlag folgte, und Daisy verschwand unter der geschwungenen Kühlerpartie. Der tief liegende Rahmen schrammte über ein klumpiges Hindernis. Erst jetzt sah Craig, dass er erneut auf den Baum zufuhr, den er schon einmal gerammt hatte. Er bremste zu spät – schon krachte es wieder, und der Wagen saß fest.

Das Autotelefon, das ihm gerade erzählt hatte, wie man Nachrichten aufzeichnet, brach mitten im Satz ab. Craig versuchte, den Motor wieder zu starten, aber diesmal rührte er sich nicht. Der Anlasser klickte nicht einmal. Die Anzeigen am Armaturenbrett zeigten nichts mehr an, sie waren nicht einmal mehr erleuchtet. Die Elektronik hatte endgültig ihren Geist aufgegeben – kein Wunder nach dieser Behandlung, dachte Craig.

Aber das hieß auch, dass das Telefon nicht mehr funktionierte.

Und wo war Daisy?

Er stieg aus.

Auf der Piste hinter ihm lag ein Klumpen aus zerfetztem schwarzem Leder, weißem Fleisch und schimmerndem rotem Blut.

Sie rührte sich nicht.

Sophie stieg aus und stellte sich neben Craig. »O Gott, ist sie das?«

Craig nickte nur. Ihm war so übel, dass er kein Wort hervorbrachte.

Sophie flüsterte: »Glaubst du, sie ist tot?«

Craig nickte noch einmal, dann überwältigte ihn die Übelkeit. Er drehte sich zur Seite und übergab sich in den Schnee.

Kit hatte das entsetzliche Gefühl, dass allmählich alles aus dem Ruder lief.

Im Grunde hätte es einem erfahrenen Gangstertrio wie Nigel, Elton und Daisy ein Leichtes sein müssen, die verstreuten Reste einer gesetzestreuen Familie rasch zusammenzutreiben. Doch nun ging offenbar alles schief: Erst hatte sich der kleine Tom zu einer selbstmörderischen Attacke gegen Daisy aufgeschwungen, und dann war Ned in die Bresche gesprungen und hatte zur Verblüffung aller Tom vor Daisys Rache geschützt. Zu allem Übel war in dem Durcheinander auch noch Sophie entkommen, und von Toni Gallo war weit und breit nichts zu sehen.

Elton brachte Ned und Tom mit vorgehaltener Pistole in die Küche. Ned blutete aus mehreren Wunden im Gesicht, und auch Tom hatte Prellungen und weinte, aber sie gingen aufrecht und schwankten nicht. Ned hielt Tom an der Hand.

Wer läuft jetzt noch frei herum, dachte Kit und zählte nach: Sophie ist weggelaufen – und wo sie sich aufhält, wird Craig nicht weit sein. Caroline? Die liegt vermutlich noch immer in der Scheune und pennt. Und dann natürlich Toni Gallo... Vier Personen, darunter drei Kinder – die müssten doch rasch einzufangen sein... Oder?

Kit war nervös. Die Zeit läuft uns davon, dachte er – uns bleiben nicht einmal mehr zwei Stunden, um diese Viren zum Flugfeld zu bringen. Der Kunde wartet bestimmt nicht ewig auf uns. Sobald ihm etwas merkwürdig vorkommt, rechnet er mit einer Falle und haut sofort ab...

Elton knallte Mirandas Handy auf den Küchentisch. »War in einer Handtasche im Gästehaus«, sagte er. »Der Kerl scheint keins zu haben.« Das Telefon landete knapp neben dem Parfümzerstäuber. Kit sehnte den Moment herbei, da die Flasche auf Nimmerwiedersehen an den Kunden übergeben wurde und er selber sein Geld erhielt.

Wieder verfiel er ins Grübeln: Hoffentlich sind die Hauptstraßen bis heute Abend schneefrei... Er hatte vor, nach London zu fahren und sich in einem kleinen Hotel einzumieten – gegen Barzahlung natürlich. Ein, zwei Wochen lang wollte er von der Bildfläche verschwinden und dann mit fünfzigtausend Pfund in der Tasche in den Zug nach Paris steigen. Von der französischen Hauptstadt aus würde er dann gemütlich durch Europa gondeln und immer nur kleinere Geldbeträge einwechseln, ganz nach Bedarf. Am Ende seiner Reise plante er, sich in Lucca niederzulassen.

Voraussetzung dafür war allerdings, dass hier auf Steepfall nichts mehr schief ging: Alle Anwesenden mussten vorübergehend aus dem Verkehr gezogen werden, um die Fahnder auf Distanz zu halten – und ausgerechnet dies erwies sich absurderweise als äußerst problematisch.

Elton zwang Ned dazu, sich auf den Boden zu legen, und fesselte ihn. Ned fügte sich widerstandslos, blieb aber hellwach und aufmerksam. Nigel fesselte den immer noch schniefenden Tom. Als Elton die Tür zur Speisekammer öffnete, um die beiden hineinzuschieben, stellte Kit mit Erstaunen fest, dass sich die Gefangenen von ihren Knebeln befreit hatten.

Olga war die Erste, die sich zu Wort meldete: »Bitte, lasst Hugo hier raus«, sagte sie. »Er ist schwer verletzt und völlig unterkühlt. Ich fürchte, er überlebt das nicht. Es reicht ja schon, wenn er in der Küche auf dem Boden liegen kann, da ist es warm.«

Kit schüttelte verdutzt den Kopf. Er konnte Olgas Loyalität zu ihrem untreuen Ehemann schlichtweg nicht begreifen.

»Er hätte mich eben nicht ins Gesicht schlagen sollen«, sagte Nigel.

Elton quetschte Ned und Tom in die Speisekammer zu den anderen.

»Bitte, ich flehe Sie an!«, sagte Olga.

Elton schloss die Tür.

Kit verdrängte Hugo aus seinen Gedanken. »Wir müssen unbedingt Toni Gallo finden. Wenn jemand uns gefährlich werden kann, dann sie.«

»Wo versteckt sie sich – was glaubst du?«

»Hier im Haus ist sie nicht und im Gästehaus auch nicht, denn das hat Elton gerade durchsucht. Die Garage kommt auch nicht in Frage, weil Daisy sich dort umgesehen hat. Das heißt unter dem Strich, Toni ist entweder draußen, wo sie ohne ihren Mantel nicht lange überleben wird, oder sie ist in der Scheune.«

»Alles klar«, sagte Elton. »Ich sehe in der Scheune nach.«

Toni stand in der Scheune am Fenster und sah hinaus.

Mittlerweile hatte sie drei der vier Personen identifiziert, die den Einbruch im Kreml auf dem Gewissen hatten. Die erste war natürlich Kit, der vermutlich den Coup geplant und den anderen verraten hatte, wie sie die Sicherheitsvorkehrungen ausschalten oder umgehen konnten. Dann war da diese Frau, die Kit »Daisy« genannt hatte – vermutlich ein mit Galgenhumor gewählter Spitzname für ein weibliches Wesen, dessen Äußeres selbst Vampire das Gruseln lehren musste. Eben diese Daisy hatte vor ein paar Minuten, in dem Tumult auf dem Hof, den jungen Schwarzen mit »Elton« angesprochen, was ebenso gut ein Vor- wie ein Nachname sein konnte. Den Vierten im Bunde hatte Toni noch nicht zu Gesicht bekommen, doch sie wusste, dass er Nigel hieß, denn Kit hatte im Flur nach ihm gerufen.

In Toni selbst lagen Angst und eine Art gespannter Erregung im Widerstreit. Angst hatte sie, weil sie wusste, dass sie es mit Profis zu tun hatte, die sie, wenn sie es für notwendig hielten, ohne Bedenken töten würden und die obendrein im Besitz der tödlichen Viren waren. Die Spannung rührte daher, dass sie selber auch ganz gut austeilen konnte und durchaus eine Chance sah, die Bande außer Gefecht zu setzen und sich damit zu rehabilitieren.

Die Frage war nur: *Wie* sollte sie das schaffen? Am besten war es nach wie vor, Hilfe zu holen, aber sie hatte weder ein Telefon noch ein Auto zur Verfügung. Der Hausanschluss des Telefons war gekappt worden, vermutlich von den Gangstern, und sicher hatten sie auch alle

Handys an sich genommen, deren sie habhaft werden konnten. Wie sah es mit den Autos aus? Vor dem Haus parkten zwei, und in der Garage musste mindestens noch ein weiteres stehen. Aber Toni hatte keine Ahnung, wo sich die jeweiligen Schlüssel dazu befanden.

Das hieß, dass sie die Diebe auf eigene Faust unschädlich machen musste.

Die Szene im Hof, die sie beobachtet hatte, fiel ihr wieder ein. Es war offenbar Daisys und Eltons Aufgabe, die diversen Familienmitglieder einzusammeln. Doch sexy Sophie war ihnen entwischt, und Daisy versuchte, sie wieder einzufangen. Kurz darauf hatte sie beunruhigende Geräusche gehört – einen Automotor, das Bersten von Glas, Schüsse. Sie kamen offenbar von jenseits der Garage, doch Toni konnte nicht sehen, was vor sich ging, und nachforschen wollte sie nicht, weil sie dazu ihr Versteck hätte verlassen müssen. Wenn sie selbst gefangen würde, war alle Hoffnung umsonst.

Sie fragte sich, ob außer ihr und Sophie sonst noch jemand auf freiem Fuße war. Die Bande stand unter Zeitdruck und musste bald aufbrechen, denn es gab ja dieses Treffen um zehn Uhr. Doch bevor sie türmte, musste sie die ganze Familie unter Kontrolle haben, damit niemand die Polizei rufen konnte.

Vielleicht gerieten die Gangster ja in Panik und machten Fehler – Toni hoffte es jedenfalls inständig, denn ihre eigenen Karten sahen verdammt schlecht aus. Sie konnte es nicht mit vier gewaltbereiten Personen gleichzeitig aufnehmen, umso weniger, als drei von ihnen bewaffnet waren. Es handelte sich laut Steve um dreizehnschüssige automatische Pistolen vom Typ Browning. Ich habe nur dann eine Chance, dachte Toni, wenn ich die Typen einen nach dem anderen ausschalten kann.

Wo sollte sie anfangen? Irgendwann würde ihr nichts anderes übrig bleiben, als ins Hauptgebäude zu gehen. Es war einem glücklichen Zufall zu verdanken, dass sie wenigstens die Raumaufteilung kannte: Erst gestern hatte Stanley sie durchs Haus geführt. Aber welcher von den Gangstern sich wo aufhielt, wusste sie nicht, und es auf gut Glück zu probieren war ihr zu riskant. Vorher brauchte sie unbedingt noch mehr Informationen.

Fieberhaft suchte sie nach einem Ausweg, als ihr die Initiative plötzlich aus der Hand genommen wurde. Elton verließ das Haus, überquerte den Hof und kam direkt auf die Scheune zu.

Er war jünger als Toni, vermutlich um die fünfundzwanzig Jahre alt, ein großer, durchtrainierter Mann, wie es aussah. In der rechten Hand hielt er eine Pistole, den Lauf nach unten gerichtet. Dass Toni im Nahkampf ausgebildet war, hinderte sie nicht an der Erkenntnis, dass Elton auch ohne die Pistole ein formidabler Gegner wäre. Mit ihm in den Clinch zu geraten, wollte sie nach Möglichkeit vermeiden.

Die Angst gewann die Oberhand, und sie sah sich in der Scheune um. Es gab weit und breit kein Versteck, das sich angeboten hätte. Aber was hätte es auch gebracht?

Ich muss mich der Bande so oder so stellen, dachte sie, je früher, desto besser. Der Bursche da sucht mich, und er kommt allein, weil er sich anscheinend einbildet, allein mit mir fertig zu werden, zumal ich ja bloß eine Frau bin. Vielleicht ist genau das sein entscheidender Fehler ...

Aber ich habe keine Waffe.

Ihr blieben noch wenige Sekunden, sich nach einer umzusehen. Eilig überflog sie die Gegenstände in ihrer Reichweite. Ein Billardqueue? Nein, viel zu leicht. Ein Schlag damit konnte zwar höllisch wehtun, aber niederstrecken konnte man einen Mann damit nicht, geschweige denn bewusstlos schlagen.

Billardkugeln waren da schon viel gefährlicher: schwer, solide und hart. Toni steckte zwei davon in ihre Jeanstaschen.

Wenn ich nur eine Pistole hätte, dachte sie und warf einen Blick zum Heuboden hinauf. Höhe war immer ein Vorteil. Sie hastete die Leiter hinauf. Caroline schlief noch immer ganz fest. Auf dem Boden zwischen den beiden Betten stand ein offener Koffer, und oben auf den Kleidern lag ein Einkaufsbeutel aus Plastik. Neben dem Koffer stand der Käfig mit den weißen Ratten.

Die Scheunentür wurde geöffnet, und Toni ließ sich flach auf den Boden fallen. Sie hörte ein undefinierbares Geräusch, dann gingen die Lampen an. Aus ihrer Bauchlage heraus konnte Toni nicht nach unten sehen und wusste daher auch nicht genau, wo sich Elton aufhielt.

Andererseits konnte Elton sie genauso wenig sehen, und Toni hatte immerhin den Vorteil der Gewissheit, dass er da war.

Ihr Herz klopfte so laut, dass sie seine Schritte unten kaum hören konnte. Wieder ein merkwürdiges Geräusch. Was kann das sein, dachte sie, dann fiel es ihr ein: Elton drehte die Feldbetten um, weil er wissen wollte, ob sich darunter eines der Kinder verbarg. Dann klappte die Tür zum Badezimmer auf, doch auch dort war niemand – das wusste Toni, denn sie hatte es bereits überprüft.

Nun blieb nur noch der Heuboden. Jede Sekunde war damit zu rechnen, dass Elton die Leiter hochkam. Was sollte sie tun?

Das unangenehme Quieken der Ratten drang an ihr Ohr, und plötzlich hatte sie eine Idee. Noch immer auf dem Bauch liegend, nahm sie den Plastikbeutel aus dem offenen Koffer und leerte ihn aus. Es war nur ein in Weihnachtspapier gewickeltes Päckchen darin, und auf dem Geschenkanhänger stand: »Fröhliche Weihnachten, lieber Daddy! Alles Gute von Sophie«. Toni ließ es in den Koffer fallen und öffnete die Tür des Rattenkäfigs.

Vorsichtig nahm sie eine Ratte nach der anderen heraus und steckte sie in den Plastikbeutel. Es waren insgesamt fünf Tiere.

Ein ominöses Vibrieren des Fußbodens verriet ihr, dass Elton die Leiter hinaufstieg.

Jetzt oder nie! Sie streckte beide Arme aus und leerte den Beutel mit den Ratten über der Leiter aus.

Elton brüllte vor Schreck und Entsetzen auf, als die fünf Ratten ihm auf den Kopf fielen.

Der Lärm weckte Caroline. Sie kreischte und setzte sich in ihrem Bett auf.

Von unten kam ein Krachen – Elton hatte den Halt auf der Leiter verloren und war hinuntergefallen.

Toni sprang auf und sah hinab. Elton war auf dem Rücken gelandet. Er war offenbar nicht verletzt, zumindest nicht schwer, aber er schrie in panischer Angst und versuchte, hektisch fuchtelnd, die Ratten von seinem Körper zu vertreiben. Die Tiere hatten aber genauso viel Angst wie er und versuchten verzweifelt, sich irgendwo an seiner Kleidung festzuklammern.

Eltons Pistole konnte Toni nirgendwo entdecken.

Sie zögerte nur den Bruchteil einer Sekunde, dann sprang sie.

Sie landete mit beiden Füßen auf Eltons Brust. Er stieß ein verzweifeltes Stöhnen aus, als ihm die Luft genommen wurde. Toni machte eine Rolle vorwärts wie ein Bodenturner. Dennoch taten ihr durch den Aufprall die Beine weh.

Von oben hörte sie einen Schrei: »Meine Babys!« Caroline stand in einem lavendelfarbenen Schlafanzug mit gelben Teddybären oben an der Leiter. Toni war sich ziemlich sicher, bei ihrer Landung ein oder zwei von Carolines Lieblingen zerquetscht zu haben, doch die Ratten wuselten herum und erfreuten sich anscheinend bester Gesundheit.

Verzweifelt darum bemüht, die Oberhand zu behalten, rappelte Toni sich auf. Ein stechender Schmerz fuhr ihr durch den Knöchel, aber sie ignorierte ihn.

Wo war die Pistole? Elton musste sie bei seinem Sturz von der Leiter verloren haben.

Und er war zwar verletzt, konnte sich vermutlich aber noch bewegen. Toni griff in die Tasche ihrer Jeans nach einer Billardkugel, doch als sie diese herauszuziehen versuchte, rutschten ihre Finger ab. Einen Moment lang überfiel sie pure Panik, das Gefühl, ihr Körper gehorche ihrem Gehirn nicht mehr, und sie sah sich schon in einem Zustand vollkommener Hilflosigkeit. Dann probierte sie es mit beiden Händen, schob mit der einen von außen und griff mit der anderen nach der Kugel, als diese endlich aus der Hosentasche rutschte.

Es war nur eine kurze Verzögerung, doch sie genügte, um Elton wieder zu sich kommen zu lassen. Als Toni die Rechte hob, um ihn mit der Kugel bewusstlos zu schlagen, rollte er zur Seite, sodass sie in letzter Sekunde umdisponieren musste. Anstatt zuzuschlagen, warf sie die Kugel auf ihren Gegner.

Aber hinter dem Wurf steckte keine Kraft. In irgendeinem Winkel ihres Gehirns hörte sie Frank, ihren Exfreund, verächtlich kommentieren: »Du kannst ja nicht einmal dann ordentlich werfen, wenn dein Leben davon abhängt...« Jetzt hing ihr Leben tatsächlich davon ab – und Frank hatte Recht, der Wurf war zu schwach. Zwar hatte die

Kugel mit einem hörbaren Aufprall ihr Ziel erreicht, und Elton heulte vor Schmerzen auf – aber er brach eben nicht bewusstlos zusammen. Vielmehr zog er sich auf die Knie, hielt sich den angeschlagenen Kopf und kam schließlich auf die Füße.

Toni zog die zweite Kugel aus der Hosentasche.

Elton stand schwankend da. Halb benommen sah er sich um und suchte auf dem Boden nach seiner Pistole.

Caroline war die Leiter zur Hälfte heruntergeklettert und sprang nun auf den Boden. Sie bückte sich und packte eine ihrer Ratten, die sich hinter einem Bein des Billardtisches versteckte. Als sie sich umdrehte, um eine weitere Ratte aufzuheben, stieß sie mit Elton zusammen. Der hielt sie fälschlicherweise für seine Gegnerin und schlug nach ihr. Der kraftvolle Hieb traf das Mädchen seitlich am Kopf und warf es zu Boden. Aber Elton hatte sich bei der Aktion selbst wehgetan, denn Toni sah, wie er vor Schmerz das Gesicht verzog und die Arme um seine Brust schlang. Wahrscheinlich habe ich ihm bei meinem Sprung ein paar Rippen gebrochen, dachte sie.

Als Caroline sich nach ihrer Ratte unter dem Billardtisch bückte, hatte Toni im Augenwinkel etwas aufblitzen sehen. Jetzt sah sie genauer hin und erblickte die Pistole, deren stumpfes Grau sich vom dunklen Holz des Fußbodens abhob.

Elton entdeckte die Waffe zur gleichen Zeit. Er fiel auf die Knie.

Toni umklammerte die Billardkugel in ihrer Hand.

Als Elton unter den Tisch langte, holte sie weit aus und schlug die Kugel mit aller Kraft auf seinen Hinterkopf. Elton sackte bewusstlos zusammen.

Toni ging in die Knie. Sie war physisch ebenso fertig wie psychisch und schloss unwillkürlich die Augen. Doch für eine längere Pause reichte die Zeit nicht – es gab noch viel für sie zu tun. Als Erstes nahm sie die Pistole an sich. Steve hatte Recht gehabt – es war eine Browning-Automatik von der Art, wie sie die Spezialeinheiten der britischen Armee bei verdeckten Einsätzen benutzten. Der Sicherheitshebel befand sich auf der linken Seite hinter dem Griff. Toni sicherte die Pistole und stopfte sie sich in den Hosenbund.

Toni zog den Stecker des Fernsehers aus der Dose, riss das Kabel am anderen Ende aus dem Gehäuse des Apparats und fesselte Elton damit die Hände auf dem Rücken.

Dann durchsuchte sie ihn in der Hoffnung, ein Handy bei ihm zu finden. Ihre Enttäuschung war furchtbar, als sie feststellen musste, dass er keines bei sich trug.

Craig brauchte lange, bis er den Mut aufbrachte, die reglose Gestalt noch einmal anzusehen.

Beim Anblick von Daisys übel zugerichtetem Körper war ihm zuvor so schlecht geworden, dass er sich hatte übergeben müssen. Als er sich leer gekotzt hatte, putzte er sich den Mund mit ein paar Händen voll Schnee aus. Dann kam Sophie zu ihm und legte ihm die Arme um die Taille, und er umarmte sie, ganz bewusst mit dem Rücken zu Daisy. So hatten sie da gestanden, bis es Craig wieder besser ging und er das Gefühl hatte, dem Anblick dessen, was er angerichtet hatte, gewachsen zu sein.

»Und was tun wir jetzt?«, fragte Sophie.

Craig schluckte. Es war ja noch nicht vorbei. Diese Daisy war nur eine von dreien – und hinzu kam auch noch Onkel Kit. »Am besten nehmen wir ihre Pistole mit«, sagte er.

Sophies Miene verriet ihm, wie wenig sie davon hielt. »Weißt du, wie man damit umgeht?«, fragte sie.

»Das kann ja nicht so schwierig sein, oder?«

Sophie war alles andere als begeistert, aber sie sagte nur: »Wie du meinst.«

Nach kurzem Zögern nahm Craig sie bei der Hand und ging mit ihr gemeinsam zu der Leiche.

Daisy lag mit dem Gesicht nach unten, die Arme unter ihrem Körper. Obwohl sie versucht hatte, ihn zu erschießen, nahm Craig der Anblick ihres brutal zugerichteten Körpers furchtbar mit. Am schlimmsten hatte es ihre Beine getroffen. Ihre lederne Hose war völlig zerfetzt.

Das rechte Bein war in einem unnatürlichen Winkel abgespreizt, das andere war aufgerissen und blutverschmiert. Die Lederjacke schien Arme und Oberkörper geschützt zu haben, doch der kahl rasierte Schädel war über und über mit Blut bedeckt. Das Gesicht lag im Schnee vergraben und war nicht zu sehen.

Etwa vier Schritt vor der Toten blieben sie stehen. »Ich kann die Pistole nirgends sehen«, sagte Craig. »Wahrscheinlich liegt sie unter ihr.«

Sie traten näher. »Ich habe noch nie eine Leiche gesehen«, sagte Sophie.

»Ich hab Oma Marta gesehen, als sie aufgebahrt war.«

»Ich möchte ihr Gesicht sehen.« Sophie ließ Craigs Hand los, kniete sich auf den Boden und streckte die Hand nach dem blutbefleckten Körper aus.

Da hob Daisy unerwartet und schnell wie eine Schlange den Kopf, packte Sophie am Handgelenk und zog ihren rechten Arm unter ihrem Körper hervor. In der Hand hielt sie die Pistole.

Sophie schrie vor Entsetzen auf.

Craig fühlte sich wie vom Blitz getroffen. »Hilfe!«, brüllte er und fuhr ein, zwei Schritte zurück.

Daisy rammte die Mündung der kleinen grauen Pistole in Sophies Hals. »Hier geblieben, Bürschchen!«, schrie sie.

Craig blieb wie angewurzelt stehen.

Daisy sah aus, als trüge sie eine Mütze aus Blut. Eines ihrer Ohren war beinahe gänzlich abgerissen und baumelte an einem schmalen Streifen Haut, was ziemlich grotesk aussah. Doch ihr Gesicht war völlig unversehrt, wenn auch von blankem Hass verzerrt. »Für das, was du mir angetan hast, sollte ich ihr in den Bauch schießen und dich zusehen lassen, wie sie vor Schmerzen brüllt und langsam verblutet!«

Craig zitterte vor Entsetzen am ganzen Leib.

»Aber ich brauche deine Hilfe«, fuhr Daisy fort. »Wenn du willst, dass deine kleine Freundin am Leben bleibt, dann tust du jetzt genau, was ich dir sage, und zwar auf der Stelle. Einmal gezögert, und sie ist tot.«

Craig spürte, dass sie es bitterernst meinte.

»Komm her!«, befahl Daisy.

Ihm blieb keine Wahl. Er trat näher.

»Auf die Knie!«

Craig kniete sich neben sie in den Schnee.

Daisys hasserfüllter Blick richtete sich auf Sophie: »Jetzt lass ich gleich deinen Arm los, du kleine Nutte, aber wenn du versuchst abzuhauen, knall ich dich ab, und zwar mit Vergnügen.« Sie gab Sophies Arm frei, drückte ihr die Pistole jedoch weiterhin fest gegen den Hals. Dann legte sie ihren linken Arm um Craigs Schultern. »Halt mein Handgelenk, Bürschchen!«, befahl sie.

Craig packte Daisys Handgelenk, das über seine Schulter baumelte.

»Jetzt du, Kleine. Unter meinen rechten Arm.«

Sophie veränderte ihre Position langsam, und Daisy legte ihr den rechten Arm über die Schultern. Dabei schaffte sie es irgendwie, Sophies Kopf ununterbrochen mit der Pistole zu bedrohen.

»So, jetzt hebt mich hoch und tragt mich zum Haus! Aber vorsichtig! Ich glaube, mein rechtes Bein ist gebrochen. Wenn ihr mich zu sehr durchrüttelt, dann könnte mir das wehtun. Und wenn ich zusammenzucke, löst sich vielleicht versehentlich ein Schuss ... Also seid vorsichtig. Und jetzt hoch.«

Craig verstärkte seinen Griff um Daisys Handgelenk und erhob sich langsam aus seiner knienden Position. Damit die Last für Sophie leichter wurde, legte er seinen rechten Arm um Daisys Taille und trug auf diese Weise den Großteil ihres Gewichts. Langsam richteten sie sich auf.

Daisy keuchte vor Schmerzen, und ihr Gesicht war ebenso weiß wie der Schnee um sie herum, doch als Craig einen Blick zur Seite riskierte, merkte er, dass sie ihn genauestens im Auge behielt.

Kaum standen sie alle aufrecht da, befahl Daisy: »Vorwärts! Aber schön langsam!«

Sie setzten sich vorsichtig in Marsch. Daisys Beine schleiften über den Schnee.

»Ich wette, ihr zwei habt euch die ganze Nacht irgendwo versteckt«, sagte Daisy. »Was habt ihr denn getrieben, he?«

Craig gab keine Antwort. Es war ihm unbegreiflich, dass sie in ihrem Zustand noch genügend Luft und Bosheit übrig hatte, ihn und Sophie zu beschimpfen.

»Na, los, raus mit der Sprache, Bürschchen!«, höhnte sie. »Ich wette, du hast ihr den Finger in die kleine Möse geschoben, du dreckiges kleines Schwein.«

Craig fühlte sich bei diesen Worten tatsächlich schmutzig: Daisy zog das wunderbare, unbelastete Erlebnis mit Sophie in den Dreck und verdarb ihm eine herrliche Erinnerung. Sein Hass auf Daisy stieg ins Unermessliche, und er hätte sie am liebsten in den Schnee fallen und liegen lassen – aber das ging nicht, denn sie hätte mit Sicherheit sofort abgedrückt.

»Moment!«, herrschte Daisy sie an. »Halt!« Sie blieben stehen, und sie verlagerte ihr Gewicht teilweise auf ihr linkes Bein, das nicht verletzt war.

Craig betrachtete ihr schreckliches Gesicht. Die schwarz umrandeten Augen waren vor Schmerz geschlossen: »Wir machen eine Minute Pause, dann geht's weiter.«

Toni trat aus der Scheune, wohl wissend, dass man sie nun sehen konnte. Ihrer Berechnung nach befanden sich jetzt noch zwei Bandenmitglieder im Hauptgebäude – Nigel und Kit, und es war gut möglich, dass zumindest einer der beiden gerade aus dem Fenster sah. Aber es blieb ihr nichts anderes übrig – sie musste das Risiko auf sich nehmen. So schnell, wie es ihr möglich war, kämpfte sie sich durch den tiefen Schnee zum Gästehaus durch, jeden Augenblick damit rechnend, dass ein Schuss fallen konnte, der ihr Leben beenden würde. Aber sie erreichte ihr Ziel ohne Zwischenfall, huschte um die Ecke und war endlich wieder aus der Gefahrenzone heraus.

Toni hatte Caroline in der Scheune zurückgelassen. Das Mädchen lief heulend hin und her und suchte ihre in alle Winde zerstreuten Kuschelratten zusammen, während Elton gefesselt, geknebelt und mit verbundenen Augen unter dem Billardtisch lag. Toni wollte verhindern, dass er, wenn er wieder zu sich kam, die etwas begriffsstutzige Caroline beschwatzte, ihn loszubinden.

Toni umrundete das Gästehaus und näherte sich dem Hauptgebäude von der Seite. Die Hintertür stand offen, aber Toni ging nicht sofort hinein, sondern schlich an der Rückwand des Hauses entlang und riskierte einen Blick durchs erste Fenster.

Es war die Speisekammer. Auf engstem Raum waren dort sechs Personen zusammengepfercht. Sie waren an Händen und Füßen gefesselt, standen aber aufrecht: Olga und ihr Mann – Hugo hatte offenbar nichts an –, Miranda und ihr Sohn Tom sowie Ned und Stanley Oxenford. Als sie Stanley erblickte, überkam sie ein großes Glücksgefühl, und sie machte sich klar, dass sie die ganze Zeit über unterbewusst gefürchtet hatte, er könne tot sein. Sie hielt den Atem an, als sie sein blutverschmiertes, von Schlägen entstelltes Gesicht sah. Just in diesem Moment erblickte er sie, und seine Augen weiteten sich vor Freude und Überraschung. Mit Erleichterung stellte Toni fest, dass Stanleys Verletzungen nicht allzu schwer zu sein schienen. Als er den Mund öffnete und offenkundig etwas sagen wollte, legte sie rasch einen Finger an die Lippen. Stanley klappte seinen Mund wieder zu und nickte zum Zeichen, dass er verstanden hatte.

Toni huschte zum nächsten Fenster und blickte in die Küche. Dort saßen zwei Männer mit dem Rücken zum Fenster. Einer davon war Kit, bei dessen Anblick Toni unendliches Mitleid mit Stanley empfand. Es musste schrecklich für ihn sein, dass der eigene Sohn imstande war, seiner Familie Derartiges anzutun. Der zweite Mann trug einen pinkfarbenen Pullover und war offenbar derjenige, den Kit Nigel genannt hatte. Beide sahen gerade die Nachrichten in einem kleinen Fernsehgerät. Auf dem Bildschirm war ein Schneepflug zu sehen, der im frühen Morgenlicht eine Schnellstraße räumte.

Toni kaute nachdenklich auf ihrer Lippe herum. Sie hatte zwar inzwischen eine Pistole, doch selbst damit konnte es schwierig sein, die beiden Männer in Schach zu halten. Aber ihr blieb keine andere Wahl.

Sie zögerte noch, als Kit aufstand. Schnell duckte sie sich unter den Fenstersims, damit er sie nicht sehen konnte.

»Das war's«, sagte Nigel. »Sie räumen jetzt die Straßen. Wir müssen los.«

»Diese Toni Gallo macht mir Sorgen«, wandte Kit ein.

»Was hilft's? Wenn wir noch länger warten, verpassen wir unseren Kunden.«

Kit warf einen Blick auf seine Armbanduhr. Nigel hatte Recht. »Mist«, sagte er.

»Wir nehmen den Mercedes da draußen. Such die Schlüssel.«

Kit verließ die Küche und lief die Treppe hinauf. In Olgas Schlafzimmer sah er in den Schubladen der beiden Nachttischchen nach, doch die Schlüssel lagen nicht darin. Er griff sich Hugos Koffer und kippte den gesamten Inhalt auf dem Fußboden aus, doch nichts klingelte oder klapperte. Schwer atmend unterzog er Olgas Koffer der gleichen Behandlung – wiederum vergeblich. Schließlich fiel sein Blick auf Hugos Blazer, der über einer Stuhllehne hing. Die Mercedes-Schlüssel steckten in der rechten Tasche.

Als er wieder in die Küche kam, stand Nigel am Fenster und sah hinaus.

»Wieso braucht Elton so lange?«, fragte Kit und merkte selbst, dass seine Stimme schon fast hysterisch klang.

»Ich weiß es nicht«, antwortete Nigel. »Verlier jetzt bloß nicht die Nerven.«

»Und Daisy? Wo bleibt die?«

»Geh raus und lass den Wagen an«, befahl Nigel. »Und wisch den Schnee von den Scheiben!«

»Okay.«

Beim Hinausgehen fiel Kits Blick auf den Parfümzerstäuber, der in seiner doppelten Verpackung auf dem Küchentisch lag. Einer spontanen Eingebung folgend, nahm er das Fläschchen vom Tisch und stopfte es sich in die Jackentasche.

Dann ging er hinaus.

Toni linste um die Hausecke und sah Kit aus der Hintertür kommen. Er ging in die entgegengesetzte Richtung, zur Frontseite des Hauses. Toni folgte ihm und sah, wie er den grünen Mercedes-Kombi aufschloss.

Ihre Chance war gekommen.

Sie zog Eltons Pistole aus dem Hosenbund und entsicherte sie. Im Griff befand sich ein volles Magazin, das hatte sie bereits überprüft. Sie hielt die Waffe nach oben gerichtet, genau so, wie sie es im Schießtraining gelernt hatte.

Sie atmete langsam und ruhig. Sie wusste, wie man sich in solchen Situationen verhielt. Zwar schlug ihr das Herz bis zum Hals, doch ihre Hände zitterten nicht. Sie rannte ins Haus.

Die Hintertür führte in einen kleinen Vorraum, der unmittelbar an die Küche anschloss. Toni riss die Küchentür auf und stürmte hinein. Nigel stand am Fenster und sah hinaus.

»Keine Bewegung!«, schrie Toni.

Nigel fuhr herum.

Sie zielte auf ihn. »Hände hoch!«

Er zögerte.

Die Konturen seiner Pistole zeichneten sich in seiner Hosentasche ab – Toni erkannte, dass die Ausbuchtung in Größe und Form zu jener Waffe passte, die sie selbst in den Händen hielt. »Pfoten weg!«, sagte sie vorbeugend. »Versuchen Sie es gar nicht erst!«

Langsam hob er die Hände.

»Auf den Boden! Gesicht nach unten! Schnell!«

Er kniete nieder, die Hände noch immer erhoben. Dann legte er sich mit gespreizten Armen auf den Boden.

Toni musste ihn entwaffnen. Sie beugte sich über ihn, nahm ihre eigene Pistole in die linke Hand und stieß ihm den Lauf in den Nacken. »Meine Knarre ist entsichert, und ich bin ziemlich nervös«, sagte sie, ging in die Knie und steckte die Hand in seine Hosentasche.

Nigel reagierte blitzschnell.

Er rollte sich herum und traf sie mit seinem rechten Arm. Toni war bereit abzudrücken, zögerte aber den Bruchteil einer Sekunde – und schon war es zu spät. Nigels Attacke warf sie aus dem Gleichgewicht, und sie kippte zur Seite. Um den Sturz abzufangen, stützte sie sich mit der flachen Linken auf den Fußboden – und ließ dabei die Pistole fallen.

Er trat nach ihr und traf sie dabei an der Hüfte, doch Toni fing sich, rappelte sich auf und stand schon wieder, bevor er auf die Füße kam. Nigel war noch auf den Knien, als ihn ihr Tritt traf. Er presste unwillkürlich eine Hand auf die getroffene Wange und fiel nach hinten, erholte sich aber schnell von dem Schlag. Er sah sie an, und sein Blick war voller Hass und Wut, als wäre er aufs Höchste empört darüber, dass Toni es wagte, sich zu wehren.

Toni hob die Pistole auf und zielte auf ihn. Nigel erstarrte in seiner Bewegung.

»Zweiter Versuch«, sagte sie. »Diesmal ziehen Sie die Waffe selber raus. Und zwar langsam.«

Er fasste in seine Tasche.

Toni streckte den rechten Arm mit der Pistole aus. »Und jetzt liefern Sie mir bitte eine gute Ausrede, Ihnen das Hirn wegzublasen.«

Nigel zog die Pistole aus seiner Hosentasche.

»Lassen Sie sie auf den Boden fallen.«

Er grinste. »Haben Sie schon mal auf einen Menschen geschossen?«

»Fallen lassen – sofort!«

»Ich glaube nicht, dass Sie das schon mal getan haben…«

Es stimmte. Toni wusste zwar, wie man mit Waffen umging, und hatte sogar schon verschiedene bewaffnete Einsätze hinter sich, doch wirklich geschossen hatte sie bisher nur auf Pappkameraden. Allein schon die Vorstellung, einem Menschen ein Loch in den Körper zu schießen, war ihr ein Gräuel.

»Sie werden nicht auf mich schießen«, sagte Nigel.

»In einer Sekunde wissen Sie Bescheid«, erwiderte sie.

In diesem Moment kam, mit dem Welpen auf dem Arm, ihre Mutter in die Küche. »Das arme Hundchen hat noch gar kein Frühstück gehabt«, sagte sie.

Nigel hob seine Waffe.

Toni schoss ihn in die rechte Schulter.

Sie stand nur zwei, drei Schritt von ihm entfernt und war eine gute Schützin, weshalb es ein Leichtes für sie war, ihn genau an der richtigen Stelle zu verwunden. Sie drückte zweimal ab, genau wie sie es gelernt hatte. Der zweifache Knall in der Küche war ohrenbetäubend. Der pinkfarbene Pullover zeigte an der Stelle, wo Arm und Schulter zusammentrafen, zwei runde Löcher nebeneinander. Nigel schrie vor Schmerzen auf und taumelte rückwärts gegen den Kühlschrank. Seine Pistole fiel auf den Boden.

Toni war entsetzt, hatte sie es doch noch bis eben für unmöglich gehalten, auf einen Menschen schießen zu können. Es war widerwärtig; sie kam sich vor wie ein Ungeheuer. Ihr wurde schlecht.

»Drecksnutte!«, kreischte Nigel. »Verdammte Drecksnutte!«

Seine Verwünschungen wirkten wie Zaubersprüche: Toni fasste sich sofort wieder. »Sie können heilfroh sein, dass ich Ihnen nicht in den Bauch geschossen habe«, sagte sie. »Runter jetzt!«

Eine Hand auf seine Wunde gepresst, ließ sich Nigel auf den Boden sacken und rollte sich auf den Bauch.

»Ich setz mal Teewasser auf«, sagte Tonis Mutter.

Toni hob die Pistole auf, die Nigel fallen gelassen hatte, sicherte sie und steckte beide Waffen in den Bund ihrer Jeans. Dann öffnete sie die Tür zur Speisekammer.

»Was ist passiert?«, fragte Stanley. »Ist jemand getroffen worden?«

»Ja, Nigel«, erwiderte Toni ruhig, nahm eine Küchenschere aus dem Messerblock und schnitt die Wäscheleine durch, mit der Stanley an Händen und Füßen gefesselt war. Kaum war er frei, nahm er sie in die Arme und drückte sie fest an sich. »Ich danke Ihnen«, murmelte er ihr ins Ohr.

Toni schloss erleichtert die Augen. Der Albtraum der vergangenen

Stunden hatte seine Gefühle nicht geändert. Eine kostbare Sekunde lang erwiderte sie die Umarmung und wünschte von Herzen, sie könne den Augenblick verlängern. Dann reichte sie ihm die Schere und sagte: »Befreien Sie die anderen.« Sie zog eine Pistole aus ihrem Hosenbund. »Kit ist irgendwo in der Nähe. Er muss die Schüsse gehört haben. Ist er bewaffnet?«

»Das glaub ich nicht«, erwiderte Stanley zu Tonis Erleichterung. Das vereinfachte die Sache.

Olga meldete sich zu Wort: »Jetzt lasst uns doch bitte aus diesem bitterkalten Raum raus!«

Stanley drehte sich zu ihr um und wollte ihr gerade die Fesseln durchschneiden, als plötzlich Kits Stimme erklang.

»Keine Bewegung!«

Toni fuhr herum und richtete die Pistole auf ihn. Kit stand in der offenen Tür. Nein, eine Pistole hatte er nicht – aber er hielt einen einfachen Parfümzerstäuber aus Glas in der Hand wie eine Waffe. Toni kannte die Flasche: Es war dieselbe, die sie auf dem Werkschutzvideo gesehen hatte, als sie mit *Madoba-2* gefüllt wurde.

»Hier sind die Viren drin. Einmal gesprüht, und es ist aus mit euch.«

Wie zu Salzsäulen erstarrt, blieben alle stehen.

Kit starrte Toni an. Die Pistole war immer noch auf ihn gerichtet, während er ihr das Spray entgegenhielt. »Wenn Sie mich erschießen, lass ich die Flasche fallen. Dann zerbricht das Glas auf den Fliesen«, sagte er.

»Wenn Sie uns mit dem Zeug einsprühen, bringen Sie sich auch selber um«, antwortete Toni

»Dann sterbe ich eben«, gab er zurück. »Es ist mir inzwischen völlig egal. Ich habe alles auf eine Karte gesetzt, auf diesen einen Coup. Ich hab den Plan ausgearbeitet, meine Familie verraten und mich auf eine Verschwörung zur Ermordung Hunderter, vielleicht sogar Tausender von Menschen eingelassen. Und nun soll ich aufgeben? Lieber sterbe ich.« Ihm fiel auf, dass er die absolute Wahrheit gesagt hatte. Selbst das Geld hatte mittlerweile seine Bedeutung verloren – er wollte nur noch gewinnen.

»Wie konnte es nur so weit kommen, Kit?«, fragte Stanley.

Kit sah seinem Vater in die Augen. Er erkannte Wut in seinem Blick, genau wie erwartet, aber auch tiefen Kummer. Es war der gleiche Blick wie damals, als Mamma Marta gestorben war. Pech für dich, dachte Kit zornig, das hast du dir ganz allein zuzuschreiben. »Für Entschuldigungen ist es jetzt zu spät«, erklärte er barsch.

»Ich hatte nicht die Absicht, mich zu entschuldigen«, erwiderte Stanley traurig.

Jetzt erst entdeckte Kit Nigel, der auf dem Boden saß und sich mit der linken Hand seine blutende rechte Schulter hielt. Damit war klar, was es mit den beiden Schüssen auf sich hatte. Als sie fielen, hatte er sich entschlossen, das virenhaltige Spray als Waffe einzusetzen, und war ins Haus zurückgekehrt.

Nigel rappelte sich auf. »Verdammte Scheiße, das tut vielleicht weh«, sagte er.

»Her mit den Pistolen, Toni!«, sagte Kit. »Und zwar ein bisschen plötzlich, sonst macht's pfffffff …«

Toni zögerte.

»Ich glaube, er meint es ernst«, sagte Stanley.

»Auf den Tisch damit«, forderte Kit.

Toni legte die beiden Pistolen auf den Tisch, gleich neben die Aktentasche, in der die Parfümflasche transportiert worden war.

»Nimm sie an dich, Nigel«, sagte Kit.

Nigel nahm die eine der beiden Pistolen mit der Linken auf und steckte sie in seine Hosentasche. Dann nahm er die zweite, hob sie hoch – und schlug sie blitzschnell Toni ins Gesicht. Sie schrie auf und taumelte rückwärts.

Kit hatte dafür kein Verständnis. Wütend brüllte er Nigel an: »Was soll das denn? Für so 'n Quatsch haben wir keine Zeit! Wir müssen jetzt los!«

»Du hast mir nichts zu befehlen!«, schrie Nigel zurück. »Diese blöde Kuh hat mich angeschossen!«

Ein Blick in Tonis Gesicht verriet Kit ihre Gedanken: Sie war dabei, mit ihrem Leben abzuschließen. Aber es fehlte ihnen die Zeit, genüsslich Rache zu nehmen. »Diese blöde Kuh hat mein ganzes Leben ruiniert«, sagte er, »aber deswegen verlier ich jetzt keine Zeit mit irgendwelchen Strafaktionen. Hör auf damit, Nigel, und komm endlich!«

Nigel zögerte. Mit tückischen Augen starrte er Toni an.

»Los jetzt!«, drängte Kit.

Endlich wandte sich Nigel von Toni ab. »Was ist mit Elton und Daisy?«

»Zum Teufel mit ihnen!«

»Wir sollten wenigstens noch deinen Alten und seine Nutte fesseln.«

»Bringst du's nicht in dein Hirn, dass wir keine Zeit mehr haben, du Idiot?«

»Was hast du da gesagt?«

Nigel schäumte. Sein Blick war teuflisch, und Kit spürte, dass dieser Mensch jetzt nur noch von einem beseelt war: von reiner Mordlust. Wen es traf, schien ihm egal zu sein – in dieser schrecklichen Sekunde aber war er, Kit, das wahrscheinlichste Opfer. In seiner Todesangst riss er den Arm mit dem kleinen Fläschchen hoch und erwiderte Nigels starren Blick.

Endlich wandte Nigel die Augen ab und sagte: »Okay, machen wir, dass wir hier fortkommen.«

Kit lief hinaus. Der Mercedes tuckerte im Leerlauf, und die Motorhaube war bereits so warm, dass der Schnee darauf zu schmelzen begann. Windschutzscheibe und Seitenfenster waren dort, wo er mit den Händen den Schnee hastig weggefegt hatte, frei. Kit sprang hinters Steuer und stopfte dabei die Parfümflasche wieder in die Jackentasche. Vor Schmerzen stöhnend, kletterte Nigel auf den Beifahrersitz.

Kit stellte den Automatikhebel auf Drive und gab vorsichtig Gas. Der Wagen schien losfahren zu wollen, bewegte sich jedoch nicht voran. Der Schneepflug hatte einen halben Meter vor der Motorhaube angehalten, sodass sich vor der Stoßstange ein Schneehaufen von mehr als einem halben Meter Höhe türmte. Kit gab mehr Gas, und diesmal schob sich der Wagen langsam vor und versuchte, das Hindernis beiseite zu drängen. »Nun mach schon!«, sagte Kit. »Du bist doch ein Mercedes! Du wirst doch mit 'n paar Kilo Schnee fertig werden! Wozu hast du denn sonst so 'nen starken Motor?« Vorsichtig trat er das Gaspedal noch etwas weiter herunter; er wollte vermeiden, dass die Reifen durchdrehten. Der Mercedes rückte ein paar Zentimeter vorwärts, und der Schneehaufen wurde rissig und begann sich zu bewegen. Kit warf einen Blick zurück. Sein Vater und Toni standen vor dem Haus und sahen tatenlos zu. Näher trauen sie sich nicht ran, dachte er, sie wissen ja, dass Nigel die Pistolen hat.

Plötzlich gab der Schnee nach und der Wagen preschte vor.

Eine ungeheure Euphorie erfasste Kit, als er auf der freigeräumten Zufahrt beschleunigte. Steepfall war ihm vorgekommen wie ein Gefängnis, aus dem er niemals entkommen konnte – und doch hatte er es geschafft!

Sie rollten an der Garage vorbei, als Daisy vor ihnen auftauchte. Unwillkürlich trat Kit auf die Bremse.

»Was, zum Teufel …?«, murmelte Nigel.

Daisy kam auf sie zu, auf der einen Seite von Craig, auf der anderen von Neds ständig schlecht gelaunter Tochter Sophie gestützt. Daisys Beine schleiften nutzlos hinter ihr her, und ihr Kopf war über und über mit Blut bedeckt. Hinter den dreien stand Stanleys Ferrari, die sinnlichen Kurven zerschlagen und verformt, der blau schimmernde Lack zerstoßen und zerkratzt.

»Halt an und nimm sie mit!«, befahl Nigel.

Kit musste daran denken, wie Daisy ihn erst gestern noch gedemütigt und im Schwimmbecken ihres Vaters beinahe ertränkt hätte. »Die kann mich mal!«, sagte er. Er saß am Steuer, und sie sollte seine Flucht nicht länger aufhalten! Er gab wieder Gas.

Die lange grüne Motorhaube des Mercedes schien sich zu heben wie der Kopf eines Pferdes, das aus dem Stand heraus losgaloppiert, und schoss auf die drei zu. Craig blieb nur eine Sekunde. Er griff mit der Rechten die Kapuze von Sophies Anorak und riss sie daran von der Fahrbahn. Und da sie Daisy mitschleppten, fielen alle drei in den weichen Schnee am Straßenrand. Daisy brüllte vor Wut und Schmerzen.

Das Auto verfehlte sie nur um Zentimeter und raste an ihnen vorbei. Craig bekam gerade noch mit, dass sein Onkel Kit am Steuer saß, und verstand die Welt nicht mehr. Der hätte mich beinahe umgebracht, dachte er und fragte sich, ob Absicht dahinter steckte oder ob Kit gewusst hatte, dass ihnen noch Zeit blieb, beiseite zu springen?

»Du Scheißkerl!«, kreischte Daisy hinter dem Wagen her und hob ihre Pistole.

Kit beschleunigte den Mercedes. Sie rasten an dem zerbeulten Ferrari vorbei und versuchten über die schmale, kurvenreiche Straße entlang der Klippen zu entkommen. Craig war wie gelähmt. Er sah, wie Daisy zielte und dabei trotz der Schmerzen, die sie quälen mussten, eine ruhige Hand bewahrte. Sie drückte ab, und Craig sah, wie eines der hinteren Seitenfenster zerbarst.

Daisy folgte dem davonjagenden Mercedes mit ihrem Arm und gab weitere Schüsse auf ihn ab, wobei die Pistole jedes Mal eine Patronenhülse ausspuckte. Als bereits mehrere Einschusslöcher die Flanke des Mercedes zeichneten, ertönte eine andere Art von Knall. Einer der Vorderreifen war geplatzt, und ein schwarzer Gummistreifen flog durch die Luft.

Etwa eine Sekunde lang fuhr der Wagen geradeaus weiter, dann schlingerte er zur Seite. Die Motorhaube streifte den Schneehaufen am Straßenrand, und eine weiße Fontäne stieg in die Luft. Dann scherte das Heck aus und krachte gegen die niedrige Mauer am Klippenrand. Craig hörte das metallische Kreischen gemarterten Stahls.

Daisy feuerte weiter auf den außer Kontrolle geratenen Mercedes. Die Windschutzscheibe zersplitterte, und dann begann der Wagen sich langsam zur Seite zu neigen, schien zu zögern – und kippte schließlich vollends um. Auf dem Dach rutschte er noch ein Stückchen über die Straße und blieb dann liegen.

Daisy hörte auf zu schießen, schloss die Augen und kippte rücklings in den Schnee.

Craig starrte sie an. Die Pistole fiel ihr aus der Hand. Sophie fing an zu weinen.

Craig griff über Daisy hinweg nach der Pistole, ohne dabei ihr Gesicht aus den Augen zu lassen. Der Gedanke, sie könnte die ihren wieder öffnen, entsetzte ihn. Dann schloss sich seine Hand um die noch warme Pistole.

Er hielt sie in der rechten Hand. Sein Finger krümmte sich um den Abzug. Er zielte auf die Stelle direkt zwischen Daisys Augen. Das Einzige, woran er noch denken konnte, war, dass dieses Ungeheuer ihn und Sophie und seine Familie niemals wieder bedrohen solle. Langsam drückte er ab.

Es klickte. Das Magazin war leer.

Kit lag flach ausgestreckt auf der Innenseite des Mercedesdachs. Sein Körper tat ihm von oben bis unten weh, und sein Nacken schmerzte, als hätte er ihn verrenkt, aber er konnte alle Gliedmaßen bewegen. Mühsam richtete er sich auf. Neben ihm lag Nigel; er war bewusstlos, möglicherweise sogar tot.

Kit versuchte, ins Freie zu kommen. Er zog am Handgriff und stieß gegen die Tür, doch sie rührte sich nicht. Irgendetwas musste sich bei dem Unfall verklemmt haben. Wie von Sinnen hämmerte er mit den Fäusten gegen die Tür – vergeblich. Mehrmals drückte er auf den Knopf für den elektrischen Fensterheber – nichts rührte sich. Panik überkam ihn, und er fürchtete schon, wie in einem Käfig festzusitzen, bis die Feuerwehr kam und ihn herausschnitt. Da fiel sein Blick auf die gesplitterte Windschutzscheibe. Er drückte mit der flachen Hand dagegen und konnte problemlos einen großen Abschnitt der Scheibe hinausschieben.

Durch das Loch in der Windschutzscheibe kroch er nach draußen. Da er nicht auf die Glassplitter achtete, schnitt er sich schmerzhaft in die Handfläche. Er schrie auf und saugte das Blut aus der Wunde, aber er durfte sich keine Pause gönnen. Er rutschte unter der Motorhaube hervor und rappelte sich auf. Der Wind, der vom Meer her kam, blies ihm heftig ins Gesicht. Er sah sich um.

Auf der Straße kamen sein Vater und Toni Gallo auf ihn zugelaufen.

Toni blieb stehen und musterte Daisy, die offenbar das Bewusstsein verloren hatte. Craig und Sophie wirkten völlig verängstigt, schienen aber unverletzt zu sein. »Was ist passiert?«, fragte Toni.

»Sie hat auf uns geschossen«, antwortete Craig, »und da hab ich sie überfahren.«

Toni folgte mit den Augen Craigs Blick und erkannte Stanleys Ferrari, der an beiden Enden verbeult war. Sämtliche Fenster waren kaputt.

»Gütiger Gott!«, stöhnte Stanley.

Toni legte ihre Hand an Daisys Hals und fühlte nach dem Puls. Er war vorhanden, aber nur schwach. »Sie lebt – noch.«

Craig sagte: »Ich hab ihre Pistole, aber sie ist leer.«

Die beiden sind okay, entschied Toni und blickte nach vorn. Der Mercedes lag auf dem Dach, und Kit war gerade herausgeklettert. Toni lief auf ihn zu, und Stanley folgte ihr auf den Fersen.

Kit wollte davonrennen, die Straße entlang Richtung Wald, doch der Unfall hatte ihn schwer mitgenommen und wohl auch verletzt, jedenfalls war sein Rennen mehr ein Torkeln. Das schafft er nie, dachte Toni, und tatsächlich: Schon nach wenigen Schritten stolperte Kit und fiel hin.

Den Wald würde er nie erreichen; er schien es selbst zu merken. Kaum war er wieder auf den Füßen, schlug er die entgegengesetzte Richtung ein und rannte auf die Klippen zu.

Toni hatte den Mercedes erreicht und warf einen raschen Blick hinein. Nigel lag zusammengekrümmt da, die Augen weit aufgerissen, mit dem starren Blick eines Toten. Drei Gangster wären erledigt, dachte Toni: Nummer eins gefesselt, Nummer zwei bewusstlos, Nummer drei tot. Bleibt nur noch Kit.

Kit rutschte auf dem vereisten Fahrweg aus, stolperte, fand sein Gleichgewicht wieder und drehte sich um. Er zog die Parfümflasche aus seiner Jackentasche und hielt sie vor sich wie eine Waffe. »Halt, oder ich bringe uns alle um!«, rief er.

Toni und Stanley blieben stehen.

Schmerz und Wut verzerrten Kits Gesicht. Toni sah einen Mann, der seine Seele verloren hatte. Er war in diesem Zustand zu allem fähig, ein Mann, der seine Familie auslöschen konnte oder sich selbst und der bereit war, die ganze Welt mit sich in den Abgrund zu reißen.

»Hier draußen wirkt es nicht, Kit«, sagte Stanley.

Toni fragte sich, ob das stimmte, und auch Kit schien an der Aussage zu zweifeln, denn er fragte: »Warum nicht?«

»Spürst du nicht den Wind?«, erläuterte Stanley. »Die Tröpfchen werden sich verteilen, bevor sie Schaden anrichten können.«

»Zur Hölle damit!«, schrie Kit und warf die Flasche hoch in die Luft. Dann drehte er sich um, sprang über die niedrige Mauer und rannte, so schnell er konnte, auf den nur wenige Meter entfernten Klippenrand zu.

Stanley sprang ihm nach.

Toni fing die Parfümflasche auf, bevor sie auf dem Boden zerschellen konnte.

Mit einem Hechtsprung gelang es Stanley, Kit an den Schultern zu erwischen, und um ein Haar hätte er ihn festhalten können, doch dann rutschten seine Hände ab. Er stürzte zu Boden, schaffte es im Fallen aber noch, Kits linkes Bein zu packen und sich daran festzukrallen. Als Kit nun ebenfalls stürzte, ragten sein Kopf und seine Schultern weit über den Klippenrand hinaus. Stanley schob sich über ihn und hielt ihn mit seinem Gewicht.

Toni warf einen Blick in die Tiefe. Gut dreißig Meter unter ihnen brodelte die See zwischen zerklüfteten Felsen.

Kit wehrte sich heftig, doch sein Vater drückte ihn fest auf den Boden. Endlich gab er seinen Widerstand auf und lag still.

Stanley stand langsam auf und zog Kit hoch. Kit hielt die Augen geschlossen. Er zitterte und bebte vor innerer Erregung, als hätte er einen Anfall. »Es ist vorbei«, sagte Stanley, legte die Arme um seinen Sohn und hielt ihn fest. »Es ist alles vorbei, Kit.« So standen sie am Klippenrand, und der Wind zerzauste ihnen das Haar, bis Kit sich allmählich beruhigte und aufhörte zu zittern. Da drehte Stanley seinen Sohn sachte um und führte ihn zurück zum Haus.

Die Familie hatte sich im Wohnzimmer versammelt. Es war ziemlich still im Raum. Alle waren sie noch wie benommen und konnten es noch nicht ganz glauben, dass der Albtraum vorüber war. Stanley rief über Kits Handy den Notarzt in Inverburn an, während Nellie versuchte, ihm die Hände zu lecken. In mehrere Decken gewickelt, lag Hugo auf der Couch, und Olga wusch ihm seine Wunden. Ihre Schwester Miranda kümmerte sich in gleicher Weise um Tom und Ned. Kit lag mit geschlossenen Augen auf dem Fußboden. Craig und Sophie saßen in einer Ecke und unterhielten sich flüsternd. Caroline hatte sämtliche Ratten wieder eingefangen und hielt den Käfig auf den Knien. Direkt neben ihr saß Tonis Mutter mit dem jungen Hund auf dem Schoß. Der Weihnachtsbaum funkelte in seiner Ecke.

Toni rief Odette an. »Wie weit, sagtest du, sind diese Hubschrauber entfernt?«

»Eine Stunde«, erwiderte Odette. »Aber das ist inzwischen überholt. Als es zu schneien aufhörte, hab ich sie sofort losgeschickt. Sie sind jetzt in Inverburn und warten auf weitere Instruktionen. Warum fragst du?«

»Ich hab die Bande dingfest gemacht und die Viren zurückgeholt, aber…«

»Dingfest gemacht? Was, du allein?« Odette staunte nicht schlecht.

»Das ist momentan nebensächlich. Es kommt jetzt darauf an, dass wir diesen ›Kunden‹ erwischen, den Kerl, der das Zeug kaufen und damit ein Massaker anrichten will. Den müssen wir finden!«

»Ja, das wäre optimal.«

»Wir könnten es schaffen, wenn wir schnell handeln. Kannst du mir einen Hubschrauber schicken?«

»Wo bist du denn?«

»In Steepfall, Stanley Oxenfords Haus. Es liegt exakt fünfundzwanzig Kilometer nördlich von Inverburn, direkt an der Küste. Die Farm besteht aus vier Gebäuden, die zu einem Rechteck angeordnet sind. Außerdem liegen zwei Autowracks auf dem Gelände, die kann der Pilot von oben sehen.«

»Meine Güte, du warst aber fleißig!«

»Der Heli soll mir eine Wanze mitbringen, so einen Minisender, wie ihr ihn Leuten ansteckt, denen ihr auf den Fersen bleiben wollt. Das Ding muss so klein sein, dass es in einen Flaschendeckel passt.«

»Wie lange muss der Sender denn funktionieren?«

»Achtundvierzig Stunden.«

»Kein Problem. So was müsste auf der Hauptwache in Inverburn vorrätig sein.«

»Noch was. Ich brauche eine Flasche Parfüm, das *Diablerie* heißt.«

»*Das* haben sie bestimmt nicht auf der Hauptwache. Da hilft dann nur eines: Unsere Leute müssen in der Parfümerie auf der Hauptstraße einbrechen.«

»Wir haben nicht viel Zeit… Warte mal.« Olga hatte etwas gesagt. Toni drehte sich nach ihr um und fragte: »Was sagten Sie?«

»Ich kann Ihnen eine Flasche *Diablerie* geben, genau die gleiche, die auf dem Tisch lag. Es ist zufällig das Parfüm, das ich benutze.«

»Danke.« Toni sprach wieder ins Telefon. »Das mit dem Parfüm hat sich erledigt, ich hab schon ein Flakon. Wie schnell kann dein Helikopter hier sein?«

»In zehn Minuten.«

Toni warf einen Blick auf ihre Armbanduhr. »Das ist möglicherweise zu spät.«

»Wo willst du denn hin, wenn er dich aufgelesen hat?«

»Das sag ich dir, sobald ich 's selber weiß«, erklärte Toni und beendete das Gespräch.

Sie kniete sich auf den Fußboden direkt neben Kit. Er war blass und hatte die Augen geschlossen, schlief aber nicht. Er atmete flach, und von Zeit zu Zeit zitterte er am ganzen Körper. »Kit«, sprach Toni ihn an. Er reagierte nicht. »Kit, ich muss Sie was fragen. Es ist sehr wichtig.«

Er öffnete die Augen.

»Sie wollten sich um zehn Uhr mit dem Kunden treffen, nicht wahr?«

Gespannte Stille herrschte im Zimmer. Alle Anwesenden richteten ihre Blicke auf Kit und lauschten.

Kit sah Toni an, sagte aber kein Wort.

»Ich muss wissen, *wo* Sie sich mit ihm treffen wollten«, fuhr Toni fort.

Kit wandte den Blick ab.

»Bitte, Kit.«

Seine Lippen öffneten sich. Toni beugte sich näher zu ihm.

»Nein«, flüsterte er.

»Denken Sie drüber nach«, drängte Toni. »Man wird Ihnen das eines Tages hoch anrechnen.«

»Niemals.«

»Doch, doch. Schlimmes war geplant, aber geschehen ist bisher nicht viel, und das Virus ist wieder unter Kontrolle.«

Seine Augen wanderten von einem Familienmitglied zum anderen.

Toni wusste, was in ihm vorging. »Sie haben Ihrer Familie großes Unrecht angetan, Kit, aber noch scheint niemand Sie im Stich lassen zu wollen. Alle sind noch hier, sind bei Ihnen.«

Kit schloss die Augen.

Toni beugte sich noch ein Stück näher. »Es könnte der erste Schritt zu Ihrer eigenen Rettung sein.«

Stanley wollte etwas sagen, doch Miranda hob die Hand und wandte sich selber an ihren Bruder: »Bitte, Kit, tu nach all diesen furchtbaren Dingen einmal was Gutes! Tu es für dich selber, nur um dir selbst zu beweisen, dass du im Grunde gar kein so schlimmer Kerl bist. Sag ihr, was sie wissen muss.«

Kit presste die Augenlider fest zusammen, und Tränen quollen hervor. Schließlich sagte er: »Flugschule Inverburn.«

»Danke«, flüsterte Toni.

Toni saß im Kontrollturm des Flugplatzes. Außer ihr befanden sich noch Frank Hackett, Kit Oxenford sowie ein Kommissar der schottischen Polizei in dem kleinen Raum. Im Hangar wartete, für neugierige Augen verborgen, der Militärhubschrauber, der sie hierher gebracht hatte. Es war knapp gewesen, doch sie hatten es gerade noch rechtzeitig geschafft.

Kit umklammerte die burgunderfarbene Aktentasche. Seine Miene war ausdruckslos. Er befolgte sämtliche Anweisungen wie ein Automat.

Alle spähten sie durch die großen Fenster auf das Flugfeld hinaus. Die Wolkendecke war aufgebrochen, und Sonnenschein ergoss sich über die schneebedeckte Rollbahn. Von einem anfliegenden Hubschrauber war weit und breit nichts zu sehen.

Toni hielt Nigel Buchanans Mobiltelefon in der Hand und wartete darauf, dass es klingelte. Irgendwann im Laufe der Nacht waren die Batterien leer gewesen, doch da Hugo das gleiche Handy besaß, hatte Toni sich dessen Aufladegerät borgen können, das nun an der Steckdose in der Wand hing.

»Der Pilot hätte sich inzwischen eigentlich melden müssen«, sagte sie sorgenvoll.

»Kann ja sein, dass er sich nur um ein paar Minuten verspätet«, erwiderte Frank.

Toni drückte ein paar Knöpfe und fand die letzte Nummer, die Nigel angewählt hatte. Es war eine Handynummer mit der Zeitangabe 23.45 Uhr. »Kit«, fragte sie, »hat Nigel den Kunden kurz vor Mitternacht angerufen?«

»Nur den Piloten.«

Toni wandte sich an Frank. »Das hier muss die Nummer sein. Ich denke, wir sollten sie anrufen.«

»Okay.«

Sie drückte die Taste für »Wahlwiederholung« und reichte das Gerät an den Kommissar weiter. Er hielt es sich ans Ohr und sagte kurz darauf: »*Yeah*, ich bin's, wo seid ihr?« Er sprach wie Nigel mit Londoner Akzent, deshalb hatte Frank ihn mitgebracht. »So nah schon?« Er beugte sich vor und spähte in den Himmel. »Wir können euch nicht sehen ...«

In diesem Augenblick senkte sich ein Helikopter durch die Wolken herab.

Toni war sofort in Alarmbereitschaft.

Der Polizist beendete das Gespräch. Toni zog ihr eigenes Handy aus der Tasche und rief Odette an, die sich mittlerweile im Lagezentrum von Scotland Yard aufhielt. »Kunde in Sicht.«

Odette klang atemlos; sie konnte ihre Aufregung nicht verhehlen. »Gib mir die Registriernummer am Heck.«

»Moment ...« Toni wartete, bis sie die Kombination aus Buchstaben und Zahlen entziffern konnte, und gab sie an Odette weiter. Odette wiederholte sie und legte auf.

Der Helikopter landete. Seine Rotoren verursachten auf dem Boden einen kleinen Wirbelsturm aus Schnee. Etwa hundert Meter vom Kontrollturm entfernt setzte die Maschine auf.

Frank drehte sich zu Kit um und nickte. »Los mit Ihnen.«

Kit zögerte.

Toni sagte: »Verhalten Sie sich einfach genau so wie geplant. Sagen Sie: ›Wir hatten ein paar Probleme wegen des Wetters, aber am Ende ist alles gut gegangen.‹ Das klappt schon, Kit.«

Mit der Aktentasche unter dem Arm ging Kit die Treppe hinunter.

Toni hatte keine Ahnung, ob er die Anweisungen befolgen würde. Er hatte seit über vierundzwanzig Stunden nicht mehr geschlafen und einen schweren Autounfall sowie einen psychischen Zusammenbruch hinter sich. In diesem Zustand war ihm alles zuzutrauen.

Auf den Vordersitzen des Hubschraubers befanden sich zwei Männer. Einer der beiden – vermutlich der Kopilot – öffnete eine Tür, stieg aus und ging mit eingezogenem Kopf unter den Rotorblättern hindurch. Es war ein untersetzter Mann von mittlerer Größe. Eine Sonnenbrille verdunkelte seine Augen, und er schleppte einen großen Koffer mit sich.

Sekunden später kam Kit ins Blickfeld. Durch den Schnee ging er auf den Hubschrauber zu.

»Ruhe bewahren, Kit«, sagte Toni laut. Frank stöhnte.

Auf halbem Weg trafen sich die beiden Männer. Ein kurzer Wortwechsel folgte. Erkundigte sich der Kopilot nach Nigel? Kit deutete auf den Kontrollturm. Was sagte er? Vielleicht: *Nigel hat mich mit der Ware geschickt.* Oder aber: *Da oben im Tower wartet die Polizei.* Der Mann stellte offenbar noch weitere Fragen. Kit zuckte mit der Achsel.

Tonis Handy klingelte. Es war Odette. »Der Hubschrauber ist auf Adam Hallan zugelassen, einen Bankier in London«, sagte sie. »Aber er ist nicht an Bord.«

»Schade.«

»Keine Sorge, damit haben wir ohnehin nicht gerechnet. Die beiden Piloten sind bei ihm angestellt. Der von ihnen eingereichte Flugplan nennt Battersea Heliport als Ziel – direkt gegenüber von Mr. Hallans Haus am Cheyne Walk.«

»Dann ist er also der große Unbekannte?«

»Darauf kannst du Gift nehmen. Wir sind schon lange hinter ihm her.«

Der Kopilot deutete auf die burgunderfarbene Aktentasche. Kit öffnete sie und zeigte ihm ein Fläschchen *Diablerie* in einem Nest aus Styroporchips. Der Kopilot setzte seinen Koffer ab und öffnete ihn. Er war randvoll mit gebündelten Fünfzig-Pfund-Noten – Toni schätzte, dass es sich um mindestens eine Million, wenn nicht gar zwei Millionen Pfund handeln musste. Kit verhielt sich den Instruktionen entsprechend: Er nahm ein Bündel heraus und blätterte es durch.

Toni sagte zu Odette: »Die Übergabe ist gleich abgeschlossen. Kit prüft gerade das Geld.«

Die beiden Männer auf dem Flugplatz sahen sich an, nickten, schüttelten sich die Hände. Kit händigte dem Kopiloten die burgunderfarbene Mappe aus und hob den Koffer auf. Er war offensichtlich recht schwer. Der Kopilot ging zurück zum Hubschrauber, und Kit verschwand wieder im Kontrollturm.

Der Kopilot war kaum eingestiegen, als der Helikopter auch schon abhob.

Toni hatte noch immer Odette in der Leitung. »Könnt ihr die Signale des Senders in der Flasche empfangen?«

»Laut und deutlich«, sagte Odette. »Jetzt kriegen wir die Kerle.«

ZWEITER WEIHNACHTSFEIERTAG

In London war es kalt. Zwar war hier kein Schnee gefallen, doch peitschte ein eisiger Wind um die alten Gebäude und pfiff durch die krummen Gassen. Die Menschen zogen die Köpfe zwischen die Schultern und schlangen Schals um ihre Hälse. Alle hatten es eilig und suchten die Wärme der Pubs und Restaurants, Hotels und Kinos.

Toni Gallo saß neben Odette Cressy im Fond eines unauffälligen grauen Audi. Odette war eine blonde Frau Anfang vierzig. Sie trug einen dunklen Hosenanzug zu einer scharlachroten Bluse. Auf den beiden Vordersitzen saßen zwei Kommissare, von denen einer fuhr und der andere einen Funkempfänger studierte, der die Richtung vorgab, und dem Mann am Steuer sagte, wie er fahren sollte.

Seit dreiunddreißig Stunden verfolgte die Polizei inzwischen schon die Parfümflasche. Der Hubschrauber war, wie erwartet, in Südwestlondon gelandet. Der Pilot war in ein wartendes Auto umgestiegen und über die Battersea Bridge zu Adam Hallans Haus an der Themse gefahren. Die ganze Nacht hindurch hatte sich der Standort des Senders nicht verändert, das heißt, seine Signale waren kontinuierlich aus irgendeinem Zimmer in dem eleganten Haus aus dem 18. Jahrhundert gekommen. Odette wollte Hallan noch nicht verhaften. Ihr Ziel war es, so viele Terroristen wie möglich in dem Netz zu fangen, das sie ausgelegt hatte.

Toni hatte den größten Teil der Zeit geschlafen. Sie hatte sich schon am ersten Feiertag kurz vor Mittag in ihrer Wohnung hingelegt, um den versäumten Schlaf nachzuholen. In Gedanken flog sie mit dem Helikopter quer über Großbritannien und fürchtete, der winzige

Sender könne doch irgendwann ausfallen. Trotz ihrer Ängste und der inneren Anspannung war sie binnen weniger Sekunden eingeschlafen.

Am Abend war sie nach Steepfall zu Stanley gefahren. Sie hatten eine Stunde lang in seinem Arbeitszimmer gesessen, Händchen gehalten und geredet, und dann war Toni nach London geflogen. Die Nacht hatte sie bei Odette in deren Wohnung in Camden Town verbracht – im Tiefschlaf.

Die Londoner Polizei folgte nicht nur dem Funksignal, sondern sie überwachte auch Adam Hallan sowie seine beiden Piloten. Am Morgen schlossen sich Odette und Toni dem Team an, das Hallans Haus unter Beobachtung hielt.

Ihr Hauptziel hatte Toni erreicht: Die tödlichen Virusproben befanden sich wieder im BSL-4-Labor im Kreml. Nun hoffte sie, auch noch die Hintermänner dingfest zu machen, jene Leute, die für den Albtraum der letzten Tage verantwortlich waren. Sie wollte Gerechtigkeit.

Hallan hatte eine Lunchparty gegeben, und fünfzig Gäste unterschiedlichen Alters und der verschiedensten Nationalitäten waren erschienen, alle ebenso teuer wie salopp gekleidet. Einer der Gäste hatte das Haus mit der Parfümflasche verlassen. Toni, Odette und die Londoner Beschatter verfolgten den Sender bis nach Bayswater und überwachten dort den ganzen Nachmittag über ein Studentenheim.

Erst um sieben Uhr abends setzte sich das Signal wieder in Bewegung.

Eine junge Frau kam aus dem Haus. Im Licht der Straßenlaternen konnte Toni erkennen, dass sie wunderschönes dunkles Haar hatte, voll und glänzend. Sie trug eine Schultertasche, klappte ihren Mantelkragen hoch und ging auf dem Bürgersteig davon. Ein Kommissar in Jeans und Anorak stieg aus einem hellbraunen Rover und folgte ihr.

»Ich denke, jetzt ist es bald so weit«, sagte Toni. »Sie ist auf dem Weg zum Tatort.«

»Ich will es sehen«, erwiderte Odette. »Ich brauche gerichtstaugliche Zeugenaussagen für den Mordversuch.«

Als die junge Frau eine U-Bahn-Station betrat, verloren sie sie aus den Augen. Das Funksignal wurde besorgniserregend schwach, als die Frau unter der Erde verschwand. Eine Weile lang blieb es stationär, dann bewegte es sich wieder; vermutlich war die Frau in eine U-Bahn gestiegen. Sie folgten dem schwachen Signal, beständig fürchtend, es könne ganz verstummen und die Frau könne den Beschatter im Anorak abschütteln. Doch am Piccadilly Circus kam sie wieder an die Oberfläche, und der Kommissar war ihr immer noch auf den Fersen. Als die Frau in eine Einbahnstraße abbog, verloren sie sie erneut aus den Augen, doch eine Minute später meldete sich der Kommissar auf Odettes Handy und berichtete, die Frau sei in ein Theater gegangen.

»Da wird sie das Zeug versprühen«, sagte Toni.

Die zivilen Polizeiwagen fuhren vor dem Theater vor. Odette und Toni gingen hinein, gefolgt von zwei Männern aus dem zweiten Wagen. Die Show, eine Gespenstergeschichte mit Musik, war vor allem bei amerikanischen Touristen beliebt. Das Mädchen mit dem wunderschönen Haar hatte sich in die Schlange der Besucher eingereiht, die ihre vorbestellten Karten abholten.

Plötzlich nahm sie eine Parfümflasche aus ihrer Schultertasche und sprühte sich mit einer raschen Bewegung, die vollkommen natürlich wirkte, Kopf und Schultern ein. Kein Mensch in ihrer unmittelbaren Umgebung nahm davon Notiz. Wenn sich überhaupt jemand Gedanken darüber machte, dann nahm er sicher an, dass die junge Frau sich auf den Mann vorbereitete, mit dem sie sich verabredet hatte. Schönes Haar sollte auch schön duften. Dass das Spray seltsamerweise geruchlos war, schien niemandem aufzufallen.

»Das war schon ganz gut«, sagte Odette. »Aber sie soll's ruhig noch einmal tun.«

Obwohl das Fläschchen nur Wasser enthielt, lief Toni ein kalter Schauer über den Rücken, als sie die Luft einsog. Ohne den Austausch der Flaschen wären jetzt lebende *Madoba-2*-Viren freigesetzt worden, und wer die einatmete, war so gut wie tot.

Die Frau holte ihre Eintrittskarte ab und ging hinein. Odette sprach mit dem Kontrolleur und zeigte ihm ihren Polizeiausweis. Die Beschatter blieben der Frau auf den Fersen. Im Foyer ging sie zur Bar, wo sie sich erneut einsprühte. Dasselbe tat sie in der Damentoilette.

Schließlich setzte sie sich auf ihren Platz im Parkett und besprühte sich noch einmal. Toni vermutete, dass sie beabsichtigte, auch in der Pause wieder zu sprühen und schließlich nach Ende der Vorstellung in den engen Passagen, durch die das Publikum zu den Ausgängen gelangte. Am Ende der Veranstaltung hätte nahezu jeder Zuschauer die feinen Tröpfchen aus der Flasche eingeatmet.

Toni, die sich ganz hinten im Zuschauersaal aufhielt und von dort aus die Frau im Auge behielt, hörte die verschiedensten Dialekte in ihrer Umgebung. Eine Frau, die offenbar aus dem amerikanischen Süden stammte, erzählte, sie hätte den schönsten Kaschmirschal der Welt gekauft; irgendwer aus Boston erzählte, wo er seinen Wagen »gepaakt« hatte; eine New Yorkerin behauptete, sie habe *fünf Dollar* für ein einziges Tässchen Kaffee bezahlen müssen. Hätte die Parfümflasche, wie von den Terroristen geplant, tatsächlich Viren enthalten, so wären all diese Menschen inzwischen mit *Madoba-2* infiziert. Sie wären nach Hause geflogen, hätten ihre Familienmitglieder und Partner in die Arme geschlossen, ihre Nachbarn begrüßt und wären wieder zur Arbeit gegangen. Überall hätten sie von ihren tollen Ferien in Europa erzählt.

Zehn oder zwölf Tage später wären sie krank geworden. »Ich hab mir in London einen lausigen Schnupfen geholt«, hätten sie gesagt und beim Niesen Verwandte, Freunde und Kollegen angesteckt. Die Symptome hätten sich verschlimmert, die Ärzte hätten Grippe diagnostiziert. Erst mit den ersten Todesfällen wäre der Verdacht aufgekommen, dass es sich um etwas sehr viel Schlimmeres als um eine Grippe handeln musste. Und erst, wenn sich die tödliche Infektion bereits mit ungeahnter Geschwindigkeit von Straße zu Straße und von Stadt zu Stadt verbreitete, hätte die Zunft der Ärzte allmählich begriffen, womit sie es hier zu tun hatte – doch dann wäre es längst zu spät gewesen …

Nichts dergleichen würde passieren – doch Toni schauderte unwillkürlich, als sie daran dachte, wie knapp sie der Katastrophe entkommen waren.

Ein gereizter Mann im Smoking kam auf die beiden Frauen zu. »Ich bin der Geschäftsführer«, sagte er. »Was geht hier vor?«

»Wir werden gleich jemanden verhaften«, beschied ihn Odette.

»Vielleicht warten Sie noch eine Minute, bevor Sie den Vorhang aufgehen lassen.«

»Ich hoffe, es gibt kein unnötiges Aufsehen.«

»Da sind wir völlig einer Meinung, das können Sie mir glauben.« Die Zuschauer saßen inzwischen alle erwartungsvoll auf ihren Plätzen. »Okay«, sagte Odette zu den anderen Zivilfahndern. »Wir haben genug gesehen. Holt sie euch, aber ganz lieb und freundlich.«

Die beiden Männer aus dem zweiten Wagen schritten die Gänge hinunter und nahmen an den beiden Enden der Reihe, in der die junge Frau mit dem schönen Haar saß, Aufstellung. Sie blickte erst den einen, dann den anderen Kommissar an. »Bitte folgen Sie uns«, sagte der Beamte, der näher bei ihr stand. Im Zuschauerraum wurde es still. Das Publikum war aufmerksam geworden und beobachtete die Szene. Der eine oder andere mochte glauben, sie gehöre vielleicht schon zur Vorstellung.

Die junge Frau blieb sitzen, nahm jedoch ihre Parfümflasche aus der Tasche und sprühte sich noch einmal ein. Der Kommissar war ein noch junger Mann, der einen kurzen Crombie-Coat trug, den klassischen englischen Stadtmantel. Er schob sich durch die Reihe, in der die Frau saß. »Bitte kommen Sie jetzt mit«, sagte er, worauf sie aufstand, das Fläschchen in die Luft hielt und auf den Zerstäuberkopf drückte. »Sparen Sie sich die Mühe«, sagte der Polizist, »da ist bloß Wasser drin.« Dann nahm er die junge Frau am Arm, führte sie durch die Reihe und dann den Seitengang hinauf.

Toni starrte die Festgenommene an. Sie war jung und attraktiv – und bereit gewesen zum Selbstmord. Toni fragte sich, warum.

Odette nahm der jungen Frau die Parfümflasche ab und ließ sie in einen Beutel der Spurensicherung gleiten. »*Diablerie*«, sagte sie. »Das ist Französisch. Wissen Sie, was es heißt?«

Die junge Frau schüttelte den Kopf.

»Teufelswerk.« Odette wandte sich an den Kommissar. »Legen Sie ihr Handschellen an, und führen Sie sie ab.«

ERSTER
WEIHNACHTSFEIERTAG
EIN JAHR SPÄTER

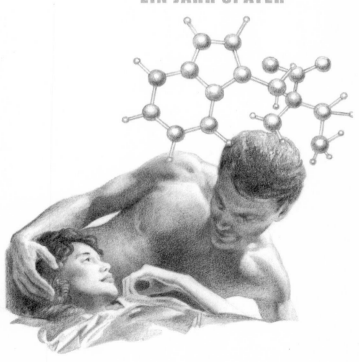

Toni kam nackt aus dem Bad und ging quer durch das Hotelzimmer zum klingelnden Telefon.

»Mein Gott, siehst du gut aus!«, sagte Stanley, der auf dem Bett lag.

Toni grinste ihn an. Ihr Ehemann trug einen blauen Frotteebademantel, der ihm zu kurz war, sodass seine langen, muskulösen Beine zu sehen waren. »Du siehst auch nicht gerade schlecht aus«, sagte sie und nahm den Hörer ab. Es war ihre Mutter, und Toni sagte: »Fröhliche Weihnachten.«

»Dein Verflossener ist im Fernsehen«, sagte Mutter.

»Und was macht er da? Singt er mit dem Polizeichor Weihnachtslieder?«

»Er wird von diesem Carl Osborne interviewt und erzählt gerade, wie er voriges Jahr zu Weihnachten die Terroristen verhaftet hat.«

»*Er* hat sie verhaftet?« Einen Augenblick lang empfand Toni Empörung, dann dachte sie: Ach, zum Teufel damit… »Na ja, er braucht wohl die Publicity – er will befördert werden. Wie geht's meiner Schwester?«

»Sie bereitet gerade das Weihnachtsessen vor.«

Toni warf einen Blick auf ihre Armbanduhr. Hier in der Karibik war es 17.50 Uhr, dann war es bei Mutter in England kurz vor 22.00 Uhr. Aber Bella schaffte es ja nie, ein Essen pünktlich auf den Tisch zu bringen. »Was hat sie dir geschenkt?«

»Wir kaufen im Januar was im Ausverkauf, das ist billiger.«

»Hat dir denn mein Geschenk gefallen?« Toni hatte ihrer Mutter einen Cardigan aus lachsrosafarbenem Kaschmir geschenkt.

»Sehr gut, wirklich. Ich danke dir, meine Liebe.«

»Wie geht's Osborne?« Tonis Mutter hatte den Welpen behalten – allerdings war er nun ein ausgewachsener, großer, zotteliger schwarzweißer Hund, dem die Haare über die Augen wuchsen.

»Er beträgt sich sehr gut. Seit gestern hat er nichts mehr angestellt.«

»Und wie geht's deinen Enkeln?«

»Die rennen durch die Wohnung und machen ihre Geschenke kaputt. Ich muss jetzt aufhören, die Queen ist im Fernsehen.«

»Danke für deinen Anruf, Mutter. Mach's gut.«

Stanley sagte: »Vor dem Abendessen bleibt wohl keine Zeit mehr für ein bisschen … Du-weißt-schon-was?«

Toni spielte die Erschrockene. »Wir hatten doch gerade erst ein bisschen Du-weißt-schon-was!«

»Das ist schon Stunden her! Aber wenn du müde bist … Ich weiß schon, wenn eine Frau erst einmal ein gewisses Alter erreicht …«

»Ein gewisses Alter?« Mit einem Satz war Toni auf dem Bett und kniete sich über Stanley. »Ein gewisses Alter?« Sie packte sich ein Kissen und schlug damit auf ihn ein.

Stanley lachte hilflos und bettelte um Gnade, und Toni gab nach und küsste ihn.

Dass er ziemlich gut im Bett war, hatte sie erwartet – aber dass er sich als absolutes Ass entpuppte, war doch eine Überraschung gewesen. Ihren ersten gemeinsamen Urlaub würde sie nie vergessen. In ihrer Suite im Pariser Ritz hatte er ihr die Augen verbunden und ihre Hände ans Kopfende des Bettes gefesselt. Und während sie nackt und wehrlos dalag, hatte er ihr erst mit einer Feder, dann mit einem silbernen Teelöffel und schließlich mit einer Erdbeere über die Lippen gestrichen. Nie zuvor hatte sich Toni so intensiv auf die Empfindungen ihres Körpers konzentriert. Stanley liebkoste ihre Brüste mit einem Seidentuch, mit einem Kaschmirschal und mit Lederhandschuhen. Toni kam sich vor, als treibe sie auf dem Meer und würde sanft von Wellen der Lust gewiegt. Stanley küsste ihre Kniekehlen, die weichen Innenseiten ihrer Schenkel und ihrer Oberarme, ihren Hals, und er ließ sich bei alledem viel, viel Zeit, bis Toni vor Verlangen fast explodierte. Er rieb mit Eiswürfeln über ihre Brustwarzen und ließ warmes Öl in ihren Körper träufeln. Er ließ sich Zeit, bis Toni ihn anflehte, sie zu nehmen, und ließ sie dann noch einmal eine Weile warten.

Hinterher hatte sie zu ihm gesagt: »Ich hatte keine Ahnung davon – aber ich hab mich mein ganzes Leben lang nach einem Mann gesehnt, der so etwas mit mir macht.«

»Ich weiß«, hatte er geantwortet.

Jetzt war er einfach verspielt. »Na, komm schon«, sagte er, »bloß ein Quickie. Du darfst auch oben sein.«

»Na schön.« Toni seufzte und tat so, als fühle sie sich ausgenutzt. »Was man sich heutzutage als Frau alles bieten lassen muss ...«

Es klopfte an der Tür.

»Wer da?«, rief Stanley.

»Olga. Toni wollte mir eine Halskette leihen.«

Toni sah, dass Stanley drauf und dran war, seine Tochter wegzuschicken. Kurz entschlossen legte sie ihm die Hand auf den Mund und rief: »Ich komme gleich, Olga!«

Sie löste sich von Stanley. Olga und Miranda kamen ganz gut damit zurecht, dass sie eine Stiefmutter hatten, die in ihrem eigenen Alter war, aber Toni wollte ihr Glück nicht allzu sehr strapazieren. Es war schon besser, man erinnerte die beiden nicht dauernd daran, dass ihr Vater ein aufregendes Sexualleben führte ...

Stanley erhob sich vom Bett und ging ins Bad. Toni zog sich einen grünseidenen Morgenmantel über und öffnete die Tür. Olga, die bereits fürs Dinner gekleidet war und ein schwarzes Baumwollkleid mit tiefem Ausschnitt trug, kam herein. »Du sagtest, du leihst mir diese Halskette mit den Jettsteinen.«

»Klar. Ich muss sie nur eben suchen.«

Im Badezimmer wurde die Dusche angestellt.

Olga senkte die Stimme – ein ungewöhnliches Ereignis. »Was ich dich noch fragen wollte ... Hat er sich mit Kit getroffen?«

»Ja, er hat ihn einen Tag vor unserem Abflug im Gefängnis besucht.«

»Und? Wie geht's ihm?«

»Nun, besonders wohl fühlt er sich nicht, eher frustriert und gelangweilt, aber das war ja nicht anders zu erwarten. Immerhin ist er bisher weder zusammengeschlagen noch vergewaltigt worden, und er nimmt auch kein Heroin.« Toni fand die Halskette und legte sie Olga um. »Dir steht sie besser als mir – Schwarz ist wirklich nicht meine Farbe. Wieso fragst du Stanley nicht direkt nach Kit?«

»Er ist so glücklich, ich will ihm nicht die Laune verderben. Dir macht es doch nichts aus, oder?«

»Nein, überhaupt nichts.« Ganz im Gegenteil – Toni fühlte sich geschmeichelt. Olga verhielt sich wie eine Tochter, die sich an ihre Mutter wendet, um etwas über ihren Vater zu erfahren, ihn selbst aber nicht mit Fragen belästigen will, die Männer ungern hören. »Weißt du eigentlich, dass Elton und Hamish im gleichen Gefängnis sitzen?«, fragte sie Olga.

»Nein! Wie schrecklich!«

»So schlimm ist es gar nicht. Kit bringt Elton das Lesen bei.«

»Der kann nicht lesen?«

»Kaum. Er kann ein paar Wörter auf Verkehrsschildern erkennen – Autobahn, London, Stadtmitte, Flughafen und dergleichen. Kit bringt ihm das Lesen jetzt richtig bei, mit Kinderliedern wie *Fuchs, du hast die Gans gestohlen* und so.«

»Die Wege des Schicksals sind unergründlich! Sag mal, hast du schon das Neueste von dieser Daisy gehört?«

»Nein.«

»Sie hat im Frauengefängnis eine Mitgefangene umgebracht und kam wegen Mordes vor Gericht. Ein junger Kollege von mir hat sie verteidigt, was ihr aber nichts half. Sie bekam lebenslänglich, zusätzlich zu ihrer derzeitigen Strafe, und das heißt, dass sie hinter Gittern bleibt, bis sie siebzig ist. Es wäre doch besser, wir hätten noch die Todesstrafe.«

Toni konnte Olgas Hass verstehen. Hugo hatte sich von Daisys Prügelorgie mit dem Totschläger nie wieder richtig erholt. Er war auf einem Auge blind und hatte, was schlimmer war, sein altes Gehabe gänzlich verloren. Er war stiller geworden, nicht mehr der alte Filou, nicht mehr der alte Witzbold. Sein Lausbubengesicht zeigte er nur noch selten.

»Schade, dass ihr Vater immer noch frei herumläuft«, sagte Toni. Harry Mac hatte als Komplize auf der Anklagebank gesessen, doch Kits Zeugenaussage genügte dem Gericht nicht für eine Verurteilung. Die Geschworenen befanden auf »nicht schuldig«, worauf Harry Mac seine kriminellen Geschäfte sofort wieder aufnahm.

»Von dem gibt's auch Neuigkeiten«, antwortete Olga. »Er hat Krebs. Fing in den Lungen an, doch inzwischen hat er überall Metastasen. Die Ärzte geben ihm noch drei Monate.«

»Sieh an, sieh an«, sagte Toni. »Es gibt also doch noch so was wie Gerechtigkeit.«

Miranda legte Neds Kleidung für den Abend heraus – schwarze Leinenhosen und ein kariertes Hemd. Er erwartete das nicht von ihr, doch wenn sie es unterließ, erschien er womöglich völlig geistesabwesend in Shorts und T-Shirt zum Abendessen. Es war nicht so, dass er sich nicht zu helfen wusste – nur waren ihm solche Dinge einfach egal, und Miranda hatte es inzwischen akzeptiert.

Sie hatte eine ganze Menge akzeptiert, was ihn betraf. Sie wusste, dass Ned sich niemals übereilt auf einen Konflikt einlassen würde, nicht einmal dann, wenn es darum ging, sie, Miranda, zu beschützen. Aber sie wusste auch, dass er in einer echten Krise ein Fels in der Brandung war. Er hatte es nachhaltig bewiesen, als er sich, um Tom zu schützen, von dieser Daisy hatte grün und blau schlagen lassen.

Miranda war bereits umgezogen und trug ein pinkfarbenes Baumwollkleid mit Faltenrock. Sie wirkte darin ein bisschen breit um die Hüften – aber, nun ja, sie war eben auch ein bisschen breit um die Hüften. Ned hatte ihr gesagt, dass sie ihm so gefiel, wie sie war.

Sie ging ins Badezimmer. Ned saß in der Wanne und las eine Molière-Biografie auf Französisch. Miranda nahm ihm das Buch weg. »Der Butler ist der Mörder«, sagte sie.

»Jetzt ist die ganze Spannung weg!« Er stand auf.

Miranda reichte ihm ein Handtuch. »Ich schau mal nach den Kindern.« Ehe sie das Hotelzimmer verließ, nahm sie noch ein kleines Päckchen von ihrem Nachttisch und steckte es in ihre Handtasche.

Die Hotelzimmer waren einzelne Hütten an einem Strand. Eine

warme Brise umschmeichelte Mirandas nackte Arme, als sie zu der Hütte ging, die ihr Sohn Tom mit seinem Cousin Craig teilte.

Craig schmierte sich gerade Gel in die Haare, während Tom seine Schuhe zuband. »Alles in Ordnung bei euch?«, fragte Miranda – eine überflüssige Frage, denn die beiden waren braun gebrannt und bester Laune nach einem Tag, den sie mit Windsurfen und Wasserskilaufen verbracht hatten.

Tom war kein kleiner Junge mehr. Er war in den vergangenen sechs Monaten um fünf Zentimeter gewachsen und hatte aufgehört, mit allem und jedem, das ihn bewegte, zu seiner Mutter zu laufen. Miranda war traurig darüber. Zwölf Jahre lang war sie praktisch alles für ihn gewesen. Ein paar Jahre lang würde er noch von ihr abhängig sein, doch die Abnabelung hatte definitiv begonnen.

Sie ging zur nächsten Hütte, die Sophie und Caroline miteinander teilten. Caroline war schon gegangen, und Sophie war allein. Sie stand in Unterwäsche vor dem Kleiderschrank und überlegte, was sie heute Abend anziehen sollte. Missbilligend nahm Miranda zur Kenntnis, dass Sophie einen aufreizenden schwarzen Halbschalen-BH und einen dazu passenden Tanga trug. »Weiß deine Mutter, was für Fummel du da anhast?«

»Ich darf anziehen, was ich will, hat sie gesagt«, erwiderte Sophie mürrisch.

Miranda setzte sich auf einen Stuhl. »Komm her, ich möchte mit dir reden.«

Widerwillig setzte sich Sophie aufs Bett, schlug die Beine übereinander und wandte den Blick ab.

»Es wäre mir wirklich lieber, wenn deine Mutter dir das sagen würde, doch da sie nicht hier ist, muss ich es eben tun.«

»Was sagen würde?«

»Ich halte euch für zu jung für Geschlechtsverkehr. Du bist grade mal fünfzehn, Craig erst sechzehn.«

»Er wird bald siebzehn.«

»Trotzdem, was ihr tut, ist einfach illegal.«

»Nicht in diesem Land.«

Miranda hatte vergessen, dass sie sich nicht im Vereinigten Königreich aufhielten. »Trotzdem. Ihr seid zu jung.«

Sophie verzog ihr Gesicht zu einer angewiderten Grimasse und rollte mit den Augen. »O Gott!«

Miranda ließ nicht locker. »Ich wusste, dass du das nicht gerne hören würdest, aber es musste einfach mal gesagt werden«, sagte sie.

»Gut, jetzt hast du 's gesagt«, erwiderte Sophie patzig.

»Allerdings ist mir auch klar, dass ich euch zu nichts zwingen kann.«

Das war nun doch eine Überraschung – mit Konzessionen hatte Sophie nicht gerechnet.

Miranda zog das Päckchen aus ihrer Handtasche. »Solltet ihr euch also dazu entschließen, gegen meinen ausdrücklichen Rat zu handeln, so möchte ich, dass ihr wenigstens Kondome benutzt.« Sie reichte Sophie das Päckchen.

Sophie nahm es wortlos entgegen. Ihre Miene war ein einziges Fragezeichen.

Miranda erhob sich. »Ich will nicht, dass du schwanger wirst, solange du dich in meiner Obhut befindest.« Sie ging zur Tür.

Als sie das Zimmer verließ, hörte sie Sophie sagen: »Danke.«

Großvater hatte für die zehnköpfige Familie Oxenford einen Nebenraum des Restaurants reservieren lassen. Ein Kellner ging herum und schenkte jedem Champagner ein. Sophie fehlte noch. Sie warteten eine Weile auf sie, dann stand Großvater auf, und alle schwiegen erwartungsvoll. »Zum Abendessen gibt es Steak«, sagte er. »Ich hatte zwar einen Truthahn bestellt, aber der ist offensichtlich davongeflogen.«

Alles lachte, und Großvater fuhr in ernsterem Ton fort: »Im vorigen Jahr hatten wir kein richtiges Weihnachtsfest, deshalb dachte ich, dieses Jahr sollte es ein ganz besonderes sein.«

»Vielen Dank für die schöne Reise, Daddy«, warf Miranda ein.

»Die letzten zwölf Monate waren das schlimmste Jahr meines Lebens – und gleichzeitig auch das beste«, fuhr Stanley fort. »Niemand von uns wird über das, was heute vor einem Jahr in Steepfall passiert ist, jemals vollständig hinwegkommen.«

Craig warf einen Blick auf seinen Vater. Der wurde sicher nie wieder

der Alte. Ein Auge war ständig halb geschlossen, seine Miene freund-lich-nichtssagend. In jüngster Zeit hatte man oft den Eindruck, dass er einfach abschaltete.

Großvater sagte: »Wäre Toni nicht gewesen – Gott allein weiß, wie die ganze Sache ausgegangen wäre.«

Craig sah Toni an. Sie sah wirklich toll aus in ihrem kastanien-braunen Seidenkleid, das ihr rotes Haar bestens zur Geltung brachte. Großpapa war total verknallt in sie. Dem geht es mit Toni so wie mir mit Sophie, dachte Craig.

»Und dann mussten wir diesen Albtraum noch zwei weitere Male durchleben«, rekapitulierte Stanley. »Das erste Mal bei der Polizei. Übrigens, Olga, es würde mich in diesem Zusammenhang sehr inter-essieren, warum Polizisten sich bei der Protokollierung der Aussagen so seltsam verhalten. Sie stellen dir Fragen und schreiben deine Ant-worten auf – und dann tippen sie etwas ab, was überhaupt nichts mit deiner Aussage zu tun hat, voller Fehler steckt und schlichtweg nicht so klingt, wie man es von einem menschlichen Wesen erwarten würde. Das nennen sie dann deine Aussage.«

»Die Staatsanwaltschaft schätzt es, wenn bestimmte Sachverhalte auf bestimmte Weise formuliert werden«, sagte Olga.

»›Ich entfernte mich in westlicher Richtung‹ – so in dem Stil, ja?«

»Genau.«

Großpapa zuckte die Achseln. »Nun denn, lassen wir das. Jedenfalls mussten wir die ganze Geschichte bei der Gerichtsverhandlung *noch einmal* durchleben und mussten uns dabei auch noch anhören, dass eigentlich *wir* die Übeltäter wären, weil wir Leute, die uns in unse-rem eigenen Haus überfallen und gefesselt hatten, verletzt hätten. Und dann durften wir diese dummen Unterstellungen auch noch in der Zei-tung lesen.«

Craig würde es nie vergessen. Der Anwalt dieser Daisy hatte doch tatsächlich behauptet, Craig sei des Mordversuchs an ihr schuldig, weil er sie, als sie auf ihn schoss, mit dem Auto überrollt hatte. Es war lä-cherlich und grotesk – und hatte doch im Gerichtssaal einige Augen-blicke lang vollkommen plausibel geklungen.

Großvater fuhr fort: »Der ganze Albtraum hat mir nachhaltig in

Erinnerung gerufen, wie kurz das Leben ist, und mir wurde klar, dass ich euch allen ohne weiteren Verzug sagen musste, was ich für Toni empfinde. Heute brauche ich euch wohl kaum noch zu erklären, wie glücklich wir sind. Hinzu kam, dass endlich die Genehmigung erteilt wurde, mein neues Medikament im klinischen Test zu erproben. Damit war die Zukunft der Firma gesichert, und ich konnte mir nicht nur einen neuen Ferrari leisten, sondern auch Fahrstunden für Craig finanzieren.«

Während alle lachten, lief Craig rot an. Er hatte niemandem davon erzählt, dass er schon vorher eine Delle in den Ferrari gefahren hatte. Darüber wusste nur Sophie Bescheid. Ihm war es immer noch furchtbar peinlich, und es plagte ihn sein Gewissen. Vielleicht gestehe ich das mal ein, wenn ich richtig alt bin, dachte er, so um die dreißig vielleicht…

»So viel zur Vergangenheit«, sagte Großvater. »Trinken wir auf die Gegenwart! Ich wünsche euch allen fröhliche Weihnachten!«

»Fröhliche Weihnachten!«, antworteten alle im Chor.

Sophie erschien, als der erste Gang serviert wurde. Sie sah wunderbar aus. Sie hatte sich die Haare hochgesteckt und trug schmale, baumelnde Ohrringe. Sie sah so erwachsen aus, mindestens wie zwanzig! Bei dem Gedanken, dass sie seine Freundin war, wurde Craig der Mund trocken.

Als sie an seinem Stuhl vorbeikam, beugte sie sich zu ihm und flüsterte ihm ins Ohr: »Miranda hat mir Kondome geschenkt.«

Er war so überrascht, dass er ein wenig Champagner verschüttete. »Wie bitte?«

»Du hast dich nicht verhört«, sagte sie und setzte sich auf ihren Platz.

Er grinste sie an. Er hatte selbstverständlich seinen eigenen Vorrat mitgebracht. Komische alte Tante Miranda!

Großvater fragte: »Was gibt's zu grinsen, Craig?«

»Ach, ich bin einfach glücklich, Großpapa«, sagte er, »das ist alles.«

Danksagung

Mir wurde das Privileg zuteil, zwei Einrichtungen besuchen zu dürfen, die über BSL-4-Labors verfügen: Im kanadischen Science Center for Animal and Human Health in Winnipeg, Manitoba, beantworteten Stefan Wagener, Laura Douglas und Kelly Keith meine Fragen, in der Health Protection Agency in Colindale, London, David Brown und Emily Collins. Weitere Informationen zu BSL-4-Laboratorien und den dort herrschenden Vorschriften erhielt ich von Sandy Ellis und George Korch.

Auskünfte über Werkschutz und Biosicherheit erhielt ich von Keith Crowdy, Mike Bluestone und Neil McDonald. Über die Vorgehensweise der Polizei im Falle von Biogefährdungen sprach ich mit Assistant Chief Constable Norma Graham, Superintendent Andy Barker und Inspector Fiona Barker, alle von der Central Scotland Police in Stirling.

Zum Glücksspiel berieten mich Anthony Holden und Daniel Meinertzhagen. Außerdem erhielt ich die Erlaubnis, David Antons Manuskript zu seinem Buch *Stacking the Deck*: *Beating America's Casinos at their Own Game* zu lesen.

Viele der oben genannten Experten fand Daniel Starer von Research for Writers in New York für mich.

Für kritische Bemerkungen zu verschiedenen Stadien meines Manuskripts danke ich meinen Lektoren Leslie Gelbman, Phyllis Grann, Neil Nyren und Imogen Tate, meinen Agenten Al Zuckerman und Amy Berkower, Karen Studsrud sowie meiner Familie, vor allem Barbara Follett, Emanuele Follett, Greig Stewart, Jann Turner und Kim Turner.

BASTEI LÜBBE TASCHENBUCH
Band 15 668

1. Auflage: Mai 2007

Vollständige Taschenbuchausgabe
der im Gustav Lübbe Verlag erschienenen Hardcoverausgabe

Bastei Lübbe Taschenbücher und Gustav Lübbe Verlag
in der Verlagsgruppe Lübbe

Titel der amerikanischen Originalausgabe: Whiteout,
Copyright © 2004 by Ken Follett
Copyright © für die deutschsprachige Ausgabe 2005
Verlagsgruppe Lübbe GmbH & Co. KG, Bergisch Gladbach
Titelabbildung: Royalty Free/CORBIS
Umschlaggestaltung: Bettina Reubelt
Illustrationen: Jan Balaz
Satz: Bosbach Kommunikation & Design GmbH, Köln
Druck und Verarbeitung: GGP Media GmbH, Pößneck
Printed in Germany
ISBN: 978-3-404-15668-9

Sie finden uns im Internet unter
http://www.luebbe.de

Der neue, gnadenlos spannende Thriller vom Autor des Bestsellers CRUCIFIX

Richard Montanari
MEFISTO
Roman
608 Seiten
ISBN 978-3-404-15677-1

Sommer in Philadelphia. Doch die Ruhe trügt. Kevin Byrne, Detective der Mordkommission, und seine Partnerin Jessida Balzano werden zu einem bizarren Fall hinzugerufen. Eine Frau ist ermordet worden, und ihr Todeskampf wurde von dem Mörder auf Video aufgenommen, hineingeschnitten in die berühmte Dusch-Szene aus Alfred Hitchcocks »Psycho«. Doch diesmal ist das Blut rot und das Messer real. Bald tauchen weitere Filmklassiker auf, in denen Mordszenen nachgestellt und nachträglich eingefügt wurden. Ist ein Verrückter am Werk, der die Filmgeschichte zum Hintergrund seiner perversen Fantasien macht?

Bastei Lübbe Taschenbuch

»*Trosell gehört ganz klar zur schwedischen Krimi-Elite.*«

Aino Trosell
SIEH IHNEN NICHT
IN DIE AUGEN
Roman
400 Seiten
ISBN 978-3-404-15670-2

Im nordschwedischen Sälen herrscht geschäftiges Treiben. Im Hotel am Platz haben sich ranghohe Politiker, Journalisten und ausländische Honorationen zu der jährlichen Konferenz über Sicherheitsfragen versammelt. Als der Hauptredner des Tages, der schwedische Oberbefehlshaber, seinen Vortrag beendet, erhebt sich ein Mann im Publikum. Er spricht von Vaterlandsliebe und Verrat. Dann richtet er einen Gegenstand auf den Redner. Eine Zehntelsekunde zu spät erkennen die Sicherheitskräfte, was hier geschieht. Siv Dahlin, die im Hotel arbeitet, wird in das Attentat verwickelt und landet unfreiwillig in einem Hexenkessel von Gewalt und Dramatik.

Bastei Lübbe Taschenbuch